Oscar classici

Giovanni Verga

TUTTE LE NOVELLE

volume secondo

Introduzione
di Carla Riccardi

ARNOLDO MONDADORI
EDITORE

5 edizioni Romanzi e Racconti italiani
7 edizioni B.M.M.
17 edizioni Oscar Mondadori
I edizione Oscar classici giugno 1984
X ristampa Oscar classici agosto 1994

Introduzione

di Carla Riccardi

Gli inizi della novellistica verghiana: da « Nedda » a « Padron 'Ntoni »

Dal caso o, meglio, da una crisi immediatamente rientrata nasce Verga novelliere: nel gennaio 1874, dopo un anno di infruttuoso soggiorno milanese e al ritorno dal consueto viaggio natalizio in Sicilia, lo scrittore entra in una fase negativa, di scoraggiamento grave al punto da fargli meditare il rientro definitivo in famiglia e l'abbandono della carriera letteraria. Nel giro di pochissimi giorni, verso la fine del mese, il momento di sconforto, dovuto in parte al rifiuto di Treves di pubblicare *Tigre reale* e *Eros*, è superato per lasciare il posto a una combattiva e risoluta coscienza di sé, del proprio coraggio e della propria volontà di riuscire, suscitata o forse rafforzata da varie offerte di collaborazione a riviste e giornali con scritti brevi e, in particolare, novelle. Verga accetta, anche e soprattutto per risolvere i problemi economici causati dalle spese affrontate per ben comparire nell'alta società milanese. Nel pieno del carnevale, nell'atmosfera delle feste e dei teatri scrive in tre giorni *Nedda*, abbandonandosi a una « fantasticheria » da caminetto e recuperando quasi per contrasto scene e personaggi del mondo isolano.

La novella è pubblicata nella « Rivista italiana di Scienze, Lettere e Arti » il 15 giugno 1874 e ristampata alla fine dello stesso mese in opuscolo presso l'editore Brigola di Milano (con il sottotitolo «Bozzetto siciliano »).[1]

[1] Nel 1877 era ristampata al seguito dei racconti di *Primavera* (Milano, Brigola, 1877) e nel 1880 collocata all'inizio dello stesso volume ripubblicato dal Treves e ribattezzato *Novelle*, Nuova edizione riveduta dall'autore. Tredici anni dopo, nel '93, ricomparve nel « Numero speciale di Natale e Capodanno » dell'« Illustrazione italiana » insieme a *Fantasticheria* e *Jeli il pastore* con disegni di Arnaldo Ferraguti. Nel 1897, pubblicando un'edizione illustrata di *Vita dei campi*, il Verga la recuperò definitivamente inseren-

Il successo di *Nedda* provoca richieste di altri racconti da parte degli editori: già nel luglio '74 Verga progetta di scriverne per le riviste di casa Treves, sempre esclusivamente attirato dalla possibilità di facile guadagno e ben lontano dal pensare a un'originale ricerca narrativa, tanto da confermare le parole di Luigi Capuana nella recensione, apparsa nel « Corriere della Sera » del 20-21 settembre 1880, a *Vita dei campi*:

Quando il Verga scrisse la *Nedda* forse non credeva d'aver trovato un nuovo filone nella miniera quasi intatta del romanzo italiano.[1]

In realtà *Nedda* è una sperimentazione inconsapevole: un soggetto originale, affiorato da ricordi lontani, è realizzato in una struttura narrativa canonica: premessa – sfondo paesistico – presentazione generale dei personaggi – messa a fuoco della protagonista e della sua vicenda personale (si veda la minuta descrizione fisica di Nedda, quasi manzoniana, come manzoniana è la sequenza del ritorno a casa) – fasi evolutive della storia d'amore con Janu. L'esperimento è consegnato all'impacciata e faticosa mimesi dei dialoghi di personaggi « plebei » (battute a botta e risposta, senza didascalie introduttive, uso del proverbio e della parola generatrice di discorso, in minima percentuale, però), negli incerti accenni di discorso indiretto libero, evidenziato con la punteggiatura o con il corsivo, nel lessico sostanzialmente normale (con parecchi toscanismi, residuo dello sforzo di formarsi uno strumento linguistico regolare) in cui si inseriscono nomi e parole siciliani (anche i versi di una canzone popolare), corpi estranei, segnalati come tali dal corsivo.

Nell'estate del '74, tornato in Sicilia, Verga prepara le novelle che formeranno il volume di *Primavera*, qualcosa forse recuperando da un tentativo fallito del '73:[2] *Le storie del castello di Trezza* (pubblicato nell'« Illustrazione italiana » dal 17 gennaio al 7 febbraio 1875), in particolare, sono indicate come un racconto « giovanile, primitivo, e vecchio diggià », « un vero

dola nel volume al terzo posto dopo *Cavalleria rusticana* e *La Lupa*. Treves, tuttavia, continuò a ristamparla nel volume *Novelle*, che nel 1887 era giunto alla quarta edizione, fino al 1914.

[1] La recensione fu poi pubblicata in *Studi sulla letteratura contemporanea*, 2ª serie, Catania, 1882 ed è ora leggibile in L. Capuana, *Verga e D'Annunzio*, a cura di M. Pomilio, Bologna, Cappelli, 1972.

[2] « Colle novelle credo d'aver fatto fiasco alla prima prova », scrive al Treves il 12 ottobre di quell'anno, v. p. IX, nota 1.

peccato di gioventù » in due lettere del 1887 a Édouard Rod, ma la stessa definizione si può adattare a *X* (uscita nella « Strenna italiana » 1874) e a *Certi argomenti* (scritta nell'autunno '75 e pubblicata nella « Strenna italiana » 1876), testi « vecchia maniera », sia nei temi sia nello stile, assai probabilmente, quindi, ricavati da vecchi materiali giacenti nel cassetto (*X*, in particolare, da una primitiva stesura di *Tigre reale*).

Più nuovi, invece, *Primavera* e *La coda del diavolo* (ambedue pubblicati nell'« Illustrazione italiana », rispettivamente il 1° e 7 novembre 1875 e il 16 e 23 gennaio 1876), l'uno un presentimento di *Per le vie*, l'altro un tentativo di « dramma intimo ».

Se *La coda* è interessante per il recupero di paesaggi e riti isolani (Catania, la festa di Sant'Agata, l'usanza della *'ntuppatedda*), iniziato già nelle *Storie* con una sequenza descrittiva, forse aggiunta durante i ritocchi, del mare e dei pescatori di Aci Trezza,[1] *Primavera* è un esperimento anche stilisticamente e linguisticamente nuovo di inserire la parlata milanese della protagonista femminile, la Principessa, e di filtrare in discorso indiretto libero le chiacchiere delle compagne di lavoro:

si ciarlava sottovoce [...] del nuovo *moroso* della Principessa, e si rideva molto di *quest'altro*, il quale aveva un soprabitino *che sembrava quello della misericordia di Dio.*

I termini dialettali e i frammenti di discorso riferiti sono ancora segnalati dal corsivo, come in *Nedda* (si ricordino le « rose *che si sarebbero mangiate* » del fazzoletto di Nedda), mentre più riuscito è il racconto in indiretto libero della storia con *l'altro:*

A casa non erano ricchi, per dir la verità; [...] e allora la Principessa era entrata in un magazzino di mode per aiutare alquanto la famiglia. Colà, un po' le belle vesti che vedeva, un po' le belle parole che le si dicevano, un po' l'esempio, un po' la vanità, un po' la facilità, un po' le sue compagne e un po' quel giovanotto che si trovava sempre sui suoi passi, avevano fatto il resto. [...] il babbo era un galantuomo, la mamma una santa donna; sarebbero morti di dolore se avessero potuto sospettare *la cosa*, e non l'aveano mai creduto possibile, giacché avevano esposto la figliuola alla tentazione. La colpa era tutta sua... o piuttosto non era sua; ma di chi era dunque? Certo che non avrebbe voluto conoscer *quell'altro*, ora che

[1] V. pp. VIII-IX.

conosceva il suo Paolo, e quando Paolo l'avrebbe lasciata non voleva conoscer più nessuno...

Elementi originali sono mescolati a residui scolastici, tipici dei testi di formazione, forme letterarie o toscane, interventi diretti nella narrazione, come l'allocuzione finale al « povero grande artista da birreria », preceduta dal patetico addio della Principessa, concluso dall'altrettanto patetico e incongruo commento pietistico dell'autore.

Il volume esce nell'autunno 1876 (il 25 ottobre secondo un « Preventivo » autografo) presso il Brigola di Milano, che Verga sceglie dopo il raffreddamento dei rapporti con Emilio Treves a causa delle difficoltà nelle trattative per *Tigre reale* e *Eros.*[1]

Contemporaneamente Verga lavora a un altro filone tematico, quello, per così dire, intravvisto nell'alba marina osservata da Nata e Giorgio in *Tigre reale* e nella citata sequenza descrittiva delle *Storie del castello di Trezza:*

il cielo era di un azzurro cupo, striato di vapori lattiginosi, e leggermente rosato verso l'oriente; sul mare ancora grigio e fosco si vedeva per l'ampia distesa la lunga fila delle vele dei pescatori.[2]

Il mare era levigato e lucente; i pescatori sparsi per la riva, o aggruppati dinanzi agli usci delle loro casipole, chiacchieravano della pesca del tonno e della salatura delle acciughe; lontan lontano, perduto fra la bruna distesa, si udiva ad intervalli un canto monotono e orientale, le onde morivano come un sospiro ai piedi dell'alta muraglia, la spuma biancheggiava un istante, e l'acre odore marino saliva a buffi, come ad ondate anch'esso. La baronessa stette a contemplare sbadatamente tutto ciò, e sorprese sé stessa, sé posta così in alto nella camera dorata di quella dimora signorile, ad ascoltare con singolare interesse i discorsi di quella gente posta così in basso al piede delle sue torri. Poi guardò il vano nero di quei poveri usci, il fiammeggiare del focolare, il fumo che svolgevasi lento lento dal tetto; [...] guardò di nuovo la spiaggia, il mare, l'orizzonte segnato

[1] G. Verga, *Primavera ed altri racconti*, Milano, Brigola, 1876. Il titolo e la data 1876 sono legittimati da quella che dovette essere una prima legatura del volume senza *Nedda* in ultima posizione come sarà nei volumi che recano il titolo abbreviato in *Primavera*, la prima novella verghiana in ultima sede e data 1877. Di questa doppia identità, caso non infrequente nell'editoria ottocentesca, è rimasta evidentemente traccia troppo labile per essere ricordata nei repertori bibliografici d'epoca.

[2] G. Verga, *Una peccatrice*, *Storia di una capinera*, *Eva*, *Tigre reale*, Milano, Mondadori, 1970, p. 413.

da una sfumatura di luce, l'ombra degli scogli che andava e veniva coll'onda.

È la disposizione psicologica in cui Verga si trova nel maneggiare la materia di una novella che già nell'autunno '74 progetta di scrivere per i giornali di Treves e della quale il 18 dicembre invia all'editore una prima parte, sottolineandone la novità sotto tutti gli aspetti:

Eccovi la Novella; anzi una e mezza. Vi ho mandato anche il principio della seconda perché possiate farvi un'idea del genere diverso, e vedere liberamente se fa per voi. Il seguito della seconda ve lo porterò io stesso, quando l'avrò finita, venendo fra breve a Milano.[1]

Del racconto non si avrà, invece, notizia fino al settembre successivo, quando, il 25, Verga annuncia a Treves:

Vi manderò presto *Un sogno* per l'Ill.e Un.e e in seguito *Padron 'Ntoni*, il bozzetto marinaresco di cui conoscete il principio, per il Museo d. Fam.e. Avrei potuto finirlo e mandarvelo anche prima, ma vi confesso che rileggendolo mi è parso dilavato, e ho cominciato a rifarlo di sana pianta, e vorrei riuscire più semplice, breve ed efficace.

L'identificazione della « mezza novella » del dicembre '74 con il bozzetto *Padron 'Ntoni* ci sembra, pur da questi pochi dati, sicura (si pensi che le altre novelle scritte in quel periodo o erano già pubblicate o avevano comunque una collocazione editoriale). Nel fondo dei microfilms di autografi verghiani si è rintracciato, inoltre, un manoscritto dei *Malavoglia* che dati interni e esterni indicano come una primitiva stesura, anzi una copia in pulito di una redazione più antica e notevolmente più ridotta del romanzo: esso è acefalo, manca cioè delle prime 44 carte (forse quelle già spedite all'editore), e incompiuto come il bozzetto marinaresco; il racconto è tradizionale, tutto in discorso indiretto, con pochissimi dialoghi, rivela uno stile immaturo, una struttura schematica, tipici degli abbozzi verghiani (si vedano, ad esempio, quelli del *Mastro-don Gesualdo*), è, insomma, una elaborazione provvisoria del materiale narrativo in tutto cor-

[1] La prima lettera al Treves si legge in V. Perroni, *Sulla genesi de « I Malavoglia »*, in « Le ragioni critiche », « Speciale » su G. Verga, ottobre-dicembre 1972; la seconda, come le altre citate, in *Storia de « I Malavoglia » - Carteggio con l'editore e con L. Capuana*, a cura di L. e V. Perroni, in « Nuova Antologia », 16 marzo - 1° aprile 1940.

rispondente all'autocritica espressa nella lettera del '75 all'editore. L'evoluzione del bozzetto sarà assai diversa e quasi tutto il vecchio racconto resterà lettera morta; ne sopravviverà solo una parte, l'episodio degli amori di 'Ntoni con la gnà Peppa o Pudda e con Grazia che sarà utilizzato per costruire *Cavalleria rusticana*. Questa la trama del bozzetto: 'Ntoni, non ancora Malavoglia, ma Piedipapera, soprannome di Indilicato, torna da soldato ed è abbandonato dalla gnà Peppa o Pudda perché è diventato povero dopo l'affare dei lupini. Insieme al nonno e ai fratelli è costretto a lavorare a giornata nella barca di padron Cipolla. Corteggia la figlia di questi, Grazia, con cui si fidanza. Arriva la notizia della battaglia di Lissa. 'Ntoni rompe il fidanzamento e vuole andar via dal paese. Scoppia il colera, muore la Longa.

Il rapporto tra l'autografo malavogliesco e quello di *Cavalleria* è di parentela strettissima: la novella nasce dall'episodio degli amori di 'Ntoni con la gnà Peppa o Pudda (corrisponderà in parte a Lola) e con la gnà Grazia (corrisponderà a Santa) ed è elaborata parzialmente sul testo stesso del bozzetto.

L'epos rusticano: « Vita dei campi »

La storia di *Padron 'Ntoni* è legata così intimamente, in un rapporto di tipo genetico, a quella di *Vita dei campi*, una raccolta tutta proiettata verso le soluzioni tematiche e stilistiche del romanzo. I testi di *Vita dei campi* sono elaborati contemporaneamente ai *Malavoglia*: non si è in grado di dire se *Cavalleria* nasca già nel '75 dal bozzetto scartato poiché troppo più tarda è la prima edizione in rivista (nel « Fanfulla della Domenica » del 14 marzo 1880).[1] Certo tra l'agosto '78 e l'agosto '79 sono scritti e pubblicati *Rosso Malpelo* e *Fantasticheria*, indicati come già pronti, insieme a *Il come, il quando ed il perché*, « per un volume di novelle da dare a Treves » in un « preventivo » autografo datato « 9 Novembre 79 », mentre il 15

[1] Del resto nel 1876 Verga non ha ancora riscritto *Padron 'Ntoni*, anche se resta fermo il rifiuto del primo testo: « *Padron 'Ntoni*, della quale vi avevo anche mandato la prima parte, [...] non mi piace più e intendo rifar[la]. Potete annunziarlo pel prossimo numero dell'*Ill.e.* » annuncia al Treves, con previsioni ottimistiche sulla conclusione del bozzetto, il 29 ottobre 1876.

novembre ha inizio la stesura di *Jeli il pastore*, come risulta dalla data apposta dall'autore in capo al primo abbozzo e curiosamente ripetuta nel secondo e nel terzo quasi per corredarli di un atto di nascita, dato che è fuor di discussione che le tre stesure e per la loro ampiezza e per la quantità delle correzioni non furono scritte in un sol giorno. Tutti gli altri racconti sono composti e pubblicati in riviste e periodici tra il febbraio e i primi di luglio dell' '80.[1]

Nel raccoglierli in volume il Verga li sottopone alla consueta revisione lessicale volta a eliminare imprecisioni o eccessi di letterarietà, intervenendo pochissimo sulla sintassi. Modifica profondamente, invece, *L'amante di Gramigna*, dilatando le poche e stringenti pagine della redazione in rivista, banalizzandola, rompendo il ritmo quasi epico del racconto. È probabile che l'ampliamento sia dovuto all'esigenza di ingrossare il volume, piuttosto esile, tanto che il Treves propone di aggiungervi *Il come, il quando ed il perché*, novella del genere « dramma intimo » decisamente dissonante rispetto alle altre. Verga riesce a evitare « quel pasticcio del *Come* » sottolineando l'unità d'ispirazione, tema e stile delle « novelle di argomento rusticano », sicché il libro esce alla fine d'agosto aperto da *Fantasticheria*, racconto programmatico, seguito da *Jeli il pastore*, *Rosso Malpelo*, *Cavalleria rusticana*, *La Lupa*, *L'amante di Gramigna*, *Guerra di Santi*, *Pentolaccia* (lo indichiamo con la sigla *T1*).

Il volume incontra il favore dei critici, influenzati forse dalla lusinghiera recensione del Capuana apparsa nel « Corriere della Sera » del 20-21 settembre, e soprattutto del pubblico, e in pochi mesi è esaurito, se nella primavera del 1881 l'editore si accinge a ristamparlo, tornando alla carica per inserirvi *Il come, il quando ed il perché*.

Verga, pur di non inquinare la raccolta con una novella così dissonante ed estranea, offre al Treves in cambio di quella

[1] *Fantasticheria*, in « Fanfulla della Domenica », 24 agosto 1879; *Rosso Malpelo*, in « Il Fanfulla », 2 e 4 agosto 1878, poi in opuscolo a cura della Lega italiana del « Patto di Fratellanza », Roma, Forzani, 1880; *Jeli il pastore*, parzialmente in « La Fronda », 29 febbraio 1880; *Cavalleria rusticana*, in « Fanfulla della Domenica », 14 marzo 1880; *La Lupa*, in « Rivista nuova di Scienze, Lettere e Arti », febbraio 1880; *L'amante di Gramigna* col titolo *L'amante di Raja* in « Rivista minima », febbraio 1880; *Guerra di Santi* in « Fanfulla della Domenica », 23 maggio 1880; *Pentolaccia* in « Fanfulla della Domenica », 4 luglio 1880.

tre racconti nuovi, *La roba, Cos'è il Re* e *Storia dell'asino di S. Giuseppe*, non preoccupandosi di sprecare e di far passare probabilmente sotto silenzio il primo nucleo dell'altro volume di *Vita dei campi* (che in seguito avendo cambiato editore intitolerà *Novelle rusticane*, il secondo della serie progettata che si sarebbe conclusa con una *Vita d'officina*, poi *Per le vie*).[1]

Vita dei campi esce, quindi, nel 1881 (*T2*) recando in coda la novella incriminata, ma senza nessun'altra modifica: anzi la composizione del volume era stata fatta evidentemente sugli stessi piombi del 1880, poiché non solo è identica l'impaginazione, ma non vi sono neppure corrette le numerose sviste tipografiche di cui il Verga si era lamentato già l'anno precedente col Treves, senza poi prendersi la briga di correggerle.

Della raccolta non si hanno altre ristampe fino al 1892, anno in cui esce sempre pei tipi del Treves col titolo mutato di *Cavalleria rusticana ed altre novelle* e con l'originario *Vita dei campi* confinato a sopratitolo (*T3*). Motivi commerciali conseguenti la fortuna di *Cavalleria rusticana* in versione teatrale e musicale dovettero essere la causa del cambiamento, come pure della diversa disposizione delle novelle: prima *Cavalleria rusticana* e *La Lupa* (i due drammi di successo), poi *Fantasticheria, Jeli il pastore, Rosso Malpelo, L'amante di Gramigna, Guerra di Santi, Pentolaccia, Il come, il quando ed il perché*. Ancor più del nuovo titolo è questa diversa collocazione dei racconti che falsa la raccolta, ponendola in un'ottica sbagliata, e che compromette i rapporti non tanto effettivamente cronologici, quanto di successione ideale dei racconti. A parte la diversa disposizione, la stampa del 1892 non muta la situazione del testo, riproducendo fedelmente le due precedenti, compresi i refusi e l'impaginazione.

Un fatto nuovo si verifica nel 1893, quando Verga pubblica nel « Numero speciale di Natale e Capodanno dell'Illustrazione italiana » (siglato *Ill.*) *Jeli il pastore*, *Fantasticheria* (col titolo mutato in *Fantasticherie*) e *Nedda*, accompagnate da illustrazioni a colori di Arnaldo Ferraguti.

Jeli e *Fantasticheria* presentano qui rispetto a *T1* varianti lessicali e interpuntive in numero rilevante, ma non tali da

[1] V. lettera del 10 aprile in G. Verga, *Vita dei campi*, Milano, Mondadori, 1959, *Nota*, p. 166.

incidere in modo decisivo sulla fisionomia delle novelle, tanto che non passeranno neppure nella edizione del 1897 (*T4*), rimanendo, tranne pochissime, lettera morta.

Il « Numero speciale dell'Illustrazione », se ha poche conseguenze sul testo, si dimostra tuttavia importante per altri motivi: anzitutto perché sottolinea una volta di più un comportamento costante del Verga, il tornare sui propri testi, anche se a grande distanza dalla prima edizione; rivela, inoltre, l'intenzione dello scrittore di correggere *T1* quando gli si offre l'occasione e, infine, fatto più interessante ai fini della storia del testo, prova che tra il 1880 e il 1893 l'autore non aveva mai messo mano a *T1* per apportarvi modifiche sostanziali.

La vera svolta nella storia del testo di *Vita dei campi* avviene nel 1897 quando Treves fa uscire un'edizione di lusso della raccolta (la già citata *T4*) interamente illustrata da Arnaldo Ferraguti: per *Jeli*, *Fantasticheria* e *Nedda* sono naturalmente riprodotte le illustrazioni già preparate per il « Numero speciale », la cui ottima riuscita dovette convincere l'editore ad affrontare l'impresa di un volume completamente illustrato, giacché l'autore ne aveva in mente il progetto da quasi dieci anni.

Nel nuovo volume è ripristinato il titolo originale di *Vita dei campi*, espunto *Il come, il quando ed il perché* e aggiunta *Nedda*, il cui recupero iniziato nel 1893 diventa qui definitivo, ragione non ultima forse l'esistenza di illustrazioni già pronte e la solita esigenza editoriale di rendere più consistente il libro, in quanto stupisce l'inserimento qui di un testo estremamente significativo sì, ma assai lontano come soluzioni narrative e stilistiche dal gruppo più omogeneo e compatto delle altre otto novelle. Non muta, invece, rispetto all'edizione del 1892, l'ordinamento delle novelle, a parte l'aggiunta di *Nedda* dopo *La Lupa.* E il Verga dovette lagnarsene con Giuseppe Treves, se questi gli rispondeva piuttosto seccamente il 14 gennaio 1897: « La disposizione è tua. Non ti hanno forse mandato le bozze? ».[1]

Le novità vanno oltre i mutamenti esteriori e riguardano soprattutto il testo che subisce notevoli trasformazioni a livello stilistico (*Jeli*, *Rosso Malpelo*, *Pentolaccia*) e strutturale (*L'a-*

[1] V. *Nota cit.*, p. 167.

mante di Gramigna). La rielaborazione delle novelle, esclusa da quanto detto sopra per il « Numero speciale » l'ipotesi di correzioni attuate nel decennio '80-'90 e tenute nel cassetto fino al 1897, dovette avvenire quasi interamente durante la fase di rilettura delle bozze, se il proto dei Treves, Enrico Brunetti, scriveva al Verga il 26 novembre 1896:

Il signor Emilio, avendo osservato ch'Ella negli ultimi bozzetti ha fatto moltissime correzioni, ha creduto bene di fargli rispedire le bozze corrette, nel dubbio che le possa sfuggire qualche errore. Spero anche che ora Ella non avrà però che a riscontrare il già fatto, ma non a fare molte nuove correzioni.[1]

L'edizione, tuttavia, scarsamente accessibile per il prezzo e la tiratura limitata passa sotto silenzio (non raccoglie neppure una recensione), cosicché per 43 anni si continua a pubblicare senza turbamenti il testo del 1892,[2] finché nel 1940 escono presso l'editore Mondadori due volumi comprendenti tutte le novelle pubblicate dal Verga, per le cure di Lina e Vito Perroni. *Vita dei campi* appare nel primo volume in una redazione diversa da quella conosciuta (mentre la disposizione è la stessa del 1892, è esclusa cioè *Nedda* e aggiunto *Il come* all'ultimo posto), senza una riga di spiegazione da parte dei curatori sulla provenienza del nuovo testo, né sulle ragioni critiche della loro operazione.

Nel 1957, infine Giovanni Cecchetti nell'articolo *Il testo di « Vita dei campi » e le correzioni verghiane*[3] rivela l'esistenza dell'edizione illustrata del 1897, sostenendo che l'edizione Mondadori 1940 (siglata *M1*) era stata esemplata su quella.

In realtà, *M1*, se a una prima lettura si presenta come la copia fedele di *T4*, a un raffronto più puntuale dimostra la sua infedeltà, poiché, pur essendo assai prossimo a *T4*, se ne discosta conservando in parecchi punti la lezione di *T1* e introducendone in pochissimi altri di nuove. L'ipotesi più probabile è che *M1* riproduca bozze o altro materiale preparato per l'edi-

[1] V. *Nota, cit.*, p. 168.
[2] Furono quattro le riedizioni prima della mondadoriana del 1940: due ancora presso Treves nel 1912 e nel 1917, la terza presso l'editore Barion di Milano nel 1923 e la quarta pei tipi del Bemporad di Firenze nel 1929, tutte col titolo: *Vita dei campi - Cavalleria rusticana ed altre novelle.*
[3] Pubblicato in « Belfagor », novembre 1957, ora in *Il Verga maggiore - Sette studi*, Firenze, La Nuova Italia, 1968.

zione illustrata, contaminati dai curatori con la ristampa Bemporad del 1929, la quale presenta numerosi e non sempre giustificati interventi redazionali.

Fin qui la storia del testo di *Vita dei campi*:[1] in questa sede basti dire che la soluzione da noi proposta è di pubblicare come testo base *T1*, in quanto documento di una fase essenziale nell'evoluzione della narrativa verghiana, sia dal punto di vista tematico che stilistico, riportando in apparato le varianti di *T4*, testimonianza dell'ultima crisi espressiva del Verga, che, riprendendo in mano a distanza di diciassette anni il libro chiave della sua esperienza di scrittore, ne smonta l'originario sistema linguistico e sintattico, attuando una normalizzazione del testo, e vi sovrappone soluzioni stilistiche più recenti, ad esempio del *Mastro-don Gesualdo*.

Si determina cioè il passaggio da una sintassi coordinata, anormale, a una struttura rigidamente subordinante, attraverso la soppressione dei nessi irrazionali: i « che » e gli « e » verghiani sono svolti negli avverbi che introducono avversative, causali, consecutive, temporali, mentre spariscono i continui cambiamenti di soggetto che spostano l'attenzione da un argomento all'altro con la irrazionale casualità tipica del parlato popolare. I periodi lunghi e avvolgenti di *T1* che coagulavano e filtravano diversi motivi si frantumano, la narrazione distesa e ampia si frammenta con l'uso di pause più nette come il punto e virgola, i due punti, il punto, i trattini in aggiunta alle virgole per isolare gli incisi, e soprattutto con l'adozione del passato remoto a scapito dell'imperfetto, tempo della narrazione distesa e evocatrice. Sulla linea della normalizzazione si colloca anche la preferenza accordata al modo congiuntivo, cioè al modo della lingua scritta, colta, normale, piuttosto che all'indicativo. La regolarizzazione della sintassi comporta una regolarizzazione a livello linguistico e, spesso, anche una banalizzazione semantica.

[1] Per una più ampia trattazione del problema filologico e per l'analisi delle varianti di *T1* e *T4* si veda il nostro saggio *Il problema filologico di « Vita dei campi »*, in « Studi di Filologia italiana », XXXV, 1977, che anticipa i risultati dell'edizione critica della raccolta; per una scelta delle varianti di *T4*, per i testi degli abbozzi di *Jeli il pastore*, per i frammenti di *Padron 'Ntoni* da cui nasce *Cavalleria* e per la prima e l'ultima redazione dell'*Amante di Gramigna* si rimanda al « Meridiano » G. Verga, *Tutte le novelle*, a cura di C. Riccardi, Milano, Mondadori, 1979.

Ecco alcuni esempi da *Jeli il pastore*, *Rosso Malpelo* e *Pentolaccia*, le novelle su cui il Verga interviene più decisamente:

T1	*T4*
Non poteva persuadersi che si potesse poi ripetere sulla carta quelle parole che egli aveva dette, o che aveva dette don Alfonso, ed anche quelle cose che	capacitarsi
non gli erano uscite di bocca, e finiva col fare quel sorriso furbo [...] con quel sorriso ostinato che voleva essere furbo.	talché lui finiva per tirarsi indietro, incredulo, e con un sorriso furbo [...] con quel sorriso ostinato che voleva essere malizioso.
Il figlio di massaro Neri pareva che li sentisse, e accendesse i suoi razzi per la Mara, facendo la ruota dinanzi a lei; e dopo	che sentisse quei discorsi, e
che i fuochi furono cessati si accompagnò con loro e li condusse al ballo, e al cosmorama, dove si vedeva il mondo vecchio e il mondo nuovo,	tanto che dopo i fuochi si accompagnò
pagando lui per tutti, anche per Jeli il quale andava dietro la comitiva come un cane senza padrone, a veder ballare il figlio di massaro Neri colla Mara, la quale girava in tondo e si accoccolava	pagando lui, beninteso, anche per Jeli,
come una colombella sulle tegole, e teneva tesa con bel garbo una cocca del	una colombella in amore
grembiale, e il figlio di massaro Neri saltava come un puledro.	grembiale. Il figlio di massaro Neri, lui, saltava come un puledro
Egli veniva perché la cavalla che il padrone aveva lasciata al pascolo s'era ammalata all'improvviso, e si vedeva chiaro che quella era cosa che ci voleva il maniscalco subito subito, e ce n'era voluto per condurla sino in paese, colla pioggia che cadeva come una fiumara, e colle strade dove si sprofondava sino a mezza gamba.	Una notte da lupi, che proprio il lupo gli era entrato in casa, mentre lui andava all'acqua e al vento per amor del salario, e della giumenta del padrone ch'era ammalata, e ci voleva il maniscalco subito subito.

Nella descrizione del rapporto Jeli-Alfonso la consecutiva spezza il ritmo del periodo, eliminandone la coordinata-clausola « e finiva col fare », e l'aggettivo « furbo » attraverso lo sdoppiamento con « incredulo » (e la successiva variante « malizioso » che rompe l'iterazione) perde la connotazione di incertezza e di sospetto che producevano la qualità del sorriso di Jeli. La scena del ballo subisce attraverso quei pochi e apparentemente insignificanti ritocchi una normalizzazione totale: la precisazione « quei discorsi » è superflua poiché è Jeli che guarda e descrive (« a veder ballare ») e non un narratore esterno, così come la macchinosa consecutiva (dal fatto che il figlio di massaro Neri accenda i razzi per farsi notare da Mara non consegue direttamente che egli vada con loro al ballo); l'espressione « colombella in amore », gli incisi « beninteso » e « lui » sono incongruamente ironici e risentiti (oltre che mutuati dallo stile « gesualdesco »), perché il personaggio-narratore osserva con meraviglia e piacere tutta la festa (« Arrivando in piazza, Jeli rimase a bocca aperta dalla meraviglia ») che diventerà per lui motivo di amarezza solo quando capirà di aver perso Mara (« Quando scapparono nel cielo gli ultimi razzi in folla, il figlio di massaro Neri, si voltò verso di lei, verde in viso, e le diede un bacio. / Jeli non disse nulla, ma in quel punto gli si cambiò in veleno tutta la festa che aveva goduto sin allora »).

Nell'ultimo esempio viene sorprendentemente inserita (caso unico) un'immagine « rusticana », già sfruttata nell'*Amante di Raja* (« Ma la lupa aveva sentito il bosco, e non volle più stare nel villaggio, ella se ne andò in città, col suo lupacchiotto in collo ») e ripresa in *La caccia al lupo* (1897), un acquisto semantico pagato tuttavia a caro prezzo con la soppressione del discorso indiretto libero di *T1*.

Gli stessi esiti danno le correzioni, sia pur meno intensive, di *Rosso Malpelo*:

T1	*T4*
un sabato aveva voluto terminare certo lavoro preso a cottimo, di un pilastro lasciato altra volta per sostegno nella cava, e che ora non serviva più, e s'era calcolato così ad occhio col padrone per 35 o 40 carra di rena.	dell'*ingrottato*, e dacché non serviva più, s'era

Ma Malpelo non aveva nemmeno chi si prendesse tutto l'oro del mondo per la sua pelle, se pure la sua pelle valeva tutto l'oro del mondo; sua madre si era rimaritata e se n'era andata a stare a Cifali, e sua sorella s'era maritata anch'essa. La porta della casa era chiusa, ed ei non aveva altro che le scarpe di suo padre appese al chiodo; perciò gli commettevano sempre i lavori più pericolosi, e le imprese più arrischiate, e s'ei non si aveva riguardo alcuno, gli altri non ne avevano certamente per lui.	valeva tanto: sicché pensarono a lui.

Nel primo esempio la relativa lascia il posto alla temporale, cioè a un movimento sintattico nettamente subordinante, ed è eliminato il polisindeto (operazione frequentissima in *Rosso*), mentre la seconda sequenza è drasticamente eliminata da una secchissima consecutiva, e con essa scompare il bilancio finale di Malpelo, già accennato nella pagina precedente (e per ciò forse tolto in linea con la tendenza a eliminare ogni ripetizione o iterazione), dei suoi rapporti con la famiglia e con il ristretto gruppo sociale della cava.

Sempre nella direzione di scorciare il Verga riduce, ma con risultati più coerenti, l'attacco di *Pentolaccia*:

Adesso viene la volta di « Pentolaccia » ch'è un bell'originale anche lui, e ci fa la sua figura fra tante bestie che sono alla fiera, e ognuno passando gli dice la sua. Lui quel nomaccio se lo meritava proprio, ché aveva la pentola piena tutti i giorni, prima Dio e sua moglie, e mangiava e beveva alla barba di compare don Liborio, meglio di un re di corona.

Uno che non abbia mai avuto il viziaccio della gelosia, e ha chinato sempre il capo in santa pace, che santo Isidoro ce ne scampi e liberi, se gli salta poi il ghiribizzo di fare il matto, la galera gli sta bene.

Lo si confronti con le quasi due pagine di *T1*, dove è accentuato il motivo della rassegna di personaggi eccezionali, devianti dalla norma (come sono tutti i protagonisti di *Vita dei campi*, « tanti matti che hanno avuto il giudizio nelle calcagna, e hanno fatto tutto il contrario di quel che suol fare un cristiano il quale voglia mangiarsi il suo pane in santa pace ») di cui Pentolaccia chiude la serie. La disquisizione sulla gelosia è, inoltre, un esempio di discorso indiretto libero costruito con massime o, meglio, luoghi comuni, credenze popolari, come mette in rilievo l'uso del presente indicativo, ed è anche il trionfo della struttura sintattica a coordinate, tutti elementi persi in *T4*, dove pure l'anacoluto del secondo capoverso rappresenta un notevole acquisto.

L'influsso dell'esperienza del *Mastro-don Gesualdo* si esercita sul discorso diretto e sull'indiretto libero, che in *T1* compare anche con soluzioni di tipo malavogliesco, come in *Guerra di Santi*, primo tentativo di racconto corale nella descrizione dello stendardo

> uno stendardo nuovo, tutto ricamato d'oro, che pesava più d'un quintale, dicevano, e in mezzo alla folla sembrava « una spuma d'oro » addirittura

nella presentazione del delegato di monsignore

> un uomo di proposito, che ci aveva due fibbie d'argento di mezza libbra l'una alle scarpe [...] ci aveva l'assoluzione plenaria per ogni sorta di peccati, come se fosse stata la persona stessa di monsignore

negli effetti della siccità

> i seminati gialli, che scoppiettavano come l'esca, « morivano di sete ». Bruno il carradore diceva invece che quando San Pasquale esciva in processione pioveva di certo. Ma che gliene importava della pioggia a lui se faceva il carradore, e a tutti gli altri conciapelli del suo partito?...

nei dialoghi, fitti di proverbi come nella scena del battesimo (v. p. 204).

Nel '97 discorso diretto e indiretto libero sono profondamente modificati dagli inserti improvvisi di parlato, dall'ellissi del verbo, dall'uso di imprecazioni « gesualdesche », dalle brevi e rapide proposizioni esclamative o interrogative, dalle sospensioni, dalle pause decise, tipiche di questi costrutti sintattici nel romanzo.

T1	*T4*
– Io non ci ho creduto, perché con don Alfonso eravamo sempre insieme, quando eravamo ragazzi, e non passava giorno ch'ei non venisse a Tebidi, quand'era in campagna lì vicino.	– No! non voglio crederci ancora!... perché con don Alfonso *Tebidi*, proprio come due fratelli...
Ma la prima volta che per sua disgrazia rivide don Alfonso, dopo tanti anni, Jeli si sentì dentro come se lo cuocessero. Don Alfonso s'era fatto grande da non sembrare più quello; ed ora aveva una bella barba ricciuta al pari dei capelli, e una catenella d'oro sul panciotto. Però riconobbe Jeli, e gli batté anche sulle spalle salutandolo.	don Alfonso già uomo fatto, Jeli sentì come una botta allo stomaco. Come s'era fatto grande e bello! con quella catena d'oro sul panciotto, e la giacca di velluto, e la barba liscia che pareva d'oro anch'essa. Niente superbo poi, tanto che gli batté sulla spalla salutandolo per nome.
Se gliela avessero fatta vedere coi suoi occhi, avrebbe detto che non era vero. O fosse che per la maledizione della madre la Venera gli era cascata dal cuore, e non ci pensasse più; o perché standosene tutto l'anno in campagna a lavorare, e non vedendola altro che il sabato sera, ella si era fatta sgarbata e disamorevole col marito, ed egli avesse finito di volergli bene; e quando una cosa non ci piace più, ci sembra che non debba premere nemmeno agli altri, e non ce ne importa più nulla che sia di questo o di quell'altro; insomma la gelosia non poteva entrargli in testa neanche a ficcarcela col cavìcchio, e avrebbe continuato per cent'anni ad andare lui stesso, quando ce lo mandava sua moglie, a chiamare il medico, il quale era don Liborio.	vero, grazia di Santa Lucia benedetta. A che giovava guastarsi il sangue? C'era la pace, la provvidenza in casa, la salute per giunta, ché compare don Liborio era anche medico; che si voleva d'altro, santo Iddio?

Siamo, dunque, di fronte a due testi diversi, che riflettono esperienze e posizioni diverse, ambedue con un valore loro proprio e con un significato ben preciso nell'evoluzione della narrativa e del verismo verghiani: *Vita dei campi* dell' '80 è l'ormai sicura base di partenza per la ricerca tematica e stilistica guidata dal nuovo metodo (la premessa teorica dell'*Amante di Gramigna* testimonia la totale fiducia del Verga negli strumenti di indagine scelti), *Vita dei campi* del '97 è l'approdo di quella, il punto di arrivo, in cui si manifesta la crisi determinata dal fallimento del metodo, già rivelato in *Don Candeloro e C.ⁱ* e, in seguito, confermato dalla rinuncia a proseguire nel « Ciclo dei Vinti ».

Non si tratta, né si è mai trattato, di superiorità di una redazione sull'altra, ma di diversa qualità, che non impedisce di scegliere la prima come testo base per la sua importanza storica nello sviluppo della narrativa verista e di rendere leggibile l'evoluzione del libro riportando in apparato (il che non vuol dire abbassare a ruolo inferiore) le varianti della seconda.

La società provinciale siciliana: « Novelle rusticane »

Dopo l'agosto '80 il programma di lavoro del Verga è ancora assai fitto: il secondo semestre dell'anno e tutto il successivo sono impegnati nella laboriosa revisione dei *Malavoglia* (il 9 agosto '81 ne invia la prima parte all'editore), cui si aggiunge la stesura del *Marito di Elena*, protrattasi fino all'estate (il 30 luglio '81 scrive al Capuana: « Intanto, per pagare la casetta dove sto, do mano a terminare quel cornuto *Marito di Elena* »).[1]

In un clima di estrema tensione creativa nasce, dunque, il primo nucleo delle *Novelle rusticane*: *La roba*, *Cos'è il Re*, *Storia dell'asino di S. Giuseppe*, proprio quelle proposte al Treves per la seconda edizione di *Vita dei campi* per evitare ancora una volta il recupero del *Come*. L'editore rifiuta giustamente di sprecare i nuovi testi, suggerendo l'idea di un altro volume:

Le tre novelle che mi proponete faranno parte quando che sia di

[1] *Lettere di Giovanni Verga a Luigi Capuana*, a cura di G. Raya, Firenze, Le Monnier, 1975, p. 189.

qualche altro volume e qui sarebbero sacrificate. Si può sacrificare la roba mediocre come *Il come*, non le cose buone.[1]

E nel giugno '81 Verga progetta, infatti, una nuova raccolta:

Durante l'estate darò mano a mettere insieme delle altre novelle da raccogliere in un secondo volume della vita dei campi.[2]

Nel giro di otto mesi scrive e pubblica in varie riviste tutte le future *Rusticane*, tranne *Di là del mare*.[3] Il nuovo libro non sarà pubblicato dal Treves, ma dal Casanova di Torino, col quale già dal marzo '82 sono concluse le trattative, se il 24 lo scrittore annunciando al primo il numero dei testi di *Per le vie* dichiara:

Le novelle che mi obbligo a darvi pel volume saranno 12, due in più di quelle che formeranno il volume Casanova.[4]

In realtà le *Rusticane* diventeranno poi dodici, per l'inclusione di *Pane nero* e *Di là del mare*, non previste nel progetto primitivo. *Pane nero*, dopo la pubblicazione a puntate nella « Gazzetta letteraria », esce in volumetto presso l'editore Giannotta di Catania in redazione ampliata, forse per esigenze editoriali, con l'aggiunta di tre sequenze narrative: la dichiarazione di Santo a Nena (pp. 285-6), la malattia e il licenziamento di Carmenio (pp. 296-7: il collegamento tra l'aggravarsi della malattia della madre e il suo trasferimento in campagna è nella rivista assai più rapido e non provocato da don Venerando il quale, fra l'altro, nelle pagine seguenti compare genericamente come « il padrone »: « Ma siccome la vecchierella perdeva sempre terreno di giorno in giorno, Carmenio venne dalla mandra una domenica, e disse che voleva portarsela al

[1] V. *Nota cit.*, pp. 166-7. La lettera è trascritta senza indicazione di data.
[2] Lettera del 26 giugno 1881 a Treves, v. G. Verga, *Tutte le novelle*, p. 1025.
[3] *Malaria* e *Il Reverendo* uscirono in « La Rassegna settimanale di Politica, Scienze, Lettere ed Arti », 14 agosto e 9 ottobre 1881; *Gli orfani*, in « Fiammetta », 25 dicembre 1881; *Don Licciu Papa*, in « La Rassegna settimanale di Politica, Scienze, Lettere ed Arti », 22 gennaio 1882; *Il Mistero*, in « La Nuova Rivista », 12 febbraio 1882; *Pane nero*, in « La Gazzetta letteraria », 25 febbraio-18 marzo 1882 e in volumetto Catania, Giannotta 1882 [maggio]; *Libertà*, in « La Domenica letteraria », 12 marzo 1882; *I galantuomini*, in « Fanfulla della Domenica », 26 marzo 1882.
[4] Lettera del 24 marzo 1882 al Treves, v. G. Verga, *Tutte le novelle*, p. 1027.

Camemi. / Ella lasciava fare. Santo sapeva almeno che alla mandra ecc. », cfr. pp. 297-8), la capitolazione di Lucia e la descrizione dei suoi nuovi rapporti con Brasi (pp. 304-5). Le aggiunte risultano perfettamente funzionali al racconto: la prima e l'ultima perché ricostruiscono più sottilmente l'esperienza di Santo e Nena e di Lucia, ponendole in contrasto come due facce della stessa realtà, quella centrale in quanto con la vicenda di Carmenio, terza *tranche de vie*, e con l'individuazione di don Venerando come motore delle azioni successive dei personaggi crea un legame di causa-effetto tra la prima e la seconda parte del racconto.

Le novelle subiscono un'accurata revisione stilistica nel passaggio dalle riviste al volume, tesa soprattutto a scorciare la narrazione (intervento che porta spesso alla normalizzazione della sintassi) e a ridurre ogni eccesso di dialettalità o « di colore locale » (in linea con il carattere di recupero di un mondo memoriale e, quindi, intellettuale, non oleograficamente realistico, delle *Rusticane*). Il libro è pronto verso la fine del 1882 ed esce ai primi di dicembre (ma con i millesimi del 1883).[1]

Con le *Rusticane* il Verga giunge a una vera e propria analisi della realtà storica e sociale della provincia siciliana nella seconda metà dell' '800: il potere religioso, politico, giudiziario, economico, immutabili strumenti di oppressione, così come la natura inesorabile poiché distribuisce ciecamente vita e morte (« Il lago vi dà e il lago vi piglia! » *Malaria* p. 250), insensibile all'azione umana (« Solo rimaneva solenne e immutabile il paesaggio, colle larghe linee orientali, dai toni caldi e robusti. Sfinge misteriosa, che rappresentava i fantasmi passeggieri, con un carattere di necessità fatale. » *Di là del mare* pp. 330-1). Tutti i personaggi sono il simbolo dell'impotenza contro le leggi naturali e umane e perciò « larve » destinate a passare senza lasciare il segno:

> Così erano scomparsi il casolare del gesso, e l'osteria di « Ammazzamogli » in cima al monticello deserto. [...] Il Biviere si stendeva sempre in fondo alla pianura come uno specchio appannato. Più in qua i vasti campi di Mazzarò, i folti oliveti grigi su cui il tramonto scendeva più fosco, le vigne verdi, i pascoli sconfinati [...]. Nessuno sapeva più di Cirino, di compare Carmine, o di altri.

[1] Giovanni Verga, *Novelle rusticane*, con disegni di Alfredo Montalti, Torino, Felice Casanova Editore, 1883.

La sola possibilità di sopravvivenza è nel ricordo che si perpetua nella

> mesta cantilena siciliana, che narrava a modo suo di gioie, di dolori, o di speranze umili, in mezzo al muggito uniforme del mare, e al va e vieni regolare e impassibile dello stantuffo.

e nella parola scritta, unica testimonianza di quelle esperienze:

> Allora gli tornava in mente il nome di quei due sconosciuti che avevano scritto la storia delle loro umili gioie sul muro di una casa davanti alla quale tanta gente passava. [...] E allora avrebbe voluto mettere il nome di lei su di una pagina o di un sasso, al pari di quei due sconosciuti che avevano scritto il ricordo del loro amore sul muro di una stazione lontana.

In questi brani di *Di là del mare* sta la giustificazione teorica della raccolta, sicché la novella, apparentemente così dissonante, si pone come racconto-epilogo, mentre ribadisce il contrasto tra le due realtà dell'Italia unita, già accennato in un pezzo lirico attribuito in *Malaria* ad « Ammazzamogli », affascinato dal treno:

> Ah, come si doveva viaggiar bene lì dentro, schiacciando un sonnellino! Sembrava che un pezzo di città sfilasse lì davanti, colla luminaria delle strade, e le botteghe sfavillanti. Poi il treno si perdeva nella vasta nebbia della sera, e il poveraccio, cavandosi un momento le scarpe, seduto sulla panchina, borbottava: – Ah! per questi qui non c'è proprio la malaria!

Due mondi, uno primitivo, violento, soggetto al potere, l'altro apparentemente libero e evoluto, ma ugualmente drammatico che si osservano senza incontrarsi.

Esemplare, a proposito dei rapporti tra « galantuomini » e contadini, è *Libertà*, oltre a essere un caso singolare nella novellistica verghiana per lo strettissimo aggancio alla realtà storica del risorgimento siciliano, nonostante la mancanza di espliciti riferimenti a luoghi e persone (ma nell'autografo del *Reverendo* si legge: « i villani volevano fargli la festa come a Bronte che in una giornata avevano fatto volar via tutte le teste ai cappelli »). Verga doveva conoscere assai bene i fatti sanguinosi svoltisi nella ducea di Nelson alle falde dell'Etna tra il 2 e il 5 agosto 1860,[1] ma non è improbabile che si sia servito di fonti giornalistiche e di diari di ex garibaldini, come il libro di Giuseppe Cesare Abba (presente nella sua biblioteca), in quanto cronaca di un testimone oculare della rivolta.[2] Certo, se le pagine dell'Abba e i resoconti dei giornali furono presenti allo scrittore, risultano ancor più sospette certe lacune o modificazioni della trasposizione narrativa (notate da Leonardo Sciascia nel saggio *Verga e la libertà*, in *La corda pazza*, Torino, Einaudi, 1970): Verga elimina, infatti, una delle figure più importanti, l'avvocato Lombardo, capo dei ribelli e legato ai circoli liberali di Catania, e modifica la menomazione mentale di un altro personaggio in menomazione fisica (il *pazzo*, Nunzio Fraiunco, la cui esecuzione costituì uno dei momenti più atroci della repressione garibaldina, diventa il *nano*), in quanto personaggi troppo inquietanti per la sua coscienza civile ed artistica (si veda in proposito l'articolo di Sciascia).

Libertà è, comunque, l'unico testo in cui un fatto storico è calato in forme narrative e non fa semplicemente da sfondo, come nei romanzi o in altre novelle i moti del '21, del '48 o le guerre di indipendenza.

Notevoli legami hanno tutte le *Rusticane* sia con i testi di questo periodo, ad esempio con *Il marito di Elena* (soprattutto *Il Reverendo* e *La roba*[3]), sia con testi di cui costituiscono in seconda istanza i cartoni preparatori come il *Mastro-don Gesualdo*: in particolare *Il Reverendo*, prefigurazione del canonico Lupi e in parte di Gesualdo, *La roba*, per le analogie con la carriera e la fine di Mazzarò, *Libertà*, per le scene di folla ammutinata, *Don Licciu Papa*, per il personaggio del poliziotto, *I galantuomini*, per la decadenza delle classi nobiliari e l'episodio di Ma-

[1] La ducea di Bronte o meglio di Maniace, dal nome dell'abbazia normanna di S. Maria di Maniace, detta comunemente « castello » e trasformata in lussuosa residenza, fu donata a Horace Nelson da Ferdinando III di Sicilia (IV di Napoli) in segno di riconoscenza per l'aiuto offertogli dalla marina inglese nel 1799.

[2] Del diario di Giuseppe Cesare Abba *Da Quarto al Volturno. Notarelle d'uno dei mille* (Bologna, Zanichelli, 1880) il Verga possedeva la quarta edizione uscita a Bologna nel 1882, significativa coincidenza con la data di stesura (febbraio '82) del racconto (v. G. Garra Agosta, *La biblioteca di Verga*, Catania, Greco, 1977).

[3] In particolare la descrizione dei possessi del barone nel *Marito di Elena* è il diretto antecedente della carrellata iniziale della *Roba* sulle ricchezze di Mazzarò, v. G. Verga, *Il marito di Elena*, Milano, Mondadori, 1980, pp. 61 e ss.

rina, ascendente di quello di Bianca Trao nel primo capitolo del romanzo. Vi sono inoltre contatti con gli abbozzi del *Mastro*, stesi appunto tra il 1881 e il 1884.

Le *Rusticane* segnano, infatti, e documentano il passaggio dall'esperienza di *Vita dei campi* e dei *Malavoglia* a *Vagabondaggio* e a *Mastro-don Gesualdo*, in particolare *Pane nero* è il testo che ci dà la misura del mutato clima narrativo e delle nuove direzioni di ricerca stilistica.

Il rapporto non è solo genericamente tematico, quasi le novelle fossero una prova generale di fatti e personaggi, ma anche stilistico, poiché Verga sperimenta qui elementi narrativi (similitudini, metafore, proverbi, modi di dire) che riprenderà nel romanzo, abbozza le soluzioni stilistiche necessarie a far parlare i nuovi personaggi. Ecco, ad esempio, la ricerca, in *Pane nero* e in *I galantuomini*, sul monologo reso attraverso un discorso indiretto libero costruito con interrogative, esclamative, sospensive, con larga utilizzazione di termini e costruzioni sintattiche dialettali o comunque proprie del parlato:

Ora lo sapeva com'erano fatti gli uomini. Tutti bugiardi e traditori. Non voleva sentirne più parlare. Voleva buttarsi nella cisterna a capo in giù; voleva farsi Figlia di Maria; voleva prendere il suo buon nome e gettarlo dalla finestra! A che le serviva, senza dote? Voleva rompersi il collo con quel vecchiaccio del padrone, e procurarsi la dote colla sua vergogna. Ormai!... Ormai!...

Ah! quel che aveva trovato! lì, a casa sua! in quel camerino di sua figlia che nemmeno c'entrava il sole!...

Ecco l'uso di un dialogo di tipo teatrale, a botta e risposta (si pensi ancora a *Pane nero* e non, invece, a *Gli orfani*, dove il dialogo è ancora di impianto malavogliesco), ed ecco ancora la descrizione di paesaggi e ambienti e il ritratto in chiave ironica e grottesca.[1]

Una seconda edizione delle *Novelle Rusticane* uscì a Roma nel 1920,[2] per conto della casa editrice « La Voce » e per inizia-

[1] Per un'analisi particolareggiata dei rapporti tra abbozzi, *Rusticane*, *Mastro* e della descrizione deformata o grottesca si veda il nostro saggio *« Mastro-don Gesualdo » dagli abbozzi al romanzo*, in « Sigma », 1-2, 1977.

[2] G. Verga, *Novelle rusticane*, Edizione definitiva riveduta e corretta dall'autore, Roma, La Voce, 1920. La scorretta edizione vociana non fu più ripubblicata. Recentemente è stata scelta come testo base nell'edizione di G. Verga, *Le novelle*, a cura di G. Tellini, Roma, Salerno, 1980. Il cura-

tiva di Giuseppe Prezzolini. Per recuperare probabilmente i diritti d'autore, il Verga corregge il testo dell' '83 tra il febbraio e l'ottobre 1920; il 15 ottobre, infatti, scrive a Luigi Russo: « Ho spedito oggi al nostro caro Croce il volume delle *Novelle*

tore spesso non provvede ad emendare notevoli e noti refusi, di cui il Verga si lamentava scrivendo, nell'ottobre 1920, a Luigi Russo. Citiamo qualche caso dando sia la pagina della stampa del '20, sia della presente edizione: ad esempio in *Il mistero* « Miserissimi miei! » per « Miseremini mei! » (30 e 241) attestato dall'edizione dell' '83, dalla copia non autografa e dal dattiloscritto preparati per l'edizione del 1920 (non si tratta, quindi, come afferma la nota di I 318 del volume in questione, di « alterazione popolare dell'*incipit* del Salmo della penitenza », ma di errore tipografico, presente nelle bozze, che il Verga ottantenne corregge, come del resto era sempre stato solito fare, con estrema distrazione); « Non vedeva altro che quel muso affilato » per « naso affilato » (36 e 265) dell' '83 e della copia dove è trascritto malamente e in parte coperto dalla « g » di una parola sovrastante: il dattiloscritto ritrascrive erroneamente « muso » (che si può correggere, tra l'altro, per analogia con altre descrizioni di moribondi dove « il naso affilato » dell'agonia è un elemento costante); in *La roba* « le ragazze che vengono a rubarle » per « gazze » (62 e 264) (refuso cui si accenna in nota di I 348, ma che è lasciato nel testo); in *I galantuomini* « Povera donna Mariuccia » derivato da cattiva scrittura del copista che comprime il nome proprio in fine di riga sicché il dattilografo interpreta erroneamente la lezione « Prova donna Marina » (121 e 316) presente nell' '83 (si noti che « Povera » non ha senso nel contesto), « È colpa mia se non piove? » per il « piovve » (115 e 311) della prima edizione e della copia (il primo a sbagliare è il dattiloscritto che introduce un presente indicativo che discorda cogli altri tempi verbali), « la moglie sempre gravida, e intanto fare il pane » per « e intanto doveva fare » (119 e 314) variante apportata dall'autore sul dattiloscritto in cui « doveva », caduto nelle bozze, può sembrare, ma non è, cassato (non si tratta, dunque, come recita la nota 4 di I 404, di «serie di infiniti storici, senza preposizione, scarsamente frequenti nella sintassi verghiana, ma non ignoti al dialetto siciliano »); in *Il Reverendo* « I poveretti slargavano tanto il cuore » per « di cuore » (7 e 222) dell' '83, della copia e del dattiloscritto; in *Libertà* « uno gli aveva messo lo scarpone sulla pancia » per « sulla guancia » (127 e 320): l'errore deriva dal fatto che « guancia », lezione dell' '83, è corretto maldestramente su « pancia » della copia, sicché il dattiloscritto ha buon gioco nel banalizzare in « pancia », « Le loro donne dietro, correndo [...] fra le steppe » da emendare congetturalmente in « stoppie » (131 e 324): la lezione dell' '83 è « in mezzo alle biade color d'oro », nel dattiloscritto il Verga, con mano incertissima, corregge in « fra le stoppe » equivocando, come altre volte gli era accaduto, con « stoppie ». La variante, tolta ogni possibilità di esistenza alle steppe in Sicilia, deve essere stata determinata dalla considerazione che le biade dovevano esser già state tagliate da un pezzo, poiché la rivolta è data per avvenuta in luglio (in realtà avvenne ai primi di agosto, ma Verga scrive « in quel carnevale furibondo del mese di luglio »). Altri refusi, assai meno clamorosi, si riscontrano in *Di là del mare*, ad esempio « i riflessi delle foglie che agitavano » per « si agitavano » (139 e 329), confermato dall'edizione dell' '83 e dal senso del contesto. Rimandiamo a diversa occasione altri rilievi sull'edizione, limitandoci per ora a sottolineare la contraddizione del comportamento del curatore: non è giu-

Rusticane (edizione riveduta, ma zeppa, ahimè, d'errori) ».[1]

La revisione, a quasi quarant'anni dalla prima redazione, è condotta sulla falsariga delle correzioni del volume illustrato di *Vita dei campi*: anzi gli interventi che sconvolgono la struttura sintattica e la veste linguistica originarie sono ancor più clamorosi. Sin dalle prime novelle si registra la tendenza a sostituire il racconto indiretto del narratore anonimo con lo squarcio lirico del ricordo o del rimpianto che richiama la tecnica degli ultimi capitoli del *Mastro-don Gesualdo:*

Ah! se si fosse rammentato del tempo in cui gli toccava lavare le scodelle ai cappuccini, che gli avevano messo il saio per carità, ora che poteva andare pei suoi campi e le sue vigne colla pipetta in bocca e le mani in tasca, si sarebbe fatta la croce colla mano sinistra, in fe' di Dio! (*Il Reverendo*, cfr. con p. 217)

Ah! la sua casuccia, dove si stava stretti, ma si sentivano i muli rosicar l'orzo dal capezzale del letto! Avrebbe pagato quelle due onze che doveva buscarsi dal Re per trovarsi nel suo letto, con l'uscio chiuso, e stare a vedere, sotto le coperte, mentre sua moglie sfaccendava col lume in mano a rassettare ogni cosa... (*Cos'è il Re*, cfr. con p. 227).

Nelle due stesse novelle e nella successiva, *Don Licciu Papa*, viene trasformato il finale, che risulta giocato sulle battute in discorso diretto del protagonista, quasi una serie di massime sulla situazione contemporanea. Il discorso diretto è costruito con tecnica gesualdesca, con proposizioni esclamative e interrogative, con incisi e imprecazioni tipici del protagonista del romanzo:

– Erano altri tempi, è vero. Ma farmi pignorare le mie bestie, ora, santo e santissimo! E venire a far le strade carrozzabili per togliere il pan di bocca a me povero lettighiere!... Il collo doveva rompersi, lui e la sua Regina invece! – (*Cos'è il Re*, cfr. p. 232)

– A me la contate? Io non sono più nulla da che ci hanno messi

stificato intanto far precedere il testo del 1920 dall'occhiello *Novelle rusticane [1883]*, poiché la data, sia pur fra quadre, non si riferisce a nulla, essendo quello che segue il testo vociano; in secondo luogo ci sembra contradditorio che per *Vita dei campi* si diano le lezioni della prima edizione in apparato, mentre, invece, per le *Novelle rusticane* si pubblichi integralmente il testo dell' '83, rapportabilissimo, fra l'altro, a quello del 1920.

[1] Si veda in proposito il carteggio tra Verga e Luigi Russo in G. Verga, *Opere*, a cura di Luigi Russo, Milano-Napoli, Ricciardi, 1955.

quelli del cappellaccio a tre punte. Io fo il pensionato e il benestante. – (*Don Licciu Papa*, cfr. p. 239)

La stessa trasformazione subiscono un po' ovunque il dialogo e il discorso indiretto libero i cui elementi vengono divisi dai punti esclamativi, interrogativi, da puntini di sospensione:

– Il pane... come lo faceva la buon'anima!... E ora mi toccherà comprarlo a bottega, il pane! No! Lasciatemi piangere, che non ne posso più! (*Gli orfani*, cfr. p. 258)

– Che cosa state facendo? [..] – Non vedete che non mi resta nulla ormai? Lasciate bruciare! – (*I galantuomini*, cfr. p. 316)

Per compare Cosimo fu un pugno nello stomaco, quello. Il suo mestiere era di fare il lettighiere, è vero; e il Re non era uno di quelli che stanno a lesinare per un tarì di più o di meno, come tanti altri. Ma se gli sdrucciolava un mulo per le viottole di Grammichele o di Fildidonna, col Re in lettiga?... (*Cos'è il Re*, cfr. p. 227)

Carmenio accese il fuoco, fra i due sassi, per riscaldarla almeno... Anche le frasche, a volte, dicono qualche cosa, se fanno la fiammata in un modo o in un'altro. Quanti fantasmi! Le storie che soleva narrare quello di Francofonte a veglia nelle mandre del Resecone... di streghe che montano a cavallo delle scope e fanno scongiuri sulla fiamma del focolare... [...] Oh, Signore! Che notte! Che turbinìo di sogni in quel dormiveglia penoso!... Il sabato sera quando tornava a casa... Il campanile del villaggio che vi chiamava e vi chiamava... (*Pane nero*, cfr. pp. 309-10).

Così le descrizioni sono ritoccate in base alla tecnica del romanzo: si vedano, ad esempio, l'inizio di *Cos'è il Re*, dove ciò che più colpisce sono l'eliminazione delle coordinate, l'ellissi del verbo, le domande retoriche della folla:

Nel paese, una folla che sembrava la festa di San Giacomo, gente che andava e veniva guardando di qua e di là. – Viene? – Non viene? – Di dove viene? – Da Napoli, dal suo paese. – (cfr. p. 226)

l'eruzione dell'Etna in *I galantuomini*, realizzata con gli stessi espedienti

Il custode della vigna portava via gli attrezzi del palmento, le doghe delle botti, tutto quello che si poteva salvare. Ma la vigna? Le donne mettevano sul limite reliquie e immagini di santi infilate alle cannucce.
– Sant'Agata! – Santa Barbara! – Ma sì! aspetta! Quando don Marco

arrivò trafelato, di faccia alla rovina, si cacciò le mani nei capelli, bestemmiando come un turco, invece. (cfr. p. 316)

e in *Pane nero* la già citata notte della tempesta vissuta da Carmenio, qui estremamente scorciata, impoverita per di più di tutti gli elementi fantastici, sia terrorizzanti sia idilliaci, filtrati attraverso il personaggio, la sua angoscia, il ricordo delle sue esperienze, mentre la soluzione stilistica è, come già visto, sempre quella dell'accumulo di proposizioni esclamative, sospensive.

Il caso è, dunque, analogo a quello di *Vita dei campi*, con l'aggravante, se così si può dire, poiché la valutazione è sull'importanza storica, mai sulla superiorità estetica, di un'ancor maggiore distanza di tempo tra le due redazioni. Il comportamento dell'editore non potrà essere diverso: testo base sarà quello dell'edizione Casanova 1883, mentre in un apparato evolutivo confluiranno le varianti dei materiali preparatori dell'edizione vociana e quelle della stampa del 1920.

Ancora alcuni aspetti singolari della seconda redazione delle *Rusticane*: le due novelle più famose, *La roba* e *Libertà*, subiscono minimi interventi: dal punto di vista sintattico è intaccata sporadicamente la coordinazione, il lessico è appena ritoccato. *Libertà*, tuttavia, presenta due varianti « ideologicamente » notevoli: il « fazzoletto rosso » sciorinato dal campanile e non più a « tre colori » e la reazione delle donne di Bronte all'arrivo dei garibaldini guidati da Bixio:

Si vedevano già i suoi soldati salire lentamente per il burrone, verso il paesetto; sarebbe bastato far rotolare dall'alto delle pietre per schiacciarli tutti. Ma chi? Gli uomini erano già fuggiti in gran parte, al monte o al piano; e le donne, quelle che prima erano più feroci, ora facevano festa ai giovanetti colle camicie rosse che arrivavano stanchi e curvi sotto il fucile; e battevano le mani a quel generale che sembrava più piccolo sopra il gran cavallo nero, innanzi a tutti, solo, con certi occhi che si mangiavano la gente. (cfr. p. 323)

La prima è una correzione antistorica, poiché è paradossale che il simbolo delle lotte proletarie affermatosi con la Comune di Parigi nel 1871 venga assunto nel 1860 dai contadini della ducea di Bronte (certo ignari del fatto che la bandiera rossa era stata emblema delle rivolte dei contadini tedeschi nel '500 e della Parigi rivoluzionaria del 1792). Quella di *Libertà* è una *jacquerie* risorgimentale, scatenata dalle promesse di Garibaldi e non sostenuta da un contenuto ideologico, politico. Verga nel 1920 cade nella contraddizione storica che aveva evitato nell' '83, sovrapponendo esperienze successive.

La seconda è un'incongruenza rispetto al comportamento degli stessi personaggi poco più innanzi:

Le loro donne dietro, correndo per le lunghe strade di campagna, fra le stoppie, in mezzo alle vigne, trafelate, zoppicando, chiamando a nome i loro uomini ogni volta che la strada faceva gomito, e si potevano vedere in faccia. (cfr. p. 324).

Non solo, è un troppo immediato e perciò impossibile ristabilimento di uno *status quo* dove i garibaldini sono, comunque, gli eroi, i liberatori, cui tributare il trionfo, mentre qui, invece, hanno la funzione di reprimere sanguinosamente una rivolta scatenata da speranze da loro stessi alimentate. In ciò sta l'interesse di Verga per i fatti di Bronte nell' '83, nella contraddizione storica, insomma, mentre nel '20 ha perso di vista la motivazione originaria e indulge a un giudizio negativo. E basterebbe a dimostrarlo una significativa aggiunta al primo ordine di esecuzione di Bixio: « E subito ordinò che gliene fucilassero cinque o sei » diventa, quarant'anni dopo, « cinque o sei di quei manigoldi ».

Le novelle milanesi: « Per le vie »

Composte tra l' '82 e l' '83, quasi contemporaneamente alle *Rusticane*, dovevano essere raccolte sotto il titolo *Vita d'officina*, secondo il progetto esposto dal Verga al Treves nella lettera del 10 aprile 1881.[1] Ma al momento di raccoglierle in volume lo scrittore muta il titolo in *Per le vie*, più coerente con l'ambientazione e la tematica ovvero l'indagine sul proletariato urbano, quello in particolare della « città più città d'Italia », suggerita evidentemente dalla ricca letteratura degli anni 70-80 sull'argomento, dalla moda quasi dei « ventri » delle città. Si pensi alla produzione della Scapigliatura democratica da *Paolina. Misteri del coperto dei Figini* (1866) di Igino Ugo Tarchetti a *Milano sconosciuta* (1879-80) di Paolo Valera, passando attraverso le analisi degli intellettuali milanesi legati a riviste quali

[1] V. p. XII, nota 1.

« Il Gazzettino rosa », « La Plebe », i libri inchiesta come *La plebe di Milano* di Ludovico Corio (apparsa in « La Vita nuova » nell'agosto 1876, poi ristampata nel 1885 col titolo *Milano in ombra. Abissi plebei*), filoni inaugurati dal Sue dei *Mystères de Paris* (1824-43), dall'Hugo di *Les misérables* (1862), filtrati attraverso le *Scènes de la vie de Bohème* di Murger (1848, tradotto in Italia nel 1872) e *Les réfractaires* (1865, versione italiana del 1874), *La rue* (1866) di Jules Vallés, e, soprattutto, attraverso il ciclo zoliano dei Rougon-Macquart.

Entrano anche la suggestione descrittiva di libri come *Napoli a occhio nudo* del Fucini (1878), quasi una traduzione narrativa della prima seria indagine sulla questione sociale *Le lettere meridionali* di Pasquale Villari (edite nel 1875 nella rivista « L'Opinione », nel 1878 in volume), le squallide storie della piccola borghesia milanese del De Marchi, la polemica antimilitarista inaugurata già nel 1867 dal Tarchetti con *Una nobile follia. Drammi della vita militare.*

La ricerca verghiana non è, tuttavia, in direzione strettamente sociale: oltre a studiare i rapporti all'interno del quarto stato cittadino e con le classi borghesi e aristocratiche, allo scrittore preme evidenziare l'idea del « vagabondaggio », della vita come « via crucis » o quanto meno itinerario incessante, doloroso o incoerente, che sarà motivo guida della raccolta successiva.

E di grande importanza è, altresì, la nuova ricerca stilistica in relazione all'ambiente e ai personaggi diversi: anticipazioni erano state, sia sul piano tematico che stilistico, *Primavera* del 1876 per il tentativo di riprodurre la parlata milanese e per la storia della Principessa, prototipo delle Gilde, Olghe, Santine, Carlotte che si perdono dietro il miraggio dell'amore e della ricchezza, e *I dintorni di Milano*, scritto nel 1881 per *Milano 1881*, pubblicazione celebrativa dell'Esposizione Nazionale industriale e artistica. *I dintorni* è una prima individuazione d'ambiente, il centro di Milano visto in una connotazione positiva (« nella vita allegra della grande città, in mezzo alla folla che si pigia sui marciapiedi, davanti ai negozi risplendenti di gas, sotto la tettoia sonora della Galleria, nella luce elettrica del Gnocchi, nella fantasmagoria di uno spettacolo alla Scala ») e la campagna circostante, come luogo di fuga e di idillio, e di motivi ideologici che sorreggeranno l'ispirazione di *Per le vie* e *Vagabondaggio*: « uno strano sentimento della vanità dell'arte e della vita, un incubo del nulla che vi si stringe attorno da ogni parte » e il rimpianto o il ricordo del passato, di « tutte le cose care e lontane che ci avete in cuore, e dalle quali non avreste voluto staccarvi mai ».

Anche il racconto-riepilogo delle *Rusticane*, *Di là del mare*, annuncia in chiusura il tema conduttore di *Per le vie*:

Lontano lontano, molto tempo dopo, nella immensa città nebbiosa e triste, egli si ricordava ancora qualche volta di quei due nomi umili e sconosciuti, in mezzo al via vai affollato e frettoloso, al frastuono incessante, alla febbre dell'immensa attività generale, affannosa e inesorabile, ai cocchi sfarzosi, agli uomini che passavano nel fango, fra due assi coperte d'affissi, dinanzi alle splendide vetrine scintillanti di gemme, accanto alle stamberghe che schieravano in fila teschi umani e scarpe vecchie. Di tratto in tratto si udiva il sibilo di un treno che passava sotterra o per aria, e si perdeva in lontananza, verso gli orizzonti pallidi, quasi con un desiderio dei paesi del sole.

Uno stretto rapporto si instaura con il racconto-prologo della nuova raccolta, *Il bastione di Monforte*, per il parallelismo tra la stazione e i bastioni della città, come punto d'incontro di storie umane, accompagnate dal fischio del treno, dalla musica dell'organetto, dal frastuono dei carri, rumori della strada, simbolo dell'eterno vagabondare della vita.

A differenza delle precedenti novelle oggetto del racconto non è un passato mitico o un mondo chiuso e immutabile, ma il presente vissuto nel sofferto contrasto tra la ricchezza palpabile della città e la miseria dei protagonisti, da esorcizzare con l'amore e l'osteria, « La gaiezza dolorosa di chi non vuol pensare al domani senza pane » (e si veda tutta la festa campagnola di *L'ultima giornata*).

Il problema sociale è affrontato più esplicitamente in *In piazza della Scala* e *Al veglione*. Il primo è un esterno visto dal vetturino che sogna l'interno confortevole e impenetrabile del mondo dei ricchi, il teatro, il Cova, il caffè Martini, il club:

Il caffè Martini sta aperto sin tardi, illuminato a giorno che par si debba scaldarsi soltanto a passar vicino ai vetri delle porte, tutti appannati dal gran freddo che è di fuori; così quelli che ci fan tardi bevendo non son visti da nessuno, e se un povero diavolo invece piglia una sbornia per le strade, tutti gli corrono dietro a dargli la baia. Di facciata le finestre del club sono aperte anch'esse sino all'alba. Lì c'è dei signori che non sanno cosa fare del loro tempo e del loro denaro.

riuniti intorno alla Galleria, che da scenario mondano ed elegante si trasforma in luogo di pena dei miserabili: la donna che vende il caffè, i « poveri diavoli » che dormono « nel vano di una porta, raggomitolati in un soprabito cencioso » (e si veda anche Santina ridotta a fare « la dolorosa *via crucis* della Galleria e di Via Santa Margherita » nella novella omonima e si confronti la descrizione analoga e opposta insieme del cuore di Milano).

Anche i sussulti di ribellione sociale (« Aveva ragione il giornale. Bisognava finirla colle ingiustizie e le birbonate di questo mondo! Tutti eguali come Dio ci ha fatti. ») si spengono nella amara constatazione della propria totale solitudine, di un ineluttabile emarginamento:

Anche colui che predica di giorno l'eguaglianza nel giornale, a quell'ora dorme tranquillamente, o se ne torna dal teatro, col naso dentro la pelliccia.

Ma l'interno, rappresentato da *Al veglione*, prima meraviglioso e incomprensibile (« una lanterna magica ») per Pinella, protagonista-narratore, diventa meno desiderabile (« Ah, la Carlotta aspettava di fuori, al freddo, è vero; ma Pinella era più contento così. »), non appena rivela il suo volto squallido e volgare sia nel padrone di casa, un borghese arricchito, ansimante « pel grasso, rosso come un tacchino dentro il suo zimarrone di pelliccia, tastando i biglietti nel portafogli colle dita corte », sia nella sfrenata danza finale, una specie di sarabanda grottesca, dove il grottesco è usato per esprimere il giudizio morale negativo.

Significativamente subito dopo è collocato *Il canarino del N. 15*, ancora un racconto giocato sull'esterno/interno, dove il dentro predomina ed è ora sinonimo di malattia e infelicità. Il simbolo si estende a indicare i quartieri popolari, sfondo costante di tutti gli altri racconti, una struttura chiusa e oppressiva in contrasto con l'esterno, la campagna, in realtà presente solo in *Il canarino*, *L'ultima giornata* e *Camerati* e soprattutto importante in quest'ultima, in cui Malerba disorientato e incapace nella città e nella caserma, ritrova se stesso nella campagna e nella guerra.

Quanto allo stile, la caratteristica saliente è ancora una volta il discorso indiretto libero, usato ormai con grande abilità per riferire i discorsi dei personaggi, ma ciò che manca è la struttura del dialetto milanese che il Verga non possiede: si limita così ad inserire sporadicamente locuzioni dialettali, ad esempio « La ci casca! », « La ci va! », « l'è ora », « farci festa », « La sta bene? », « far San Michele » e, addirittura una battuta in dialetto, « Ohè, Gostino! Cosa l'è sta storia? ». Più spesso il « colore locale » è cercato solo attraverso l'uso di nomi propri e di rari elementi lessicali milanesi: es. « la Luisina » (si noti l'articolo indicativo davanti al nome), « la sora Gnesa », « il sor Battista », « il Basletta », « il Gaina », « cappelloni », « cucchiarino », « caldaro », e di imprecazioni gergali eufemizzate: « porca l'oca », « anima sacchetta » e via dicendo.

La maggior parte delle novelle è dapprima edita in rivista,[1] secondo la consuetudine, dovuta soprattutto a motivi economici, dello scrittore; solo *Al veglione* e *Semplice storia* costituiranno la novità del volume, concretamente progettato nei primi mesi dell' '82, quando l'unica novella scritta e pubblicata era *In piazza della Scala.* Treves, che ne sarebbe stato l'editore, scrivendo al Verga il 22 marzo '82, lo prega di stabilire il numero delle novelle del nuovo libro che « non sarà inferiore al *Marito di Elena* », pregandolo di consegnargli il già fatto.

I testi sono scritti nel giro di un anno, dal maggio 1882 al maggio 1883. Rapidissima, invece, la composizione del volume avvenuta tra il maggio e il giugno 1883, poiché l'ultimo racconto è consegnato dopo il 13 maggio (come risulta da una lettera al Treves in quella data) e già l'8 luglio appare la prima recensione nell'« Illustrazione italiana ».

Il Verga, dopo una rapida revisione dei testi editi in rivista, non segue fino in fondo la stampa, che, infatti, non risulta esente da errori: alla metà di giugno ha già lasciato Milano. Il 3 giugno scrive al Capuana:

[1] *In piazza della Scala*, uscì in « La Rassegna settimanale di Politica, Scienze, Lettere ed Arti », 1° gennaio 1882; nel « Fanfulla della Domenica » apparvero nel 1882 *Amore senza benda*, il 6 agosto, *L'ultima giornata*, il 12 novembre, *L'osteria dei « Buoni Amici »*, il 17 dicembre; nel 1883 *Gelosia*, *Camerati*, *Via Crucis*, *Il bastione di Monforte*, rispettivamente nei numeri del 21 gennaio, 25 marzo, 29 aprile e 20 maggio; nella « Domenica letteraria » del 21 maggio 1882 uscì *Il canarino del N. 15*; nella « Cronaca bizantina » del 16 maggio '83 *Conforti.*

[...] vado in Sicilia stanco di capo e d'animo a ringiovanirmi un po' se mi riesce. [...] Quando verrai in Sicilia? Io parto il 15.

Certo gli anni '82-'83 non erano stati molto sereni: le preoccupazioni finanziarie, la cattiva salute e i molti impegni di lavoro dovevano averlo estenuato. Oltre alla lunga elaborazione delle *Rusticane* aveva anche iniziato la stesura del nuovo romanzo, il *Mastro-don Gesualdo*, che si era rivelata subito particolarmente impegnativa.

Anche le novelle di *Per le vie* gli erano costate fatica: dagli autografi relativi alla raccolta risulta, come già detto, chiaramente che il Verga non si muoveva così disinvoltamente nel mondo narrativo milanese quanto in quello siciliano. La ricerca doveva ripartire, a tutti i livelli, da zero; gli ambienti, i personaggi e la loro parlata gli dovevano essere ormai familiari dopo dieci anni di soggiorno milanese, ma non appartenevano abbastanza al suo passato per essere sottoposti al vaglio, al filtro di una ricostruzione intellettuale. Ecco perché *Per le vie* è una raccolta, si può dire, tutta al presente, dove prevale il *fait divers*, la registrazione quasi immediata delle cose, è, insomma, la più verista delle raccolte verghiane. Perciò tra i commenti, scarsissimi, sulle recensioni, apparse all'indomani dell'uscita del volume e tutte favorevoli, risulta particolarmente significativo quello all'articolo di Francesco Torraca, espresso in una lettera di ringraziamento al critico:

Vorrei dirle tutto il piacere che mi ha fatto il suo articolo sul mio ultimo volumetto. Ne sono lieto per questo e più ancora per l'altro studio che farò delle nostre classi popolari quando ci arriverò colla serie dei *Vinti*. Le confesso che non ero certo di essere riuscito a delineare le linee principali di questi altri tipi che sono caratteristici anch'essi per chi ben guardi [...]. I miei bozzetti sono proprio gli schizzi e le prove con cui preparo alla mia maniera i quadri.[1]

Verso il « Mastro-don Gesualdo »: « Vagabondaggio »

Dopo la grande stagione degli anni '80-'84 la produzione narrativa verghiana subisce una battuta d'arresto: l'esordio teatrale con *Cavalleria rusticana* nell' '84 e il successo ottenuto spin-

[1] V. *I Malavoglia e l'autore senza nome*, di E. e A. Croce, in « Il Mondo », 10 marzo 1964.

gono lo scrittore a continuare sulla nuova strada, un vecchio amore in realtà, se si pensa che nel 1865 sperava di affermarsi con una commedia d'ambiente borghese, *I nuovi tartufi*, presentata al Concorso Drammatico Governativo.

Sempre nei primi mesi dell' '84 si conclude la prima fase elaborativa del *Mastro-don Gesualdo* con un nulla di fatto: i sette abbozzi stesi seguendo uno schema assai diverso dal definitivo sono riutilizzati per la prima redazione di *Vagabondaggio*, uscita nel « Fanfulla della Domenica » in due puntate successive, la prima il 22 giugno col titolo *Come Nanni rimase orfano*, la seconda il 6 luglio col titolo definitivo, e per una seconda novella, *Mondo piccino*, un vero paragrafo staccato dal romanzo costruito con i materiali non ancora usufruiti degli abbozzi.[1] Dalla fusione delle due novelle nascerà nell' '87 il *Vagabondaggio* che apre la raccolta omonima.

Drammi intimi, il volume uscito nello stesso anno dall'editore Sommaruga di Roma, raccoglie il resto della produzione novellistica verghiana. Dei sei racconti che lo compongono tre, *I drammi ignoti, Ultima visita, Bollettino sanitario*,[2] sono perfettamente coerenti col genere « dramma intimo », mai del tutto abbandonato dal Verga, come dimostra la contemporanea stesura di alcuni testi di *Vita dei campi* e di *Il come, il quando ed il perché*, e saranno ripresi e in parte rielaborati in *I ricordi del capitano d'Arce*, forse per rendere meno esile il « romanzo di Ginevra »; gli altri sono di ispirazione opposta: *La Barberina di Marcantonio*, d'ambiente veneto, è legata tematicamente a due scritti occasionali del 1883, *Nella stalla* e *Passato!*,[3] *Tentazione!* è un *fait divers*, una storia di violenza di rara efficacia, stranamente non inserita in *Per le vie* data l'ambientazione nel milanese, mentre *La chiave d'oro* è un perfetto racconto « rusticano ».[4]

Drammi intimi raccoglie, insomma, testi legati al passato, ma anche in parte rivolti al futuro, in quanto cartoni preparatori

[1] Si veda C. Riccardi, *Gli abbozzi del « Mastro-don Gesualdo » e la novella « Vagabondaggio »*, in « Studi di Filologia italiana », XXXIII, 1975.
[2] *I drammi ignoti* era già uscito nell'« Illustrazione italiana » del 7 e 14 gennaio 1883; nello stesso anno nel « Fanfulla della Domenica » erano apparsi *Ultima visita* e *Bollettino sanitario* (col titolo *Bullettino sanitario*) il 4 novembre e il 16 dicembre.
[3] V. *Novelle sparse*, 887-90.
[4] Già edita nel « Momento letterario, artistico, sociale », Palermo, 31 luglio 1883 e l'11 novembre nella « Domenica letteraria ».

di ambienti e personaggi dei successivi romanzi del « Ciclo dei Vinti ».

L'interesse per lo studio della psicologia delle classi borghesi e aristocratiche è portato avanti anche nel teatro. Contemporaneamente a *In portineria*, ricavato da *Il canarino del N. 15*, (« Io sto scrivendo un drammettino in due atti che mi sembra di qualche effetto; e calcolatamente ho voluto che non sia di argomento siciliano. » confida il 17 gennaio 1885 a Salvatore Paola Verdura [1]) Verga lavora a « un altro dramma della così detta *società* », il cui argomento, come si deduce dalla stessa lettera, è desunto da *I drammi ignoti*, poi *Dramma intimo*.

Ma nel maggio la fredda accoglienza alla *pièce* milanese lo scoraggia al punto da abbandonare per molti anni il tentativo di fondare un teatro verista. La prefazione a *Dal tuo al mio* romanzo, scritta molti anni dopo, nel 1906, testimonia la progressiva perdita di fiducia nel mezzo teatrale, mentre riassume le linee teoriche della produzione narrativa dall' '87 in poi, sia pure in modo schematico e semplicistico (ma Verga fu sempre un mediocre teorico):

Pubblico questo lavoro, scritto pel teatro, senza mutare una parola del dialogo, e cercando solo di aggiungervi, colla descrizione, il colore e il rilievo che dovrebbe dargli la rappresentazione teatrale – se con minore efficacia, certamente con maggior sincerità, e in più diretta comunicazione col lettore, miglior giudice spesso, certo più sereno, faccia a faccia colla pagina scritta che gli dice e gli fa vedere assai più della scena dipinta, senza suggestione di folla e senza le modificazioni – in meglio o in peggio poco importa – che subisce necessariamente l'opera d'arte passando per un altro temperamento d'artista onde essere interpretata. Al lettore non sfuggono, come non sfuggono al testimonio delle scene della vita, il senso recondito, le sfumature di detti e di frasi, i sottintesi e gli accenni che lumeggiano tante cose coi freddi caratteri della pagina scritta, come la lagrima amara o il grido disperato suonano nella fredda parola di questo metodo di verità e di sincerità artistica - quale dev'essere, perché così è la vita, che non si svolge, ahimè, in belle scene e in tirate eloquenti.

Ad aggravare la crisi si aggiungono le difficoltà economiche

[1] V. *Verga De Roberto Capuana*, Catalogo della Mostra per le Celebrazioni Bicentenarie della Biblioteca Universitaria di Catania, a cura di A. Ciavarella, Catania, Giannotta, 1955.

che assilleranno lo scrittore fino al 1889: le lettere di questi anni agli amici Gegè Primoli e Mariano Salluzzo sono una continua richiesta di prestiti, garantiti appunto dalla pubblicazione di *Vagabondaggio*. Alla realizzazione della raccolta non è estraneo il motivo economico, più determinante, anzi, che in altre operazioni editoriali: non casuale la scelta del dinamico editore fiorentino Pietro Barbèra, col quale già nell' '85 dovevano essere concluse le trattative per il contratto, se il Verga il 20 gennaio '86 gli scrive da Catania:

> Sto mettendo in ordine le novelle pel volume, ritoccandole e migliorandole ove occorra, ché desidero la nostra pubblicazione abbia il sapore di cosa nuova e il libro qualche maggior valore di una semplice raccolta, e poiché siamo a stagione inoltrata, il meglio è farlo uscire in primavera. Ad ogni modo in febbraio le manderò i materiali pel volume.[1]

L'edizione non è pronta che alla fine dell'aprile 1887,[2] mentre l'editore si dimostra già incerto del buon esito tanto che tocca all'autore incoraggiarlo:

> La prima messa in vendita di un mio libro, a detta di Treves e Ottino Brigola, non è stata mai inferiore alle 1600 copie. Spero di non essere andato indietro, e soprattutto di non farlo constatare a lei. Si faccia animo dunque e spinga avanti il libro (Roma, 19 aprile '87).

Il libro non ha, però, grande risonanza e non è più ristampato dal Barbèra, ma due volte, nel 1901 e nel 1920, dal Treves. Ripubblicandolo presso il suo vecchio editore il Verga ne attua una revisione limitata a minimi interventi lessicali e interpuntivi.

Concepita in un momento difficile, *Vagabondaggio* è il documento dei problemi narrativi in direzione del *Mastro-don Gesualdo*: non esiste all'origine un'idea informatrice, un tema o comunque la scelta di un campo narrativo ben individuato come per le precedenti raccolte. L'idea del « vagabondaggio » come fuga dal reale o come movimento inarrestabile e negativo della vita è presente in tutta la narrativa verghiana: a parte la mitica staticità dei personaggi di *Vita dei campi* (l'uni-

[1] Le lettere al Barbèra sono state pubblicate da G. Finocchiaro Chimirri in *Postille a Verga*, Roma, Bulzoni, 1977.
[2] G. Verga, *Vagabondaggio*, Firenze, Barbèra, 1887.

co che si distacca è forse Gramigna), si rintraccia nei *Malavoglia* attraverso 'Ntoni e compar Alfio, nelle *Rusticane* come *Malaria*, *Storia dell'asino di S. Giuseppe*, *Pane nero*, *La roba*, mentre domina ormai in *Per le vie*. È un motivo in crescita che si realizzerà compiutamente nel *Mastro-don Gesualdo*. E i testi della raccolta sono delle vere e proprie tappe d'avvicinamento al romanzo, la cui seconda stesura o comunque la seconda fase di ideazione inizierà proprio negli anni '86-'87.

Basterebbe la novella eponima a dimostrare sia che l'idea del volume è posteriore alla composizionc dei testi, sia che essi sono legati alla vicenda elaborativa del *Mastro*, ma se ne trovano altre prove anche se meno esemplari e complesse.

L'agonia d'un villaggio, uscito per la prima volta in « L'imparziale » nell'agosto 1886, ha una lontana origine nelle pagine di *Un'altra inondazione*, pubblicato nel 1880. Il breve scritto aveva già fatto da modello a un episodio di *I galantuomini*: la distruzione della vigna di don Marco bruciata durante un'eruzione dell'Etna. Per *L'agonia*, composto in occasione della colata lavica che nel maggio 1886 raggiunse le case di Nicolosi, l'autore rielabora, invece, la prima parte del testo del 1880, riprendendo, in particolare, e ampliando due sequenze narrative: la fuga degli abitanti terrorizzati e l'accorrere di una folla elegante e curiosa, interessata non al dramma delle vittime, ma all'eccezionale spettacolo dell'eruzione.

Così *Quelli del colèra* è realizzato sulla base di un bozzetto dal titolo *Untori*, apparso in « Auxilium », un numero unico a favore dei colerosi dell'ottobre 1884. Il bozzetto viene eccezionalmente dilatato: il riscontro più puntuale si ha con l'ultima parte della novella in cui l'anonimo narratore paesano racconta il diverso e drammatico esito dei fatti in un altro villaggio.

Quelli del colèra ha, inoltre, un rapporto molto stretto col *Mastro* essendo il diretto antecedente della descrizione degli effetti dell'epidemia nei capitoli II e III della Parte terza del romanzo: l'arrivo del merciaiolo portatore del contagio, la morte fulminante di una donna incinta, lo stravolgimento del paesaggio notturno del paese impestato, la fuga degli abitanti, l'uccisione della giovinetta del piccolo circo ambulante (elemento già presente in *Untori*), le scene di folla tumultuante, già apparse in *Libertà*, sono le funzioni narrative riutilizzate, sia pure attraverso soluzioni stilistiche più raffinate, nel *Mastro*.

Allo stesso modo Nanni Volpe, protagonista dell'omonima

novella, una delle ultime uscite in rivista (nell'« Illustrazione italiana » del 17 aprile 1887), è un precursore di Gesualdo: se ne veda la descrizione in apertura di racconto e si confronti il monologo sulla scelta della moglie con il bilancio che Gesualdo fa della propria vita affettiva all'inizio del capitolo I della Parte terza, con le caute riflessioni sull'infatuazione sentimentale di Isabella o con tutto il capitolo finale del romanzo, realizzate, tra l'altro, con gli stessi espedienti stilistici.

Anche altre novelle subiscono una notevole rielaborazione nel passaggio dalla rivista al volume: *Artisti da strapazzo* e *Il maestro dei ragazzi* sono quasi completamente rifatte sulla base delle redazioni uscite nel « Fanfulla della Domenica » dell'11 gennaio '85 e del 26 marzo '86.

Artisti da strapazzo nella prima stesura è un vero e proprio *fait divers*, anche nelle proporzioni assai ridotte (tre sole colonne del « Fanfulla »). La relazione di Assunta-Edvige con il tenore (sostituito nel volume con il baritono) è descritta in poche righe di stile giornalistico, come pure il passato della donna, mentre il rapporto con il pianista, il « maestro », è accennato brevemente. La soluzione finale è rapidissima e tragica, come si conviene al genere. Assunta entra nel caffè per l'ultima volta e assiste all'esibizione volgare di una ballerina, esce, dopo l'arrivo della polizia, e rendendosi conto del suo destino umiliante si uccide.

Nel *Maestro dei ragazzi* manca la storia d'amore della sorella del maestro, cioè tutta la parte centrale del racconto, cosicché il personaggio non ha una propria autonomia narrativa, ma fa da spalla al protagonista. Anche stilisticamente il racconto è più povero: l'indiretto tradizionale domina sul dialogo, ridottissimo, mentre è del tutto assente il discorso indiretto libero largamente usato in seguito proprio nella sezione dedicata a Carolina nella redazione definitiva.

Interventi stilistici, ma non strutturali, attua il Verga in *Un processo* e *Il segno d'amore*, pubblicati nel « Fanfulla della Domenica », rispettivamente il 3 agosto 1884 e il 1° marzo 1885, ambedue novelle di gelosia che fanno gruppo insieme a *Il bell'Armando* (« Fanfulla della Domenica », 6 dicembre 1885); ancora legata al genere « rusticano », *Il segno d'amore*, più nuove per il tentativo d'analisi psicologica le altre due, soprattutto *Il bell'Armando*, in bilico tra il fatto di cronaca e l'autoanalisi della protagonista.

Restano, a parte *...e chi vive si dà pace* che riprende il tema del soldato, le due novelle teoriche: *La festa dei morti* e *Lacrymae rerum*, in cui il Verga mette a fuoco quello che dovrebbe essere il motivo conduttore del libro, il movimento inutile e doloroso della vita, destinato a non lasciare neppure il ricordo di sé.

La festa dei morti è il rifacimento di un precedente bozzetto *La camera del Prete*, pubblicato il 4 maggio 1884 nella « Cronaca rosa » (una rivista domenicale napoletana di tono mondano-letterario) e preceduto da una presentazione-ritratto dell'autore ad opera di Federico Verdinois. La rielaborazione trasforma completamente il racconto che da bozzetto verista intessuto su una leggenda diventa una funerea e quasi surreale fantasia, interrotta bruscamente dal materialistico finale.

Più interessante *Lacrymae rerum* (uscito nel « Fanfulla della Domenica » il 14 dicembre 1884) che fa da riscontro a *Il bastione di Monforte*: nel racconto d'apertura di *Per le vie* il narratore osserva da un'interno il « movimento » delle strade anticipando i temi e i personaggi della raccolta; qui, alla fine del libro e da un opposto punto di vista, annota « l'andare e il venire » incessante dentro una casa (e la metafora, la stessa della strada, è chiarissima), registrando « il passaggio delle solite ombre che correvano all'impazzata, in un affaccendarsi disperato ».

Una raccolta estremamente composita, dunque, che risente della distanza di composizione tra novella e novella o tra gruppi di novelle, senza un'ispirazione unitaria alla base, anche se nella rielaborazione ogni racconto viene arricchito di nuovi elementi di contenuto e, soprattutto, di stile che danno al libro una sua unità.

Lo studio delle « classi alte »: « I ricordi del capitano d'Arce »

Nella primavera-estate del 1889, mentre il *Mastro-don Gesualdo* è in ultima fase di revisione, il Verga riprende a scrivere racconti sul « bel mondo », abbandonato da tempo dopo la stesura dei *Drammi intimi*. Il ritorno a questa tematica rientra nel programma del « Ciclo dei Vinti », nel tentativo cioè di cogliere il lato drammatico, o ridicolo, o comico di tutte le fisionomie sociali, ognuna colla sua caratteristica, negli sforzi che fanno per andare avanti in mezzo a quest'onda immensa che è spinta dai bisogni più volgari o dall'avidità della scienza ad andare avanti, incessantemente, pena la caduta e la vita pei deboli e i maldestri

partendo dalle « classi infime » per

finire nelle varie aspirazioni, nelle ideali avidità de *L'uomo di lusso* (un segreto), passando per le avidità basse alle vanità del *Mastro-don Gesualdo*, rappresentante della vita di provincia, all'ambizione di un deputato.[1]

Al *Mastro-don Gesualdo*, dove per altro le classi aristocratiche già entrano sia nella veste di piccola e gretta nobiltà di provincia sia di gruppo ai vertici della società, ma borioso e incapace, deve, infatti, seguire il terzo tempo della progettata *Marea* ovvero *La duchessa di Leyra*, storia dell'« intrusa nelle alte classi ». Ecco, dunque, lo studio di ambienti diversi, salotti, teatri, tutti i punti d'incontro delle alte sfere, ecco le conversazioni mondane, l'analisi dei rapporti assai più sottili e sfuggenti, poiché qui la molla dell'azione non è più solo economica, i drammi dell'amore vissuti come su una scena, e, soprattutto, lo scandaglio della psicologia femminile per costruire il carattere della nuova protagonista, Isabella di Leyra.

A questo serve, in seconda istanza, il cosiddetto romanzo di Ginevra ovvero i primi sette racconti della raccolta dove agiscono una protagonista, Ginevra, appunto, la seduttrice, e due personaggi maschili fissi, d'Arce che si fa narratore in prima persona sull'onda del ricordo (si veda il titolo e l'inizio del racconto d'apertura), Casalengo, l'amante fedele sino alla fine, e, in due soli testi, *Carmen* e *Prima e poi*, un terzo uomo, l'ultima passione della donna, Riccardo Aldini.

Dal punto di vista stilistico è notevole la sperimentazione del dialogo amoroso, dalla schermaglia superficiale alla confessione della passione (si vedano, in particolare, *Giuramenti di marinaio* e *Né mai, né sempre!*), all'effusione epistolare (*Prima e poi*).

Come lavoro preparatorio, tuttavia, *I ricordi* non servì a molto, poiché, come è noto, la stesura della *Duchessa* non avanzerà oltre i primi capitoli, nonostante che dal 1890 in poi ri-

[1] G. Verga, *I grandi romanzi*, Milano, Mondadori, 1972, p. 752.

torni insistentemente nelle lettere fino alla rinuncia definitiva, databile al 1908.

Ai sette racconti, scritti e pubblicati in rivista nel giro di un anno,[1] cui si consegnano i ricordi di d'Arce, seguono tre « drammi intimi » recuperati dal volume dell' '84, *I drammi ignoti*, *L'ultima visita* (con nuovi titoli, *Dramma intimo*, *Ultima visita*), *Bollettino sanitario*, probabilmente ripresi per dar maggior spessore al libro.

In particolare i primi due vengono rivisti nel passare nella nuova raccolta: il primo subisce interventi soprattutto a livello sintattico e lessicale, tesi a eliminare i toni esteriormente drammatici e quasi plateali che nella prima redazione dovevano esprimere il conflitto tra amore materno e amore sensuale, tra altruismo ed egoismo, e il complicato intreccio dei rapporti tra Anna, Bice e Danei.

Nel secondo avviene un radicale cambiamento di struttura: del tutto nuova la scena iniziale della festa, solo accennata in *flash back* nella stesura del 1884, e dell'esibizione canora di donna Vittoria, inserita per creare contrasto con la descrizione della malattia, mentre altre sequenze narrative della prima stesura vengono smembrate e poi ricucite diversamente per ottenere effetti più drammatici (nuova è pure la scena del gioco al circolo mentre la protagonista sta morendo).

Anche questi personaggi femminili, Anna, Bice, Vittoria si configurano, nella revisione, come prototipi di Isabella di Leyra.

Da *Dramma intimo*, secondo il consueto scambio tra novellistica e teatro, il Verga intendeva già dal 1885 ricavare un testo teatrale e ne esponeva il progetto nella lettera del 17 gennaio 1885 a Salvatore Paola Verdura:

Ho poi nel telaio un altro dramma della così detta *società*, di cui l'argomento mi piace assai, ma pel quale schiettamente ho bisogno di una tua franca autorizzazione perché l'argomento mi è ispirato da un racconto quasi confidenziale che tu mi facesti una volta

[1] *I ricordi del capitano d'Arce* uscì nel « Fanfulla della Domenica » il 23 giugno 1889; *Commedia da salotto* e *Né mai, né sempre* (col titolo *Per sempre uniti*) in « Gazzetta letteraria », 29 giugno e 16 novembre 1889; *Giuramenti di marinaio* in « Fanfulla della Domenica », 26 gennaio 1890; *Carmen* e *Ciò ch'è in fondo al bicchiere* in « Gazzetta letteraria », 15 febbraio e 8 marzo 1890; *Prima e poi* in due parti: *Prima* in « Rassegna della Letteratura italiana e straniera », 15 novembre 1890, *Poi* in « Lettere e Arti », l'11 ottobre dello stesso anno.

(strano scrupolo tardivo in quanto la vicenda era già stata sfruttata per *I drammi ignoti*). E proseguiva presentando nei minimi particolari il contenuto dei due atti. La materia della novella veniva ripensata in funzione scenica, l'azione drammatizzata con l'inserimento di un nuovo personaggio, il marito di Anna, e capovolto il finale con la morte della figlia anziché della madre.

Anche se ancora nel '90 il Verga continuava a lavorarci, pur senza progressi, il dramma non fu realizzato, sicché *I drammi ignoti* poté essere ripreso e rielaborato come *Dramma intimo*.[1]

Le novelle, dopo una revisione esclusivamente stilistica, uscirono in volume, presso il Treves di Milano, nel 1890.[2]

Dichiarazione di fallimento del verismo: « Don Candeloro e C.ⁱ »

Certamente in mezzo a quella calca, i viandanti frettolosi anch'essi, non hanno tempo di guardarsi attorno, per esaminare gli sforzi plebei, le smorfie oscene, le lividure e la sete rossa degli altri, le ingiustizie, gli spasimi di quelli che cadono, e sono calpestati dalla folla, i meno fortunati, e qualche volta i più generosi. L'osanna dei trionfatori copre le grida di dolore dei sorpassati. Ma visto davvicino il grottesco di quei visi anelanti non deve essere evidentemente artistico per un osservatore? [3]

Quando il Verga, il 22 gennaio '81, scrive questo brano come parte di una prefazione, subito scartata, ai *Malavoglia* è pienamente convinto della validità del metodo verista, enunciato del

[1] Il titolo del dramma non è, come a volte indicato, *Amori eleganti*, *A villa d'Este*, *La commedia dell'amore* o *Civettando* che si riferiscono invece a una riduzione teatrale di *Il come, il quando ed il perché*, a cui il Verga lavora negli stessi anni (la novella *Commedia da salotto* non ha nulla a che fare con gli ultimi due titoli, come suppone, invece, il Tellini in II 249), bensì *Dramma intimo* come risulta dai pochi abbozzi conservati fra le carte verghiane.

[2] Nel ripubblicare *I ricordi* rileviamo che il testo del « Meridiano » *Tutte le novelle* (Milano, Mondadori, 1979) non si discosta affatto dall'*editio princeps*: le « vistose differenze » di cui parla G. Tellini in *Le novelle cit.*, II 571, sono sei refusi (gli unici del volume, tutti radunatisi nella stessa raccolta) del tipo, ad esempio, *ci parlava* per *vi parlava, aveva* per *le aveva.* Si è provveduto qui a correggerli.

[3] L. Perroni, *Preparazione de « I Malavoglia »*, in *Studi critici su Giovanni Verga*, Roma, Bibliotheca, 1934, pp. 107-25.

resto l'anno prima nella lettera a Salvatore Farina premessa all'*Amante di Gramigna*. C'è già, tuttavia, quell'interesse per il grottesco, accennato nell'annuncio della *Marea* a Salvatore Paola Verdura (« il lato drammatico, o ridicolo, o comico di tutte le fisionomie sociali »),[1] che diventerà un motivo in crescita e in evoluzione negli anni successivi attraverso le *Novelle rusticane*, *Vagabondaggio*, *Mastro-don Gesualdo*, *I ricordi del capitano d'Arce* fino alla completa realizzazione in *Don Candeloro e C.i* e alla teorizzazione, sia pure un po' banale, della premessa a *Dal tuo al mio*, romanzo, nel 1906.

Il nucleo della raccolta e cioè le due serie di novelle che svolgono le due tesi portanti è pressoché contemporaneo alla stesura dei *Ricordi*:[2] il teatro come maschera, finzione, impossibilità di indagare il reale, e il convento, come metafora del mondo, dove la religione è messinscena, strumento di interesse e di potere sono i motivi portanti dei cinque racconti teatrali, *Don Candeloro e C.i*, *Le marionette parlanti*, *Paggio Fernando*, *La serata della vita*, *Il tramonto di Venere* e dei tre conventuali, *L'opera del Divino Amore*, *Il peccato di donna Santa*, *La vocazione di suor Agnese*, cui si aggiunge più tardi *Papa Sisto*.

Le novelle, oltre ad essere collegate tematicamente, sono, come nel caso di quelle teatrali, la continuazione l'una dell'altra; *Le marionette parlanti* lo è di *Don Candeloro* e *La serata della diva* di *Paggio Fernando*: in una prima redazione manoscritta

[1] V. p. XLIII, nota 1.

[2] In un anno circa, dall'autunno '89 all'autunno '90, il Verga scrive *Paggio Fernando, Don Candeloro e C.i*, *Le marionette parlanti* (apparse, nell'ordine, in « Almanacco del Fanfulla » del 1889, in « Fanfulla della Domenica », 6 aprile 1890, col titolo *Le marionette viventi*, in « Gazzetta letteraria », 3 maggio 1890 col titolo *Le angustie di Bracale*), *La vocazione di suor Agnese* (« Gazzetta letteraria », 24 maggio 1890), *L'opera del Divino Amore* (« Fanfulla della Domenica », 29 giugno '90, col titolo *Il demonio nell'acqua santa*), *Il peccato di donna Santa* (« Fanfulla della Domenica », 15-16 novembre 1891). Un po' più tardi sono gli altri due racconti teatrali: *La serata della diva* (« Fanfulla della Domenica », 13 luglio 1890) e *Il tramonto di Venere* (Numero speciale di Natale e Capodanno dell'« Illustrazione italiana », 1892). *Epopea spicciola*, *Papa Sisto*, *Gli innamorati* e *Fra le scene della vita* uscirono tutti nel 1893, il primo il 18 giugno in « La Vita moderna », col titolo *Sul passaggio della gloria*, gli altri tre nel « Corriere della Sera », nei numeri del 28-29, 29-30 e 30-31 luglio, del 28-29 dicembre e del 29-30 dicembre. Dopo la consueta revisione stilistica, il volume uscì alla fine del 1893 presso il Treves di Milano, ma con i millesimi del 1894.

Rosmunda si chiama Celeste come la cantante della *Serata* dove torna pure il personaggio di Barbetti (presente anche in *Il tramonto di Venere*) che da commediografo di provincia è divenuto critico teatrale di successo.

Estranee ai due filoni-base sono *Epopea spicciola*, *Gli innamorati* e *Fra le scene della vita*, quest'ultima non tanto testo teorico quanto rassegna di fatti di cronaca, di farse tragiche, come significativamente s'intitola negli autografi, di episodi minimi, spesso già svolti nella narrativa verghiana, tra tutti notevole il terzo, un approccio al « codice speciale » delle alte classi, unico e isolato esperimento dopo i cartoni dei *Ricordi*.

*Don Candeloro e C.*ⁱ si presenta come una contro raccolta ovvero una rilettura ironica, in controluce dei motivi e dei personaggi delle grandi novelle. L'ironia, il senso del grottesco, derivato dal contrasto apparenza/realtà, che si insinuano in *Pane nero*, che corrodono il mondo economico del *Mastro*, come quello frivolo e passionale dei *Ricordi*, diventano qui strumenti di difesa proprio contro la realtà, espedienti per esorcizzarla o per smascherarne le assurde contraddizioni.

La realtà è una maschera imposta dalle convenzioni e dalla ipocrisia; lo scrittore, dunque, può solo evidenziarne o colpirne le punte più grottesche per sottrarsi al gioco delle parti, per non diventare egli stesso una marionetta manovrata da un invisibile burattinaio. Simbolica, in questo senso, la scelta di personaggi come Candeloro Bracone e gli altri guitti, in quanto pure maschere, prive di identità umana. E simbolico il titolo *Don Candeloro e C.*ⁱ, sotto il quale ricadono tutti i personaggi verghiani e, anzitutto, Lola, Turiddu e Alfio, prototipi dell'amore-passione, degradati qui in *Gli innamorati*, la più clamorosa controlettura della raccolta.

Il mitico triangolo amoroso subisce attraverso le varie incarnazioni un'involuzione dall'epico e dal tragico al ridicolo, al farsesco. Da *Cavalleria rusticana*, dalla *Lupa*, da *Jeli*, dall'*Amante di Gramigna*, passando per momenti demistificanti come *Il Mistero*, *Pane nero*, *Amore senza benda*, *Semplice storia*, *Gelosia*, *Via Crucis*, *Il segno d'amore*, *Nanni Volpe*, *Mastro-don Gesualdo* (Ninì e Bianca, Gesualdo e Diodata, Isabella e Corrado), *I ricordi del capitano d'Arce* si giunge alla totale dissacrazione degli *Innamorati*, dove la ragione dell'amore si rivelerà puramente economica:

Innamorati lo erano davvero. – Bruno Alessi voleva Nunziata; la ragazza non diceva di no; erano vicini di casa e dello stesso paese. Insomma parevano destinati, e la cosa si sarebbe fatta se non fossero stati quei maledetti interessi che guastano tutto.

e il drammatico duello tra Alfio e Turiddu si trasformerà nel grottesco inseguimento a pedate del vile « innamorato » Bruno Alessi, travestito per di più da Pulcinella (una doppia maschera, dunque, del corpo e dello spirito). Nunziata è l'anti-Lola, l'anti-Isabella, che « stando dietro il banco aveva imparato cosa vuol dire negozio », mentre la scena del ballo tra la ragazza e Nino sotto gli occhi del geloso Bruno è la riscrittura in chiave umoristica del ballo tra Mara e il figlio di massaro Neri osservato sconsolatamente da Jeli.

Tutte le novelle sono legate ai grandi temi e ai personaggi della narrativa precedente e li portano alle estreme conseguenze, arrivando a costituirne il controcanto.

L'attenzione, già polemica, all'ambiente conventuale risale a *Storia di una capinera* e, rinnovandosi in *I galantuomini*, dove vi è pure l'accenno alla predicazione dei quaresimalisti, determina nel *Mastro-don Gesualdo* l'analisi della vita di Isabella all'interno dei due educandati, per approdare infine, attraverso la parentesi mistica di *Olocausto* (da cui il Verga trae parecchi spunti per la descrizione dei pentimenti e delle estasi mistiche delle suore), alla definitiva dissacrazione delle novelle conventuali e religiose del *Don Candeloro*. Se Papa Sisto è un diretto discendente del Reverendo e del canonico Lupi del *Mastro*, pure coinvolto a suo vantaggio nei moti del '48 (si confrontino i passi del romanzo con la descrizione della rivoluzione nella novella), e, anzi, il carattere è portato sino alle estreme conseguenze, il dramma della povera capinera si trasforma nella farsa orchestrata dalla scaltra Bellonia, figlia, priva di scrupoli, dell'oste Pecu-Pecu, mentre intorno a lei si delinea un mondo conventuale dove la religione è pretesto, strumento di potere. Ecco, quindi, *La vocazione di suor Agnese*, che è anche la storia di un falso amore, e *Il peccato di donna Santa* col colpo di scena, una vera trovata teatrale, della « predica dell'Inferno ».

Più recente (ma ci si ricordi di *Eva* del 1869) era l'attenzione agli « artisti da strapazzo », iniziata in sordina con *Amore senza benda* (i protagonisti, da adolescenti, sono ballerini della Scala) e portata avanti nella raccolta *Vagabondaggio* proprio con la novella *Artisti da strapazzo* (squallida storia di una cantante di caffè-concerto, di maestri di musica e tenori falliti) e con *Quelli del colèra* (i saltimbanchi di un circo miserabile), con il *Mastro* (gli amori di Ninì Rubiera con la comica Aglae ricordano la storia di *Paggio Fernando*) per concludersi con i racconti teatrali di *Don Candeloro* e, molti anni dopo, con *Una capanna e il tuo cuore*, ultimo spaccato della vita fuori dalle scene delle attrici girovaghe.

E, infine, le false rivoluzioni del Risorgimento che si risolvono come per lo zio Lio in dolorose epopee spicciole. La novella (l'ossimoro del titolo accentua la carica ironica del titolo della redazione in rivista, *Sul passaggio della gloria*) riprende il tema della guerra e del soldato: è la liberazione di Palermo del 1860, vista dalla campagna, secondo episodio desunto dalla spedizione dei Mille, anche se dall'epica rievocazione della rivolta di Bronte si giunge, attraverso la mediazione di racconti come *Camerati, ...e chi vive si dà pace*, al ricordo da parte di una classe, quella contadina e proletaria, che ha sofferto solo danni da un'impresa pur gloriosa e celebratissima nell'Italia risorgimentale.

Sono più di tutto le parole di don Erasmo, vittima di un dubbio infamante nella società siciliana (le corna), a dare il senso della raccolta:

La verità... la verità... Non si può sapere la verità!... [...] Non vogliono che si dica la verità!... preti, sbirri, e quanti sono nella baracca dei burattini!... che menano gli imbecilli per il naso!... proprio come le marionette!...

Don Candeloro e C.i, collegandosi alle posizioni teoriche del *Mastro-don Gesualdo* e portandole alle estreme conseguenze, è, dunque, una sorta di rilettura, di riscrittura critica di tutta la novellistica verghiana e forse l'inevitabile punto d'arrivo del metodo verista, la testimonianza di un sostanziale fallimento sul piano ideologico del verismo, una volta riconosciuta l'impossibilità di rappresentare la realtà, poiché questa ha più facce, mentre il fatto umano non è più « nudo e schietto », ma grottesco, umoristico, proprio per la finzione che lo produce (e si noti come proprio lo strumento stilistico fondamentale della narrativa verghiana, il discorso indiretto libero, sia usato qui come piano del grottesco che smaschera la finzione). Si svela, insomma, il misterioso processo per cui le passioni si annodano, si intrecciano, maturano, si svolgono nel loro cammino sotterraneo, nei loro andirivieni che spesso sembrano contradditorii

e si raggiungono qui i risultati estremi del metodo esposto nella lettera al Farina.

Le « Novelle Sparse »

Sotto questo titolo si raccolgono i testi narrativi che non furono inseriti in nessun volume, *Il come, il quando ed il perché* e i tre *Drammi intimi* non più pubblicati.

Un'altra inondazione uscì in « Roma-Reggio ». Numero speciale del « Corriere dei Comuni » a beneficio degli inondati di Reggio Calabria, Roma, Tipografia elzeviriana dell'Officina Statistica, 1880. La devastazione di Reggio in seguito all'uragano del 20 ottobre 1880 fu il fatto più grave di una serie di inondazioni in tutta Italia. L'eruzione vulcanica, a cui si riferisce il Verga, è quella del maggio-giugno 1879 che giunse a minacciare Linguaglossa e Castiglione.

Casamicciola, ricordo del borgo di Ischia, apparve il 13 aprile 1881 in un numero straordinario del « Don Chisciotte », pubblicato a Catania a beneficio delle vittime del terremoto che colpì l'isola in quell'anno.

I dintorni di Milano uscì nel volume miscellaneo *Milano 1881* (Milano, Ottino, 1881), pubblicazione celebrativa dell'Esposizione Nazionale industriale e artistica, svoltasi a Milano nel 1881.

Nella stalla e *Passato!* uscirono in *Arcadia della carità*, Strenna internazionale a beneficio degli inondati, Lonigo, Tipo-litografia Editrice L. Pasini, 1883.

« *Il carnevale fallo con chi vuoi; Pasqua e Natale falli con i tuoi* » fu pubblicato nell'« Illustrazione italiana » del 28 dicembre 1884; nella stessa rivista uscì il 21 dicembre 1889 *Olocausto* assai vicina alle novelle conventuali di *Don Candeloro e C.i*.

La caccia al lupo, pubblicata il 1° gennaio 1897 in « Le Grazie » rivista catanese di vita brevissima, fu ristampata nel gennaio 1923 in « Siciliana » secondo il testo inviato dall'autore alle « Grazie » (lo si deduce dal confronto con le stesure precedenti conservate tra gli autografi verghiani e si deve, perciò, ritenere non vera la notizia secondo la quale l'autore si fece restituire il manoscritto, in anni tardi, per correggerlo). Si dà qui il testo del 1897 reperito e riprodotto da G. Finocchiaro Chimirri in *Una rivista letteraria nella Sicilia dell'ultimo Ottocento: « Le Grazie »*, Acireale, Accademia di scienze lettere e belle arti degli zelanti e dei dafnici, 1978.

Nel carrozzone dei profughi e Frammento per *Messina!* sono due scritti sul terremoto del 1908, il primo uscito in *Scilla e Cariddi*, Roma, Armani e Stein, 1909; il secondo in *Messina!*, Palermo, Soc. ed. Maraffa Abate, 1910, due volumi miscellanei di testi di vari autori.

Una capanna e il tuo cuore, l'ultima novella del Verga scritta nel 1919 per una rivista letteraria che Federico De Roberto intendeva fondare, uscì postuma nell'« Illustrazione italiana » del 12 febbraio 1922.

Per *Il come, il quando ed il perché* si vedano le pagine dedicate a *Vita dei campi*, per *Mondo piccino*, *La Barberina di Marcantonio*, *Tentazione!*, *La chiave d'oro* si vedano quelle su *Vagabondaggio*.

Cronologia

1840
Il 2 settembre Giovanni Verga nasce a Catania (secondo alcuni a Vizzini, dove la famiglia aveva delle proprietà), da Giovanni Battista Verga Catalano, originario di Vizzini e discendente dal ramo cadetto di una famiglia nobile, e da Caterina di Mauro, appartenente alla borghesia catanese. Il nonno paterno, Giovanni, era stato « liberale, *carbonaro* e deputato per la nativa Vizzini al primo Parlamento siciliano del 1812 », secondo la testimonianza del De Roberto. I Verga Catalano erano una tipica famiglia di « galantuomini » ovvero di nobili di provincia con scarse risorse finanziarie, ma costretti a ben comparire data la posizione sociale. Non manca al quadro la lite con i parenti ricchi: le zie zitelle, le avarissime « mummie », e lo zio Salvatore che, in virtù del maggiorascato, aveva avuto in eredità tutto il patrimonio, a patto che restasse celibe, per amministrarlo in favore anche dei fratelli. Le controversie si composero probabilmente negli anni Quaranta e i rapporti familiari furono in seguito buoni come rivelano le lettere dello scrittore e la conclusione di un matrimonio in famiglia tra Mario, il fratello di Giovanni detto Maro, e Lidda, figlia naturale di don Salvatore e di una contadina di Tèbidi.

1851
Compiuti gli studi primari e medi sotto la guida di Carmelino Greco e di Carmelo Platania, Giovanni segue le lezioni di don Antonino Abate, poeta, romanziere e acceso patriota, capo di un fiorente *studio* in Catania. Alla sua scuola, oltre ai poemi dello stesso maestro, legge i classici: Dante, Petrarca, Ariosto, Tasso, Monti, Manzoni e le opere di Domenico Castorina, poeta e narratore di Catania, di cui l'Abate era un commentatore entusiasta.

1854-55
Per un'epidemia di colera, la famiglia Verga si trasferisce a Vizzini, quindi nelle sue terre di Tèbidi, fra Vizzini e Licodia.

1857
Termina di scrivere il suo primo romanzo, iniziato l'anno precedente, *Amore e Patria.* Non verrà pubblicato per consiglio del canonico Mario Torrisi, di cui il Verga fu alunno, insieme a Mario Rapisardi, dal 1853 al 1857.

1858
Per desiderio del padre si iscrive alla facoltà di legge dell'Università di Catania, senza dimostrare tuttavia molto interesse per gli studi giuridici, che abbandona definitivamente nel 1861 per dedicarsi, incoraggiato dalla madre, all'attività letteraria.

1860
Si arruola nella Guardia Nazionale – istituita dopo l'arrivo di Garibaldi a Catania – prestandovi servizio per circa quattro anni. Fonda, dirigendolo per soli tre mesi, insieme a Nicolò Niceforo e ad Antonino Abate, il settimanale politico « Roma degli Italiani », con un programma unitario e anti-regionalistico.

1861
Inizia la pubblicazione, a sue spese presso l'editore Galatola di Catania, del romanzo *I carbonari della montagna*, cui aveva lavorato già dal 1859; nel 1862 uscirà il quarto e ultimo tomo del libro che l'autore invierà ad Alexandre Dumas, a Cletto Arrighi, a Domenico Guerrazzi e a Frédéric Mistral.
Collabora alla rivista « L'Italia contemporanea », probabilmente pubblicandovi una novella o meglio il primo capitolo di un racconto realista.

1863
Nelle appendici del periodico fiiorentino « La Nuova Europa », di ispirazione filogaribaldina, riprende dal 13 gennaio fino al 15 marzo la pubblicazione del romanzo *Sulle lagune*, le cui due prime puntate erano apparse l'anno precedente nei numeri del 5 e del 9 agosto.
Il 5 febbraio muore il padre.

1864
Dirige per breve tempo il giornale politico « L'Indipendente ».

1865
Nel maggio si reca, per la prima volta, rimanendovi almeno fino al giugno, a Firenze, dal 1864 capitale d'Italia e centro della vita politica e intellettuale. È di questo periodo la commedia, inedita, *I nuovi tartufi* (in testa alla seconda stesura si legge la data 14 dicembre 1865), che fu inviata, anonima, al Concorso Drammatico Governativo.

1866
L'editore Negro di Torino pubblica *Una peccatrice*, romanzo scritto nel 1865.

1867
Una nuova epidemia di colera lo costringe a rifugiarsi con la famiglia nelle proprietà di Sant'Agata li Battiati.

1869
Il 26 aprile parte da Catania alla volta di Firenze, dove soggiornerà fino al settembre. Viene introdotto negli ambienti letterari fiorentini da Francesco Dall'Ongaro, al quale era stato presentato dal Rapisardi. Frequenta i salotti di Ludmilla Assing e delle signore Swanzberg, venendo a contatto col Prati, l'Aleardi, il Maffei, il Fusinato e l'Imbriani. Ha inizio l'amicizia con Luigi Capuana. Conosce Giselda Fojanesi, con la quale, nel settembre, compie il viaggio di ritorno in Sicilia. Comincia a scrivere l'*Eva* che tralascia per comporre *Storia di una capinera* e il dramma *Rose caduche*. Corrisponde regolarmente con i familiari, informandoli minutamente della sua vita fiorentina (da una lettera del '69: « Firenze è davvero il centro della vita politica e intellettuale d'Italia; qui si vive in un'altra atmosfera [...] e per diventare qualche cosa bisogna [...] vivere in mezzo a questo movimento incessante, farsi conoscere, e conoscere, respirarne l'aria, insomma »).

1870
Esce a puntate *Storia di una capinera* nel giornale di mode « La Ricamatrice », di proprietà dell'editore milanese Lampugnani, che l'anno successivo ripubblicherà il romanzo in volume con introduzione di Dall'Ongaro in forma di lettera a Caterina Percoto.

1872
Nel novembre si trasferisce a Milano, dove rimarrà, pur con frequenti ritorni in Sicilia, per circa un ventennio (alloggia in via Borgonuovo 1, poi in piazza della Scala e, infine, in corso Venezia). Grazie alla presentazione di Salvatore Farina e di Tullo Massarani, frequenta i più noti ritrovi letterari e mondani: fra l'altro i salotti della contessa Maffei, di Vittoria Cima e di Teresa Mannati-Vigoni. Si incontra con Arrigo Boito, Emilio Praga, Luigi Gualdo, amicizie da cui deriva uno stretto e proficuo contatto con temi e problemi della Scapigliatura. Al Cova, ritrovo di scrittori e artisti, frequenta il Rovetta, il Giacosa, il Torelli-Viollier – che nel 1876 fonderà il « Corriere della Sera » – la famiglia dell'editore Treves e il Cameroni. Con quest'ultimo intreccia una corrispondenza epistolare di grande interesse per le posizioni teoriche sul verismo e sul naturalismo e per i giudizi sulla narrativa con-

temporanea (Zola, Flaubert, Vallés, D'Annunzio). Giselda Fojanesi sposa il Rapisardi.

1873
Esce *Eva*, che aveva iniziato a scrivere nel 1869 (l'editore Treves gliene diede un compenso di sole 300 lire, prendendosi gratuitamente i diritti sulla *Capinera*, che anni prima aveva rifiutato). Lavora ai due romanzi da cui si aspetta la definitiva consacrazione di scrittore, *Tigre reale* e *Eros* (intitolato inizialmente *Aporeo*), intavolando laboriose trattative per la pubblicazione col Treves.

1874
Al ritorno a Milano, nel gennaio, ha una crisi di sconforto (il 20 del mese il Treves gli aveva rifiutato *Tigre reale*) che lo spinge quasi a decidere il rientro definitivo in Sicilia. La supera rapidamente buttandosi nella vita mondana milanese (le lettere ai familiari sono un minutissimo resoconto, oltre che dei suoi rapporti con l'ambiente editoriale, di feste, veglioni e teatri) e scrivendo in soli tre giorni *Nedda.* La novella, pubblicata il 15 giugno nella « Rivista italiana di scienze, lettere e arti », ha un successo tanto grande quanto inaspettato per l'autore che continua a parlarne come di « una vera miseria » e non manifesta alcun interesse, se non economico, al genere del racconto. *Nedda* è subito ristampata dal Brigola, come estratto dalla rivista. Il Verga, spinto dal buon esito del bozzetto e sollecitato dal Treves, scrive nell'autunno, tra Catania e Vizzini, alcune delle novelle di *Primavera* e comincia a ideare il bozzetto marinaresco *Padron 'Ntoni*, di cui, nel dicembre, invia la seconda parte all'editore.

1875
Pubblica *Tigre reale* e *Eros* presso il Brigola. Lavora alle novelle (*Primavera* e *Certi argomenti*) e a una commedia, *Dopo*, che non riuscirà a finire (ne pubblicherà poche scene nel 1902 nella rivista « La Settimana »).

1876
Decide di rifare *Padron 'Ntoni*, che già nel settembre del 1875 aveva giudicato « dilavato », e prega il Treves di annunziarne la pubblicazione nell'« Illustrazione italiana ». Raccoglie in volume le novelle scritte fino ad allora, pubblicandole presso il Brigola con il titolo *Primavera ed altri racconti.*

1877
Il romanzo procede lentamente: nell'autunno scrive al Capuana: « Io non faccio un bel nulla e mi dispero ». Nell'aprile era morta Rosa, la sorella prediletta.

1878
Nell'agosto pubblica nella rivista « Il Fanfulla » *Rosso Malpelo*, mentre comincia a stendere *Fantasticheria.*
In una lettera del 21 aprile all'amico Salvatore Paola Verdura annuncia il progetto di scrivere una serie di cinque romanzi, *Padron 'Ntoni*, *Mastro-don Gesualdo*, *La Duchessa delle Gargantàs*, *L'onorevole Scipioni*, *L'uomo di lusso*, « tutti sotto il titolo complessivo della Marea ». Il 5 dicembre muore la madre, alla quale era legato da profondo affetto.

1879
Attraversa una grave crisi per la morte della madre (« Mi sento istupidito. Vorrei muovermi, vorrei fare non so che cosa, e non sarei capace di una risoluzione decisiva » scrive il 14 gennaio al Massarani), tanto da rimanere inattivo nonostante la volontà e la coscienza del proprio valore (« Io ho la febbre di fare, non perché me ne senta la forza, ma perché credo di essere solo con te e qualche altro a capire come si faccia lo stufato » confida il 16 marzo al Capuana). Nel luglio lascia finalmente Catania per recarsi a Firenze e successivamente a Milano, dove riprende con accanimento il lavoro.
In agosto esce *Fantasticheria* nel « Fanfulla della Domenica ». Nel novembre scrive *Jeli il pastore.* Tra la fine dell'anno e la primavera successiva compone e pubblica in varie riviste le altre novelle di *Vita dei campi.*

1880
Pubblica presso Treves *Vita dei campi* che raccoglie le novelle apparse in rivista negli anni 1878-80. Continua a lavorare ai *Malavoglia* e nella primavera ne manda i primi capitoli al Treves, dopo aver tagliato le quaranta pagine iniziali di un precedente manoscritto. Incontra, a distanza di quasi dieci anni, Giselda Fojanesi, con la quale ha una relazione che durerà circa tre anni, sicuramente fino al 1883. *Di là del mare*, novella epilogo delle *Rusticane*, adombra probabilmente il rapporto sentimentale con Giselda, ne descrive in certo modo l'evoluzione e l'inevitabile fine.

1881
Nel numero di gennaio della « Nuova Antologia » pubblica col titolo *Poveri pescatori* l'episodio della tempesta tratto dai *Malavoglia.* Escono per i tipi di Treves *I Malavoglia*, accolti freddamente dalla critica (« *I Malavoglia* hanno fatto fiasco, fiasco pieno e completo » confessa l'11 aprile al Capuana). Inizia i contatti epistolari con Édouard Rod, giovane scrittore svizzero che risiede a Parigi e che nel 1887 darà alle stampe la traduzione francese dei *Malavoglia.* Stringe rapporti di amicizia col De Roberto. Comincia a ideare il *Mastro-don*

Gesualdo e pubblica in rivista *Malaria* e *Il Reverendo* che all'inizio dell'anno aveva proposto al Treves per la ristampa di *Vita dei campi* in sostituzione di *Il come, il quando ed il perché.*

1882
Esce, da Treves, *Il marito di Elena* e, in opuscolo, presso l'editore Giannotta di Catania, una nuova redazione di *Pane nero.* Continua a lavorare alle future *Novelle rusticane*, pubblicandole man mano in rivista e inizia la stesura delle novelle milanesi di *Per le vie.* Nel maggio si reca a Parigi per incontrare il Rod e successivamente a Médan dove visita Émile Zola. Nel giugno è a Londra. Alla fine dell'anno escono presso Treves le *Novelle rusticane* con la data 1883.

1883
Lavora intensamente ai racconti di *Per le vie*, pubblicandoli nel « Fanfulla della Domenica », nella « Domenica letteraria » e nella « Cronaca bizantina ». Il volume esce all'inizio dell'estate presso Treves.
Nel giugno torna in Sicilia « stanco d'anima e di corpo », per rigenerarsi e cercare di concludere il *Mastro-don Gesualdo.* Nell'autunno nasce il progetto di ridurre per le scene *Cavalleria rusticana*; perciò intensifica i rapporti col Giacosa, che sarà il « padrino » del suo esordio teatrale. Sul piano della vita privata continua la relazione con Giselda che viene cacciata di casa dal Rapisardi per la scoperta di una lettera compromettente. Ha inizio la lunga e affettuosa amicizia (durerà oltre la fine del secolo: l'ultima lettera è datata 11 maggio 1905) con la contessa Paolina Greppi.

1884
È l'anno dell'esordio teatrale con *Cavalleria rusticana.* Il dramma, letto e bocciato durante una serata milanese da un gruppo di amici (Boito, Emilio Treves, Gualdo), ma approvato dal Torelli-Viollier, è rappresentato per la prima volta e con grande successo il 14 gennaio al teatro Carignano di Torino dalla compagnia di Cesare Rossi, con Eleonora Duse nella parte di Santuzza. Esce da Sommaruga di Roma la raccolta di novelle *Drammi intimi*, di cui tre, *I drammi ignoti*, *L'ultima visita*, *Bollettino sanitario*, saranno ripresi nel 1891 in *I ricordi del capitano d'Arce.* Si conclude, con la pubblicazione della prima redazione di *Vagabondaggio* e di *Mondo piccino* ricavati dagli abbozzi del romanzo, la prima fase di stesura del *Mastro-don Gesualdo* per il quale era già pronto il contratto con l'editore Casanova.

1885
Il 16 maggio il dramma *In portineria*, adattamento teatrale di *Il canarino del N. 15*, una novella di *Per le vie*, viene accolto freddamente al teatro Manzoni di Milano. Ha inizio una crisi psicologica aggravata

dalla difficoltà di portare avanti il « Ciclo dei Vinti » e soprattutto da preoccupazioni economiche personali e della famiglia, che lo assilleranno per alcuni anni, toccando la punta massima nell'estate del 1889. Confida il suo scoraggiamento a Salvatore Paola Verdura in una lettera del 17 gennaio da Milano. Si infittiscono le richieste di prestiti agli amici, in particolare a Mariano Salluzzo e al conte Gegè Primoli.

1886-87
Passa lunghi periodi a Roma. Lavora alle novelle pubblicate dal 1884 in poi, correggendole e ampliandole per la raccolta *Vagabondaggio*, che uscirà nella primavera del 1887 presso l'editore Barbèra di Firenze. Nello stesso anno esce la traduzione francese dei *Malavoglia* senza successo né di critica né di pubblico.

1888
Dopo aver soggiornato a Roma alcuni mesi, all'inizio dell'estate ritorna in Sicilia, dove rimane (tranne brevi viaggi a Roma nel dicembre 1888 e nella tarda primavera del 1889) sino al novembre 1890, alternando alla residenza a Catania lunghi soggiorni estivi a Vizzini. Nella primavera conduce a buon fine le trattative per pubblicare *Mastro-don Gesualdo* nella « Nuova Antologia » (ma in luglio romperà col Casanova, passando alla casa Treves). Il romanzo esce a puntate nella rivista dal 1° luglio al 16 dicembre, mentre il Verga vi lavora intensamente per rielaborare o scrivere *ex novo* i sedici capitoli. Nel novembre ne ha già iniziata la revisione. Il parigino « Théâtre Libre » di Antoine rappresenta *Cavalleria rusticana.*

1889
Continua l'« esilio » siciliano (« fo vita di lavoratore romito » scrive al Primoli), durante il quale si dedica alla revisione o, meglio, al rifacimento del *Mastro-don Gesualdo* che sul finire dell'anno uscirà presso Treves. Pubblica nella « Gazzetta letteraria » e nel « Fanfulla della Domenica » le novelle che raccoglierà in seguito nei *Ricordi del capitano d'Arce* e dichiara a più riprese di esser sul punto di terminare una commedia, forse *A villa d'Este.* Incontra la contessa Dina Castellazzi di Sordevolo cui rimarrà legato per il resto della vita.

1890
Rinfrancato dal successo di *Mastro-don Gesualdo* progetta di continuare subito il « Ciclo » con la *Duchessa di Leyra* e *L'onorevole Scipioni.* Continua a pubblicare le novelle che confluiranno nelle due ultime raccolte.

1891
Pubblica da Treves *I ricordi del capitano d'Arce*. Inizia la causa con-

tro Mascagni e l'editore Sonzogno per i diritti sulla versione lirica di *Cavalleria rusticana.*
A fine ottobre si reca in Germania per seguire le rappresentazioni di *Cavalleria* a Francoforte e a Berlino.

1893
Si conclude, in seguito a transazione col Sonzogno, la causa per i diritti su *Cavalleria,* già vinta da Verga nel 1891 in Corte d'appello. Lo scrittore incassa circa 140.000 lire, superando finalmente i problemi economici che lo avevano assillato nel precedente decennio. Prosegue intanto le trattative, iniziate nel '91 e che si concluderanno con un nulla di fatto, con Puccini per una versione lirica della *Lupa* su libretto di De Roberto. Pubblica nell'« Illustrazione italiana » una redazione riveduta di *Jeli il pastore*, *Fantasticheria* (col titolo *Fantasticherie*) e *Nedda.* Si stabilisce definitivamente a Catania dove rimarrà sino alla morte, tranne brevi viaggi e permanenze a Milano e a Roma.

1894-1895
Pubblica l'ultima raccolta, *Don Candeloro e C.^{i}*, che comprende novelle scritte e pubblicate in varie riviste tra l' '89 e il '93. Nel '95 incontra a Roma, insieme a Capuana, Émile Zola.

1896
Escono presso Treves i drammi *La Lupa*, *In portineria*, *Cavalleria rusticana. La Lupa* è rappresentata con successo sulle scene del teatro Gerbino di Torino il 26 gennaio. A metà anno ricomincia a lavorare alla *Duchessa di Leyra.*

1897
In una rivista catanese, « Le Grazie », è pubblicata la novella *La caccia al lupo* (1° gennaio). Esce presso Treves una nuova edizione, illustrata da Arnaldo Ferraguti, di *Vita dei campi*, con notevoli varianti rispetto al testo del 1880.

1898
In una lettera datata 10 novembre a Édouard Rod afferma di lavorare « assiduamente » alla *Duchessa di Leyra*, della quale la « Nuova Antologia » annuncia la prossima pubblicazione.

1901
In novembre al teatro Manzoni di Milano sono rappresentati i bozzetti *La caccia al lupo* e *La caccia alla volpe*, pubblicati da Treves l'anno successivo.

1902
Il « Théâtre Libre » di Antoine rappresenta a Parigi *La caccia al lupo.*

1903
Sono affidati alla sua tutela i figli del fratello Pietro, morto nello stesso anno. In novembre al Manzoni di Milano è rappresentato il dramma *Dal tuo al mio.*

1905
Dal 16 maggio al 16 giugno esce a puntate nella « Nuova Antologia » il romanzo *Dal tuo al mio*, pubblicato in volume da Treves nel 1906.

1907-1920
Il Verga rallenta sempre più la sua attività letteraria e si dedica assiduamente alla cura delle proprie terre. Continua a lavorare alla *Duchessa di Leyra* (il 1° gennaio 1907 da Catania scrive al Rod: « Io sto lavorando alla *Duchessa* »), di cui sarà pubblicato postumo un solo capitolo a cura del De Roberto in « La Lettura », 1° giugno 1922. Tra il 1912 e il 1914 affida al De Roberto la sceneggiatura cinematografica di alcune sue opere tra cui *Cavalleria rusticana*, *La Lupa*, mentre egli stesso stende la riduzione della *Storia di una capinera*, pensando anche di ricavarne una versione teatrale, e della *Caccia al lupo.* Nel 1919 scrive l'ultima novella: *Una capanna e il tuo cuore*, che uscirà pure postuma nell'« Illustrazione italiana » il 12 febbraio 1922. Nel 1920 pubblica, infine, a Roma presso La Voce una edizione riveduta delle *Novelle rusticane.* Nell'ottobre è nominato senatore.

1922
Colpito da paralisi cerebrale il 24 gennaio, muore il 27 a Catania nella casa di via Sant'Anna, 8.
Tra le opere uscite postume, oltre alle due citate, vi sono la commedia *Rose caduche*, in « Le Maschere », giugno 1928 e il bozzetto *Il Mistero*, in « Scenario », marzo 1940.

Bibliografia

Le più importanti opere del Verga (romanzi, racconti, teatro) sono edite da Mondadori. Di recente pubblicazione sono *Sulle lagune* (a cura di G. Nicolai, Modena, S.T.E.M. - Mucchi, 1973) e *I carbonari della montagna* con, pure, *Sulle lagune* (a cura di C. Annoni, Milano, Vita e Pensiero, 1975). Del *Mastro-don Gesualdo* è uscita l'edizione critica a cura di C. Riccardi nella collana « Testi e strumenti di filologia italiana » della Fondazione Arnoldo e Alberto Mondadori per le edizioni del Saggiatore (Milano, 1979). Nei « Meridiani » di Mondadori sono stati pubblicati *I grandi romanzi*, ovvero *I Malavoglia* e *Mastro-don Gesualdo* (prefazione di R. Bacchelli, testi e note a cura di F. Cecco e C. Riccardi, Milano, 1979[2]), e *Tutte le novelle*, con le novelle sparse e abbozzi inediti, nei testi stabiliti criticamente, con introduzione e note filologico-critiche di C. Riccardi (Milano, 1979).

Nella « Biblioteca Universale Rizzoli » sono apparsi *I Malavoglia* (Milano, 1978) e *Mastro-don Gesualdo* (Milano, 1979) a cura di G. Carnazzi; Sellerio ha ristampato *Drammi intimi* con prefazione di C.A. Madrignani, presentandoli come una raccolta dimenticata e mai ripubblicata: in realtà dopo l'edizione sommarughiana del 1884 furono ristampati due volte, nel 1907 a Napoli e nel 1914 a Milano nella « Biblioteca amena Quattrini » senza l'approvazione del Verga. Questi ne inserì tre, dopo averli rielaborati, in *I ricordi del capitano d'Arce*; gli altri, non più ripresi dall'autore sono stati sempre riprodotti nelle appendici delle edizioni delle novelle (v. *Tutte le novelle*, Note ai testi, pp. 1050-53).

Da Cappelli un volumetto di *Racconti milanesi* (*Primavera*, *X* e tutte le novelle di *Per le vie*) presentati da E. Sanguineti inaugura la collanina « Il Caladrio » (Bologna, 1979); negli « Oscar » di Mondadori è riapparso dopo una lunga assenza il romanzo più flaubertiano di Verga *Il marito di Elena*, a cura di M. Vitta, e sono stati ristampati sulla base dei testi critici *I Malavoglia* e *Mastro-don Gesualdo*, a cura di C. Riccardi (Milano, 1980), e, inoltre, *Tutto il teatro*, a cura di N. Tedesco, che riproduce l'edizione procurata dai Perroni nel 1952. Terzo volume dei « Tascabili del Bibliofilo » di Longanesi è la ristampa anastatica dell'edizione 1897 di *Vita dei campi*, illustrata da Arnaldo Ferraguti e ritoccata stilisticamente dal Verga (Milano, 1980): per i rapporti tra questa e l'edizione del 1880 (e le varianti) si veda la nota al testo in *Tutte le novelle*, pp. 1008-24. Una scelta di novelle, da *Vita dei campi*, *Novelle rusticane*, *Vagabondaggio*, *Don Candeloro e C.i*, è uscita negli « Oscar Letture » per la scuola, a cura di E. Esposito.

Due recentissime edizioni dei *Malavoglia* sono l'una, fuori commercio, riservata agli abbonati a « L'Unità » per l'anno 1979, a cura di E. Ghidetti, con otto tavole originali di R. Guttuso e con un saggio introduttivo di E. Sanguineti (Roma, L'Unità - Editori Riuniti, 1979), l'altra nella collana « I grandi libri per la scuola » a cura di N. Merola (Milano, Garzanti, 1980). Nella stessa collana di Garzanti sono uscite *Le novelle*, a cura di N. Merola, voll. 2 (Milano, 1980). Ancora *Le novelle*, in due volumi a cura di G. Tellini, sono state pubblicate presso Salerno (Roma, 1980).

Sulla vita del Verga si vedano le seguenti biografie: N. Cappellani, *Vita di Giovanni Verga*, *Opere di Giovanni Verga*, voll. 2, Firenze, Le Monnier, 1940; G. Cattaneo, *Giovanni Verga*, Torino, UTET, 1963; F. De Roberto, *Casa Verga e altri saggi verghiani*, a cura di C. Musumarra, Firenze, Le Monnier, 1964. La cronologia del presente volume, desunta in parte, da *Tutte le novelle*, 1979 rappresenta l'aggiornamento biografico più recente.

Per l'epistolario verghiano, data la molteplicità dei contributi per lo più su riviste, rimandiamo al *Regesto delle lettere a stampa di Giovanni Verga*, di G. Finocchiaro Chimirri (Catania, Società di Storia patria per la Sicilia Orientale, 1977). In volume sono uscite le *Lettere al suo traduttore*, a cura di F. Chiappelli, Firenze, Le Monnier, 1954; *Lettere d'amore*, a cura di G. Raya, Roma, Ciranna, 1971; *Lettere di Giovanni Verga a Luigi Capuana*, a cura di G. Raya, Firenze, Le Monnier, 1975 e ora anche le *Lettere a Paolina*, a cura di G. Raya, Roma, Fermenti, 1980. Particolarmente importanti, inoltre, le lettere a Felice Cameroni (*Lettere inedite di Giovanni Verga*, raccolte e annotate da M. Borghese, in « Occidente », IV, 1935: alcune sono riprodotte in appendice a *I grandi romanzi*, cit.); a Ferdinando Martini (v. A. Navarria, *Annotazioni verghiane e pagine staccate*, Caltanissetta-Roma, Sciascia, 1977); a Federico De Roberto (v. *Verga De Roberto Capuana*, Catalogo della Mostra per le Celebrazioni Bicentenarie della Biblioteca Universitaria di Catania, a cura di A. Ciavarella, Catania, Giannotta, 1955). Un volume intitolato *Lettere sparse*, a cura di G. Finocchiaro Chimirri (Roma, Bulzoni, 1979), riunisce tutto quanto edito a quella data dell'epistolario verghiano. Recentissimi contributi sono apparsi nell'« Osservatore politico letterario » *Un carteg-*

gio inedito Capuana-Verga-Navarro, a cura di S. Zappulla (dicembre 1979) e *Corrispondenza inedita tra Verga e Lopez*, a cura di G. Raya (gennaio 1980).

Una *Bibliografia verghiana* è stata approntata da G. Raya (Roma, Ciranna, 1972), molto utile, ma in alcuni punti arricchita dagli ultimi studi: vasto, ma con qualche imprecisione nei dati cronologici e bibliografici, il saggio di G.P. Marchi, *Concordanze verghiane*, così come l'antologia della critica di P. Pullega, *Leggere Verga*, Bologna, Zanichelli, 1975². Altre antologie della critica sono: G. Santangelo, *Storia della critica verghiana*, Firenze, La Nuova Italia, 1969²; A. Seroni, *Verga*, Palermo, Palumbo, 1973⁵; R. Luperini, *Interpretazioni del Verga*, Roma, Savelli, 1975; E. Ghidetti, *Verga. Guida storico-critica*, Roma, Editori Riuniti, 1979.

Diamo, inoltre, notizia dei più importanti studi sul verismo e sull'opera di Verga in generale e su aspetti e problemi particolari:

F. Cameroni, *Realismo. « Tigre reale » di Giovanni Verga*, in « L'Arte drammatica », 10 luglio 1875; *« I Malavoglia »*, in « La Rivista repubblicana », n. 2, 1881; *« Novelle rusticane »*, in « La Farfalla », 17 dicembre 1882; poi in *Interventi critici sulla letteratura italiana*, a cura di G. Viazzi, Napoli, Guida, 1974.

L. Capuana, *Studi sulla letteratura contemporanea*, I serie, Milano, Brigola, 1880; II serie, Catania, Giannotta, 1882.

– *Gli « ismi » contemporanei*, Catania, Giannotta, 1898; ristampato a cura di G. Luti, Milano, Fabbri, 1973.

– *Verga e D'Annunzio*, a cura di M. Pomilio, Bologna, Cappelli, 1972. (Sono raccolti gli scritti su V., tra cui quelli apparsi nei volumi sopra citati).

F. Torraca, *Saggi e rassegne*, Livorno, Vigo, 1885.

E. Scarfoglio, *Il libro di don Chisciotte*, Roma, Sommaruga, 1885.

E. Panzacchi, *Morti e viventi*, Catania, Giannotta, 1898.

B. Croce, *Giovanni Verga*, in « La Critica », I, IV, 1903; poi in *La letteratura della nuova Italia*, III, Bari, Laterza, 1922.

R. Serra, *Le lettere*, Roma, Bontempelli, 1914, ristampato a cura di M. Biondi, Milano, Longanesi, 1974.

K. Vossler, *Letteratura italiana contemporanea*, Napoli, Ricciardi, 1916.

F. Tozzi, *Giovanni Verga e noi*, in « Il Messaggero della Domenica », 17 novembre 1918; poi in *Realtà di ieri e di oggi*, Milano, Alpes, 1928.

L. Russo, *Giovanni Verga*, Napoli, Ricciardi, 1920 [1919]; nuova redazione, Bari, Laterza, 1934; terza edizione ampliata 1941; ultima edizione 1974.

– Prefazione a G. V., *Opere*, Milano-Napoli, Ricciardi, 1955.

– Profilo critico in *I narratori* (1850-1957), Milano-Messina, Principato, 1958.

– *Verga romanziere e novelliere*, Torino, Eri, 1959.
A. Momigliano, *Giovanni Verga narratore*, Palermo, Priulla, s. d. [1923]; poi in *Dante, Manzoni, Verga*, Messina, D'Anna, 1944.
V. Lugli, *I due « Mastro-don Gesualdo »*, in « Rivista d'Italia », marzo 1925; poi in *Dante e Balzac*, Napoli, Edizioni scientifiche Italiane, 1952 (contiene anche *Il discorso indiretto libero in Flaubert e in Verga*).
Studi Verghiani, a cura di L. Perroni, Palermo, Edizioni del Sud, 1929 (ristampati con il titolo *Studi critici su Giovanni Verga*, Roma, Bibliotheca, 1934).
G. Marzot, *L'arte del Verga*, in « Annuario dell'Istituto Magistrale A. Fogazzaro », Vicenza, 1930; rielaborato in *Preverismo, Verga e la generazione verghiana*, Bologna, Cappelli, 1965.
R. Bacchelli, *L'ammirabile Verga*, in *Confessioni letterarie*, Milano, Soc. ed. « La Cultura », 1932; poi in *Saggi critici*, Milano, Mondadori, 1962.
– *Giovanni Verga: la canzone, il romanzo, la tragedia*, prefazione a G. V., *I grandi romanzi*, Milano, Mondadori, 1972.
L. Pirandello, *Giovanni Verga*, in *Studi critici su Giovanni Verga*, cit.; poi in *Saggi*, Milano, Mondadori, 1939 e in *Saggi, poesie e scritti varii*, a cura di M. Lo Vecchio Musti, Milano, Mondadori, 1960.
G. Trombatore, *Mastro-don Gesualdo*, in « Ateneo veneto », luglio-agosto 1935; ora in *Saggi critici*, Firenze, La Nuova Italia, 1950.
– *Verga e la libertà*, in *Riflessi letterari del Risorgimento in Sicilia*, Palermo, Manfredi, 1960.
P. Arrighi, *Le vérisme dans la prose narrative italienne*, Paris, Boivin e Cie, 1937.
D. Garrone, *Giovanni Verga*, prefazione di L. Russo, Firenze, Vallecchi, 1941.
N. Sapegno, *Appunti per un saggio sul Verga*, in « Risorgimento », I, 3, 1945; ora in *Ritratto di Manzoni e altri saggi*, Bari, Laterza, 1961.
S. Lo Nigro, *Le due redazioni del Mastro-don Gesualdo*, in « Lettere italiane », I, 1, 1949.
G. Devoto, *I « piani del racconto » in due capitoli dei « Malavoglia »*, in « Bollettino del Centro studi filologici e linguistici siciliani », II, 1954; poi in *Nuovi studi di stilistica*, Firenze, Le Monnier, 1962 e in *Itinerario stilistico*, Firenze, Le Monnier, 1975.
A.M. Cirese, *Il mondo popolare nei « Malavoglia »*, in « Letteratura », III, 17-18, 1955; poi in *Intellettuali, folklore, istinto di classe*, Torino, Einaudi, 1976.
L. Spitzer, *L'originalità della narrazione nei « Malavoglia »*, in « Belfagor », XI, 1, 1956.

derholung als erzählerisches Kunstmittel, Köln-Graz, Böhlau Verlag, 1959.
G. Debenedetti, *Presagi del Verga*, in *Saggi critici*, III serie, Milano, Il Saggiatore, 1959.
– *Verga e il naturalismo*, Milano, Garzanti, 1976.
L. Sciascia, *I fatti di Bronte*, in *Pirandello e la Sicilia*, Caltanissetta-Roma, Sciascia, 1961.
– *Verga e la libertà*, in *La corda pazza*, Torino, Einaudi, 1970.
G. Luti, *Italo Svevo e altri studi sulla letteratura italiana del primo Novecento* (Parte prima), Milano, Lerici, 1961. (Contiene: *La formazione del Verga, Da « Vita dei campi » a « I Malavoglia », Lo stile ne « I Malavoglia », Struttura de « I Malavoglia », « I Malavoglia » e la cultura italiana del Novecento*)
A. Asor Rosa, *Scrittori e popolo. Saggio sulla letteratura populista in Italia*, Roma, Samonà e Savelli, 1965.
– *Il caso Verga*, Palermo, Palumbo, 1972. (Contiene: A. Asor Rosa, *Il primo e l'ultimo uomo del mondo*; V. Masiello, *La lingua del Verga tra mimesi dialettale e realismo critico*; interventi di G. Petronio, R. Luperini e B. Biral).
– *Il punto di vista dell'ottica verghiana*, in *Letteratura e critica. Studi in onore di N. Sapegno*, vol. II, Roma, Bulzoni, 1975.
– *« Amor del vero »: sperimentalismo e verismo*, in *Storia d'Italia*, vol. IV *Dall'Unità a oggi* (tomo II), Torino, Einaudi, 1975.
G. Mariani, *Storia della Scapigliatura*, Caltanissetta-Roma, Sciascia, 1967.
– *Ottocento romantico e verista*, Napoli, Giannini, 1972.
A. Vallone, *Mastro-don Gesualdo nel 1888 e nel 1889*, in « Atti e Memorie nell'Arcadia », IV, 4, 1967.
G. Cecchetti, *Il Verga maggiore*, Firenze, La Nuova Italia, 1968.
G. Contini, introduzione all'antologia delle opere di *Giovanni Verga*, in *Letteratura dell'Italia unita (1861-1968)*, Firenze, Sansoni, 1968.
S. Pappalardo, *Il proverbio nei « Malavoglia » del Verga*, in « Lares », 1967 (nn. 1-2) - 1968 (nn. 3-4).
P. De Meijer, *Costanti del mondo verghiano*, Caltanissetta-Roma, Sciascia, 1969.
F. Nicolosi, *Questioni verghiane*, Roma, Edizioni dell'Ateneo, 1969.
R. Bigazzi, *I colori del vero*, Pisa, Nistri-Lischi, 1969.
– *Su Verga novelliere*, Pisa, Nistri-Lischi, 1975.
E. Caccia, *Il linguaggio dei Malavoglia tra storia e poesia*, in *Tecniche e valori da Dante al Verga*, Firenze, Olschki, 1969.
V. Masiello, *Verga tra ideologia e realtà*, Bari, De Donato, 1970.
A. Lanci, *« I Malavoglia ». Analisi del racconto*, in « Trimestre », 2-3, 1971.
S. Ferrone, *Il teatro di Verga*, Roma, Bulzoni, 1972.
A. Seroni, *Da Dante a Verga*, Roma, Editori Riuniti, 1972.

G. P. Biasin, *Note sulla stremata poesia dei «Malavoglia»*, in «Forum italicum», VI, 1, 1972.
G. Guglielmi, *Ironia e negazione*, Torino, Einaudi 1973. (Contiene: *Il mito nei Malavoglia, Sulla costruzione del Mastro-don Gesualdo* e *L'obiettivazione del Verga*).
G. Tellini, *Le correzioni di Vita dei campi*, in *L'avventura di Malombra e altri saggi*, Roma, Bulzoni, 1973.
C. Riccardi, *Dal primo al secondo «Mastro-don Gesualdo»*, in *Studi di filologia e letteratura italiana offerti a Carlo Dionisotti*, Milano-Napoli, Ricciardi, 1973.
– *Gli abbozzi del Mastro-don Gesualdo e la novella «Vagabondaggio»*, in «Studi di Filologia italiana», XXXIII, 1975.
– *Il problema filologico di «Vita dei campi»*, in «Studi di Filologia italiana», XXXV, 1977.
E. Hatzantonis, *L'affettività verghiana ne «I Malavoglia»*, in «Forum italicum», VIII, 3, 1974.
G. C. Ferretti, *Verga e «altri casi»: studi marxisti sull'Otto-Novecento*, in «Problemi», 31, 1974.
C. A. Madrignani, *Discussioni sul romanzo naturalista*, in *Ideologia e narrativa dopo l'unificazione*, Roma, Savelli, 1974.
G. C. Mazzacurati, *Scrittura e ideologia in Verga ovvero le metamorfosi della lupa*, in *Forma e ideologia*, Napoli, Liguori, 1974.
E. Bonora, *Le novelle milanesi del Verga*, in «Giornale storico della Letteratura italiana», XVI, 474, 1974.
F. Branciforti, *L'autografo dell'ultimo capitolo di Mastro-don Gesualdo (1888)*, in «Quaderni di Filologia e Letteratura siciliana», 2, 1974.
R. Luperini, *Giovanni Verga*, in *Il secondo Ottocento* (Parte seconda), letteratura italiana - Storia e testi, Bari, Laterza, 1975.
G. B. Bronzini, *Componente siciliana e popolare in Verga*, in «Lares», 3-4, 1975.
P. Fontana, *Coscienza storico-esistenziale e mito nei «Malavoglia»*, in «Italianistica», V, 1, 1976.
V. Spinazzola, *Verismo e positivismo*, Milano, Garzanti, 1977.
Verga inedito, in «Sigma», X, 1-2, 1977. (Contiene: L. Sciascia, *La chiave della memoria*; C. Riccardi, *«Mastro-don Gesualdo» dagli abbozzi al romanzo*; G. Mazzacurati, *Il testimone scisso: radiografia di una novella verghiana*; G. Tellini, *Nuove «concordanze» verghiane*; G. Zaccaria, *La «falsa coscienza» dell'arte nelle opere del primo Verga*; M. Dillon Wanke, *«Il marito di Elena», ovvero dell'ambiguità*; N. Merola, *Specchio di povertà*; V. Moretti, *I conflitti di «Una peccatrice»*; A. Andreoli, *Circolarità metonimica del Verga «borghese»*; M. Boselli, *La parabola dei Vinti*; G. Baldi, *I punti di vista narrativi nei «Malavoglia»*; F. Spera, *La funzione*

del mistero; G. Bàrberi Squarotti, *Fra fiaba e tragedia: « La roba »*; *11 lettere di G. Verga a E. Calandra*, a cura di G. Zaccaria e F. Monetti).
S. Campailla, *Anatomie verghiane*, Bologna, Patron, 1978.
G. Alfieri, *Innesti fraseologici siciliani nei « Malavoglia »*, in « Bollettino » del Centro di Studi filologici e linguistici siciliani, XIV, [1980].
M. Dillon Wanke, *« L'abisso inesplorato » e il livello della scrittura in « Di là del mare »*, in « La Rassegna della Letteratura italiana », gennaio-agosto 1980.

ed. a cura di G. Barberi Squarotti, [illegible] «La [illegible]»,
Il Marito di G. Verga e L. Capuana, a cura di G. Zappulla e Monaco).
5. Campailla, [illegible], Bologna, Patron, 1975.
G. Alfieri, Innesti fraseologici [illegible] nei «Malavoglia», in «Bollettino del Centro di Studi filologici e linguistici siciliani», XIV, 1980.
6. Dillon Wanke, «L'ultimo [illegible]» e [illegible] della scrittura in «D[illegible]», in «La Rassegna della Letteratura italiana», [illegible]
[illegible] agosto 1982.

Novelle

Vagabondaggio

Vagabondaggio

Nanni Lasca, da ragazzo, non si rammentava altro: suo padre, compare Cosimo, che tirava la fune della chiatta, sul Simeto, con Mangialerba, Ventura e l'Orbo; e lui a stendere la mano per riscuotere il pedaggio. Passavano carri, passavano vetturali, passava gente a piedi e a cavallo d'ogni paese, e se ne andavano pel mondo, di qua e di là del fiume.

Prima compare Cosimo aveva fatto il lettighiere. E Nanni aveva accompagnato il babbo nei suoi viaggi, per strade e sentieri, sempre coll'allegro scampanellìo delle mule negli orecchi. Ma una volta, la vigilia di Natale – giorno segnalato – tornando a Licodia colla lettiga vuota, compare Cosimo trovò al Biviere la notizia che sua moglie stava per partorire. – Comare Menica stavolta vi fa una bella bambina, – gli dicevano tutti all'osteria. E lui, contento come una Pasqua, si affrettava ad attaccare i muli per arrivare a casa prima di sera. Il baio, birbante, che lo guardava di mal'occhio, per certe perticate che se l'era legate al dito, come lo vide spensierato, che si chinava ad affibbiargli il sottopancia canterellando, affilò le orecchie a tradimento – jjj! – e gli assestò un calcio secco.

Nanni era rimasto nella stalla, a scopare quel po' d'orzo rimasto in fondo alla mangiatoia. Al vedere il babbo lungo disteso nell'aia, che si teneva il ginocchio colle due mani, e aveva la faccia bianca come un morto, volle mettersi a strillare. Ma compare Cosimo balbettava: – Va' a pigliare dell'acqua fresca, piuttosto. Va' a chiamare lo zio Carmine, che mi aiuti. – Accorse il ragazzo dell'osteria col fiato ai denti.

– O ch'è stato, compare Cosimo? – Niente, Misciu. Ho paura di aver la gamba rotta. Va' a chiamare il tuo padrone piuttosto, che mi aiuti.

Lo zio Carmine andava in bestia ogni volta che lo chiamavano: – Che c'è? Cos'è successo? Non vi lasciano stare un momento, santo diavolone! – Finalmente comparve sulla porta, sbadigliando, col cappuccio sino agli occhi. – Cos'è stato? Ora che volete? Lasciate fare a me, compare Cosimo.

Il poveraccio lasciava fare, colla gamba ciondoloni, come se non fosse stata più roba sua. – Questa è roba della Gagliana, – conchiuse lo zio Carmine, posandolo di nuovo in terra adagio adagio. Allora compare Cosimo sbigottì, e si abbandonò sul ciglione, stralunato.

– Sta' zitto, malannaggia! che gli fai la jettatura, a tuo padre! – esclamò lo zio Carmine, seccato dal piagnucolare che faceva Nanni, seduto sulle calcagna.

Cadeva la sera, smorta, in un gran silenzio. Poi si udirono lontano le chiese di Francofonte, che scampanavano.

– La bella vigilia di Natale che mi mandò Domeneddio! – balbettò compare Cosimo colla lingua grossa dallo spasimo.

– Sentite, amico mio, – disse infine lo zio Carmine, che sentiva l'umidità del Biviere penetrargli nelle ossa. – Qui non possiamo farvi nulla. Per farvi muovere come siete adesso, ci vorrebbe un paio di buoi.

– Che mi lasciate così, in mezzo alla strada? – si mise a lamentarsi compare Cosimo.

– No, no, siamo cristiani, compare Cosimo. Bisogna aspettare lo zio Mommu per darci una mano. Intanto vi manderò un fascio di fieno, e anche la coperta della mula, se volete. Il fresco della sera è traditore, qui nel lago, amico mio. Tredici anni che compro medicine!

– Ha la malaria nella testa il padrone, – disse poi Misciu,

il ragazzo della stalla, tornando col fieno e la coperta. – Non fa altro che dormire, tutto il giorno.

Intanto sopra i monti spuntava la prima stella; poi un'altra, poi un'altra. Compare Cosimo, sudando freddo, col naso in aria, le contava ad una ad una, e tornava a lamentarsi:

– Che non giunge mai compare Mommu? Che mi lasciate qui stanotte, come un cane?

– Tornerà, tornerà, non dubitate. – Rispondeva Misciu accoccolato su di un sasso, col mento nelle mani.

– È andato a caccia nel Biviere. Alle volte passano mesi e settimane senza che lo veda anima viva. Ma ora ch'è Natale deve venire per prendere la sua roba.

E il ragazzo, mentre ciaramellava, s'andava appisolando anche lui, col mento sulle mani, raggomitolato nei suoi cenci.

– Viene di notte, viene di giorno, secondo va la caccia. Quando si mette alla posta delle anatre, lo zio Carmine gli lascia la chiave sotto l'uscio. Poi dorme di giorno, o va a vendere la selvaggina di qua e di là; ma la sua roba l'ha sempre qui, nella stalla, appesa al capezzale: il cavicchio pel fucile, il cavicchio per la carniera, un cavicchio per ogni cosa. Tanti anni che sta qui. Lo zio Carmine dice ch'era ancora giovane...

Quando compare Cosimo tornava a lamentarsi, il ragazzo trasaliva, quasi lo svegliassero, e poi tornava a borbottare, come in sogno. Nanni, stanco di singhiozzare, sbarrava gli occhi nel buio. Tutt'a un tratto scappò una gallinella, schiamazzando.

– O zio Mommu! – si mise a chiamare Nanni ad alta voce. Dopo si spandeva un gran silenzio, nella notte.

– So io! – disse infine Misciu. – Non risponde per non spaventar le anatre. Poi ci ha fatta l'abitudine, a quella vita, e non parla mai.

Però si udiva già il fruscìo dei giunchi secchi, e il tonfo degli scarponi dello zio Mommu, che sfangava nel greto.

– Qua, zio Mommu! C'è compare Cosimo che gli è successo un accidente.

Lo zio Mommu stava a guardare, al barlume che faceva la lanterna di compare Carmine, tutto intirizzito e battendo le palpebre, con quel naso a becco di jettatore. Poi sollevarono il lettighiere al modo che diceva lo zio Carmine, uno sotto le ascelle e l'altro pei piedi.

– Cristo! come vi pesano le ossa, compare Cosimo! – sbuffava l'oste, per fargli animo con una barzelletta. E lo zio Mommu, mingherlino, barellava davvero come un ubbriaco, sotto quel peso.

– Ah, che vigilia di Natale mi ha mandato Domeneddio! – tornava a dire compare Cosimo, steso alfine nello strapunto come un morto.

– Non ci pensate, compare Cosimo, che ora la Gagliana vi guarisce in un batter d'occhio. Bisogna andare a chiamarla, compare Mommu, nel tempo stesso che andate a Lentini per vendere la vostra roba.

Il vecchietto acconsentì con un cenno del capo, e mentre si preparava a partire, legandosi in testa il fazzoletto, e assettandosi la bisaccia in spalla, l'oste continuava:

– È meglio di un cerusico la Gagliana! Vedrete che vi guarirà in meno di dire un'avemaria. State allegro, compare Cosimo; e se non avete bisogno d'altro, vado a far la vigilia di Natale anch'io con quei quattro maccheroni.

– E tu che non vuoi mangiare un boccone? – chiese il lettighiere, voltandosi al suo ragazzo che non si moveva di lì, smorto, colle mani in tasca, il viso sudicio dal piangere che aveva fatto.

– No, – rispose Nanni. – No, non ho più fame.

– Povero figlio mio! che vigilia di Natale è venuta anche per te!

La Gagliana venne a giorno fatto, che lo zio Cosimo aveva il viso acceso, e la gamba gonfia come un otre, talché bisognò tagliargli le brache per cavargliele, mentre la Gagliana, per modestia, si voltava dall'altra parte, cogli occhi bassi, preparando intanto ogni cosa lesta lesta: bende, stecche, empiastri, con certe erbe miracolose che sapeva lei. Poi si mise a tirare la gamba come un boia. Da principio compare Cosimo non diceva nulla, sudando a grosse gocce, e ansimando quasi facesse una gran fatica. Ma poi, tutt'a un tratto, gli scappò un grande urlo, che fece drizzare a tutti i capelli in testa.

– Lasciatelo gridare, che gli fa bene!

Compare Cosimo faceva proprio come una bestia quando le si dà il fuoco. Talché lo zio Carmine s'era alzato per vedere anche lui coi suoi occhioni assonnati. E Nanni strillava che pareva l'ammazzassero.

– Sembrate un ragazzo, compare Cosimo, – gli diceva l'oste. – Non vi hanno detto di star tranquillo? Foste in mano di qualche cerusico, pazienza!

– Stava fresco, Dio liberi! – saltò su la vecchia, come se l'avessero punta. – Per lo meno gli avrebbero tagliata la gamba a questo poveretto. Io non ho mai tagliato neppure un pelo in vita mia, grazie a Dio! Tutta grazia che mi dà il Signore! Ora state tranquillo, compare Cosimo, che non avete più bisogno di nulla.

Ella sputava sul ginocchio enfiato l'empiastro che andava masticando; metteva le stecche e stringeva forte le bende, senza badare agli – ohi! – ciarlando sempre come una gazza. E quand'ebbe terminato si nettò le mani nella criniera ispida e grigia, che le faceva come una cuffia sporca sulla testa.

– Sembra un diavolo quella strega! – ammiccava l'oste allo zio Mommu, il quale stava a guardare col naso malinconico, seduto sullo strapunto, le gambe penzoloni, e sgretolando a poco a poco il suo pane nero.

Lo zio Cosimo s'era lasciato andare di nuovo supino, col viso stralunato e lucente di sudore, accarezzando colla mano il suo ragazzo, e balbettando che non era nulla.

– Ora chi mi paga? – domandò infine la Gagliana.

– Non dubitate, che sarete pagata, – rispose il poveraccio più morto che vivo. – Venderò il mulo, se così vorrà Dio, e vi pagherò, sorella mia!

Com'era un bel giorno di Natale, col sole che veniva fin

dentro la stalla, e le galline pure, a beccare qualche briciola di pane, la gente che era stata a sentir messa a Primosole si fermava a bere un sorso a metà strada, e vedendo compare Cosimo sul pagliericcio dello stallatico, volevano sapere il come ed il perché. Poi davano un'occhiata ai muli in fondo alla stalla. L'oste li faceva vedere fiutando la senseria:

– Belle e buone bestie! Quiete come il pane! Un affare d'oro per chi li compra, se compare Cosimo, Dio liberi, rimane storpio.

Il baio voltava indietro il capo come se capisse, colla sua boccata di fieno in aria.

– No, no, ancora non sono in questo stato! – lagnavasi compare Cosimo dal fondo del suo giaciglio.

– Diciamo così per dire, compare Cosimo, state tranquillo. Nessuno vi vuol toccare la roba vostra, se non volete voi. Qui c'è paglia e fieno pei vostri muli, e potete tenerceli cent'anni.

Lo sventurato pensava a quello che si sarebbero mangiato i muli, di fieno e di stallaggio, e lamentavasi:

Stavolta non gliela faccio più la dote per la mia bambina che mi è nata adesso!

– Ora gli si manda la notizia a vostra moglie. La prima volta che lo zio Mommu andrà a Licodia per vendere la sua roba.

Così lo zio Mommu portò la brutta notizia alla moglie di compare Cosimo, masticando le parole, e dondolandosi ora su di una gamba e ora sull'altra, che alla prima non si capiva nulla, nella casa piena di vicine, mentre si aspettava il marito pel battesimo. Comare Menica, poveretta, nella prima furia voleva balzare dal letto, in camicia com'era, e correre al Biviere, se non era il medico, che si mise a sgridarla:

– Come le bestie, voialtri villani! Non sapete cosa vuol dire una febbre puerperale!

– Signore don Battista! Come posso fare a lasciare quel poveretto fuorivia, in mano altrui, ora ch'è in quello stato?.

– E voi non vi movete! – appoggiava comare Stefana. – Vostro marito andrete a trovarlo poi. Temete che scappi?

– Date retta al medico, – aggiunse la Cilona. – Compare Cosimo è in mano di cristiani. Lo vedete qui, questo poveretto, che è venuto apposta?

E lo zio Mommu accennava di sì col capo, ritto dinanzi al letto, battendo gli occhi, non sapendo come fare per voltare le spalle ed andarsene per le sue faccende.

Indi la convalescenza, il baliatico, il bisogno dei figliuoli, e il tempo era passato. Compare Cosimo, quando infine la Gagliana gli aveva detto di alzarsi, era rimasto su di una sedia, alla porta dello stallatico, con una gamba più corta dell'altra.

– Così com'è non ve la lasciavano neppure, se eravate in mano del cerusico! – gli disse la Gagliana per consolarlo.

I muli stessi se li mangiò metà lei e metà la stalla. Quando il povero zoppo, dalla porta dell'osteria, vide Nunzio della Rossa che si portava via la sua lettiga, si mise a sospirare: – Queste campanelle non le udrò più!

E lo zio Carmine anche lui gli disse:

– Che diavolo rimpiangete! Quel baio birbante che vi acconciò in quel modo?

Intanto bisognava pensare a buscarsi da vivere, lui e il suo ragazzo; e adesso ch'era conciato a quel modo per le feste, voleva essere un mestiere facile, di quelli poco pane e poca fatica. « Se hai un guaio dillo a tutti. » Lo zio Carmine, ch'era un buon diavolaccio, ne parlava con questo e con quello, e come seppe che uno di quelli della chiatta, lì vicino, era morto di malaria, disse subito a compare Cosimo:

– Questo è quello che fa per voi.

E tanto disse e tanto fece, per mezzo anche dello zio Antonio, l'oste di Primosole, lì accanto al Simeto, che il capoccia della chiatta chinò il capo e disse di sì anche lui. D'allora in poi compare Cosimo rimase a tirar la fune, su e giù pel fiume; e con ogni conoscente che passava, mandava sempre a dire a sua moglie che sarebbe andato a vederla, un giorno o l'altro, e la bambina pure. – Verrò a Pasqua. Verrò a Natale. – Mandava sempre a dire la stessa cosa; tanto che comare Menica ormai non ci credeva più; e Nanni, ogni volta, guardava il babbo negli occhi, per vedere se dicesse davvero.

Ma succedeva che a Pasqua e a Natale s'aveva sempre una gran folla da tragittare; talché quando il fiume era grosso c'erano più di cinquanta vetture che aspettavano all'osteria di Primosole. Il capoccia della chiatta bestemmiava contro lo scirocco e levante che gli toglieva il pan di bocca, e la sua gente si riposava: Mangialerba, bocconi, dormendo sulle braccia in croce; Ventura, all'osteria; e l'Orbo cantava tutto il giorno, ritto sull'uscio della capanna, a veder piovere, guardando il cielo cogli occhi bianchi.

Comare Menica avrebbe voluto andarvi lei a Primosole, almeno per vedere suo marito e portargli la bambina, ché il padre non la conosceva neppure, quasi non l'avesse fatta lui.

– Andrò appena avrò presi i denari del filato, – diceva essa pure. – Andrò dopo la raccolta delle ulive, se mi avanza qualche soldo.

Così passava il tempo. Intanto comare Menica fece una malattia mortale, di quelle che don Battista, il medico, se ne lavava le mani come Pilato.

– Vostra moglie è malata, malatissima, – venivano a dirgli, lo zio Cheli, compare Lanzara, tutti quelli che arrivavano da Licodia; e compare Cosimo stavolta voleva correre davvero, a piedi, come poteva.

– Prestatemi due lire per la spesa del viaggio, padron Mariano.

– Aspettate prima se vi portano una buona notizia. Alle volte, intanto che voi siete per via, vostra moglie guarisce, e voi ci perdete la spesa del viaggio. – L'Orbo invece consigliava di far dire una messa alla Madonna di Primosole ch'è miracolosa. Finché giunse la notizia che da comare Menica c'era il prete.

– Vedete se avevo ragione! – esclamò padron Mariano. – Cosa andavate a fare, se non c'era più aiuto?

La bambina se l'era tolta in casa comare Stefana, per carità; e compare Cosimo era rimasto a Primosole col suo ragazzo. Tanto l'Orbo gli diceva che, coll'aiuto di Dio, poteva vivere e morire alla chiatta al pari di lui, che vi mangiava pane da cinquant'anni. E ne aveva vista passare tanta della gente! Passavano conoscenti, passavano viandanti che nessuno sapeva donde venissero, a piedi, a cavallo, d'ogni nazione, e se ne andavano pel mondo, di qua e di là del fiume. Come l'acqua del fiume stesso che se ne andava al mare, ma lì pareva sempre la medesima, fra le due ripe sgretolate: a destra le collinette nude di Valsavoia, a sinistra il tetto rosso di Primosole; e allorché pioveva, per giorni e settimane, non si vedeva altro che quel tetto tristo nella nebbia. Poi tornava il bel tempo, e spuntava del verde qua e là, fra le rocce di Valsavoia, sul ciglio delle viottole, nella pianura, fin dove arrivava l'occhio. Infine veniva l'estate, e si mangiava ogni cosa, il verde dei seminati, i fiori dei campi, l'acque del fiume, gli oleandri che intristivano sulle rive, coperti di polvere.

La domenica cambiava. Lo zio Antonio, che teneva l'osteria di Primosole, faceva venire il prete per la messa, e mandava Filomena, la sua figliuola, a scopare la chiesetta, e a raccattare i soldi che i devoti vi buttavano dal finestrino per le anime del Purgatorio. Accorrevano dai dintorni, a piedi, a cavallo, e l'osteria si riempiva di gente. Alle volte arrivava anche il Zanno, che guariva di ogni male, colle sue scarabattole; o don Tinu, il merciaiuolo, con un grande ombrellone rosso, e schierava la sua mercanzia sugli scalini della chiesa, forbici, temperini, nastri e refe d'ogni colore. Nanni si affollava insieme agli altri ragazzi per vedere. Ma suo padre gli diceva sempre: – No, figliuolo mio, questa è roba per chi ha denari da spendere.

Gli altri invece comperavano: bottoni, tabacchiere di legno, pettini di osso, e Filomena frugava dappertutto colle mani sudice, senza che nessuno le dicesse nulla, perché era la figliuola dell'oste. Anzi un giorno don Tinu le regalò un bel fazzoletto giallo e rosso, che passò di mano in mano! – Sfacciata! – dicevano le comari. – Fa l'occhio a questo e a quello per amor dei regali! – Un giorno Nanni li vide tutti e due dietro il pollaio, che si tenevano abbracciati. Filomena, che stava all'erta per timore del babbo, si accorse subito di quegli occhietti che si ficcavano nella siepe, e gli saltò addosso colla ciabatta in mano. – Cosa vieni a fare qui, spione? se vai a raccontare quel che hai visto, guai a te, veh! – Ma don Tinu la calmava con belle maniere: – Non lo strapazzate quel ragazzo, comare Mena, ché gli fate pensare al male.

Però Nanni non poteva levarsi dagli occhi il viso rosso di Filomena, e le manacce di don Tinu che brancicavano. Quando lo mandavano a comperare il vino all'osteria, si piantava dinanzi al banco della ragazza, che glielo mesceva colla faccia tosta, e lo sgridava: – Guardate qua, cristiani! Non gli spuntano ancora peli al mento, quel moccioso, e ha già negli occhi la malizia!

Nanni voleva far lo stesso colla Grazia, la servetta dell'osteria, quando andavano insieme a raccoglier l'erbe per la minestra, lungo il fiume. Ma la fanciullina rispondeva: – No. Tu non mi dai mai niente.

Essa invece gli portava, nascoste in seno, delle croste di formaggio, che gli avventori avevano lasciato cadere sotto la tavola, o un pezzetto di pane duro rubato alle galline. Accendevano un focherello fra due sassi, e giocavano a far la merenda. Ma Nanni finiva sempre il giuoco col buttar le mani sulla roba, e darsela a gambe. La ragazzetta allora rimaneva a bocca aperta, grattandosi il capo. E alla sera si buscava pure gli scapaccioni di Filomena, che la vedeva tornare spesso colle mani vuote. Nanni, per risparmiarsi la fatica, le arraffava anche la sua parte di cicoria o di finocchi selvatici.

Poi, il giorno dopo, giurava colle mani in croce che non l'avrebbe fatto più. E la poverina ci tornava sempre, appena lo vedeva da lontano, coi capelli rossi in mezzo alle stoppie gialle; si accostava quatta quatta, e gli si metteva alle calcagna come un cane. Quand'essa arrivava piagnucolando ancora per le busse che s'era buscate, Nanni per consolarla le diceva:

– E tu perché non scappi, e te ne vai a casa tua?

Egli raccontava che aveva la sua casa anche lui, laggiù, al paese, e i parenti e ogni cosa; di là di quelle montagne turchine; ci voleva una giornata buona di cammino, e un giorno o l'altro ci sarebbe andato.

– Pianta i tuoi padroni e l'osteria, e te ne scappi a casa tua.

La ragazzetta ascoltava a bocca aperta, colle gambe penzoloni sul greto asciutto, guardando attonita là dove Nanni le faceva vedere tante belle cose, oltre i monti turchini. Infine si grattava il capo, e rispondeva:

– Non so. Io non ci ho nessuno.

Egli intanto si divertiva a tirar sassi nell'acqua; o cercava di far scivolare Grazia giù dalla sponda, facendole il solletico. Poi si mettevano a correre, ed egli la inseguiva a zollate. Andavano pure a scovare i grilli dalle tane, con uno sterpolino; o a caccia di lucertole. Nanni sapeva coglierle con un nodo scorsoio fatto in cima a un filo di giunco sottile; dentro al cerchietto che formava il nodo spuntava una bella campanella lucente, e le povere bestioline, assetate in quell'arsura, si lasciavano adescare.

In mezzo alla gran pianura riarsa il fiume s'insaccava come un burrone enorme, fra le rive slabbrate. – Mostrava le ossa, – brontolavano quelli della chiatta. Talché anche dei poveri diavoli ci si arrischiavano a guado, qualche miglio più in su. Tanti baiocchi levati di bocca a quegli altri poveri diavoli che stavano colla fune in mano tutto il giorno sotto il solleone. E litigavano fra di loro, a digiuno. Nanni allora per un nulla si buscava delle pedate anche da suo padre, sciancato com'era.

Di tanto in tanto passava una frotta di mietitori, che

tornavano al mare, bianchi di polvere, e si calavano nel greto, uomini e donne, colle gambe nude, raccomandandosi ai loro santi, nel dialetto forestiero. Poi nell'afa della strada, diritta diritta, si vedeva venire da lontano il polverone che accompagnava qualche carro, o spuntava dall'altra parte la sonagliera mezzo addormentata di un mulattiere. L'Orbo, che non aveva nessuno al mondo, e se l'era girato tutto, diceva: – Quello lì viene da Catania, quest'altro da Siracusa. – E sempre cuor contento, lui, raccontava agli uomini stesi bocconi le meraviglie che aveva visto laggiù, lontano lontano. E Nanni ascoltava intento, come aveva fatto la Grazia ai racconti che faceva lui, con delle allucinazioni di vagabondaggio negli occhi stanchi di vedere eternamente l'osteria dello zio Antonio, che fumava tutta sola, nella tristezza del tramonto.

Ma chi gli mise davvero la pulce nell'orecchio fu il Zanno, una volta che lo chiamarono per lo zio Carmine al Biviere. Fin da Pasqua di Rose, i viandanti che venivano a passar la notte allo stallatico, e non lo vedevano come al solito a portar la paglia dal fienile o a riscuotere lo stallaggio, dicevano: – E compare Carmine? – Zio Mommu lo mostrava con un cenno del capo, lungo disteso nel pagliericcio, sotto un mucchio di bisacce; e Misciu, col cappuccio in capo, mangiato dalle febbri anche lui, soggiungeva: – Ha la terzana. – Alle volte, quando alla voce riconosceva un conoscente, lo zio Carmine rispondeva con un grugnito: – Son qua. Sono ancora qua.

Erano quasi sempre le stesse facce stanche che si vedevano passare dinanzi al lumicino moribondo appeso al travicello e tiravano fuori dalla bisaccia la scarsa merenda, accoccolati su di un basto, masticando adagio adagio. Lo zio Carmine non brontolava più, non si moveva più dalla sua cuccia, zitto e cheto. Soltanto quando udiva fermarsi alla porta una vettura, rizzava il capo come poteva, per amor del guadagno, e chiamava:

– O Misciu!

Però non potevano lasciarlo morire a quel modo, come un cane. Ventura, Mangialerba, e spesso anche compare Cosimo, tirandosi dietro la gamba storpia, venivano apposta da Primosole, e stavano a guardare compare Carmine lungo disteso, con la faccia color di terra, come un morto addirittura. Infine risolvettero di chiamargli la Gagliana, quella vecchietta che faceva miracoli, a venti miglia in giro.

– Vedrete che la Gagliana vi guarirà in un batter d'occhio, – andavano dicendo a lui pure. – È meglio di un dottore quel diavolo di donna. Cosa ne dite, compare Carmine?

Compare Carmine non diceva né sì né no, pensando al denaro che si sarebbe mangiato la Gagliana. Però nel forte della febbre tornava a piagnucolare:

– Chiamatemi pure la Gagliana, senza badare a spesa. Non mi lasciate morire senza aiuto, signori miei!

La Gagliana la battezzò febbre pericolosa, di quelle che è meglio mandare pel prete addirittura. Giusto era sabato, e passava gente che tornava al paese. Tutto ciò gli rimase fitto in mente a Nanni ch'era andato a vedere anche lui: i curiosi che dall'uscio allungavano il collo verso il moribondo; la Gagliana che cercava nelle tasche il rimedio fatto apposta, brontolando; e il malato che guardava tutti ad uno ad uno, cogli occhi spaventati. L'Orbo, a canzonare la Gagliana che non sapeva trovare il rimedio, le domandava:

– Cosa ci vuole per farmi tornare la vista?

Lo zio Carmine morì la notte istessa. Peccato! perché la domenica poi si trovò a passare il Zanno, il quale ci aveva il tocca e sana per ogni male nelle sue scarabattole. Lo menarono appunto a vedere il morto. Ei gli toccò il ventre, il polso, la lingua, e conchiuse: – Se c'ero io, lo zio Carmine non moriva!

Raccontava pure molte cose dei miracoli che aveva fatto tale e quale come la Gagliana, dei paesi che aveva visti, e come Nanni ascoltava a bocca aperta, gli piacque quel ragazzetto, e gli disse, accarezzandogli i capelli rossi:

– Vuoi venire con me? Mi porterai la balla e ti farai uomo.

– Egli ha tutt'altra balla da portare! – sospirò compare Cosimo; e pensava nel tempo stesso che se gli succedeva una disgrazia, come quella di compare Carmine, il suo ragazzo restava in mezzo a una strada.

C'era anche l'oste di Primosole, il quale maritava Filomena con Lanzise, uomo dabbene che non sapeva nulla, e tornavano tutti da Lentini pel contratto, gli sposi, compare Antonio ed altra gente. Lanzise era uno che ci aveva il fatto suo, terra, buoi, e un pezzo di vigna lì vicino alla Savona, dicevano.

Il matrimonio fece chiasso. Talché venne anche don Tinu a vender roba pel corredo. La sera mangiava all'osteria come al solito. Non si sa come, a motivo di un conto sbagliato, attaccarono lite collo zio Antonio; e don Tinu gli disse – becco! –

Compare Antonio era un omettino cieco d'un occhio, che al vederlo non l'avreste pagato un soldo. Però si diceva che avesse più di un omicidio sulla coscienza, e a venti miglia in giro gli portavano rispetto. Al sentirsi dire quella mala parola sul mostaccio da don Tinu, il quale aveva una faccia di minchione, andò a staccare lo schioppo dal capezzale, per spifferar le sue ragioni anche lui, mentre la moglie, che la malaria inchiodava in fondo a un letto da anni ed anni, rizzatasi a sedere in camicia, strillava:

– Aiuto che s'ammazzano, santi cristiani! – E Filomena, per dividerli, buttava piatti e bicchieri addosso a don Tinu, gridando:

– Birbante! ladro! scomunicato!

– Che vi pare azione d'uomo cotesta, compare Antonio? – rispose don Tinu più giallo del solito. – Io non ho altro addosso che questo po' di temperino.

– Avete ragione, – disse lo zio Antonio. – Vi risponderò colla stessa lingua che avete in bocca voi. – E andò a posare lo schioppo senza aggiunger altro.

Più tardi Nanni andava all'osteria per il vino, quando vide venirsi incontro don Tinu tutto stralunato, che si guardava attorno sospettoso.

– Te' due soldi, – gli disse, – e va' a dire a compare Antonio che l'aspetto qui, per quella faccenda che sa lui. Ma che nessuno ti veda, veh!

La sera trovarono compar Antonio lungo disteso dietro una macchia di fichidindia, col suo cane accanto che gli leccava la ferita. – Che è stato, compare Antonio? Chi vi ha dato la coltellata?

Compare Antonio non volle dirlo. – Portatemi sul mio letto per ora. Se poi campo ci penso io; se muoio ci pensa Dio.

– Questo fu don Tinu che me l'ammazzò! – strillava la moglie. – L'ha mandato a chiamare con Nanni dello zoppo!

E Filomena badava a ripetere:

– Birbante! ladro! scomunicato!

Compare Cosimo, che aveva una gran paura della giustizia, se la prese anche lui col suo ragazzo, il quale si ficcava in quegli imbrogli.

– Se ti metto le mani addosso voglio romperti le ossa! – andava gridando.

E Nanni perciò se ne stava alla larga, dall'altra parte del fiume, col ventre vuoto, come una bestia inselvatichita. Grazia lo vide da lontano, coi capelli rossi, dietro l'abbeveratoio a secco, e corse a raggiungerlo.

– Ora me ne vado col Zanno, – diceva lui, – e alla chiatta non ci torno più.

Poscia riassicurato a poco a poco, vedendo che dietro il muro non spuntava lo zio Cosimo col bastone, si mise a sgretolare la sponda dell'abbeveratoio, tutta fessa e scalcinata, un sasso dopo l'altro, e dopo li tirava lontano; mentre la ragazzetta stava a guardare. Tutt'a un tratto s'accorsero che il sole era tramontato, e la nebbia sorgeva tutt'intorno dal fiume e dalla pianura.

– Senti! – disse Grazia. – Lo zio Cosimo che chiama!

Nanni se la diede a gambe senza rispondere, e lei s'affanıava a corrergli dietro, colla vasticciuola tutta sbrindellata che svolazzava sulle gambette nude. Camminarono un bel pezzo, e infine si trovarono soli, nella campagna buia, col cuore che batteva forte, lontano lontano dalla capanna delle chiatte, dove si udiva ancora cantare l'Orbo. Era una bella notte piena di stelle, e dappertutto i grilli facevano cri-cri nelle stoppie. Come Nanni si fermò vide Grazia che gli veniva dietro.

– E tu dove vai? – le disse.

Essa non rispose. E tornarono a udirsi i grilli tutt'intorno. Non si udiva altro. Solo il fruscìo del grano in spiga al loro passaggio; e appena si fermavano ad ascoltare cadeva un gran silenzio, quasi il buio si stringesse loro ai panni. Di tanto in tanto correva una folata di ponente caldo, come un'ombra, sull'onda del seminato. Allora Grazia si mise a piangere.

Passava un vetturale coi suoi muli; e la piccina a piagnucolare:

– Portateci al paese, vossignoria, per carità!

Il mulattiere, ciondoloni sul basto, borbottò qualche parola mezzo addormentato, e tirò di lungo. E i due fanciulli dietro. Arrivarono a uno stallatico, e si accoccolarono dietro il muro ad aspettare il giorno.

Quando Dio volle spuntò l'alba, e un gallo si mise a cantare d'allegria sul mucchio di concime. Da un sentiero fra due siepi sbucò un vecchietto, con una bisaccia piena in spalla. Aveva la faccia buona, e Grazia gli domandò:

– Per andare al paese, vossignoria, da che parte si va?

Lo zio Mommu accennò di sì col capo, e seguitò per la sua via, col naso a terra. Si misero dietro a lui che andava a vendere la sua roba al paese, e arrivarono sulla piazza che era giorno chiaro. C'era già una donnicciuola imbacuccata in una mantellina bianca, la quale vendeva verdura e fichidindia. Delle altre donne entravano in chiesa. Davanti lo stallatico salassavano un mulo; e dei contadini freddolosi stavano a guardare, col fazzoletto in testa e le mani in tasca. In alto, nel campanile già tutto pieno di sole, la campana sonava a messa.

Essi andarono a sedere tristamente sul marciapiede, accanto al vecchietto con cui erano venuti, e che s'era messo a vender anatre e gallinelle che nessuno comprava, aspettando il Zanno che non veniva neppur lui. Il tempo passava; e passava anche della gente che veniva a comprare la verdura della donnicciuola colla mantellina, pesandola colle mani. Da una stradicciuola spuntarono due signori, col cappello alto, passeggiando adagio adagio, e si fermarono a contrattare lungamente, toccando la roba colla punta del bastone, senza comprar nulla. Poi venne la serva della locanda a prendere una grembialata di pomodori. Sulla piazza facevano passeggiare innanzi e indietro il mulo salassato. Infine lo speziale chiuse la bottega mentre sonava mezzogiorno.

Allora lo zio Mommu tirò dalla bisaccia un pane nero, e si mise a mangiare adagio adagio con un pezzo di cipolla. Vedendo i due ragazzi che guardavano affamati, gliene tagliò una gran fetta per ciascuno, senza dir nulla. Infine raccolse la sua mercanzia, e se ne andò a capo chino, com'era venuto.

Ora rimanevano soli e sconsolati. Si presero per mano e arrivarono sino alla fontana ch'era in fondo al paesetto. Per la strada che scendeva a zig zag nella pianura arrivava gente a ogni momento. Donne che venivano ad attinger acqua; vetturali che abbeveravano i muli; e coppie di contadini che tornavano dai campi, chiacchierando a voce alta, colle bisacce vuote avvolte al manico della zappa. Poi una mandra di pecore in mezzo a un nuvolo di polvere. Un frate cappuccino che tornava dalla cerca saltò a terra da una bella mula baia, schiacciata sotto il carico, e si chinò a bere alla cannella, tutto rosso, sguazzando nell'acqua la barbona polverosa. Quando non passava alcuno venivano delle cutrettole a saltellare sui sassi in mezzo alla fanghiglia, battendo la coda. Lontano si udiva la cantilena dei trebbiatori nell'aia, perduta in mezzo alla pianura che non finiva mai, e cominciava a velarsi nelle caligini della sera. E in fondo, come un pezzetto di specchio appannato, il Biviere.

– Guarda com'è lontano! – disse Nanni col cuore stretto.

Il sole era già tramontato; ma non sapevano dove andare, e rimanevano aspettando, l'uno accanto all'altra, seduti sul muricciolo, nel buio. Infine si presero per mano e tornarono verso l'abitato. Nelle case luccicava ancora qualche finestra; ma i cani si mettevano a latrare, appena i due ragazzi si fermavano presso a un uscio, e il padrone minaccioso gridava: – Chi è là?

La fanciulletta scoraggiata buttò le braccia al collo di Nanni.

– No! no! – piagnucolava lui, – lasciami stare.

Trovarono una tettoia addossata a un casolare, e vi passarono la notte, tenendosi abbracciati per scaldarsi. Li svegliò lo scampanìo del paese in festa, che il sole era già alto. Mentre andavano per via, guardando la gente che usciva vestita in gala, scorsero in piazza don Tinu il merciaiuolo, colle sue scarabattole digià in mostra, sotto l'ombrellone rosso.

– Signore don Tinu, gli disse Grazia tutta contenta. – Benvenuto a vossignoria!

Don Tinu si accigliò e rispose:

– O tu chi sei? Io non ti conosco.

La fanciulletta si allontanò mogia mogia. Ma don Tinu vide il ragazzetto, che guardava da lontano timoroso, e gli disse:

– Tu sei quello dell'osteria del Pantano. Ti conosco.

– Sissignore, don Tinu, – rispose Nanni col sorriso incerto.

E tutto il giorno gli ronzò intorno, affamato, sul marciapiede. Quando vide che don Tinu raccoglieva la sua mercanzia, e stava per andarsene, si fece animo, e gli disse:

– Se mi volete con voi, vossignoria, io vi porterò la roba.

– Va bene, – rispose don Tinu. – Ma la tua compa

gna lasciala stare pei fatti suoi, ché non ho pane per tutti e due.

Grazia scorata si allontanò passo passo, colle mani sotto il grembiule, e poi si mise a guardare tristamente dall'altra cantonata, mentre Nanni se ne andava dietro al merciaiuolo, curvo sotto il carico.

Un buon diavolaccio, quel don Tinu. Sempre allegro, anche quando gli lasciava andare una pedata o uno scapaccione. In viaggio gli raccontava delle barzellette per smaliziarlo e ingannare la noia della strada a piedi. Oppure gli insegnava a tirar di coltello, in qualche prato fuori mano. – Così ti farai uomo, – gli diceva.

Giravano pei villaggi, dappertutto dov'era la fiera. Schieravano in piazza la mercanzia, su di una panchetta, e vociavano nella folla. C'erano trecconi, bestiame, gente vestita da festa; e il Zanno che faceva vedere l'Ecceomo, e si sbracciava a vendere empiastri e medaglie benedette, a strappare denti, e a dire la buona ventura, ritto su di un trespolo, in un mare di sudore. I curiosi facevano ressa intorno, a bocca aperta, sotto il sole cocente. Poi veniva il santo colla banda, e lo portavano in processione. Dopo, tutta la giornata, le donne stavano sugli usci, cariche d'ori, sbadigliando. La sera accendevano la luminaria e facevano il passeggio.

Don Tinu ripeteva:

– Se restavi alla chiatta con tuo padre, le vedevi tutte queste cose, di'?

Capitarono anche una volta al paese di Nanni, il quale non ci si raccapezzava più, dopo tanto tempo, e passando davanti alla sua casa vide un ballatoio che non ci era prima, e della gente che non conosceva, e vi stava pei fatti suoi. Cercò anche dei parenti. Il fratello, Pierantonio, era lontano, camparo alle Madonie, laggiù verso la marina; e la sorella, Benedetta, s'era maritata, un buon partito che le aveva procurato comare Stefana, dotandola coi suoi denari, e facevano tutti una famiglia, in una bella casa nuova, col terrazzino e il letto col cortinaggio, che quasi non volevano lasciarvi entrare quel vagabondo. Pure donna Stefana, per politica, come seppe chi era e donde veniva, gli fece dar colazione, pane vino e companatico, in un angolo della tavola, che egli subito disse grazie, perché le due donne sembrava che gli contassero i bocconi, sua sorella ritta sull'uscio, colle mani sul ventre, e l'orecchio teso per sentire se capitava il marito, guardando di sottocchio donna Stefana come fosse sulle spine. – No e sì, sì e no. – Le parole cascavano di bocca, e il pane e il companatico pure. Toccarono appena del babbo e del fratello che erano lontani, uno di qua e l'altro di là, e tacquero subito perché poco avevano da dire, dopo tanto che non si erano visti. Benedetta anzi non aveva neppure conosciuto il babbo, come fosse figlia del peccato.

– Questa povera orfanella, – disse forte donna Stefana, – non ha avuto nessuno al mondo, né amici né parenti. Dillo tu stessa, figliuola mia. Se non ero io, come restavi al mondo?

Benedetta disse di sì, con un'occhiata riconoscente. Poi guardò il fratello, e chinò gli occhi. Infine gli chiese se contava di fermarsi molto in paese, dandogli del voi, sempre cogli occhi bassi. Donna Stefana invece gli ficcava addosso i suoi, quasi volesse frugarlo sotto i panni, con certe occhiate sospettose che covavano le posate. Appena fuori dell'uscio si sentì dar tanto di catenaccio dietro le spalle.

– Queste son cose che succedono, – disse poi don Tinu, quando seppe com'era andata la visita alla sorella. – Il mondo è grande, e ciascuno va pei fatti suoi.

Andavano pel mondo, di qua e di là, per fiere e per villaggi, sempre colla roba in collo, sicché infine una volta capitarono a Primosole, dopo tanto tempo. – Ora ti faccio vedere tuo padre, s'è ancora al mondo, – disse don Tinu. Nanni non voleva, fra la vergogna e la paura; ma il merciaio soggiunse:

– Lascia fare a me, che le cose le so fare.

E andò avanti a prevenire compare Cosimo ch era sempre lì, alla chiatta, su di un piede come le gru. – Ecco vostro figlio Nanni, compar Cosimo, che è venuto apposta per baciarvi le mani.

Lo zio Cosimo aveva la terzana, e stava lì, al sole, appoggiato alla fune, col fazzoletto in testa, aspettando la febbre. – Che il Signore t'accompagni, figliol mio, e ti aiuti sempre!

Adesso ch'era stremo di forza, gli venivano i lucciconi agli occhi, vedendo che bel pezzo di ragazzo s'era fatto il suo Nanni. Costui narrava pure di Benedetta e del fratello, ch'era stato a cercarli; e il padre, tutto contento, scrollava, tentennava il capo, colla faccia sciocca. Una miseria, in quella chiatta: Ventura partito per cercar fortuna altrove; Mangialerba più che mai sotto i piedi della sua donnaccia, becco e bastonato, e l'Orbo sempre lo stesso, attaccato alla fune come un'ostrica e allegro come un uccello, che cantava nel silenzio della malaria, guardando il cielo cogli occhi bianchi.

– Con me vostro figlio girerà il mondo, e si farà uomo. – Ripeteva don Tinu. Anche lo zio Antonio, poveretto, non era più quello di prima, e stava lì, sull'uscio dell'osteria, inchiodato dalla paralisi sulla scranna, a salutar la gente che passava, colla faccia da minchione, per tirare gli avventori.

– Benedicite, vossignoria. Che non mi riconoscete più, zio Antonio? – gli disse il merciaiuolo fermandosi a salutarlo. Lo zio Antonio accennava di sì col capo, come pulcinella. Allora don Tinu trasse fuori un bel sigaro e glielo mise nelle mani che tremavano continuamente, posate sulle ginocchia.

Ma l'altro scosse il capo, accennando di no, che non poteva. Don Tinu, per cortesia, gli chiese infine di sua moglie, e di comare Filomena, che non si vedevano, nell'osteria deserta; e il vecchio, colle mani tremanti, accennò di qua e di là, lontano, verso il camposanto e verso la città.

Per bere un sorso, dovettero sgolarsi a chiamare un ragazzaccio che compare Antonio s'era tirato in casa, onde fare andare l'osteria, e arrivò dall'orticello abbandonato, tutto sonnacchioso, fregandosi gli occhi, insaccato in un giubbone vecchio dello zio Antonio che gli arrivava alle calcagna.

Abbiamo fatto un'opera di carità, – osservò don Tinu nel pagare il vino bevuto. – Statevi bene, compare Antonio.

Così era fatto don Tinu, colle mani sempre aperte, quando ne aveva, e il cuore più aperto ancora. Gli piaceva ridere e divertirsi, e aveva amici e conoscenti in ogni luogo. Spesso lasciava Nanni al negozio, diceva lui, e correva a godersi le feste di qua e di là colle comari (aveva comari da per tutto). Appena arrivava in un paese lo mandavano a chiamare di nascosto, e gli facevano trovare il desco apparecchiato dietro l'uscio, mentre i loro uomini erano alla processione, colla testa nel sacco. Finché una volta, per la festa del Cristo, a Spaccaforno, lo portarono a casa su di una scala, come un Ecceomo davvero.

Era stata Grazia che era venuta a chiamarlo: – Signore don Tinu, vi aspettano dove sapete vossignoria.

Don Tinu esitava, grattandosi la barba. Non che avesse paura, no. Ma quella ragazza allampanata gli portava la jettatura, c'era da scommettere. Lei intanto rimaneva sull'uscio della bottega, sorridendo timidamente, col viso nella mantellina rattoppata. Nanni che da un pezzo non la vedeva, le disse:

– O tu come sei qui?

– Son venuta a piedi, – rispose Grazia, tutta contenta che le avesse parlato. – Son venuta a piedi da Scordia e Carlentini, perché laggiù morivo di fame. Ora fo i servizi a chi mi chiama.

S'era fatta grande, tanto che la vesticciuola sbrindellata non arrivava a coprirle del tutto le gambe magre; colla faccia seria e pallida di donna fatta che ha provato la fame: e due pesche fonde e nere sotto gli occhi.

Nanni che stava leccando col pane il piatto di don Tinu le disse:

– Te'; ne vuoi? – Ma Grazia si vergognava a dir di sì.

– Io sto con don Tinu, e faccio il merciaiuolo, – aggiunse Nanni.

Ad un tratto egli si fece serio, guardandola fiso.

– Entra!

La ragazza esitava, intimidita da quegli occhi. Nanni ripeté:

– Entra, ti dico! sciocca!

E la tirò pel braccio chiudendo l'uscio. Ella obbediva tutta tremante. Poi gli buttò le braccia al collo.

– Tanto tempo che ti volevo bene!

E ricominciò a narrar la storia del suo misero vagabondaggio; la fame, il freddo, le notti senza ricovero, gli stenti e le brutalità che aveva sofferto; seduta sulla balla della mercanzia, colla schiena curva, le braccia abbandonate sulle ginocchia, ma gli occhi lucenti di contentezza adesso, e una gran gioia che le si spandeva infine sul viso sbattuto e scarno.

– Sai, tanto tempo che ti volevo bene! Ti rammenti? quando andavamo insieme per l'erbe della minestra a Primosole? e l'isolotto che lasciava il fiume quando era magro? e quella notte che abbiamo dormito insieme dietro un muro, sulla strada di Francofonte? Poi, quando tu te ne sei andato con don Tinu, e non sapevo che fare né dove andare... Quella donna che vendeva i fichidindia, vedendomi ogni giorno a frugare nel mondezzaio, fra le bucce e i torsi di lattuga, mi dava ora una crosta di pane ed ora qualche cucchiaio di minestra. Ma essa pure dovette andarsene, quando finì il tempo dei fichidindia, ed io partii con quello che faceva gente per la raccolta delle ulive, laggiù al Leone. Presi le febbri e mi mandarono all'ospedale. Dopo non mi vollero più perché dicevano che mi mangiavo il pane a tradimento. Sono stata anche a dissodare, dov'hanno fatto quella gran piantagione di vigne, al Boschitello; e ho lavorato allo stradone, e ci sarei tuttora a mangiar pane, se non fosse stato pel soprastante...

S'interruppe, facendosi rossa, e guardò Nanni timorosa. Ma a costui non gliene importava nulla. Le disse solo:

– Vattene ora, ché sta per tornare il mio padrone.

La poveretta si lasciava spingere verso l'uscio, col capo chino sotto la mantellina rattoppata, balbettando:

– Non ci ho colpa, ti giuro, per la Madonna Addolorata! Cosa potevo fare? Egli era il padrone. Tu non c'eri più!... Non sapevo dov'eri nemmeno...

– Sì, sì, va bene. Adesso vattene, ché sta per venire don Tinu, – ripeteva lui allungando il collo fuori dell'uscio, di qua e di là della straduccia, come un ladro. Infine la ragazza se ne andò adagio adagio, rasente al muro.

Poco dopo portarono a casa il merciaiuolo colle ossa rotte; ché lo zio Cheli per combinazione tornando prima del solito aveva trovato don Tinu che gli faceva il pulcinella in casa.

Il Zanno nel medicare il merciaiuolo andava predicando:

– Coi villani ci vuole prudenza, don Tinu caro! ché son peggio delle bestie. Vetturali poi, Dio liberi!...

Ogni volta, quando gli capitava male, don Tinu si sfogava dopo col ragazzo, a calci e scapaccioni; tanto che agli strilli accorrevano l'oste e i viandanti, e il Zanno gli diceva:

– Non gli dar retta, figliuol mio, perché il tuo padrone dev'essere ubriaco.

Il Zanno invece se voleva ubriacarsi si chiudeva nella sua stanzetta, faccia a faccia colla bottiglia. Non gridava, non picchiava nessuno, sempre con quel risolino di prete sulla faccia magra; e le donne venivano a cercarlo a casa sua di soppiatto, verso sera, imbacuccate sino al naso, e chiudeva a catenaccio. Tutto il giorno sempre allegro, a strappar denti senza dolore, vendere empiastri e intascar soldi. Nanni quando lo incontrava per le piazze, nelle bettole, andando di qua e di là per fiere e per paesi, gli ripeteva:

– Vi rammentate, vossignoria, quando mi diceste se volevo venire con voi a fare il Zanno, quella volta che morì lo zio Carmine, allo stallatico del Biviere?

Il Zanno fingeva di non capire, perché non voleva aver questioni con don Tinu; ma infine, messo alle strette, si lasciò scappare:

– Be', se il tuo padrone ti manda via, io non ci ho difficoltà a pigliarti con me.

Nanni se la legò al dito; e la prima volta che il merciaio si sciolse la cinghia per menargli la solfa addosso, gli disse brusco:

– Don Tinu, lasciatela stare la cinghia, vossignoria, ché se no stavolta finisce male.

– Ah, carogna! e rispondi anche! Ti farò vedere io come finisce!...

– Lasciate stare la cinghia, don Tinu, o finisce male, vi ho detto.

E mise la mano in tasca.

Don Tinu ch'era stato il suo maestro e gli vide la faccia pallida, mutò subito registro:

– Ah, così rispondi al tuo padrone? Ora ti lascio morir di fame. Pigliati la tua roba, e via di qua.

Nanni raccolse i quattro cenci nel fazzoletto e conchiuse:

– Benedicite a vossignoria.

E se ne andò a trovare il Zanno.

– Bada che qui si guarda e non si vede: si ode e non si sente: si ha bocca e non si parla; – gli disse il Zanno per prima cosa. – Se hai giudizio starai bene; se hai la lingua lunga andrai a darla ai cani, come quel re che aveva le orecchie lunghe e non poteva tenere una cosa sullo stomaco. Io non faccio chiacchiere né chiassi come Tinu, bada! Marcia, torna e sparisci! E bravo chi ti trova!

Menavano una vita allegra, ma sempre coll'orecchio teso e un piede in aria. Di notte, se picchiavano all'uscio, era un lungo tramestìo, un ciangottare dietro l'uscio, un andare e venire prima di tirare il catenaccio. Poi Nanni udiva il suo padrone che parlava con qualcuno sottovoce nell'altra stanza, e pestare nel mortaio; oppure erano strilli e pianti soffocati. Una notte, che non poteva chiudere occhio, vide dal buco della serratura il Zanno che intascava dei soldi, e una che gli parve Grazia, pallida come la cera vergine, la quale se ne andava barcollando.

Ma il Zanno, appena gli chiese se era davvero Grazia, montò in furia come una bestia.

– Tu sei troppo curioso, figliuol mio, e un giorno o l'altro ti finisce male.

E gli finì male davvero, per un altro motivo. Un giorno, per la festa dell'Immacolata, appena rizzarono il trespolo sulla piazza di Spaccaforno, vennero gli sbirri e li acciuffarono tutti e due, cogli unguenti e gli elisiri, e li portarono al Criminale, accusati d'infanticidio. Ma allorché il Zanno vide Grazia sullo scanno, accusata insieme a loro, si mise a giurare e spergiurare colle mani in croce che non l'aveva mai vista né conosciuta, com'è vero Iddio!

Ma c'erano testimoni che avevano visto quella ragazza con Nanni tempo fa, quando egli era passato un'altra volta da Spaccaforno con don Tinu, il merciaio, nella settimana santa, anzi egli aveva chiuso l'uscio. Grazia, più morta che viva, balbettava:

– Signor giudice, fatemi tagliare la testa, ché sono una scellerata! Prima feci il peccato e poi non seppi far la penitenza.

Era stato per la disperazione, dacché tutti la scacciavano come un cane malato... e per la vergogna anche... Sì, perché no? dopo che Nanni l'aveva mandata via, e cominciava a capire il male che aveva fatto... Fu una notte, nel casolare abbandonato dietro il ponticello, che prima serviva pei lavoranti della strada... Una notte che pioveva... e le pareva di morire, lì, sola e abbandonata... E non sapeva come fare, con quella creaturina abbandonata al par di lei... Poi, quando non l'udì più vagire, e la vide tutta bianca, si strascinò sino al burrone, là, nella cava delle pietre, e l'avvolse nel grembiule prima, povere carni tenere d'innocente!... Ma Nanni non sapeva nulla... Non s'erano più visti... Potevano andare loro stessi, a vedere, lì, nella cava delle pietre, vicino al casolare, giù dal ponticello...

Così Grazia andò in galera, ma loro se la cavarono colla sola paura della forca il Zanno e l'aiutante; però il primo fece voto a Dio e al Cristo di Spaccaforno che giovani non ne voleva più alla cintola, com'è vero Gesù Sacramentato!

Nanni girò ancora un po' di qua e di là, finché spinto dalla fame tornò a Primosole, dove almeno ci aveva qualcuno. Trovò che suo padre era sotto terra, e l'Orbo guidava lui la chiatta, asciutto come un osso.

Giusto c'era Filomena, che cominciava a farsi vecchia e nessuno la voleva per quella storia di don Tinu, e le altre che si erano scoperte dopo, la quale gli diceva ogni volta:

– Io ci ho la mia roba, grazie a Dio, e il marito che volessi prendere starebbe come un principe.

L'Orbo, che faceva da mezzano, per un bicchier di vino, aiutava:

– L'ho vista io con questi occhi.

– Per me, – rispose alfine Nanni, – se voi siete contenta, sono contento io pure.

E si fece il nido come un gufo. Di correre il mondo ne aveva abbastanza ora, e badava a mangiare e bere colla moglie e gli avventori, che tenevano allegra la casa e lasciavano dei soldi nel cassetto. Ogni tanto gli portavano la notizia:

– Sapete, zio Giovanni? vostro fratello gli è successo un accidente.

Oppure:

– Gnà Benedetta, vostra sorella, ha avuto un altro maschio.

Tale e quale come suo padre, che aveva messo radici a

Primosole, dopo che era rimasto zoppo, e venivano a dirgli sin lì quel che succedeva al mondo di qua e di là. Un giorno, dopo anni ed anni, in mezzo a una torma di mietitori, vide passare anche una vecchia che neppure il diavolo l'avrebbe più riconosciuta, mangiata com'era dalla fame e dagli strapazzi, la quale gli disse:

– Che non mi riconoscete più, compare Nanni? Sono Grazia, vi rammentate?

Ma egli la mandò subito via, per paura di Filomena che ascoltava dal letto, come aveva fatto l'altra volta per paura del padrone che stava per venire. Ora voleva godersi tranquillamente la sua pace e la provvidenza che il Cielo mandava, insieme alla moglie che gli aveva dato Dio.

E se si trovavano a passare il Zanno oppure don Tinu, che ora gli portavano rispetto, e lasciavano anche loro bei soldi all'osteria, soleva dire con la moglie, o con chi c'era:

– Poveri diavoli! Costoro vanno ancora pel mondo a buscarsi il pane!

Il maestro dei ragazzi

La mattina, prima delle sette, si vedeva passare il maestro dei ragazzi, mentre andava raccogliendo la scolaresca di casa in casa: con la mazzettina in una mano, un bimbo restìo appeso all'altra, e dietro una nidiata di marmocchi, che ad ogni fermata si buttava sul marciapiede, come pecore stracche. Donna Mena, la merciaia, gli faceva trovare il suo *Aloardo*, già bell'e ripulito a furia di scapaccioni, e il maestro, amorevole e paziente, si strascinava via il monello, che strillava e tirava calci. Più tardi, prima del desinare, tornava rimorchiando *Aloardino* tutto inzaccherato, lo lasciava sull'uscio del negozio, e ripigliava per mano il bimbo con cui era venuto la mattina.

Così passava e ripassava quattro volte al giorno, prima e dopo il mezzodì, sempre con un ragazzetto svogliato per mano, gli altri sbandati dietro, d'ogni ceto, d'ogni colore, col vestitino attillato alla moda, oppure strascicando delle scarpacce sfondate; però tenendosi accosto invariabilmente lo scolare che stava più vicino di casa, sicché ogni mamma poteva credere che il suo figliuolo fosse il preferito.

Le mamme lo conoscevano tutte; dacché erano al mondo l'avevano visto passare mattina e sera, col cappelluccio stinto sull'orecchio, le scarpe sempre lucide, i baffetti come le scarpe, il sorriso paziente e inalterabile nel viso disfatto di libro vecchio; senza altro di stanco che il vestito mangiato dal sole e dalla spazzola, sulle spalle un po' curve.

Sapevano pure che era un gran cacciatore di donne; da circa quarant'anni, dacché andava su e giù per le strade mattina e sera, al pari di una chioccia coi suoi pulcini, era sempre col naso in aria, agitando la mazzettina a guisa di uno zimbello, come un vero uccellatore, in cerca di un'innamorata – senza ombra di male – una che lo guardasse ogni volta che passava, e tirasse fuori il fazzoletto quando egli si soffiava il naso; niente di più; gli sarebbe bastato di sapere che in qualche luogo, vicina o lontana, aveva un'anima sorella. Talché lungo la perenne *via crucis* di tutti i giorni egli aveva delle immaginarie stazioni consolatrici, delle invetriate che soleva sbirciare dacché svoltava la cantonata, e che avevano senso e parole soltanto per lui; alle quali aveva visto invecchiare dei visi amati, o scomparirne per andare a maritarsi – egli solo sempre lo stesso, portando una instancabile giovinezza dentro di sé, dedicando alle figliuole il sentimento che aveva provato per le madri, mulinando avventure da Don Giovanni nella sua vita da anacoreta.

Era come la conseguenza della sua professione; l'incarnazione degli estri poetici che gli occupavano le ore d'ozio, la sera, dinanzi al lume a petrolio, coi piedi indolenziti nelle ciabatte di cimosa, ben coperto dal pastrano, mentre sua sorella Carolina rattoppava le calze, dall'altro lato del tavolinetto, anch'essa con un libro aperto dinanzi agli occhi. Faceva il maestro di scuola per vivere, ma il suo vero stato erano le lettere, sonetti, odi, anacreontiche, acrostici soprattutto, con tutte le sante del calendario a capoverso. Portava sotto il paletò spelato da un capo all'altro della città, strascinandosi dietro la scolaresca, la sacra fiamma dei versi, quella che fa cantare le giovinette al chiaro di luna sul veroncello, e doveva farle pensare a lui. Sapeva già, come se gliela avessero confidata, tutta la curiosità che doveva suscitare la sua persona, i palpiti che destava una sua occhiata, le fantasie che si lasciava dietro il suo passaggio. Troppo scrupoloso però per abusarne.

Un giorno, lo rammentava sempre con una dolce confusione interna, una giovinetta alla quale andava a dare lezioni di bello scrivere a domicilio, volle regalargli per la sua festa un bel fiore ch'era in un vasetto sulla scrivania, rosa o garofano, non si rammentava pel turbamento che gli aveva fatto velo alla vista. Glielo presentava con un atto gentile, e gli diceva, al vederlo timido e imbarazzato:

– L'ho tenuto lì per lei, signor maestro.

– No... la prego... Mi risparmi...

– Come? non lo vuole?

– Seguitiamo la lezione, di grazia!... Queste non son cose...

– Ma perché? Che c'è di male...

– Tradire la fiducia dei suoi parenti... sotto la veste di istitutore...

Allora la ragazza era scoppiata in una risata così matta, così impertinente, che gli squillava ancora nelle orecchie al ripensarci, e ancora, dopo tanto tempo, gli metteva in capo un dubbio, uno di quei lampi di luce che fanno cacciare il capo sotto il guanciale, per non vederli, la notte. Ah, quelle benedette ragazze, chi arrivava a capirle, per quanto gli anni passassero! Esse gli ridevano dietro le spalle. – Poi, dopo molto tempo, quand'egli passava a prendere i loro bimbi, tirando in su i baffetti ostinatamente neri, si sentivano intenerire da una certa commozione ripensando al passato, alle rosee fantasie della prima giovinezza, che evocava la figura melanconica di quell'eterno cercatore di amore.

– Entrate, don Peppino, il ragazzo sta vestendosi.

– No, grazie, non importa.

– Volete aspettare al sole, vossignoria?

– Ho qui i ragazzi. Non posso lasciarli.

– Quanti ne avete, santa pazienza! Ce ne vorrà, da mattina a sera, tanto tempo che fate quel mestiere!

– Sì, un pezzo che ci conosciamo, di vista almeno. Quando lei stava in via del Carmine; il terrazzino col basilico. Si rammenta?

– Si diventa vecchi, don Peppino! Ora abbiamo i capelli bianchi. Parlo per me, che ho già una figliuola da marito.

– Giusto, avevo portato qui una cosuccia per donna Lucietta. Oggi è la sua festa, mi pare.

– Cos'è, l'immagine di santa Lucia? No, una poesia! Lucia, Lucia, vien qui, guarda cosa t'ha portato il signor maestro.

– Piccolezze, donna Lucietta, scuserà l'ardire.

– Bello, bello, grazie tante. Guarda che bel foglio, mamma. Sembra un merletto.

– Son cose leggiere. Proprio un ricamino in versi, come ci vogliono per una bella ragazza qual è lei. Piccolezze, sa!

– Grazie, grazie. Ecco Bartolino. È mezz'ora che il signor maestro t'aspetta, male educato!

– Guarda, mamma; ritagliando il bordo della carta tutto in giro se ne può cavare un bel portamazzi, se oggi mi vengono dei fiori.

La scuola era un grande stanzone imbiancato a calce, chiuso in fondo da un tramezzo che arrivava a metà dell'altezza, e al di sopra lasciava un gran vano semicircolare e misterioso, il quale dava lume a un bugigattolo che vi era dietro. Accanto all'uscio vedevasi il tavolinetto del maestro, coperto da un tappetino ricamato a mano, e sopra tanti altri lavori fatti di ritagli: nettapenne, sottolume, e un mandarino di lana arancione, colle sue brave fogliolinе verdi, causa d'infinite distrazioni agli scolari. L'altro ornamento della scuola, sulla larga parete nuda dietro il tavolino, era una cornicetta di carta traforata, opera indu stre della stessa mano, che conteneva due piccole fotogra fie ingiallite, i ritratti del maestro e di sua sorella, somiglianti come due gocce d'acqua, malgrado i baffetti incerati dell'uno, e la pettinatura grottesca dell'altra: gli stessi pomelli scarni che sembravano sporgere fuori della cornice, la stessa linea sottile delle labbra smunte, gli stessi occhi appannati, quasi stanchi di guardare perennemente, dal fondo dell'orbita incavata, lo sbaraglio delle seggiole scompagnate per la scuola; e tutt'in giro la tristezza delle pareti bianche, macchiate in un canto dalla luce scialba della finestra polverosa che dava nel cortiletto.

Di buon mattino, appena il falegname accanto principiava a martellare, udivasi pispigliare due voci sonnolente nel bugigattolo oscuro, e poi s'illuminava il vano al di sopra del tramezzo. Il maestro andava a prendere una manata di trucioli, strascicando le ciabatte, tutto raggomitolato in un pastrano spelato, e accendeva il fuoco per fare il caffè. Allora, dietro la finestra appannata, vedevasi salire la fiamma del focolare rannicchiato sotto quattro tegole sporgenti dal muro, e il fumo denso che stagnava nel cortiletto cieco. In fondo allo stanzino la sorella del maestro intanto cominciava a tossire, dall'alba.

Egli andava a prendere le scarpe appoggiate allo stipite dell'uscio, l'una accanto all'altra, coi talloni in alto, e si metteva a lustrarle amorosamente, mentre faceva bollire il caffè, ritto innanzi al fuoco, col bavero del pastrano sino alle orecchie. In seguito toglieva dal fuoco la caffettiera, sempre colla mano sinistra, per pigliare colla destra la chicchera senza manico dall'asse inchiodata accanto al fornello, la risciacquava nel catino fesso incastrato fra due sassi accanto al pozzo, e portava finalmente il lume nel bugigattolo, diviso in due da una vecchia tenda da finestra appesa a una funicella. La sorella si alzava a sedere sul letto in fondo, stentatamente, tossendo, soffiandosi il naso, gemendo sempre, colle trecce arruffate, il viso consunto, gli occhi già stanchi, salutando il fratello con un sorriso triste d'incurabile.

– Come ti senti oggi, Carolina? – le chiedeva il fratello.

– Meglio, – rispondeva lei invariabilmente.

Intanto il sole sormontava il tetto di faccia alla finestra, come una polvere d'oro, in mezzo a cui balenava il volo dei passeri schiamazzanti. Dietro l'uscio passava lo scampanellare delle capre.

– Vado pel latte, – diceva don Peppino

– Sì, – rispondeva lei collo stesso moto stracco del capo E cominciava a vestirsi lentamente, mentre il maestro accoccolato col bicchiere in mano, leticava col capraio che gli misurava il latte come fosse oro colato.

Carolina andava a rifare il lettuccio piatto del fratello dall'altra parte della cortina, rialzandola tutta nella funicella per dare aria alla stanza, come era solita dire; e si dava a strascicare la scopa per la scuola, adagio adagio, movendo le seggiole una dopo l'altra, appoggiandosi al bastone della scopa per tossire, in mezzo al polverìo.

Il fratello tornava coi due soldi di latte in fondo al bicchiere, e due panetti nelle tasche del pastrano. Ripiegavano un lembo del tappetino, per non insudiciarlo, e sedevano a far colazione in silenzio, l'uno di qua e l'altra di là del tavolino, tagliando ad una ad una delle fette di pane sottili, masticando adagio, e come soprapensieri. Soltanto, ogni volta che lei tossiva, il fratello rizzava il capo a fissarla in aria inquieta, e tornava a chinare gli occhi sul piatto.

Alfine egli se ne andava colla mazzettina sotto l'ascella, il cappelluccio sull'orecchio, i baffetti incerati, tirando in su il colletto della camicia, infilandosi con precauzione i guanti neri che puzzavano d'inchiostro, seguìto passo passo dalla sorella che si ostinava a passargli straccamente la spazzola addosso, covandolo con uno sguardo quasi materno, accompagnandolo dall'uscio con un sorriso rassegnato da zitellona, che credeva tutte le donne innamorate di suo fratello.

Anch'essa aveva avuto la sua primavera scolorita di ragazza senza dote e senza bellezza, quando rimodernava, ogni festa principale, lo stesso vestitino di lana e seta, e architettava pettinature fantastiche dinanzi allo specchietto incrinato. Oh, le rosee visioni che passarono su quella vesticciuola, mentre essa agucchiava le intere notti! e gli sconforti amari che la tormentarono dinanzi a quello specchio, al quale si affacciavano ogni volta inesorabilmente i pomelli ossuti ed il naso troppo lungo! In mezzo al crocchio allegro e civettuolo delle altre ragazze ella portava sempre come la visione dolorosa della sua figura grottesca, e se ne stava in disparte – per vergogna, dicevano le une, – per orgoglio, dicevano le altre. – Giacché passava anche lei per letterata. Nello squallore della loro miseria decente le lettere avevano messo un conforto, una lusinga, come un lusso delicato che li compensava della commiserazione mal dissimulata dei vicini. Essa teneva gelosamente custoditi, in belle copie tutte a svolazzi e maiuscole ornate, i versi del fratello; e quando egli si era lasciato vincere alfine dall'indifferenza generale, dalla stanchezza dell'umile e faticoso impiego che doveva fare delle lettere per guadagnarsi il pane, essa sola era rimasta una gran leggitrice di romanzi e di versi: avventure epiche di cappa e di spada, casi complicati e straordinari, amori eroici, delitti misteriosi, epistolari di quattrocento pagine tutte piene di una sola parola, nenie belate al chiaro di luna, dolori di anime in lutto prima di nascere, che piangevano delusioni future. Tutta la sua giovinezza squallida s'era consunta in quelle fantasie ardenti, che le popolavano le notti insonni di cavalieri piumati, di poeti tisici e biondi, di avvenimenti bizzarri e romanzeschi, in mezzo ai quali sognava di vivere anche mentre scopava la scuola o faceva cuocere il magro desinare, nel cortiletto cieco che serviva da cucina. E sotto l'influenza di tutto quel medio evo, la preoccupazione dolorosa della sua disavvenenza e della sua povertà manifestavasi in modo grottesco, con ricciolini artificiosi sulla fronte, trecce spioventi sulle spalle, sgonfi medioevali ai gomiti del vestito e gorgiere inamidate.

– Che è l'ultimo figurino quello? – le aveva chiesto un giorno la più elegante e la più crudele delle sue compagne.

Lui solo – tanto tempo addietro! adesso era impiegato alla Pretura Urbana – quanti palpiti! quanta dolcezza! quanti sogni! Ed ora più nulla, allorché lo incontrava per caso, carico di moglie e di figliuoli! Allora era un giovinetto smunto, con grandi occhi pensosi che stavano a guardare i « vortici delle danze » dal vano di un uscio, come dall'alto, da cento miglia lontano. Le ragazze lo canzonavano anche un po' perché non ballava mai; lo chiamavano « il poeta ». Egli da lontano inchiodava uno sguardo fatale su quella ragazza, sola e dimenticata in un cantuccio al par di lui. Una domenica infine le si fece presentare; le disse con una lunga frase ingarbugliata che aveva ambito l'onore di far la sua conoscenza perché « nella festa » era l'unica persona con cui si potesse scambiare due parole: lo sentiva, gliel'avevano detto: sapeva anche che era una distinta cultrice delle lettere...

« Le danze » giravano giravano « vorticose » in un gran polverìo, sotto la lumiera a petrolio, ed essi sembravano cento miglia lontani, proprio come nei romanzi, mezzo nascosti dietro la tenda all'uncinetto, lui col cappello sull'anca, e l'arco della mente teso per ogni parola che gli usciva di bocca; lei irradiata da quella prima lusinga che le veniva da un uomo, con una nuova dolcezza negli occhi, attraverso i ricciolini.

– È un poema?

– No, un romanzo.

– Storico?

– Oibò, signorina! Per chi mi piglia? Sa il detto di quel tale: « Chi ci libererà dai Greci e dai Romani?... »

– Genere Manzoni allora?

– No, più moderno; stavo per dire più fine; certo più nervoso... tutta la nervosità del secolo in cui viviamo...

– E il titolo? si può sapere almeno?

– Lei sì! – *Amore e morte!*

– Bello! bello! bello! Ci ha lavorato molto?

– Saran quattr'anni circa.

– Perché non lo fa stampare?

Il giovanotto alzò le spalle con un sorriso sdegnoso.

– Peccato!

Egli ebbe un lampo negli occhi, per la risposta che gli balenava in mente pronta e azzeccata; un lampo che illuse la poveretta:

– Mi basta questa parola sua, guardi!

La Carolina avvampò di gioia; e chinò il capo, col petto che le scoppiava.

– Che dice?... Io!... Che dice mai?...

L'altro, gonfiandosi nel soprabito anche lui a quella prima lusinga che gli veniva da una donna, le lasciava cadere sul capo chino, dall'alto del suo colletto inamidato, la confidenza che il trionfo più ambito per uno scrittore è quello di una parola... una parola sola... d'encomio... d'incoraggiamento... che venga da una persona..

– *Pardon!...* – s'interruppe a un tratto tirandosi bruscamente indietro.

– Gli è arrivata? – chiese dolente il padrone di casa che girava coll'annaffiatoio. – Mi dispiace sa... Facevo perché si soffoca dalla polvere. Non le pare?

Il poeta continuava dicendo che era proprio una fortuna d'incontrarsi... in mezzo a tanta volgarità invadente...

– Lei non balla? – domandò infine.

– Io?...

– Stia tranquilla. Non ballo neppur io. Sa il detto di quel tale: « Non capisco perché cotesto lavoro non lo facciano fare dai domestici! » Ed è vero infatti. Provi a tapparsi le orecchie, per vedere l'impressione grottesca...

– È vero, è vero.

– Sentisse poi che discorsi! Il caldo, la folla, i lumi... Quando si arriva a parlar delle acconciature è già un gran progresso. A proposito, lei è messa divinamente... No, no, mi lasci dire, è diversa dalle altre; un buon gusto, un'originalità...

Tese l'arco delle sopracciglia, e le scoccò l'ultima frecciata:

– Insomma l'abito non fa il monaco; ma il buon gusto dice la persona...

Com'era bello il valzer che sonavano in quel punto! come l'era rimasto in cuore tutta la notte! e come lo canticchiava poi a mezzavoce, cogli occhi gonfi di lagrime deliziose, cucendo nel cortiletto oscuro! Sul pilastrino del pozzo i garofani, che allungavano dal vaso slabbrato gli steli tisici, s'agitavano lieve lieve al sole, e parevano rinascere. Che pace ora con se stessa, quando si guardava nello specchio! che dolcezza in certi toni della sua voce! che soavità nel raggio della luna che baciava, in alto, il muro dirimpetto! e nell'oro del tramonto che scappava dal comignolo del tetto, e scintillava sui vetri di quella finestra dove si vedeva alle volte un fanciulletto biondo in una scranna a bracciuoli, immobile per delle ore! Vivere, vivere anche in quel cortiletto triste, fra quelle quattro mura che avevano una melanconia nota e quasi affettuosa, nelle umili occupazioni divenute care, con quell'altro mondo fantastico che le aprivano i libri, sotto la carezza di quella voce fraterna, amorevole e protettrice; e in fondo al cuore poi come un punto luminoso, come una fibra delicata che trasaliva al menomo tocco, come una gran gioia che aveva bisogno di nascondersi e le balzava alla gola ogni momento, come una fede, come una tenerezza nuova per ogni cosa e ogni persona nota – e l'attesa di quella domenica, di quel ballonzolo periodico in mezzo alla polvere e al puzzo del petrolio, dove sapeva di rivedere colui che da otto giorni aveva preso tanta parte nel suo cuore e nella sua vita!

Stavolta le venne incontro appena la vide, con una stretta di mano che riannodava a un tratto la loro intimità spirituale, e le si mise al fianco, dietro la tenda all'uncinetto, colla destra nello sparato della sottoveste, parlandole sempre di lui, delle sue inclinazioni, dei suoi gusti, delle sue ammirazioni, che erano poche e calde, della sua ambizione, che toccava il cielo. Di tratto in tratto, quando gli pareva che la ragazza chinasse il capo stanco sotto tutto quell'*io* implacabile, le accoccava un complimento, come un cocchiere fa schioccare la frusta nelle salite. La giovinetta però chinava il capo per la commozione, col cuore tutto aperto a quelle confidenze che cercavano avidamente la simpatia di lei. Egli pure, trascinato dalla sua foga, eccitato dalle sue frasi medesime, si abbandonava, cominciava a sbottonarsi, a scendere fino ai suoi piccoli guai: suo padre che lo contrariava nelle sue inclinazioni, nelle tendenze più spiccate del suo ingegno... Nei due anni d'università non aveva imparato nulla. Aveva scritto soltanto dei versi sulle panche della cattedra di Diritto Civile.

– Un vero parricidio! – osservò Carolina sorridendo.

Egli per la prima volta la baciò con un'occhiata d'ineffabile tenerezza.

– Carolina! Carolina! – chiamava il fratello. E sottovoce le disse all'orecchio: – Bada che tutti ti guardano; sei sempre con colui. Chi è?

Qua e là, dietro i ventagli, e nei crocchi delle ragazze, balenavano infatti dei sorrisi mal dissimulati. Ma Carolina, fiera, lo presentò al fratello:

– Il signor Angelo Monaco, distinto poeta, l'autore di *Amore e morte*!

– So che anche il signore è un chiaro cultore delle lettere! – disse il Monaco tendendogli la mano regalmente.

Il romanziere aveva « sollecitato l'onore » di leggere il manoscritto del suo romanzo in casa del maestro « per averne un giudizio illuminato e sincero ». Una sera, dopo la scuola, lo istallarono dinanzi al tavolinetto dal tappetino ricamato, con due candele accese dinanzi, come un giocatore di bussolotti, don Peppino col capo fra le mani, tutto raccolto nel disegno di appioppargli alla sua volta la lettura dei propri versi, che si sentiva rifiorire in petto gelosi a quell'avvenimento; la sorella digià commossa dalla solennità dei preparativi, la porta chiusa, le seggiole dei ragazzi schierate in fila, come per una folla di ascoltatori invisibili.

Il manoscritto era voluminoso, circa mezza risma di carta a mano, raccolta in una custodia di marocchino col titolo in oro sul dorso, e legata con nastri tricolori. L'autore leggeva con convinzione, sottolineando ogni parola col gesto, colla voce, con certe occhiate che andavano a ricercare l'ammirazione in volto alla Carolina, pallidissima, e al fratello di lei, impenetrabile dietro la palma delle mani; si animava alle sue frasi istesse come un barbero allo scrosciare delle vesciche che porta attaccate alla coda; senza un minuto di stanchezza, quasi senza bisogno di voltar pagina. Le pagine volavano, volavano, con un fruscìo come di foglie secche d'autunno, nel gran silenzio della notte. Tutti i rumori della via erano cessati uno dopo l'altro. La luna alta si affacciava al finestrino.

C'era un punto in cui il protagonista del romanzo, disperato, forzava la consegna di uno stuolo di domestici in gran livrea schierati in anticamera, e andava a bere la morte nell'alcova della sua bella appena tornata dal ballo, ancora in una nuvola di merletti e di pizzi. Egli la bollava con parole di fuoco, voleva offrirle, dea implacabile, l'olocausto del suo sangue, dei suoi sensi, del suo amore immensurabile, lì ai piedi dell'altare istesso, su quel tappeto di Persia, dinanzi a quel letto immacolato. E all'occhiata trionfante che faceva punto, l'autore vide con gioia crudele la sua ascoltatrice che piangeva cheta cheta, colla mano dinanzi agli occhi.

Ei le prese quella mano, e se la tenne sulle labbra a lungo, per godere del suo trionfo.

– Perdonatemi! – mormorò poscia.

Ella scosse il capo dolcemente, e rispose con un filo di voce:

– No. Sono tanto felice!

La luna dal finestrino baciava la parete dirimpetto, tacita. Al silenzio improvviso il maestro si destò.

Angelo Monaco prese a frequentare la casa del maestro, attratto dalla simpatia che vi trovava, lusingato da quell'ammirazione fervida, da quell'amore timido e profondo di cui la sua vanità era riconoscente in modo da simulare alle volte un ricambio dello stesso sentimento. Carolina aspettava, felice, tutta piena di una vita nuova in mezzo alle solite modeste occupazioni, sorpresa da batticuori improvvisi, da dolcezze inesplicabili, per un nulla, per taluni avvenimenti consueti che prima non le avevano detto cosa alcuna, beandosi di uno sguardo, di un sorriso, di una parola, di una stretta di mano di lui, trepidante all'ora in cui egli soleva venire, commossa da una tenerezza ineffabile quando vedeva il raggio della luna sul finestrino, ogni quintadecima, al sentire la campana dell'avemaria, l'organetto che passava, la voce del fratello che pronunziava il suo nome, turbata solo da un imbarazzo insolito e da una nuova tenerezza per lui. Anch'egli le sembrava cambiato. Da qualche tempo la trattava con una dolcezza affettuosa e quasi triste, con un riserbo discreto e pietoso. Un giorno finalmente, al momento di uscire insieme ai ragazzi, col cappelluccio in testa e la mazzettina in mano, la chiamò in disparte, dietro la cortina rossa:

– ... Sai, Carolina... Sta per ammogliarsi... No! senti! Coraggio, coraggio!... Guarda che io ho lì i ragazzi... Perdonami se ti ho fatto dispiacere!... Toccava a me il dirtelo... Sono tuo fratello, il tuo Peppino!...

Ella uscì nello stanzone, barcollante, come si sentisse soffocare e balbettò dopo un momento:

– Come lo sai? Chi te l'ha detto?

– Masino, quel ragazzo, il figlio del caffettiere. Oggi, come l'incontrammo per caso, e vide che lo salutavo, mi ha detto che sposa sua sorella.

– Vai, vai, – disse la poveretta respingendolo colle mani tremanti. – I ragazzi aspettano.

E fu tutto. Ella non aggiunse una parola, non gli mosse un lamento L'ultima volta che la vide, Angelo la trovò così afflitta, così chiusa nel suo dolore, che ne indovinò il motivo. Sull'uscio del cortiletto, cogli occhi rivolti a quello spicchio di cielo e una lagrima vera negli occhi, egli le disse addio, commosso dall'accento suo istesso. Il giorno dopo le scrisse una lettera tutta fremente da un rigo all'altro d'amore e di disperazione, la prima in cui le parlasse d'amore, per dirle che il suo era fatale e doveva immolarlo sull'altare dell'obbedienza filiale. « Siate felice! siate felice! lontana o vicina, in vita e in morte!... » Fu la sola « missiva » d'amore che ella ricevesse, e la custodì gelosamente fra i fiori secchi ch'ei le aveva donati, e i nastri scoloriti che portava il giorno in cui si erano incontrati per la prima volta.

Poi, stanca, aveva riversato sul fratello le sue illusioni giovanili; rifacendo per lui i castelli in aria in cui erano passati i sogni ardenti della sua vita claustrale; subendo, sotto altra forma, le stesse calde allucinazioni che le erano rimaste di tante bizzarre letture, nelle quali si era consunta la sua giovinezza, dietro il tramezzo della scuola, com'era morto il geranio che aveva agonizzato dieci anni nel cortiletto senza sole. Una volta era stata una rosa che essa aveva sorpreso nel portapenne della scrivania, e s'era sfogliata senza che lei osasse toccarla, lasciandole un grande sconforto a misura che le foglioline si sperdevano nella polvere. Un'altra volta un bigliettino profumato, visto alla sfuggita sul tappetino della scrivania, scomparso subito misteriosamente, che l'aveva fatta almanaccare un mese, turbandola anche, mentre stava chiuso nel cassetto, col suo odore sottile, finché le era caduto un'altra volta sotto gli occhi, fra le cartacce inutili buttate via nel cortiletto – la stessa corona dorata in cima al foglio profumato, lo stesso carattere elegante con cui un ragazzo si faceva scusare dalla mamma non so quale mancanza

Un giorno infine il romanzo sembrò disegnarsi, al giungere di una superba bionda che era venuta a prendere un ragazzetto pallido in una carrozza signorile, riempiendo tutta la scuola del fruscìo della sua veste, del profumo del suo fazzoletto, del suono armonioso della sua voce fresca e ridente come un raggio di sole che avesse abbarbagliato maestro e discepoli. La povera zitellona per molti giorni ancora, alla stessa ora, aveva aspettata la bella seduttrice, nascosta dietro la tenda del tramezzo, col cuore che le batteva forte, sconvolta sino alle viscere e come violentata da un delizioso segreto, da un turbamento strano, in cui si mescevano una tenerezza nuova pel fratello, un senso di vaga gelosia, e una contentezza, un orgoglio segreto.

Erano reticenze discrete, silenzi pudichi, imbarazzi scambievoli, per un cenno, per una parola, per un'allusione lontana che cadesse nel discorso, mentre sedevano a tavola, l'uno di qua e l'altra di là di un lembo del tappetino ripiegato, mentre rifacevano tutti i giorni la stessa conversazione vuota e insignificante del giorno innanzi, ripetendo le stesse frasi monotone che compendiavano la loro esistenza scolorita ed uniforme, a voce bassa, con una certa timidezza vergognosa.

Egli chinava il capo arrossendo, come sorpreso sul fatto; e giurava di no facendo una scrollatina di spalle, gongolando dentro di sé, con un sorrisetto di vanagloria che gli tremolava sulle labbra.

Alle volte, in un'effusione improvvisa di tenerezza riconoscente, le posava la destra sul capo, con quello stesso sorrisetto discreto che pareva dicesse:

– Stai tranquilla, scioccherella!

Però, nella rettitudine istintiva della sua coscienza, la zitellona sentiva nascere una ripugnanza, un'inquietudine dolorosa per tutto ciò che dovea esserci di losco e di pericoloso in quel romanzo clandestino. Allora correva a buttarsi ai piedi del confessore, nel nuovo fervore religioso in cui si era rifugiata quando aveva provato il più gran dolore della sua giovinezza, lo sconforto e l'abbandono d'ogni lusinga terrena, e domandava perdono per la dolce colpa che lei non aveva commesso, faceva la penitenza del peccato immaginario che era nella sua casa. E calda ancora di quel fervore vi attingeva il coraggio per esortare il fratello a rientrare nel retto sentiero con delle allusioni velate, delle insinuazioni discrete, un'effusione di tenerezza timida e quasi materna.

– Peppino! – gli disse infine, – dovresti darmi una gran consolazione. Dovresti risolverti a prender moglie.

Egli rizzò il capo, sorpreso prima, e poscia lusingato dalla proposta che gli toglieva vent'anni d'addosso, obbiettando col medesimo ingenuo entusiasmo della sua prima giovinezza che « il matrimonio è la tomba dell'amore », per farsi pregare ancora.

– Dammi retta, Peppino!... Poi, quando non sarai più in tempo, te ne pentirai!...

Egli si ostinava a scrollare il capo, lusingato internamente di poter rifiutare per la prima volta; senza notare l'espressione dolorosa che c'era nell'accento della povera zitellona.

– No, non mi lascio pescare. Stai tranquilla. Amo troppo la mia libertà!

Ella provava un senso strano di simpatia, di commiserazione, e di rancore per quel fanciulletto esile e pallido che la dama bionda era venuta a cercare, e che supponeva fosse il complice innocente della loro tresca. Lo covava cogli occhi da lontano, nascosta dietro la tenda, come egli portasse alla scuola, nei sereni lineamenti infantili, un riflesso delle seduzioni tentatrici della mamma, inquieta se lo scolaretto mancava qualche volta, almanaccando tutto un romanzo domestico dai menomi atti del ragazzo inconsapevole. Se lo chiamava vicino, quando poteva farlo da solo a solo, lo accarezzava, lo interrogava, gli faceva qualche regaluccio insignificante, attratta e ripugnante nello stesso tempo dalla sua grazia infantile. Un giorno il fanciulletto, tutto contento, le disse:

– Dopo le vacanze non vengo più a scuola.

Ella gli chiese il perché, balbettando.

– La mamma dice che ora son grande. Andrò in collegio.

Così terminò anche quel romanzo. Ella ne provò come un gran sollievo; ma nello stesso tempo un dubbio, uno sconforto amaro, sentendo dileguarsi anche le ultime illusioni che aveva collocate sul fratello.

Il male che la rodeva da anni e anni la inchiodò infine nel letto. Il povero maestro non ebbe più un'ora di pace. sempre in faccende anche nei brevi istanti che la scuola gli lasciava liberi, scopando, accendendo il fuoco, rifacendo i letti, correndo dal medico e dallo speziale, coi baffi stinti, le scarpe infangate, il viso più incartapecorito ancora. Le vicine, mosse a compassione, venivano a dare una mano, ora l'una ed ora l'altra: donna Mena, la vedova del merciaio, con tutti gli ori addosso, come se andasse a nozze; e l'Agatina del falegname lesta di mano e sempre allegra, che riempiva della sua gaia giovinezza la povera casa triste; talché il vecchio scapolo era tutto scombussolato da quelle gonnelle che gli si aggiravano per casa, tentato, anche in mezzo alle sue angustie, come da un ritorno di giovinezza, da sottili punture nel sangue e al cuore, che gli cocevano poi come un rimorso, nelle ore nere.

– Meglio, meglio. Ha riposato.

Il poveraccio, al trovare quella buona notizia sulla soglia, le afferrò la mano tremante, e la baciò.

– Oh, donna Mena! Che consolazione!

Essa gli fece segno di tacere, e lo condusse in punta di piedi a veder l'inferma, che riposava con una gran dolcezza sul viso, già lambito da ombre funebri. E come se la dolcezza di quell'istante di tregua gli si fosse comunicata, affranto dall'angoscia che aveva trascinato insieme ai suoi ragazzi da un capo all'altro della città, egli cadde a sedere sulla seggiola dietro la cortina, senza lasciare la mano di donna Mena, che la svincolò adagio adagio. La stanza era già oscura, con un senso di intimità misterioso e triste.

Ad un tratto la sorella svegliandosi lo chiamò, quasi lo sentisse là; e per la prima volta egli accendendo il lume si trovò imbarazzato dinanzi a lei, accanto a un'altra donna

Era stata una crisi terribile: la prima lotta colla morte che già abbrancava la preda. L'inferma, tornata in sé, guardava il lume, le pareti, il viso del fratello con certi occhi attoniti, in cui c'era ancora come la visione di terrori arcani, e lo accarezzava col sorriso, col soffio della voce, colla mano tremante, in un ritorno di tenerezza ineffabile, che si attaccava a lui come alla vita.

E allorché furono soli, gli disse pure con quell'accento e quello sguardo singolari:

– No quella!... Quella no, Peppino!

Verso l'agosto sembrò che cominciasse a stare alquanto meglio. Il sole giungeva fino al letto, dall'uscio del cortile, e la sera entravano a far compagnia tutti i rumori del vicinato, il chiacchierìo delle comari, lo stridere delle carrucole, nei pozzi tutto intorno, la canzone nuova che passava, l'accordo della chitarra con cui il barbiere dirimpetto ingannava l'attesa. La ragazza del falegname entrava con un fiore nei capelli, con un sorriso allegro che portava la gioventù, la salute, e la primavera.

– No, no, non ve ne andate ancora! Vedete com'è allegra quella poveretta, quando siete qui!

– Si fa tardi, signor maestro. È un'ora che son qui.

– No, non è tardi. A casa vostra lo sanno che siete qui. Piuttosto dite che vi aspettano le compagne, lì sull'uscio.

– No, no.

– O l'innamorato, eh? Sarà l'ora in cui suole passare, col sigaro in bocca...

– Oh... che dite mai, vossignoria!...

– Sì, sì, una bella ragazza come siete... è naturale. Chi non si innamorerebbe, al vedere quegli occhi... e quel sorriso... e quel visetto furbo.

– Ma cosa gli salta in mente adesso?...

E un giorno s'arrischiò anche a dirle, nel vano dell'uscio tutto illuminato dalla luna:

– Ah! foss'io quel tale!

– Lei, signor maestro!... Che dice mai!

L'emozione lo prendeva alla gola, mentre la ragazza, per rispetto, non osava ritirare la mano che le aveva afferrata. E traboccarono frasi sconnesse. – L'amore che eguaglia; la poesia ch'è profumo dell'anima; i tesori d'affetto che si cristallizzano nelle anime timide; la divina voluttà di cercare il pensiero e il volto dell'amata nel raggio della luna, a un'ora data. – La ragazza lo guardava quasi impaurita, con grand'occhi spalancati, e tutta bianca nel raggio della luna.

– Non dimenticherò mai quest'ora che mi avete concesso, Agata! Né questo nome! mai! Divisi, lontani... ma ricorderemo... entrambi...

– Mi lasci andare; mi lasci andare. Buona sera.

L'inferma, appoggiata a un mucchio di guanciali, chiacchierava adagio adagio col fratello, seduto accanto al letto, ancora col cappello in testa e la mazzettina fra le gambe. Pareva che avesse a dirgli una cosa importante, dai silenzi improvvisi che le soffocavano la parola in gola, dalle occhiate lunghe che posava su lui, dai rossori fugaci che passavano sul pallore del suo viso disfatto. Infine, chinando il capo, gli disse:

– Perché non ci pensi ad accasarti?

– No, no! – rispose lui, scrollando il capo.

– Sì, ora che sei in tempo. Devi pensarci finché sei giovane... Poi, quando sarai vecchio... e solo... come farai?

Il fratello, sentendosi vincere dalle lagrime, conchiuse, per tagliar corto:

– Non è tempo di parlarne adesso!

Però essa ritornava spesso sullo stesso argomento.

– Se trovassi una bella giovinetta, ricca, istruita, di buona famiglia, che facesse per te...

E una sera che si sentiva peggio tornò a parlargliene ancora, coll'inquieto cicaleccio proprio del suo stato.

– No, lasciami dire, ora che ho un po' di lena. Non posso permettere che ti sacrifichi per tenermi compagnia... tutta la tua giovinezza... Una buona dote non può mancarti. E se lasci la scuola, tanto meglio. Vivremo tutti insieme; faremo una casa sola. Uno stanzino mi basterà; purché sia molto arioso. Vorrei che fosse verso il giardino. Della strada non so che farmene, oramai... Ho sempre desiderato di vedere il cielo, stando in letto... e del verde, degli alberi... come, per esempio, averci una finestra là dove c'è ora la cortina, una finestra che guardasse nei campi...

Si udiva la pioggia che scrosciava nel cortiletto, una di quelle piogge che annunziano l'autunno, e la pentola di latta, lasciata fuori, che risonava sotto la grondaia. Un gatto, nella bufera, chiamava ai quattro venti, con voce umana.

Il maestro, che aveva seguito il vaneggiare della sorella verso il verde ed il sole, coll'allucinazione perenne che era in lui, le chiese affettuosamente:

– Ora che viene l'autunno saresti contenta d'andare in campagna?

– E la scuola? – ribatté lei con un sorriso malinconico.

– Se tu pigliassi una buona dote invece... con dei poderi...

– Benedette donne! quando si ficcano un chiodo in testa!... – rispose lui con un sorrisetto malizioso.

E pareva esitare a decidersi. Ma dopo averci pensato su, finì col dire:

– Non mi vendo, no!

E abbottonò il soprabito con dignità.

– Se ho da fare una scelta... Se mai... È inutile! – conchiuse finalmente. – Amo troppo la mia libertà.

Ella insisteva a dire che queste cose si fanno finché uno è giovane, che se no si finisce in mano della serva o di qualche intrigante.

Poi siccome il fratello non voleva arrendersi, la zitellona si lasciò scappare in un impeto di gelosia, alludendo alle vicine:

– Vedi che già ti si ficcano in casa, e cominciano a fare dei disegni su di te?

E la poveretta morì col crepacuore di lasciare il fratello esposto alle insidie di quelle intriganti.

Com'ella aveva fatto un gran vuoto in quel bugigattolo, per quanto poco spazio vi avesse occupato in vita, e il fratello vi si sentiva come perduto in una gran solitudine, in una gran desolazione, nelle ore che i ragazzi gli lasciavano libere, prese ad andare dal falegname, tutte le sere, attratto da una gratitudine dolce e malinconica verso la ragazzona che aveva avuta tanta carità per la sua povera morta. Ma il falegname, che certe cose non le intendeva, gli fece capire che in bottega il maestro di scuola non aveva nulla da insegnare, e gli facesse il piacere di andarci soltanto la mattina pei trucioli, se ne aveva bisogno.

Anche donna Mena, qualche tempo dopo, quando vide che le visite del maestro si facevano troppo frequenti, col pretesto dell'*Aloardino*, e non finiva mai di ringraziarla dell'assistenza che aveva fatta alla sua povera sorella, per stringerle la mano e farle gli occhi di triglia, gli disse sul mostaccio:

– Orsù, signor maestro, facciamo a parlarci chiaro, ché il vicinato comincia a mormorare dei fatti nostri.

Il poveraccio, colto alla sprovvista, si confuse. Ma infine prese il suo coraggio a due mani:

– Or bene, donna Mena! Anche quella poveretta l'aveva previsto. Non ho voluto decidermi mai a fare questo passo, perché amavo troppo la mia libertà... Ma ora che vi ho conosciuta meglio... se volete...

– Eh, non li avevate fatti male i vostri conti, caro mio, se siete stanco d'andare attorno coi ragazzi! Ma il fatto mio ce lo siamo lavorato io e la buon'anima di mio marito... E non per farcelo mangiare a tradimento.

Ogni giorno, mattina e sera, tornava a passare il maestro dei ragazzi, con un fanciulletto restìo per mano, gli altri sbandati dietro, il cappelluccio stinto sull'orecchio, le scarpe sempre lucide, i baffetti color caffè, la faccia rimminchionita di uno ch'è invecchiato insegnando il *b-a-ba*, e cercando sempre l'innamorata, col naso in aria.

Soltanto tornando a casa, serrava a chiave l'uscio, per scopare la scuola, rifare il letto, e tutte le altre piccole faccenduole per le quali non aveva più nessuno che l'aiutasse. La mattina, prima di giorno, accendeva il fuoco, si lustrava le scarpe, spazzolava il vestito, sempre quello, e andava a bere il caffè nel cortiletto, seduto sulla sponda del pozzo, tutto solo e malinconico, col bavero del pastrano sino alle orecchie. Ed ora che la povera morta non ne aveva più bisogno, risparmiava anche quei due soldi di latte.

Un processo

All'Assise discutevasi una causa capitale. Si trattava di un facchino che per gelosia aveva ucciso il suo rivale, giovane dabbene e padre di famiglia. La folla inferocita voleva far giustizia sommaria dell'assassino, pallido e lacero dalla lotta, che i carabinieri menavano in prigione. La vedova dell'ucciso era venuta, come Maria Maddalena, per chiedere giustizia a Dio e agli uomini, in lutto, scarmigliata, coi suoi orfani attaccati alla gonnella, mentre l'usciere andava mostrando ai signori giurati l'arme con cui era stato commesso l'omicidio: un coltelluccio da tasca, poco più grande di un temperino, di quelli che servono a sbucciare i fichidindia, ancora nero di sangue sino al manico. Il presidente domandò:

– Con questo avete ucciso Rosario Testa?

Tutti gli occhi si volsero alla gabbia dov'era rinchiuso l'imputato, un vecchio alto e magro, dal viso color di cenere, coi capelli irti e bianchi sulla fronte rugosa. Egli ascoltava l'accusa senza dir verbo, col dorso curvo; e seguiva cogli occhi l'usciere, il quale passava dinanzi al banco dei giurati col coltello in mano. Soltanto batteva le palpebre, quasi la poca luce che lasciavano entrare le stuoie calate fosse ancora troppo viva per lui.

Alla domanda del presidente si rizzò in piedi, diritto, col berretto ciondoloni fra le mani, e rispose:

– Sissignore, con quello.

Corse un mormorìo nell'uditorio. Era una giornata calda di luglio, e i signori giurati si facevano vento col giornale, accasciati dall'afa e dal brontolìo sonnolento delle formule criminali. Nell'aula c'era poca gente, amici e parenti dell'ucciso, venuti per curiosità. La vedova, stralunata, si teneva sul viso il fazzoletto orlato di nero, e faceva frequentemente un gesto macchinale, come per ravviare le folte trecce allentate colle mani bianche, levando in aria le braccia rotonde, con un moto che sollevava il seno materno, orgoglio della sua bella giovinezza vedovata. E fissava sitibonda sull'uccisore gli occhi arsi di lagrime.

Costui non sapeva risponder altro che « sissignore » a tutte le domande del presidente che gli stringevano il capestro alla gola, guardando inquieto i movimenti d'indignazione dei giurati, non avvezzi alla severa impassibilità della toga, con un'aria di bestia sospettosa. Incominciò la sfilata dei testimoni, tutti a carico.

– Gli amici del morto, un buon diavolaccio, incapace di far male ad una mosca, – la vedova piangeva. – I vicini che l'avevano visto barcollare, come preso dal vino, e cadere balbettando « Mamma mia! » – Quelli che avevano gridato « All'assassino! » – Il coraggioso che aveva afferrato pel petto l'omicida, prima che giungessero le guardie, nella brusca e feroce lotta per lo scampo.

– Giustizia! Giustizia! – gridava nella folla la vedova, colla voce del sangue che chiedeva sangue, accompagnata dal piagnisteo degli orfani, inteneriti dalla solennità.

Infine fu introdotto un testimonio sinistro, l'amante di quei due uomini che se l'erano disputata a colpi di coltello: una creatura senza nome, senza età, quasi senza sesso, alta, nera, magra, mangiata dagli stenti e dal vizio, che solo le era rimasto vivo negli occhi arditi. Destò un senso di ripugnanza al solo vederla. – Il pubblico accusatore l'aveva fatta venire appunto per ciò.

Ella si piantò tranquillamente in faccia al Cristo, alla legge, a tutti quei visi arcigni, colla sicurezza di chi ha visto in maniche di camicia gli sbirri e i doganieri, e giurò, levando la mano sudicia e nera verso il crocifisso d'avorio, come avrebbe fatto una vergine dinanzi all'altare, baciando lo scapolare bisunto che trasse dal seno cascante.

– Come vi chiamate?

– La Malerba.

E siccome l'uditorio, nell'attesa tragica, s'era messo a ridere, quasi per ripigliar fiato, ella soggiunse:

– Anche lui, gli dicevano Malannata.

E indicò l'imputato nel banco.

– Di chi siete figlia?

– Di nessuno.

– Quanti anni avete?

– Non lo so.

– Che professione fate?

Essa parve cercare la parola.

– Donna di mondo, – disse infine.

Scoppiò un'altra risata nell'uditorio. Il presidente impose silenzio scampanellando.

– Sì, donna di mondo, – ribatté lei per spiegarsi meglio. – Ora con questo, e ora con quell'altro.

– Basta, abbiamo capito, – interruppe il presidente. – Conoscete da molto tempo l'imputato?

– Sissignore. Questo qui me l'ha fatto lui, tre anni sono.

E indicò fieramente uno sfregio che le segnava la guancia, dall'orecchio sinistro al labbro superiore.

– E non ve ne querelaste?

– No. Era segno che mi voleva bene.

– Foste presente all'uccisione di Rosario Testa?

– Sissignore. Fu alla Marina: il giorno di tutti i Santi.

– E ne sapete il motivo?

– Il motivo fu che Malannata era geloso...

– Geloso di Testa?

– Sissignore.

– E con ragione?

– Sissignore.

Allora la vedova si celò il viso fra le mani.

– Com'è possibile che Rosario Testa, giovane, marito

di una bella donna, gli desse ragione d'essere geloso... per voi?

– Com'è vero Dio, questa è la verità, – rispose la Malerba.

– Va bene, continuate.

– Avevo conosciuto quel poveretto ch'è morto prima di quest'altro cristiano, molto tempo prima, prima ancora che si maritasse. Allora mi chiamavano *la Mora dei Canali,* Rosario Testa faceva il fruttaiuolo, lì alla Pescheria. Era un libertino, buon'anima. Le lavandaie dei Canali, le serve che venivano a far la spesa, con quella sua galanteria di far regali, se le pigliava tutte. Ma per me specialmente ci aveva il debole, ché una volta alla festa dell'Ognina gli ruppero la testa per via di un marinaio ubriaco che mi voleva. Poi seppi che si maritava e mutava vita. Andò a stare a San Placido col suo banchetto. Né visto né salutato. Io mi misi con Malannata, ch'erano i giorni del colèra. Buon uomo anche lui: buono come il pane, e se lo levava di bocca quel poco che guadagnava, per darlo a me. Ma geloso come il Gran Turco: « Dove sei stata? Cosa hai fatto? » E poi si picchiava la testa con un sasso, pentito delle botte che mi dava. Quell'annata del colèra, che tutti scappavano via e si moriva di fame davvero, egli voleva anche mettersi a beccamorto, per non farmi fare la mala vita, col castigo di Dio che ci avevamo addosso. Si lasciava morire piuttosto che mangiare del mio guadagno. Sì, glielo dico in faccia, ora che l'avete a condannare, perché questa è la verità dinanzi a Dio. Mi diceva, poveretto: « No, non me ne importa. È che penso al come lo guadagni, questo pane, e non posso mandarlo giù. » Ma io che potevo farci? Poi lui lo sapeva che cosa io ero. « Non importa, » tornava a dire; « almeno non ci voglio pensare. » Ma aveva i suoi capricci anche lui, come una donna, e certuni non me li voleva intorno. Allora diventava come un pazzo; si strappava i capelli e si rosicava le mani, perché non era più giovane. Quando mi vedeva insieme al doganiere del molo, che era un bell'uomo, colla montura lucida, mi diceva:

« Vedi questo quattrino arrotato, che lo tengo in tasca apposta? con questo ti taglierò la faccia, e dopo m'ammazzo io. » E lo fece davvero. Io gli dissi: « Che serve? Ora che m'avete sfregiata nessuno mi vorrà, e non sarete più geloso. »

S'interruppe, con un orribile sorriso di trionfo, guardando sfrontatamente in giro il presidente, i giurati, i carabinieri, cinghiati di bianco, incrociando sul petto il vecchio scialle, con un gesto vago.

– Ma non fu così, signor presidente. Mi volevano ancora, per sua bontà. Già gli uomini, sono come i gatti...

– E anche Rosario Testa?

Ella chinò il capo, assentendo, due o tre volte, con quel sorriso.

– Sissignore, anche lui!

La vedova adesso la guardava cogli occhi ardenti e feroci, le labbra pallide come le guance.

– V'ho detto ch'era un discolo, buon'anima. E anch'io, al rivederlo, mi sentivo tutta fiacca, come m'avesse fatto bere. Dicevo di no perché Malannata era lì vicino, a scaricar zolfo nel magazzino dietro la Villa, e tante volte mi aveva detto lui pure: « Bada che se torni con Rosario, vi faccio la festa a tutti e due. » Ma l'amore antico non si scorda più, vossignoria!

– Basta. Dite come avvenne l'omicidio.

– Così, come ve lo dico adesso, signor presidente, col coltello dei fichidindia, quello lì.

– Testa era armato?

– Lui? povero ragazzo! Mi aveva invitato a' fichidindia, una galanteria delle sue, lì, al banco di Pocaroba, che ce li ha di quelli di Paternò, sino a Natale. Pocaroba dice: « Badate che Malannata è in sospetto. L'ho visto che si affaccia ogni momento alla porta del magazzino, e tien d'occhio compare Rosario. » Testa dice: « Lasciatelo guardare, compare Pocaroba, ché me ne rido di Malannata e del suo santo. » Io dicevo che non ne volevo più, di fichidindia, e cercavo di condurlo via; quand'ecco quel cristiano lì correre dall'arco della ferrovia, tutto bianco di zolfo, e cogli occhi come uno che ha bevuto, e in due salti ci fu addosso; afferrò il coltello, dal banco dei fichidindia, prima di dire Gesù e Maria...

– Accusato, avete qualche cosa da rispondere alla deposizione del testimonio?

– Nulla, signor presidente. Questa è la verità.

Allora sorse il pubblico accusatore, togato e solenne, a malgrado della nota mondana dell'alto goletto inglese che gli usciva dal nero della toga; e fulminò il reo colla sua implacabile requisitoria, facendo inorridire i giurati col quadro del vizio abbietto che vive nel fango dei bassi strati sociali per dar l'orrido fiore del delitto senza neppure la febbre della giovinezza, della passione o dell'onore, senza nemmeno la scusa della tentazione o della gelosia. – Il vizio che vive del disonore ed osa ribellarvisi col delitto. – E stendeva verso quel grigio capo avvilito l'indice minaccioso, dall'unghia rosea e lucente.

Le signore, che dovevano alla sua galanteria i posti riservati dell'aula, rianimavano la loro indignazione col profumo della boccetta di sale inglese, soffocate dall'afa; e i larghi ventagli si agitavano vivamente a scacciare il lezzo immondo della colpa, come farfalle gigantesche. Poscia il magistrato si assise tranquillamente, ringraziando con un impercettibile sorriso, all'applauso discreto di quei ventagli che s'inchinavano, ponendosi sul viso il fazzoletto di batista. Solo l'imputato non aveva caldo, seduto sulla sua panchetta, col dorso curvo, il viso color di terra rivolto verso tutte quelle infamie che gli rinfacciavano.

A sua volta prese a parlare l'avvocato. Era un giovane di belle speranze, delegato d'ufficio dal presidente a quella difesa senza compenso. Egli sfoderò tutte le sue brillanti qualità oratorie pel solo onore. Esaminò lo stato psicologico e morale degli attori del lugubre dramma; sciorinò le teorie più nove sul grado di responsabilità umana; argomentò sottilmente intorno alle circostanze di fatto, per farne risultare tutto ciò che occorreva a dimostrare la provocazione grave e l'ingiuria. Qui veniva a taglio una pittura commoventissima di quella morbosa gelosia senile, che doveva avere tutti gli strazi e le collere furibonde dell'umiliazione e dell'abbandono. Sì, egli lo sapeva, non erano le coscienze di uomini onesti, vissuti nel culto della famiglia, resi più sensibili dagli agi, che avrebbero potuto scendere negli abissi di quei cuori tenebrosi e di quelle infime esistenze per scoprire il movente di certe delittuose follìe. Forse soltanto il sentimento più delicato e immaginoso di quelle dame eleganti, avrebbe potuto sorprendere il tenue filo per cui si legano i fatti più mostruosi al sentimento più puro in quegli animi rozzi. Egli seguì cotesta fatale concatenazione che c'è fra tutti i sentimenti e le azioni umane con una analisi così acuta, che più di un onesto padre di famiglia sentì turbata la sua digestione dallo smarrimento della colpa, mentre era lì, seduto a giudicare, pensando al ricolto del podere, o al fresco del terrazzino dove lo stava aspettando la famigliuola. Per poco non si udirono degli applausi alla perorazione dell'avvocato. Lo stesso presidente gli fece velatamente i mirallegro

– Accusato, avete nulla da aggiungere a vostra discolpa? – conchiuse il presidente.

L'accusato si alzò di nuovo, colle braccia penzoloni lungo la sua stecchita persona, e un gesto vago dell'indice, come d'uomo persuaso di quel che dice.

– Signor presidente, ho ucciso Rosario Testa; devo andare a morte anch'io, com'è scritto nella legge, e va bene. La Malerba, poveretta, è quella che è, e anche ciò va bene. Ma quando me la lasciavano sulla panchina del molo come una scarpa vecchia, chi andava a dirle una buona parola ero io; e a chi ella diceva una buona parola quando aveva il cuore grosso, ero io pure. Gli altri, pazienza, oggi questo, domani quell'altro; le buttavano dei soldi e delle male parole, ed essa non ci pensava più. Ma Testa, nossignore! Essa quando era stata con lui, mi ritornava a casa tutta sossopra, cogli occhi che pareva ci avesse la luminaria dentro. Io glielo aveva detto a Testa: « Guarda che a te non te ne importa. Tu ci hai moglie e figliuoli; ma io non ho che questa qui, Testa! »

Poi tornò a sedersi, accennando ancora del capo, mentre

la Corte si ritirava per deliberare. E rimase immobile, nell'ombra, aspettando il suo destino. Era venuta la sera. La folla s'era diradata, e nella sala accendevano il gas. Infine squillò di nuovo un campanello, e comparvero di nuovo le stesse toghe nere, le stesse facce pallide e stanche che guardavano l'imputato. Egli non capiva nulla delle frasi che borbottavano in mezzo a quella folla, nell'ombra. Intese solo il presidente che pronunziava la condanna: – A vita!

E si alzò un'ultima volta, barcollando sulle gambe, accennando sempre coll'indice quel gesto vago ch'era tutta la sua eloquenza, e balbettò:

– Io glielo avevo detto a colui, signor presidente.

La festa dei morti

Nella collina solitaria, irta di croci sull'occidente imporporato, dove non odesi mai canto di vendemmia né belato d'armenti, c'è un'ora di festa, quando l'autunno muore sulle aiuole infiorate, e i funebri rintocchi che commemorano i defunti dileguano verso il sole che tramonta. Allora la folla si riversa chiassosa nei viali ombreggiati di cipressi, e gli amanti si cercano dietro le tombe.

Ma laggiù, nella riviera nera dove termina la città, c'era una chiesuola abbandonata, che racchiudeva altre tombe, sulle quali nessuno andava a deporre dei fiori. Solo un istante i vetri della sua finestra s'accendevano al tramonto, quasi un faro pei naviganti, mentre la notte sorgeva dal precipizio, e la chiesuola era ancora bianca nell'azzurro, appollaiata come un gabbiano in cima allo scoglio altissimo che scendeva a picco sino al mare. Ai suoi piedi, nell'abisso già nero, sprofondavasi una caverna sotterranea, battuta dalle onde, piena di rumori e di bagliori sinistri, di cui il riflusso spalancava la bocca orlata di spuma nelle tenebre.

Narrava la leggenda che la caverna sotterranea, per un passaggio misterioso, fosse in comunicazione colla sepoltura della chiesetta soprastante; e che ogni anno, il dì dei Morti, nell'ora in cui le mamme vanno in punta di piedi a mettere dolci e giocattoli nelle piccole scarpe dei loro bimbi, e questi sognano lunghe file di fantasmi bianchi carichi di regali lucenti, e le ragazze provano sorridendo dinanzi allo specchio gli orecchini e lo spillone che il fidanzato ha mandato in dono *per i morti*, un prete sepolto da cent'anni nella chiesuola abbandonata si levasse dal cataletto, colla stola indosso, insieme a tutti gli altri che dormivano insieme a lui nella medesima sepoltura, colle mani pallide in croce, e scendessero a convito nella caverna sottostante, che chiamavasi per ciò « la Camera del Prete ». Dal largo, verso Agnone, i naviganti s'additavano l'illuminazione paurosa del festino, come una luna rossa sorgente dalla tetra riviera.

Tutto l'anno, i pescatori che stavano di giorno al sole sugli scogli circostanti, colla lenza in mano, non vedevano altro che lo spumeggiare della marea, quando s'internava muggendo nella « Camera del Prete », e il chiarore verdognolo che ne usciva colla risacca; ma non osavano gettarvi l'amo. Un palombaro che s'era arrischiato a penetrarvi, nuotando sott'acqua, uno che non badava a Dio né al diavolo, pel bisogno che lo stringeva alla gola, e i figliuoli che aspettavano il pane, aveva visto il chiarore ch'era lì dentro, azzurro e ondeggiante al pari di quei fuochi che s'accendono da sé nei cimiteri, il pietrone liscio e piatto, come una gigantesca tavola da pranzo, e i sedili di sasso tutt'intorno, rosi dall'acqua, e bianchi quali ossa al sole. L'onda che s'ingolfava gorgogliando nella caverna, scorreva lenta e livida nell'ombra, e non tornava mai indietro; come non tornò più quel poveretto che s'era strascinato via. L'estate, nell'ora in cui ogni piccola insenatura della riva risonava della gazzarra dei bagnanti, l'onda calma scintillava, rotta dalle braccia di qualche ragazzo che nuotava verso le sottane bianche, formicolanti come fantasmi sulla spiaggia. – Così quel prete, un sant'uomo, aveva perso l'anima e la ragione dietro i fantasmi delle terrene voluttà, il giorno in cui Lei – la tentazione – era venuta a confessargli il suo peccato, nella chiesetta solitaria ridente del sole di Pasqua, col seno ansante e il capo chino, su cui il riflesso dei vetri scintillanti accendeva delle fiamme impure. Da cent'anni le sue ossa, consunte dal peccato, posavano nella fossa, stringendosi sul petto la stola maculata. Ivi non giungevano gli strilli provocanti delle ragazze sorprese nel bagno; né il canto bramoso dei giovani; né le querele delle lavandaie; né il pianto dei fanciulli abbandonati. La luna vi entrava tacita dallo spiraglio aperto nella roccia, e andava a posarsi, uno dopo l'altro, su tutti quei cadaveri stesi in fila nei cataletti, sino in fondo al sotterraneo tenebroso, dove faceva apparire per un istante delle figure strane. L'alba vi cresceva in un chiarore smorto, che al fuggire delle ombre sembrava far correre un ghigno sinistro sulle mascelle sdentate. Il giorno lungo della canicola indugiava sotto le arcate verdognole, con un brulichìo furtivo di esseri immondi in mezzo all'immobilità di quei cadaveri.

Erano defunti d'ogni età e d'ogni sesso; guance ancora azzurrognole, come se fossero state rase ieri l'ultima volta, e bianche forme verginali coperte di fiori; mummie irrigidite nei guardinfanti rigonfi, e toghe corrose che scoprivano le tibie nerastre. Dallo spiraglio aperto nell'azzurro entravano egualmente il soffio caldo dello scirocco, e i gelati aquiloni che facevano svolazzare come farfalle di bruchi le trine polverose e i riccioloni cadenti dai crani gialli. I fiori, già secchi di lagrime, si agitavano pel sotterraneo, come vivi, e andavano a posarsi su altre labbra rose dal tempo; e appena il vento sollevava i funebri lenzuoli, stesi da mani smarrite d'angoscia su caste membra amate, occhi inquieti di rettili immondi guardavano furtivi nelle ossa nude.

Poscia, nell'ore in cui il sole moriva sull'orlo frastagliato dello spiraglio, il ghigno schernitore di tutte le cose umane sembrava allargarsi sui teschi camusi, e le occhiaie vuote farsi più nere e profonde, quasi il dito della morte vi avesse scavato fino alla sorgente delle lagrime. Là non giungeva nemmeno il mormorìo delle preci recitate all'altare in suffragio dei defunti che dormivano sotto il pavimento della chiesuola, e i singhiozzi dei parenti non passavano il marmo della lapide. Le raffiche delle notti di fortuna scorrevano gemendo sulla casa dei morti, senza lasciarvi un pensiero per coloro che in quell'ora erravano laggiù, pel mare tempestoso, coi capelli irti d'orrore al sibilo del vento nel sartiame, né un senso di pietà per le povere donne che aspettavano sulla riva, sferzate dal vento e dalla pioggia; né un ricordo delle lagrime che si lasciarono dietro, nell'ora torbida dell'agonia, e che bagnarono quegli stessi fiori che adesso vanno da una bara all'altra, come li porta il vento. – Così le lagrime si asciugarono dietro il loro funebre convoglio; e le mani convulse che composero nella bara le loro spoglie, si stesero ad altre carezze; e le bocche che pareva non dovessero accostarsi ad altri baci, insegnano ora sorridendo a balbettare i loro nomi ai bimbi inginocchiati ai piedi dello stesso letto, colle piccole mani in croce, perché i buoni morti lascino dei buoni regali ai loro piccoli parenti che non conobbero. – Tanto tempo è passato, insieme alle bufere della notte, e al soffio d'aprile, colle ore che scorrono uniformi e impassibili anch'esse sul campanile della chiesuola, sino a quella del convito!

A quell'ora tutti quegli scheletri si levano ad uno ad uno dalle bare tarlate, coi legacci cascanti sulle tibie spolpate, colla polvere del sepolcro nelle orbite vuote, e scendono in silenzio nella « Camera del Prete », recando nelle falangi scricchiolanti le ghirlande avvizzite, col ghigno beffardo di tutte le cose umane nelle bocche sdentate.

Più nulla! più nulla! – Né la tua treccia bionda, che ti cade dal cranio nudo. – Né i tuoi occhi bramosi, pei quali sfidavo il disonore e la morte, onde portarti il bacio delle labbra che non ho più. Ti rammenti? I baci insaziati dietro quell'uscio! – E neppure i morsi acuti della mia gelosia, il delirio sanguinoso che mi mise in mano l'arma omicida in quell'andito buio. – Né le lagrime che si piangevano attorno al mio letto, e cercavo di stamparmi negli occhi dilatati dall'agonia. – Né le ansie in cui vegliai tante notti davanti a quel guanciale in cui posava la cara testa bianca. – Né le carezze colle quali mi pagavi il latte del mio seno e i dolori della mia maternità. – E neppure le lotte in cui mi son logorato. – Né le speranze che mi hanno accompagnato sin qui. – Né i fiori del campo per cui ho tanto sudato. – Né i libri sui quali ho vissuto tanta e tanta vita. – Né la bestemmia del marinaio che stringe ancora le alighe secche nelle falangi disperate. – Né la preghiera del prete che implora il perdono dei falli umani. – E neppure l'azzurro profondo del cielo tempestato di stelle; né il tenebrore vivente del mare che batte allo scoglio. – L'onda che s'ingolfa gorgogliando nella caverna sotterranea, e scorre lenta e livida sulla « Tavola del Prete » si porta via per sempre le briciole del convito, e la memoria di ogni cosa.

Ora nel costruire la diga del molo nuovo, hanno demolito la chiesuola e scoperchiato la sepoltura. La macchina a vapore vi fuma tutto il giorno nel cielo azzurro e limpido, e l'argano vi geme in mezzo al baccano degli operai. Quando rimossero l'enorme pietrone posato a piatto sul piedistallo di roccia come una tavola da pranzo, un gran numero di granchi ne scappò via; e quanti conoscevano la leggenda, andarono narrando che avevano visto lo spirito del palombaro ivi trattenuto dall'incantesimo. Il mare spumeggiante sotto la catena della gru tornò a distendersi calmo e color del cielo, e scancellò per sempre la leggenda della « Camera del Prete ».

Nel raccogliere le ossa del sepolcreto per portarle al cimitero, fu una lunga processione di curiosi; perché frugando fra quegli avanzi, avevano trovato una carta che parlava di denari, e molti pretendevano di essere gli eredi. Infine, non potendo altro, ne cavarono tre numeri pel lotto. Tutti li giocarono; ma nessuno ci prese un soldo.

Artisti da strapazzo

Su tutte le cantonate immensi cartelloni a tre colori annunziavano:

CAFFÈ-CONCERTO NAZIONALE

QUESTA SERA

debutto di MADAMIGELLA EDVIGE

GRAN SUCCESSO DEL GIORNO

senza aumento sul prezzo delle consumazioni.

I pochi avventori mattutini del CAFFÈ-CONCERTO NAZIONALE già avvezzi ai *grandi successi*, non degnavano neppure di un'occhiata il lenzuolo bianco, verde e rosso, sciorinato dietro il banco, sul capo della padrona, la quale stava discutendo con una ragazza alta e magra, che la supplicava a voce bassa, in atteggiamento umile, infagottata nella cappa lisa. In un canto il lavapiatti sbracciato scopava un tavolone che la sera faceva da palco, parato a drappelloni bianchi, verdi e rossi; ornato di corone d'alloro, di carta, che pendevano malinconiche.

La padrona scrollava il capo ostinatamente, stringendosi nelle spalle. L'altra insisteva sempre a mani giunte, facendosi rossa, quasi piangendo. Infine, come entrò un forestiero stracco a bere un moka da venti centesimi, col naso sul giornale del giorno innanzi, la ragazza si rassegnò ad intascare i pochi soldi che la padrona le contava ad uno ad uno sul marmo, con un fare d'elemosina.

Alle otto in punto di sera, accesi i lumi del pianoforte, il maestro, un giovanotto allampanato sotto una gran barba e uno zazzerone che se lo mangiavano, dopo un grande inchino alla sala quasi vuota, incominciò timidamente una *ouverture* di propria fabbrica, mentre il CAFFÈ-CONCERTO NAZIONALE andavasi popolando a poco a poco. Dopo montò sul tavolone un pezzo d'uomo, vestito tutto di rosso come un gambero cotto, con due enormi sopracciglia alla chinese, per darsi un'aria satanica, e dei cornetti inargentati. Egli si mise ad urlare « la canzone dell'oro » come un ossesso, allargando le gambe sul tavolato, stendendo gli artigli minacciosi verso l'uditorio, con certi occhi terribili e certe boccacce sardoniche che volevano incutere terrore. Al « dio dell'oro » mescolavasi l'acciottolìo dei piattini, lo sbattere dell'usciale e la voce dei tavoleggianti, i quali gridavano – Panna e cioccolata! – oppure – Tazza Vienna! – Mefistofele salutò lo scarso pubblico, che non gli badava, e scese adagio adagio la scaletta col mantelletto ad ali di pipistrello che gli sventolava dietro.

– Stasera avremo il gran debutto, – osservò un avventore che centellava da tre quarti d'ora una chicchera di *levante*.

– Il successo del giorno! – grugnì il vicino, ch'era sempre lì a quell'ora, colla coppa di Vienna vuota dinanzi, un mucchio di giornali sotto la mano, e la moglie addormentata accanto.

Infatti, dopo il pezzo con variazioni per pianoforte sulla *Stella confidente* venne il duetto dell'*Ernani*, e comparve un'altra volta dalla cucina il baritono, vestito alla spagnuola, con un medaglione d'ottone che gli ballava sul ventre, e un cappello piumato in testa, facendo largo a madamigella Edvige, tutta di bianco come un fantasma, sotto la polvere d'amido e la veste di raso del rigattiere.

– Che braccia magre! – osservò un dilettante, malgrado i guanti lunghi e duri di benzina.

Carlo V offrì cavallerescamente la mano ad Elvira per montare sul palco malfermo, e lì, dinanzi alla gran sala piena di fumo il duello incominciò. Ahimè! una vera delusione pel pubblico e pel caffettiere. Madamigella Edvige aveva una voce stridente che faceva voltare arrabbiati anche i tranquilli lettori di giornali; e la poveretta, pallida come una morta, aveva un bell'annaspare colle mani, e dimenare i fianchi, rizzandosi sulla punta delle scarpette di raso troppo larghe, per acchiappare le note. Una voce, dal fondo della sala gridò: – Presto! un bicchier d'acqua! – E tutto l'uditorio scoppiò a ridere. Carlo V invece se la cavava magnificamente, avendo le signore della sua, pei suoi *effetti di polpa,* sotto le maglie di colore incerto, e le sue note alte che assordavano perfino i camerieri, e facevano tintinnare le gocciole delle lumiere. La *debuttante* scese dal palco più morta che viva, incespicando, colle sottane in mano, fra gli spintoni dei tavoleggianti che correvano di qua e di là, portando i vassoi in aria.

Il dilettante di prima osservò pure:

– Che piedi!

Seduta in un cantuccio della cucina, fra i lazzi degli sguatteri, e il fumo delle casseruole, la *debuttante* aspettava scorata la sua sentenza, ed anche la cena, ch'era compresa nell'onorario, alla tavola comune, insieme al cuoco, il baritono, i camerieri ed il maestro, ancora in cravatta bianca. Quest'ultimo, un gran buon diavolo, malgrado la sua barbona, cercava di confortarla come poteva: – La sala era tanto sorda! Chissà, una seconda volta, quando fosse stata più sicura dei *suoi mezzi...* – La poveretta rispondeva di tanto in tanto con un'occhiata umile e riconoscente a quelle buone parole. Il baritono intanto, con un pastrano peloso gettato sul giustacuore di Carlo V, e un tovagliuolo al collo, divorava in silenzio. – Artisti bisogna nascere! – osservò infine a bocca piena.

La padrona, chiuso il libro e spenti i lumi del Caffè, era

scesa in cucina a dare un'occhiata. Alla povera ragazza, che aspettava col viso ansioso, disse bruscamente:

– Cara mia, me ne dispiace, ma non ne facciamo nulla. Avete visto che fiasco?

L'altra rimaneva a capo chino, coi fiori di carta nei capelli, e le spalle infarinate. – Mangiate, mangiate pure! – ripigliava la padrona, una buona donna. – Che diamine! Non voglio che la gente vada via a pancia vuota da casa mia. – Il maestro, che pensava al poi, le spingeva il piatto sotto il naso. Ma la poveretta non aveva più fame; si sentiva la gola come stretta dai singhiozzi; andava riponendo adagio adagio nella borsetta i guanti lavati, i fiori di carta, e le scarpette di raso; senza però poter risolversi ad andarsene. Due ragazzacci, che parlavano forse di tutt'altro, si misero a sghignazzare. Allora essa salutò umilmente tutti, e se ne andò.

Sulla porta un cameriere in giubba stava spengendo i lumi, e staccava il cartellone del Concerto, canticchiando: – Gran successo del giorno!

Per la via buia e deserta da stringere il cuore, correvano le prime raffiche d'autunno. Il maestro, mosso a compassione, le era corso dietro:

– Vuol essere accompagnata a casa?... Senza complimenti.

– No, grazie, sto lontano assai.

– Diamine! diamine! Anch'io sono aspettato a casa... Ma non posso lasciarla andare sola come un cane... Vuol dire che affretteremo il passo.

– Davvero... Non vorrei abusare...

– No, no... Spicciamoci piuttosto! Anche per me è tardi... Ci ha qualcuno che l'aspetti?

– Nossignore, nessuno.

– Almeno ci avrà qualche conoscente qui?

– Neppure, signore; sono arrivata la settimana scorsa da Alessandria, con una lettera pel Caffè Nazionale: una mia compagna che vi era stata questa primavera. Mi disse che ci avrei trovato qualche cosa, non molto, è vero, ma nella stagione morta, sa bene... Ad Alessandria erano rimaste cinquanta persone sulla strada, dopo la fuga dell'impresario. Dicono che anche lui ci abbia perso tutto il suo...

Il maestro pensava intanto a quei giorni terribili in cui una notizia simile era arrivata come un fulmine al Caffè, sulla faccia stravolta di un artista, e s'erano trovati tutti, raccolti dallo stesso terrore, davanti alla porta chiusa del teatro. Poi erano corsi in folla all'agenzia, come pazzi, in paese straniero, in mezzo a gente di cui non conoscevano la lingua, e che si fermava sorridendo al passaggio di quella turba affamata. E le lunghe ore dei giorni interminabili, ingannate al Caffè, il solo rifugio, con una tazza di birra dinanzi; le notti terribili d'inverno; le camicie portate tre settimane; il mozzicone di sigaro raccattato di nascosto. Sentiva perciò una grande simpatia per quell'altra derelitta, e le andava dicendo:

– Coraggio! coraggio! Bisogna farsi animo! L'aiuterò anch'io, come posso... È vero che non posso far molto... Son forestiero come lei... E non sono stato sempre fortunato... Ma vedrà che il buon tempo giungerà anche per lei... Diavolo! diavolo! Dov'è andata a scovarlo quest'albergo, così lontano?

– Me lo indicarono laggiù... perché spendessi poco... Mi rincresce per lei!...

– No, no... È che m'aspettano a casa... Sanno l'ora, press'a poco... Mi toccherà inventare qualche storiella... Ma lei non pensi a questo... Deve aver altro in testa, lei, poveretta! Ci dorma su; si faccia animo, ché quanto potrò lo farò ben volentieri per lei.

– Oh, signore!... Com'è buono!...

– Niente, niente, una mano lava l'altra. Se non ci aiutiamo fra di noi!... Il male è che non posso far molto!...

Infine ella disse:

– È qui. – Picchiò all'uscio di un albergaccio d'infima classe, e gli strinse la mano colle lagrime agli occhi. Aveva la faccia tanto buona, colla barba lunga, e il misero paletò che il vento gli incollava addosso come fosse di lustrino. Dalla finestra una vociaccia assonnata rispose brontolando: – Vengo! vengo! Bell'ora di tornare a casa!

Anche lui, in quel momento, la guardò negli occhi, le strinse forte la mano due o tre volte, mosse le labbra, per dire qualche cosa, infine proruppe: – Me ne vado, sono aspettato. Buona notte! Buona notte! – E partì correndo.

La stanzuccia, che pigliava lume da un finestruolo sulla scala, costava cinquantacinque centesimi al giorno: tre soldi di pane e latte la mattina: trentacinque centesimi il desinare. La sera poi doveva spendere altri sei soldi per andare al Caffè Nazionale, dove era quasi certa di vedere il maestro, la sola persona che conoscesse nella città. Negli intermezzi, quando poteva, egli andava a salutarla; da lontano, prima di parlare, gli si vedeva in viso la stessa notizia scoraggiante: – Nulla ancora! – Poi, al vederla così trista e rassegnata, colla chicchera di caffè vuota sul tavolino, voleva pagar lui. Ma essa non permetteva, arrossendo sino ai capelli. – No, signore, un'altra volta! – Egli non osava insistere, ma avrebbe voluto che lei lo considerasse come un vero amico, come un fratello. Le confidava i suoi piccoli guai, anche lui, per incoraggiarla. Le narrò a poco a poco tutta la sua vita, proprio come a una sorella, oggi una cosa, domani l'altra. Il fallimento dello zio che s'era preso cura di lui orfano; la vocazione strozzata dal bisogno; il pane trovato con mille stenti qua e là; tutta la sua giovinezza scolorita, scoraggiata, senza gioie, senza fede, senza amore. Essa allora sorrideva, scotendo il capo con una grazia giovanile che la faceva tornar bella. – No, no! Ve lo giuro! Mai! – Allora chinavano il viso, malinconici. Una volta i loro occhi s'incontrarono, e si fecero rossi tutti e due.

Ma spesso egli giungeva accompagnato da un donnone coi baffi come un uomo d'arme, la quale aveva il colorito acceso, ed era serrata in una veste di seta grigia che pareva dovesse scoppiare a ogni momento, con un cappellone di felpa in capo ornato di piume rosse. Quelle volte il maestro non osava muoversi neppure; e la sua compagna, da lontano, non lo perdeva di vista un momento, sotto le piume rosse del cappellone. – È la mia padrona di casa, una buona donna, – le aveva detto lui. – Ma quando ci vede insieme faccia finta di niente, per carità!

Fu come una fitta al cuore. Il baritono che l'incontrò per la strada, tutta sottosopra, le propose di accompagnarla. – Permettereste voi, mia bella damigella, d'offrirvi il braccio mio, per far la strada insieeem? – Ella ricusava. Andava molto lontano... Non voleva abusare... – Ma che! ma che! Bagattelle! D'altronde son ben coperto. Con questa pelliccia qui, potrei andare sino al Polo! Senta! senta! Un regalo dei miei ammiratori di Odessa. Tutta volpe di Siberia; una bestia che vende cara la sua pelle. Questa qui vale cinquecento lire! Eh! eh! Comincia presto l'inverno quest'anno! Non c'è male, n'è vero?... Buona notte, maestro!

Questi passava rattrappito nel suo paletò, dando il braccio alla sua compagna, di cui la veste grigia luccivava come un'armatura sotto il lampione. – È la fiamma del maestro, – aggiunse il baritono. – Una pira, come vede! Però un buon diavolaccio anche lui! Un po' timido, un po' *bagnato,* come diciam noi, ma il mestiere lo conosce, ve lo dico io! Quando vi siete mangiate quelle note della cabaletta, la sera del vostro *debutto,* vi rammentate? do, sol, do, nessuno se n'è accorto. Peccato che non riempiano lo stomaco le note che si mangiano, eh! eh! eh! Capisco, capisco, l'emozione, la paura... Ma bisogna aver la faccia tosta, mia cara; e sputar fuori le vostre note pensando che quanti stanno ad ascoltarvi sono tutti una manica di cretini, se no non si fa nulla! Però vorrei sapere chi è quel boia che vi ha messo in questo mestiere, senza voce come siete!

– La voce ce l'avevo. Fui ammalata tanto tempo e d'allora in poi, al principio dell'inverno ci ho sempre come una spina qui...

– Ah! ah! Peccato! Alle volte, vedete, succedono di

queste cose che si farebbe scendere Dio e la Madonna di lassù!

In fondo, del cuore ce ne aveva anche lui, sotto la pelliccia, e sapendo che era a spasso cercava di consolarla come poteva.

– Bisogna farsi animo, mia cara amica. Cent'anni di malinconia non ci procurerebbero una sola giornata buona. E poi son cose che abbiamo passate tutti quanti. La va così, per noi altri artisti. Oggi fame, domani fama! Non parlo per me, ché non posso lagnarmi, grazie a Dio! M'hanno sempre voluto bene da per tutto! Guardate questo anello di brillanti! E queste catenelle d'oro, oro di ventiquattro carati, garantito! Ma ogni santo ha la sua festa. Vedrete che verrà la vostra festa anche per voi!

Chiacchierava, chiacchierava, con una certa bonomia che proveniva in quel momento dallo stomaco pieno, dalla pelliccia calda, dal bicchierino di cognac, e anche dalla vicinanza di quella giovane simpatica, che sentiva tremare di freddo sotto il suo braccio nella via deserta. – Vedrete che verrà la vostra festa. Bisogna tentare un'altra volta; in un'altra piazza, ben inteso! Peccato che non abbiate voce! Avete provato se vi vanno le canzonette allegre? Per quelle si fa anche a meno della voce. Ma occorrono altri requisiti: del tupè, l'occhio ardito, i fianchi sciolti... e un po' più di polpa, che diavolo! È vero che questa può venire... siete giovane!...

Così dicendo l'esaminava dalla testa ai piedi, ogni volta che passavano sotto un lampione, col fare allegro e senza cerimonie di buon camerata. – E non bisogna far tante smorfie, cara mia. Colle smorfie non si mangia. E non aver neppure dei grilli in capo. Io, come mi vedete, ho fatto i primi teatri del mondo; potete dimandare a chi volete di Arturo Gennaroni; eppure quando vennero ad offrirmi la scrittura pel Concerto del Caffè Nazionale non mi feci tirar le orecchie. Si piglia quel che capita. Oggi qui, domani là. Come? ci siamo digià? Avrei fatto altri due passi, per avere il piacere di stare con voi ancora. Il tempo passa presto. Che bella serata, in così buona compagnia! eh? Un freddo secco che fa bene allo stomaco. È quello il vostro albergo? Hum! hum! Quasi quasi v'offrivo ospitalità in casa mia!

E com'essa si stringeva all'uscio: – Eh, non abbiate paura! Che non voglio mica mangiarvi per forza. Non volete? Buona notte!

Il maestro le aveva procurato due o tre indirizzi d'agenti teatrali ai quali l'aveva raccomandata. La presentò ad un impresario che montava un'operetta. Tutti rispondevano: – Pel momento non c'è nulla. – L'impresario soggiunse: – Bisogna vedere se possedete qualcos'altro di bello, figliuola mia, perché la voce se n'è andata. Be', be', se avete di questi scrupoli non ne parliamo più!

Ella tornava indietro così avvilita che il maestro si fece animo per dirle:

– Sentite... È un pezzo che volevo dirvelo... Se avete bisogno di denaro... forestiera come siete... senza amici... senza avere altri conoscenti... Non son ricco, è vero... Ma quel poco che ho. No! no! non vi offendete. È un imprestito, vedete! Come fra fratello e sorella!...

Ella scoppiò a piangere.

– Dio mio! Vi ho forse offesa! Non intendevo offendervi, vi giuro. Se mi voleste un po' di bene anche voi!... Io ve ne voglio tanto!... Basta, basta, perdonatemi! Sia per non detto! Ma promettetemi almeno che se mai... il giorno in cui... Pensate che vi voglio bene... come un fratello... E vorrei che anche voi...

Ella gli stringeva le mani, colle lagrime agli occhi, per dirgli di sì... che anche lei... che gli prometteva...

Ma piuttosto sarebbe morta. Da tutti, da tutti, prima che da lui! Glien'era riconoscente, sì! Avrebbe voluto anzi dirgli tante cose, per provarglielo, che non ci aveva più nessun altro in cuore... che quell'altro a poco a poco se n'era andato via, com'era andato lontano; e domandargli della donna che spesso veniva con lui al Caffè, e le dava una stretta al cuore... delle sciocchezze; ma non sapeva da che parte incominciare. Egli sembrava sulle spine, ogni volta ch'erano insieme, guardava intorno, con aria inquieta; evitando d'incontrarla, nelle vie frequentate; scappando subito con un pretesto se c'era gente.

Uno dopo l'altro aveva prima impegnato i pochi oggetti che avessero qualche valore: gli orecchini, il braccialetto d'argento dorato, la poca roba d'estate, fino il baule dove la teneva; tanto non poteva più andarsene. Poscia vendette le polizze dei pegni. Alla posta, l'ultima speranza degli sventurati in paese straniero, le rispondevano invariabilmente, due volte al giorno:

– Nulla!

Una sera che ne usciva barcollante, incontrò il baritono, Arturo Gennaroni, sempre impellicciato, che le fece un gran saluto cerimonioso, levando in alto il cappello come se volesse dire evviva! Giusto voleva presentarle l'amico che era con lui – Temistocle Marangoni, il primo basso del mondo! – un uomo di mezza età, tutto capelli e barba, con un cappellone a cono, drappeggiato in un mantello grigio, e che sembrava che parlasse di sottoterra. – E dove corre, signora Edvige? Voleva sfuggirmi? Non è mica in collera con me, spero!

Ella si scusava di non aver udito perché credeva che non dicesse a lei: – Io mi chiamo Assunta. Ma sul cartellone la padrona del Caffè pretendeva che quel nome non facesse...

– È vero, è vero. Anche il mio è un nome di guerra, per riguardi di famiglia, sa bene. Mio padre è il primo negoziante di Napoli. Laggiù hanno ancora dei pregiudizi... sa bene... Veniamo con lei, se non le dispiace.

Strada facendo aggiunse che era libero quella sera, perché la padrona del Caffè Nazionale l'aveva licenziato – una cabala che gli avevano inventato contro per gelosia di donne. Temistocle, lì, poteva dirlo. – Il basso agitava il barbone per attestarlo. Anche a lui gli avevano rubato la scrittura, quel porco di Gigi Lotti, una scrittura di seimila franchi, viaggio intero pagato, col pretesto che la conferma al telegramma non era venuta. Ma gli voleva rompere il muso, la prima volta che l'incontrava alla birreria! Gennaroni, intanto che il suo amico si sfogava, chiedeva ad Assunta cosa avrebbe fatto della sua serata. – Si voleva andare al Concerto del Caffè Nazionale? Sentirebbero che porcherie! Lui se le sarebbe godute mezzo mondo, e si sarebbe fregate le mani magari se quella carogna della padrona fosse venuta ginocchioni a supplicarlo e ad offrirgli doppia paga. – Andiamo, andiamo. Pago io, Temistocle! Dei soldi, grazie a Dio, ce n'è sempre qui. Veniteci anche voi, bella Assuntina. Chissà che non troverete il fatto vostro?

Sul tavolato, in mezzo al gran fumo della sala, una donna cogli occhi neri come avesse il colèra, e i pomelli color cinabro, nuda fino allo stomaco, strillava con voce rauca delle canzonette che facevano andare in visibilio l'uditorio, schioccando le dita, e con una mossa dei fianchi che faceva svolazzare la sua gonnella corta sino ai legaccioli. Un vecchiotto, seduto in prima fila, col mento sul pomo dell'ombrello, si crogiolava dal piacere, ammiccando ai vicini, ridendo nella bazza, applaudendo anche col cranio calvo sino alle orecchie. Una modesta famigliuola, padre, madre e figliuoli in abbondanza, era venuta a solennizzare la festa al Caffè, ridendo saporitamente; solo la maggiore, una ragazzina magra e nera come un tizzone, dimenticava perfino il sorbetto per ascoltare la cantatrice, sgranando degli occhi enormi, seria seria. Altri, nella sala, vociavano, picchiavano colle mazze ed i pugni sui tavolini, facevano un chiasso indiavolato, accompagnando il ritornello, interrompendolo con esclamazioni da trivio. Gennaroni ripeteva: – Ditemi poi se questa è arte! Ditemi se non è una vera porcheria! – Tutt'a un tratto si vide la gente affollarsi davanti al palco, intorno a un omettino in tuba il quale gesticolava colle mani in aria. La donna invece si ostinava, col viso sfacciato, cercando cogli occhi nella folla i suoi adoratori. Un tale, vestito da operaio, coi baffi grossi e la faccia dura, si arrampicò sul tavolato in mezzo ai fischi che assordavano, e prese la cantante per le spalle, spingendola verso due questurini in uniforme che s'erano fatti largo a furia di spintoni, e agitavano le braccia. Il gruppo scomparve nella folla, verso la cucina, fra un uragano di fischi, d'urli e di risate. Il baritono si dimenava come un ossesso, smanacciando, gridando: – Bravo! bis! – Poi corse a stringere la mano al maestro, ancora sbalordito dinanzi al pianoforte.

– Che cagnara, eh! Ma la colpa non è tua, poveretto! Ci ho gusto per quella carogna della padrona, la quale pretendeva di averne le tasche piene di musica seria, lei e il suo pubblico. Come se non glielo avessimo fatto noi questo pubblico! E non le avessi fatto guadagnare più quattrini che non abbia capelli nella parrucca, quella strega!

Intanto si sbracciava per farsi scorgere, gesticolando, gridando forte, calcandosi ogni momento la tuba sull'orecchio, posando di tre quarti, col bavero della pelliccia rialzato sino alle orecchie, malgrado il gran caldo, e un fazzoletto di seta al collo, come avesse avuto un tesoro da custodirvi.

– Dovresti farle intendere ragione, a quella stupida. Dovresti metterti in mezzo. S'è quistione di soldi, si può aggiustarsi. Non ho mai fatto quistione di quattrini per l'arte. Ma bisogna concludere subito. Sì o no! Ho delle offerte magnifiche per l'estero. Domattina devo dare una risposta.

Poi tornò al suo posto trionfante, facendosi largo nella folla. – Ah! ah! ve lo dicevo io! Ora tornano a pregarmi! Mi hanno offerto carta bianca. Hanno bisogno di me per fare andare la baracca!

Il basso gongolava, come se si fosse trattato di lui, e picchiava sul tavolino per ordinare altra birra. – Ogni conoscente che entrava nel Caffè lo invitava a prendere qualche cosa, facendo segno coll'ombrello, chiamando ad alta voce. – Tienti sulla tua, sai, Gennaroni! Fatti tirar le orecchie, prima di dir di sì! – L'altro scrollava il capo, minaccioso, come a dire: – Vedrete! vedrete! – Poi si alzava in piedi e faceva le presentazioni in regola: – Romolo Silvani, primo ballerino. – Augusto Baracconi, primo tenore assoluto, e suo fratello. – Ernesto Lupi, distinto pittore. – Fiasco completo, amici miei! Peccato che siate venuti tardi! – Essi, per cortesia, tornavano a pregarlo che narrasse. Ma Baracconi fratello stava col naso nel bicchiere, tutto intento a godersi il trattamento; Lupi disegnava delle caricature sul marmo del tavolino; il tenore diceva roba da chiodi di un collega sottovoce con Marangoni, e Silvani, dall'altro lato, domandava se quella bella giovane appartenesse all'amico Gennaroni, lisciandosi i baffettini neri come la pece, accarezzando la chioma inanellata, componendo la faccetta incartapecorita a un risolino seduttore. Tutti quanti però, a ogni pezzo nuovo, quando Gennaroni atteggiava il viso a una boccaccia di disgusto, facevano coro per sdebitarsi coll'amico, battendo in terra coi tacchi e coi bastoni, vociando basta! basta! mettendosi a sghignazzare. Il baritono infine, vedendo che il maestro non osava prendere le sue parti, quasi fosse inchiodato al pianoforte, andò a salutare la padrona del Caffè, colla scappellata alta, tutto gentilezze, mentre essa cambiava i gettoni e teneva d'occhio i garzoni che uscivano dalla cucina. In quella entrò il donnone del maestro, più accesa in viso che mai. Aveva udito il baccano dalla strada, mentre veniva a prendere Bebè.

– No, no, lui non ci ha colpa, – le dicevano gli amici.

Gennaroni, che tornava dal banco fuori di sé, aggiunse ch'era proprio un bebè, un pulcino bagnato, uno che non era capace di dire due parole per un amico. Le domandava ridendo se le capitava di dargli le sculacciate, qualche volta.

L'altra continuava a ridere, scrollando le piume del cappello. – No, no, era così buono il poveretto! proprio come un fanciullo! A lasciarlo fare se lo sarebbero mangiato vivo, certe sgualdrinelle che sapeva lei! – Infine se lo prese sotto il braccio, e se lo portò via. Gli altri se n'erano andati pure ad uno ad uno. Il basso protestò che correva a vedere se era giunto il telegramma, e piantò il bicchierone vuoto su di una pila di piattelli. Assunta rimaneva sbalordita, colla tazza a metà piena, il cappellino di paglia e la eterna cappa grigia che la facevano sembrare più misera. Nell'uscire barcollava perché non aveva preso altro tutto il giorno, quasi il chiasso le avesse dato alla testa. – Che avete? – chiese Gennaroni. – Eh, la birra! Non ci sarete avvezza! – Essa invece pensava a quella disgraziata che l'avevano mandata via coi questurini. – Non temete, no; che il pane non gli manca a quella lì... e il letto neppure! – conchiuse il baritono.

Tirava vento, e cominciavano a cadere i primi goccioloni della pioggia. – Sentite, cara Assunta. Adesso dovreste fare una bella cosa; venirvene a casa mia e scacciare insieme la malinconia! Avete visto come fanno gli altri? Ciascuno colla sua ciascuna! Ci avete il vostro ciascuno voi?

Ella non rispondeva, colla testa sconvolta, il cuore stretto da un'angoscia vaga, un senso di sconcerto nello stomaco, davanti agli occhi una visione confusa dell'albergatrice arcigna che voleva esser pagata, dell'impiegato postale che le rispondeva – nulla! – dei visi sconosciuti in mezzo ai quali andava e veniva tutto il giorno, della donna enorme che si era portato il maestro sotto il braccio, intirizzita dalla tramontana, coi ginocchi che le si piegavano sotto. L'altro seguitava a stordirla chiacchierando, soffiandole sul viso le sue parole calde e il fumo del sigaro, stringendole forte il braccio sotto la pelliccia. Allo svoltare di un'altra via essa alzava gli occhi, e si guardava intorno, balbettando: – Dove andiamo? Dove andiamo? – come fuori di sé. Gennaroni le diceva adesso delle parole dolci e sonore che la stordivano: – Vieni meco! Sol di rose, intrecciar ti vo' la vita... – Colla chiave che s'era levata di tasca aveva aperto un usciolino sghangherato. Nell'androne buio, prima d'accendere un fiammifero, se la strinse sul costato come nel melodramma, di tre quarti, un braccio sulla spalla e l'altro sotto l'ascella.

Là, nel lettuccio magro e cencioso della cameraccia nuda che prendeva lume da un cortiletto puzzolente, ella gli narrò il povero romanzo della sua vita, per quel bisogno d'abbandono con cui gli si era data, mentre egli sbadigliava, cogli occhi gonfi, e l'alba insudiciava le pareti untuose, da cui pendevano appesi ai chiodi i costumi stinti da teatro. – Aveva amato un giovane che usciva dal Conservatorio, con due o tre spartiti pronti, e intanto s'era messo a dozzina in casa loro, per sessanta lire al mese, tutto compreso. Gli altri pigionali erano un professore, un impiegato al dazio, e due studenti. Sua sorella lavorava in un magazzino di guanti; il babbo era guardia municipale; lei gli avevano consigliato d'imparare il canto, che sarebbe stata una fortuna per tutti, e le avevano fatto lasciare anche il mestiere d'orlatrice, col quale si sciupava le mani, per novanta centesimi al giorno. Finché giungevano le vacanze, nove mesi dell'anno, si stava piuttosto bene. Poi quando gli studenti se ne partivano, il professore andava a fare i bagni, e l'impiegato desinava in un'osteria fuori porta per risparmiare i sei soldi dell'omnibus, si restringevano un po' nelle spese, e il giovane del Conservatorio s'adattava con loro, proprio come uno della famiglia. Le domeniche andavano a spasso insieme; qualche volta egli portava un bel cocomero, e si faceva festa, nel terrazzino. Soleva dire scherzando: – Ce ne ricorderemo poi, quando saremo ricchi, sora Assunta! – Era così buono! aveva negli occhi un non so che, come vedesse lontano tante cose; e diceva che l'arte gli pingeva delle nuvole d'oro sconfinate nel pezzettino di cielo che si vedeva al di sopra del vicoletto, allungando il collo. La sera si metteva a sonare al buio, pratico com'era della tastiera, ed essa stava ad ascoltare più che poteva, dietro l'uscio, quella bella musica che le penetrava al cuore come una dolcezza. Egli, che se n'era accorto infine, le diceva di tanto in tanto: – Le piace? Dice davvero? – Voleva pure che Assunta gli cantasse la sua musica. Un giorno che la sua voce gli era piaciuta tanto, tanto che a lei stessa le sembrava fosse un'altra che cantasse, egli si alzò all'improvviso dal pianoforte, e la strinse fra le braccia, tutta tremante anche lei, senza sapere quel che si facessero.

La mamma, povera e santa donna, non ne seppe nulla. Allorché fu impossibile nascondere quello che era avvenuto, il giovane scappò al suo paese, per paura del babbo municipale. Ella ne fece una malattia mortale, durante la quale la mamma sola veniva a trovarla di nascosto. Un giorno le disse piangendo che lui se n'era andato via lontano, in Grecia, in Turchia, molto lontano insomma! Ora svaniva l'ultima speranza. All'ospedale, appena fu guarita, non vollero lasciarla. Il babbo aveva giurato che non l'avrebbe più ricevuta in casa sua. Un avventore della guantaia dove lavorava sua sorella le aveva procurato una scrittura di corista al Politeama. D'allora aveva girato il mondo, da un teatro all'altro, viaggiando in terza classe, dormendo in alberghi dove la notte venivano a bussarle all'uscio e a minacciarla, digiunando spesso per mantenersi onesta, passando lunghe ore nell'anticamera di un'agenzia, assediando il camerino dell'impresa per esser pagata, impegnando la roba d'estate per coprirsi l'inverno. A Mantova s'era ammalata d'angina, mentre provavano il *Ruy Blas*, e aveva perso la voce. La mamma era morta giusto mentre era all'ospedale. Il babbo s'era rimaritato. La sorella era andata via di casa per non stare colla matrigna.

– Un bel porco, quel tuo allievo del Conservatorio! te lo dico io! – conchiuse Gennaroni, stirandosi le braccia.

Ora purtroppo gli era cascata addosso quella tegola sul capo! per un momento di debolezza, per aver troppo cuore, e non trovare il verso di dirle: – Cara mia, ogni bel giuoco vuol durar poco! – Ella non se ne dava per intesa, aveva fatto lì il nido come una rondine. Una che non era neanche buona a stirargli i solini, o a fargli uno stufatino con patate. Giusto in quel momento poi che si trovava a spasso, e i soldi volavano come avessero le ali! Vero che la poveretta non si lagnava mai, fossero carezze o schiaffi, mangiava poco, e non chiedeva neppure un paio di scarpe.

Ma, tanto, era un altro peso! Agli amici, che le facevano l'occhietto, Gennaroni, fra burbero e scherzoso, soleva dire: – Da cedere con ribasso, per liquidazione!

Avevano preso a frequentare un caffeuzzo oscuro annesso al teatro, una specie di succursale dell'agenzia, dove bazzicavano soltanto gli artisti a spasso, che vi facevano un gran consumo di virginia ai ferri e d'acqua fresca, sparlando dei colleghi assenti, portandovi le prime notizie dei fiaschi, sempre a caccia di cinque lire, e giocando alle carte sulla parola. Gennaroni vi conduceva la sua amante di prima sera, per risparmiare il lume; la faceva sedere nel suo cantuccio, lì, vicino alla stufa, dove nessuno andava a disturbarla, giacché il garzone del caffè era avvezzo a non seccar la gente se prima non lo chiamavano, e si metteva a giocare a scopone, oppure se ne andava pei suoi affari. Spesso le diceva: – Sai, mia cara, io non sono geloso! – Ma il primo ballerino si limitava a strizzarle l'occhio da lontano, col gomito appoggiato al banco, e il busto inarcato sotto la giacchetta bisunta. Marangoni, all'ombra del suo enorme cappellaccio, facendole il solletico colla barbona nel parlarle all'orecchio, le chiedeva, colla sua bella voce che sembrava venire di sotto il tavolino: – Quando verrà il mio quarto d'ora? – E Lupi diceva che voleva farle il ritratto, « se era tutt'oro quello che riluceva ». – Oro di coppella, com'è vero Iddio! – sghignazzava Gennaroni. Il tenore invece non parlava d'altro che di scritture e di telegrammi che aspettava; di cabale che gli montavano contro tutti i giorni; di gente a cui voleva rompere il muso. Dell'amore, lui, non sapeva cosa farsi, era buono da mettere in musica soltanto; più d'una volta cogli amici aveva detto chiaro e tondo quel che pensava di Gennaroni, lui stupido che si era appiccicato quel cerotto, una che tossiva sempre, come se gli fossero mancate altre donne, a quel macaco!

Una sera capitò anche il maestro, il quale aveva fatto san Michele lui pure, ora che al Caffè Nazionale c'era un giocatore di bussolotti. Gennaroni si fregava le mani sbraitando: – Vedrete che chiuderanno fra due mesi! Ve lo dico io! – Assunta si sentì come un tuffo nel sangue appena vide entrare il maestro, e avrebbe desiderato che egli non si accorgesse di lei, nel suo cantuccio presso la stufa. Il poveraccio era così disfatto e scombussolato che non sapeva nemmeno come rispondere a tutti coloro che gli facevano ressa intorno. Poi, come la scorse, cogli occhi addosso a lui, andò a salutarla, domandandole come stava, se aveva trovato qualche cosa, nel tempo che non s'erano più visti. Pur troppo, anche lui non aveva trovato nulla!... se no glielo avrebbe fatto subito sapere!... – Dopo che il maestro ebbe voltate le spalle, incominciarono le osservazioni sul conto di lui. – Quello lì se ne rideva! – Era ben appoggiato! – Appoggiato a un vero pilastro! – Baracconi disse una parolaccia.

Verso la fine di dicembre gli avventori del Caffè del teatro sembravano ammattiti, formando dei crocchi animati, disputandosi fra di loro, cavando ogni momento dal portafogli lettere e telegrammi sudici, correndo sull'uscio, ogni volta che s'apriva, per vedere se giungeva un fattorino del telegrafo. Il domani di san Stefano erano tutti lì dalle sette, davanti la porta del Caffè, sotto la pioggia, coll'ombrello aperto, ansiosi, guardandosi in cagnesco fra di loro, delle facce nuove che si vedevano soltanto nelle grandi occasioni, pastrani senza pelo e stivaloni infangati, scialli messi a guisa di pled, cappelloni di donna e sottane che sgocciolavano sul marciapiedi.

Alcuni dei vecchi mancavano: il tenore, un basso, rimorchiatovi da poco dal Silvani, e due o tre altri, di cui i rimasti dicevano corna. Attraverso l'usciale si udiva come un brontolìo sordo di rivoluzione nello stanzone vuoto, dove il Lupi beveva a piccoli sorsi un caffè caldo, schizzando la testata di un giornale davanti al garzone in maniche di camicia che gli si buttava addosso per vedere, col ventre sul tavolino.

Assunta, rimasta a casa, stava facendo cuocere due uova

in una caffettiera posata sullo scaldino, quando udì picchiare all'uscio, e le comparve dinanzi il maestro all'improvviso, così in camiciuola com'era e ancor spettinata. Egli stesso pareva così turbato che non si accorse del suo imbarazzo:

– Lei!... Lei qui! Come ha saputo?... – Gennaroni stesso. Siamo stati insieme. – Ella avvampò in viso, cercando macchinalmente i bottoni della camiciuola. – Venivo a portarle una buona notizia... Un mio amico che è incaricato di formare una compagnia pel Cairo... m'ha promesso di scritturarla.

– Ma... Non saprei... Così lontano...

– No, no, bisogna risolversi piuttosto... Bisogna accettare.

– È che... dovrei parlarne prima a un'altra persona... Non potrei risolvermi da sola... così su due piedi...

Il maestro le afferrò le mani, quasi per forza:

– Bisogna accettare! Dica di sì... È pel suo meglio!

Essa non l'aveva mai visto a quel modo. Allora colla gola stretta da un'angoscia vaga, si fece animo per interrogarlo... Voleva sapere... – Egli partirà stasera col diretto. Deve imbarcarsi a Genova domani, – disse infine il maestro. – Chi gliel'ha detto? – Lui stesso; lo sanno tutti. – La poveretta cercò una seggiola brancolando. – No! no!... Non può essere! Non mi ha detto nulla!... Stamattina ancora!... – Glielo dirà poi, quand'è il momento di partire... A che scopo tormentarla avanti tempo? – È vero! è vero!...

Allora si mise a piangere cheta cheta nel grembiule. Poscia, quando fu un po' più calma, si asciugò gli occhi, senza dir nulla, e si mise a prepararagli la valigia, un bauletto di cuoio nero tutto strappi e scontrini di ferrovia: le camicie di flanella, la scatola dei polsini, le pantofole slabbrate, la pipa nella quale egli soleva fumare, il berretto di pelo che teneva in casa, i costumi da teatro appesi ai chiodi – ogni oggetto che toglieva dal solito posto si sentiva staccare pure dal seno qualche cosa, dinanzi a quelle pareti nude. Il maestro l'aiutava. Gennaroni, tornando a casa, li trovò in quelle faccende. – Bravi! Bravi! Gliel'hai detto? – In fondo era davvero un buon diavolaccio, penetrato sino al cuore dalla dolcezza con cui Assunta s'era rassegnata.

– Così buona! così giudiziosa, povera ragazza! Tutto l'opposto del tuo carabiniere, eh!

Egli voleva anche abbracciarla dinanzi al maestro, strizzava l'occhio a costui perché li lasciasse soli. Ma Assunta gli faceva segno di non andarsene, cogli occhi gonfi di lagrime. – Non l'avrebbe dimenticata, no; finch'era al mondo! Del resto le montagne sole non s'incontrano. Intanto dava una mano anche lui per aiutarla, correndole dietro dal cassettone al letto, su cui era il baule, colle braccia piene di roba; voleva che andassero tutti e tre insieme a desinare al Caffè, l'ultima volta, e finir la giornata bene. Il maestro si scusò. – Ah! ah! il carabiniere! – Però promise di trovarsi alla stazione. – Sì, sì, benone! Le farai un po' di compagnia. Poi mi affido a te per trovarle la scrittura. È un pulcino bagnato questa poverina, se non c'è chi l'aiuti! – Voleva lasciarle anche una ventina di lire, caso mai le abbisognassero... Ma essa si ribellò, per la prima volta. – Scusa! scusa! Dicevo caso mai non firmassi subito la scrittura.. Ma non c'è bisogno d'andare in collera. L'ho fatto a fin di bene. – Ella s'intenerì piuttosto. Per lei aveva fatto anche troppo!... per tanto tempo! Al Caffè poi non le riescì di mandar giù un solo boccone, mentre egli mangiava per due e cercava di tenerla allegra. Le offerse anche di farle una sigaretta per sciogliere quel gruppo alla gola – storia d'isterismo.

Alla stazione c'era tutta la compagnia che partiva con lui. Dei poveri diavoli che litigavano coi facchini, due o tre prime parti che pigliavano i posti di seconda, colla borsetta ad armacollo, e le mamme dietro, cariche di fagotti e di scatole di cartone. Gennaroni disse alla sua amica: – Tienti un po' in disparte, come tu fossi col maestro.

Così lo vide per l'ultima volta, col biglietto nel nastro del cappello, allegro e chiassone al solito, salutando questo e quello. – Addio! Ciao! Buona fortuna!

S'era preso anche in mano la gabbia del pappagallo di una compagna di viaggio. Dalla cancellata fuori la stazione lo videro sbracciarsi a collocare tutto il loro arsenale di scatole e cappellini mentre il treno fuggiva.

Di lui le rimase un bel ritratto in fotografia, formato gabinetto, in posa di tre quarti, colla bocca sorridente, la pelliccia sbottonata, un mazzetto di ciondoli sul ventre – e la sua brava dedica sotto: « Ricordo imperituro! »

In quanto alla scrittura non se ne fece nulla. L'impresario, anzitutto, voleva belle ragazze e non dei cerotti come quella lì! – Le pare, caro maestro? – Il poveraccio non si diede vinto ancora; continuò ad arrabattarsi come un disperato per lei, correndo di qua e di là; raccomandandola a quanti conosceva. Ma ciascuno pensava ai propri casi in quel momento. Ora che Gennaroni aveva piantata la ragazza senza voce e senza quattrini, doveva essere un affar serio levarsi da quella pece, uno che vi si lasciasse prendere, per buon cuore o per altro.

Gli amici, quando essa capitava al Caffè per aspettare il maestro che doveva portare la risposta, se la battevano uno dopo l'altro, primo di tutti il Silvani, colla giacchetta più stretta che mai. Il garzone stesso, così prudente di solito, veniva ogni momento a strofinare il marmo del tavolino con un cencio, vedendo che non ordinava nulla. Fino il maestro, a poco a poco, scoraggiato di portarle sempre la stessa cattiva nuova, non si era fatto più vedere. Però essa gli aveva detto: – Non si affanni tanto, poveretto, ché qualcosa ho già trovato.

E quando egli, facendosi rosso, era tornato sull'offerta di denaro, essa gli aveva risposto che non occorreva. A lui glielo avrebbe detto! davvero! di tutto cuore!

Una domenica, verso la fine di luglio, il maestro incontrò Assunta che usciva dalla bottega di un calzolaio. Essa avrebbe voluto evitarlo, ma l'altro già le si accostava col cappelluccio di paglia ritinto in mano. – Come va? Tanto tempo che non ci siamo più visti! – Assunta balbettava, cercando di nascondere un fagottino che portava, fattasi di brace in viso.

Il maestro cercava le parole anche lui: – Almeno un vermuttino. Qui a due passi, al solito Caffè!... – Essa non voleva, vestita a quel mondo!... Infine si lasciò condurre a un tavolinetto fuori dell'uscio, all'ombra del tendone. Dapprincipio stettero un po' in silenzio, guardandosi in viso. Ella sembrava più grassa, disfatta, bianca come cera, con due enormi pesche sotto gli occhi, e le mani pallide colle vene gonfie. Il giovanotto aveva la barba lunga, la biancheria sudicia, i calzoni sfrangiati, che cercava nascondere sotto il tavolino. A poco a poco Assunta gli narrò che s'era acconciata colla padrona stessa della casa; pensava alle spese, riguardava la biancheria, teneva d'occhio la pensione, e ci aveva in compenso vitto e alloggio. Il tempo che avanzava poi s'era rimessa al suo mestiere d'orlatrice. – Con lei non mi vergogno, guardi! – Anche lui fece delle vaghe confidenze: le cose non gli erano andate sempre bene; la stagione morta si portava via quelle poche lezioni... Accennò pure di aver cambiato alloggio... Del resto i suoi abiti parlavano per lui. Assunta non volle altro che un caffè di quattro soldi. Egli invece ordinò un giornale – un giornale qualunque, – tanto seguitavano a discorrere con un senso invincibile di malinconia, che pure aveva la sua dolcezza. Di tratto in tratto si guardavano negli occhi, e ripetevano con un sorriso triste:

– Guarda, che piacere!

Si udiva parlare a voce alta nel Caffè; e degli scoppi di risa, delle discussioni tempestose, accompagnate dalla nota bassa del Marangoni che trinciava da caporione.

Assunta, allungando il collo dentro l'usciale, lo vide seduto in mezzo a un crocchio di sfaccendati, dinanzi ad un vassoio di bicchieri vuoti e una bottiglia d'acqua di seltz, con un vestito nuovo del Bocconi e la barba tagliata a punta come un damerino. Da lì a un po' se ne uscì fuori, seguito dagli amici che gli facevano codazzo. Silvani persino lo tirò in disparte sul marciapiedi opposto, supplicandolo sottovoce con tutta la persona umile. Il basso scrollava le spalle e il capo, colla barba dura come una spazzola. Infine volse un'occhiata sprezzante verso il maestro, il quale s'era fatto pallido al vederlo, e non l'aveva salutato, e cavò fuori il borsellino, scantonando seguito dal ballerino piegato in due. Passava della gente in abito da festa; delle famigliuole intere che andavano a sentir la musica al giardino pubblico. Poscia, di tratto in tratto, succedeva il silenzio grave delle ore calde della domenica. Infine Assunta e il maestro lasciarono il Caffè, e si avviarono ai Boschetti, rasente al muro, nella striscia d'ombra che orlava il marciapiedi. Assunta aveva detto ch'era libera fino a sera, e anch'esso non temeva più di farsi vedere insieme a lei. Il largo viale ombroso era deserto. Di tanto in tanto solo qualche coppia d'innamorati che passeggiavano sotto i platani, cercando i sedili più remoti. Anch'essi... Le ore scorrevano e non sapevano risolversi a lasciarsi. – Ah! se ci fossimo conosciuti prima! – esclamò infine il maestro.

Ella alzò gli occhi su di lui, si fece rossa, e li chinò di nuovo. Il maestro giocherellava col fagottino che Assunta teneva sulle ginocchia.

– O piuttosto se avessi fatto il calzolaio!... No... dico così... Son delle giornate nere... Passeranno! – Chiamò uno che andava vendendo dell'acqua fresca, in un barilotto attorniato di bicchieri, e offrì da bere anche a lei. L'uomo andò a mettersi in fondo al viale, col barilotto posato a terra, come una macchietta nera nel verde. Sembrava di essere a cento miglia dalla città, nell'ombra e nel silenzio. Poco per volta il maestro le disse che l'aveva amata, sì, proprio! tante volte quel segreto gli era spirato sulle labbra! Essa lo sapeva, accennando col capo che teneva chino in aria di rassegnazione dolorosa, la quale scorgevasi anche dall'abbandono di tutta la persona, dalla treccia allentata che le si allungava sul collo. – Allora perché... perché ci siamo taciuti?... La poveretta lo guardò in tal modo, attraverso le lagrime che le scendevano chete chete per le gote, ch'egli abbassò gli occhi.

– Sì, è vero, fu il destino! Quell'altra non sa neppure il sacrificio che le ho fatto... per debolezza, per bontà di cuore... e c'è chi dice per un tozzo di pane! Me lo merito. Ora essa m'ha piantato pel Marangoni che la batte e fa lo strozzino coi suoi denari. Come ho dovuto sembrarle spregevole, dica!...

– No... no... Era destino!... Anch'io!..

Però sentivano entrambi una gran dolcezza nel dirsi tutto ciò, seduti accanto sullo stesso banco. Egli aprì la bocca due o tre volte per farle una domanda che non osava. Poi strappò un ramoscello che pendeva, e si mise a sminuzzarlo in silenzio. Assunta più di una volta s'era mossa per andarsene, senza averne la forza.

La sera era venuta prima che se ne fossero accorti, una sera tepida e dolce. Assunta stava col capo chino, col seno gonfio, le mani pallide e venate d'azzurro sulle ginocchia, come ascoltando le parole che lui non osava pronunziare. Infine egli le prese in silenzio una di quelle mani, in un modo eloquente. Per tutta risposta ella aprì le braccia che si teneva sulle ginocchia, con un gesto desolato, e scotendo il capo: – No! no! non posso!

A quell'atto, per la prima volta, il maestro le posò addosso un'occhiata, capì ogni cosa, e glielo disse nell'occhiata ingenua e desolata che le posò in grembo.

– Almeno le ha scritto? – balbettò infine.

Ella rispose di no chinando il capo rassegnato.

Gennaroni ricomparve al Caffè verso il principio dell'inverno, masticando delle pastiglie, col fez come un turco, e le tasche piene di bottigline di marsala, per le quali ebbe a dire agli amici che volevano fargli festa:

– Adagio! adagio, miei cari! Questi qui sono campioni! Voialtri non mi darete certo delle commissioni, eh – To'! il maestro! Ben trovato! So, so, briccone! So che me l'hai portata via, traditore! Dico per scherzo, sai! Non sono in collera con te; tutt'altro! Non siamo mica dei piccioni per far sempre lo stesso paio! Specie uno come me che ha da girare il mondo, ora che mi son dato al commercio. Non c'è altro per guadagnar quattrini, te lo dico io! Tutto il resto... roba da pezzenti! Tanti saluti ad Assunta. Oppure, no, non le dir nulla. A buon rendere.

Il segno d'amore

Algio pelsooo... o cara Nici,
Lo riposúuuu... lo riposu di la nooottі.
Tostu dunami... tostu dunami la mooolti,
Tostu dunami la molti quannu sugnu allatu to!...

cantava il Resca strimpellando sulla chitarra, e colorendo la canzone con gran boccacce, e aggrottar di sopracciglia. Cessato appena il fron-fron dell'accompagnamento, scoppiò una lunga smanacciata sul canto del Piano dell'Orbo. Gli amici si passarono le chitarre ad armacollo, e si raccolsero intorno al Resca, chiacchierando sottovoce, dietro l'uscio di donna Concettina, la fruttivendola. Come lo sportellino dell'uscio non s'apriva, il Resca disse:

– Vuol dire che la vecchia non è ancora addormentata. Buona notte, signori miei.

Allora dal voltone sotto il convento del Carmine si staccò un'ombra, piano piano, e si accostò per attaccar discorso con una gentilezza:

– Bravi, signori miei! Bella voce, e belli gli strumenti!

Il Resca squadrò lo sconosciuto, un ometto sparuto e colla barba di otto giorni, il quale portava un cappelluccio a cencio sull'orecchio; si passò il nastro della chitarra sulla spalla, e rispose secco secco:

– Grazie tante!

– Ora m'avete a fare un piacere, signori miei, – riprese

l'altro. – E sarebbe di venire a cantare un'altra canzone alla mia innamorata, che sta qui vicino.

Gli amici, al vedere la piega che pigliava il discorso, tornarono ad accostarsi, seri seri. Il Resca, che non aveva proprio voglia di attaccar briga lì, a quell'ora, guardò lo sconosciuto nel bianco degli occhi, sotto il lampione, e disse, masticando adagio le parole:

– Scusate, amico. È tardi, e dobbiamo andarcene pei fatti nostri.

L'altro però, senza darsi vinto:

– Una canzonetta breve; qui, a due passi.

Il Resca si calcò il berretto sugli occhi, e chiese sottovoce, una voce singolare:

– Cos'è? per soperchieria?

– Siete in cinque... bella soperchieria!

– Dunque lasciateci stare in pace.

– Allora vi dico che non avete educazione.

Il Resca fece un passo indietro, e afferrò vivamente la chitarra pel manico. Ma si frenò; e tornò a ripetere:

– Vi dico di lasciarmi andare pei fatti miei!

– Allora vi dico che non avete educazione! – ribatté l'altro, freddo freddo, e colle mani in tasca.

– Sangue di...!

Il gruppo si scompose bruscamente, con un luccicare improvviso di coltelli. L'ometto ch'era saltato indietro, mettendosi colle spalle al muro, esclamò:

– Ssss! Sangue di...! La questura!

Lì accanto c'era l'impalcatura di una casa in costruzione; e in un batter d'occhio i coltelli sparirono dietro l'assito.

La pattuglia accostandosi, col passo cadenzato, adocchiò il crocchio.

– Siamo amici, – disse l'ometto, – che si faceva una serenata alle nostre innamorate; qui vicino.

– Il permesso ce l'avete?

– Il permesso eccolo qua, – rispose il Resca.

In quel momento batteva il tocco, e da lontano si udiva

venire una canzonaccia d'ubbriaco, con un'ombra che andava a zig-zag, lungo la fila dei lampioni.

– Quello lì canta senza permesso! – osservò uno della comitiva per ischerzo.

– Finiamola! – intimò il brigadiere, – o se no, vi faccio visitare!

L'ometto che voleva la canzone per l'innamorata lo stette a guardar zitto, mentre si allontanava colla pattuglia; e dietro gli sputò: – Sbirro!

– Sentite amico, – riprese quindi il Resca, – qui non mi piace far del chiasso perché ci sta la mia innamorata. Ma se volete venire sotto il voltone laggiù, vi servo subito.

– No. Ho visto or ora che siete un uomo; e mi basta cotesto. Di me, se conosco il mio dovere, potete domandarne a chi vi piace: Vanni Mendola.

– Ed io, don Giovanni, quand'è così, voglio cantarvi la canzone; dovessimo venire all'Ognina oppure a Cifali.

– Grazie tante! – disse il Mendola. – Ma la canzone adesso non la voglio più. Mi basta d'aver visto il vostro buon cuore.

E come ciascuno se ne andava per la sua strada, dopo molte strette di mano, e – Buona sera! Scusate, se mai, qualche parola... – Mendola tirò in disparte il Resca, e gli disse:

– Volevo mostrare soltanto... Come vi chiamate?

– Giuseppe Resca, per servirvi, – rispose l'altro. – Ma mi dicono anche il *Biondo*.

– Volevo mostrare a donna Concettina, che ora è la vostra innamorata, e sta dietro l'uscio ad ascoltare... Volevo mostrarle, don Giuseppe, che gli uomini non si misurano a palmo... E che se sono piccolo di statura ho il cuore grande quanto questa piazza qui... Ma vedo che siete un galantuomo, e non voglio che a casa vostra o a casa mia abbiano a piangere per quella donnaccia lì... che, guardate! non val niente più di questo qui!

E abbrancatosi il cappelluccio lo buttò a terra con disprezzo e vi sputò sopra.

Allora si spalancò di botto il finestrino della fruttivendola, e ne schizzò fuori un getto d'improperi.

– Il molto che valete voi! brutto nano pezzente che siete! e mi fate stomaco!

Lasciatela dire, don Giuseppe, – rispose calmo il Mendola, fermando pel braccio il Resca che non si moveva neppure. – Lasciate parlare donna Concettina che è in collera, e non si rammenta più che allora non mi diceva tutte queste parolacce, quando mi faceva venire qui di notte, al tempo di suo marito il Grosso, buon'anima! qui, dove posiamo i piedi adesso!

– A te? bugiardo infame!

– Sì, a me. E il tuo innamorato qui presente, adesso, lo vedi? Crede più alle mie parole anziché ai tuoi giuramenti.

– Finiamola! – interruppe il Resca. – Sangue di... finiamola!

– Avete ragione; è tempo di finirla, – disse il Mendola: e senza dar retta a donna Concettina che lo colmava di villanie, soggiunse:

– Buona sera, e arrivederci, don Giuseppe. Tanto piacere della vostra conoscenza. E scusate qualche parola, se mai.

– Aspettate, vengo con voi.

– Ah, capisco! Anch'io, ai miei tempi, mi sarei fatto ammazzare per colei, s'ella mi avesse detto che adesso c'è il sole fuori. Ma le chiacchiere non servono. Sono ai vostri comandi, don Giuseppe. Quando volete voi.

– Domani.

– Va bene, domani. Ditemi a che ora, e dove vi farebbe comodo.

– Conoscete il *Pizzolato*, quello che fa negozio di cenci al Vico Stretto?

– Chi non lo conosce? Il magazzino grande. dentro il cortile del Sole?

– Bravo! Il magazzino grande dentro il cortile del Sole. Trovatevi là a mezzogiorno, ché ci sarò anch'io, don Giovanni.

Questi se ne andò per la sua strada, dondolandosi, e il *Biondo* ripassò dinanzi alla bottega della vedova. Buio da per tutto; e l'uscio chiuso che gli teneva il broncio.

Ritornò il giorno dopo, prima di mezzogiorno, e trovò donna Concettina la quale stava pettinandosi, in fondo alla bottega, con quei bei capelli lunghi che facevano l'onda, ed essa vi metteva apposta un'ora a distrigarli innanzi a lui, senza levar gli occhi dallo specchietto.

– O cos'è, donna Concettina? Non vogliono lasciarsi fare oggi quei bei capelli? – cominciò infine il Resca.

– Questo è il grande amore che mi portate... che andate a bazzicare con tutti quelli che mi vogliono male? – rispose essa senza voltarsi neppure.

– Quel tale l'ho incontrato iersera per caso, e non fui io che lo feci parlare. Ma so quel che debbo fare, e non ho bisogno che nessuno m'insegni il mio dovere. Ora son venuto per sentire se avevi qualche cosa da dirmi anche tu, mentre sei sola nella bottega.

– Cosa volete che vi dica? Quel cristiano io non lo conosco; e gli faccio lo scongiuro, a lui e a tutte le bugie che ha avuto il coraggio di inventare, pel Signore delle Quarant'Ore ch'è alla parrocchia!

– Va bene, – disse il Resca alzandosi dallo sgabello. – Va bene, vi saluto.

Mendola l'aspettava nel cortile del Sole, discorrendo sottovoce col *Pizzolato*, un omaccione senza un pelo di barba, e che parlava come un ventriloquo. Si strinsero la mano; e il *Pizzolato* li lasciò a discorrere insieme, per correre a dare un'occhiata nel magazzino, e disporre l'occorrente.

Vanni Mendola s'era fatto radere, e aveva messo il vestito nuovo della domenica. Di giorno, così camuffato, sembrava più piccolo e sparuto ancora, con una faccia da pulcino, e un certo ammiccar dell'occhio, che sembrava dicesse delle barzellette a ogni parola, e quando parlava colle donne doveva far loro come il solletico. – Sentite, – disse al *Biondo*, – com'è vero Dio, me ne dispiace! Alle volte, lo sapete, una parola tira l'altra, e non si sa dove si va a finire.

Avrei fatto meglio a tacere, giacché ve la pigliate calda per donna Concettina. Tanto più che non val la pena di ammazzarsi per colei.

– Lo so. Son venuto soltanto per fare il mio dovere.

– Donne! – conchiuse il Mendola, – pazzo chi ci si mette!

Il *Pizzolato* s'affacciò di nuovo all'uscio, e disse che era pronto.

– Sentite quest'altra cosa, don Giuseppe. Se volete chiuderle la bocca una volta per tutte, e levarvela di torno, ditele che sapete di una certa voglia che ci ha sotto l'ascella... E ho finito.

– Zitto! – interruppe il *Pizzolato*. – Non bisogna scaldarsi il sangue adesso!

I giovani del magazzino, occupati a spartire i cenci, sgattaiolarono uno dopo l'altro, dinanzi a un randello che aveva ghermito il padrone; intanto che Mendola, il *Biondo* e due altri amici entravano nel magazzino. Il *Pizzolato* affacciò il capo fra i battenti, disse: – Lì ci avete tutto. – E chiuse l'uscio.

Successero alcuni minuti di silenzio. Poi uno scalpiccìo, dentro il magazzino, dei salti sul battuto, delle esclamazioni brevi e secche. Infine uno degli amici fece capolino.

– Tutti e due, – rispose alla domanda ch'era negli occhi del *Pizzolato*.

– Badate ai fatti vostri, voialtri! – minacciò costui rivolto ai ragazzacci che levavano il capo curiosi.

Primo uscì il Mendola, piegato in due, colla faccia più incartapecorita ancora; e dopo venne il *Biondo*, smorto in viso, sorretto per le ascelle da due amici.

– Gli avete fatto quello che occorreva? – domandò loro il *Pizzolato*.

– Sissignore, a tutti e due. Pericolo non ce n'è.

– Voialtri tornate dentro a lavorare! – gridò il *Pizzolato* colla voce di cappone ai giovani del magazzino. – E se mai, non avete visto niente!

All'ospedale volevano sapere dal *Biondo* un mondo di cose: chi era stato, come, e quando. Il Mendola, appunto per evitare tutte quelle noie, si faceva curare di nascosto dagli amici, in un bugigattolo. Ma anche il *Biondo* « aveva dello stomaco », e se ne stava apposta col naso contro il muro, per non essere seccato. – È stato un accidente, lavorando da sellaio. Avevo il punteruolo in mano, così... Va bene; fatemi mettere in prigione, ma non posso dir altro. – Giudice e carabinieri rimasero a denti asciutti. Quando donna Concettina mandò la vecchia, per vedere come stava, il *Biondo* tornò a dire le stesse cose, senza nemmeno voltare il capo:

– Bene, bene, sto benone. È stato un accidente, roba da nulla. Salutatemi vostra figlia.

Però appena ebbe lasciato l'ospedale, un po' debole ancora e bianco in viso, andò a trovar la fruttivendola.

– O santo cristiano! che mi avete fatto morire di spavento! – gli disse lei. – Ora come state?

– Io sto bene, – rispose lui. – E son venuto apposta adesso che non c'è nessuno, per parlarti da solo a sola.

– O Gesù mio! Tornate un'altra volta con quei discorsi vecchi? Che cosa vi hanno detto contro di me? Parlate chiaro.

– E se parlo chiaro, tu chiaro mi rispondi?

– Sì, per la Madonna Immacolata!

– Guarda che hai gli occhi falsi, Concettina! Con don Giovanni Mendola cosa ci hai avuto?

– Ci ho avuto? Niente ci ho avuto! Veniva a comprar noci e mele. Viene tanta gente! La bottega è un porto di mare... In coscienza mia, Peppino, non mi guardare a quel modo! Te lo farò dire dai vicini, se non mi credi... Vado a chiamarli...

– No! Lascia stare i vicini. Dimmi cosa c'è stato fra voialtri. E se dicesti di sì a lui, quand'era vivo il Grosso tuo marito, perché m'hai detto sempre di no, a me, ora che sei vedova?

– Ah, siete venuto ad insultarmi? Per questo siete venuto? Ebbene, giacché credete piuttosto a quel galantuomo, e sospettate ancora di me... Ebbene, non voglio più saperne di voi, né per marito né per nulla!... Lasciatemi andare...

– No, non te ne andare! Dimmi perché mi hai detto sempre di no, a me che ti volevo tanto bene, mentre a quell'altro gli hai detto di sì!...

– Aiuto! aiuto!

– No, non gridare! Tu gli hai fatto vedere il segno che ci hai sotto l'ascella, a quell'altro, perché l'amavi. Io voglio lasciartene uno sulla faccia, perché tutti lo vedano, che ti ho voluto bene anch'io!

Aveva nel taschino del panciotto una moneta sottile come una lama, e arrotata da una parte, una monetina da due centesimi che teneva fra l'indice e il pollice come un confetto, e lasciava il segno dove toccava, per tutta la vita.

– Aiuto! all'assassino! – urlò la donna avventandoglisi contro colle unghie, accecata dal sangue che le rigava la guancia.

Il *Biondo,* pallido come un cencio, in mezzo alla folla dei vicini, che lo scrollavano tenendolo pel petto, balbettava:

– Ora vado in galera contento.

L'agonia d'un villaggio

« Bollettino dell'eruzione! Il fuoco a Nicolosi! » La folla accorreva dai dintorni, a piedi, a cavallo, in carrozza, come poteva. Lungo la salita, fra il verde delle vigne, un denso polverone disegnava il zig-zag della strada. Ad ogni passo s'incontravano carri che scendevano dal villaggio minacciato, carichi di masserizie, di derrate, di legnami, perfino d'imposte e di ringhiere di balconi, tutto lo sgombero di un villaggio che sta per scomparire. E colla roba, sui carri, a piedi, uomini e donne taciturni, recandosi in collo dei bambini sonnolenti, coi volti accesi dalla caldura e dall'ambascia. Pei casolari, nelle borgate, lungo la via, gli abitanti affacciati *per vedere*, colle mani sul ventre; qualche vecchiarella che attaccava un'immagine miracolosa allo stipite della porta o al cancello dell'orto; i monelli che ruzzavano per terra festanti; e sulle porte spalancate delle chiesuole, la statua del santo patrono, luccicante sotto il baldacchino, come un fantasma atterrito, colle candele spente, e i fiori di carta dinanzi. A Torre del Grifo scaricavano carrate intere di assi e di tavole sulla piazzetta, per le baracche dei fuggiaschi. Le pompe d'incendio tornavano indietro di gran trotto, col fracasso di carri d'artiglieria; e in alto, dirimpetto, il vulcano tenebroso, dietro un gran tendone di cenere, lanciava in aria, con un rombo sotterraneo, getti di fiamme alti cinquecento metri.

All'ingresso del paesetto era un ingombro straordinario di carri, cavalli, gente che gridava, e soldati col fucile ad armacollo; quasi l'avanguardia di un esercito in rotta. Si camminava su di una sabbia nera, fra due file di case smantellate, irregolari, cogli usci e le finestre divelte. La gente ancora affaccendata a portare via roba. Dal balcone di una casa nuova calavano gridando – largo – un armadio monumentale. Una vecchiarella stava a custodia di alcune galline, seduta su di un cesto, in un cortile ingombro di doghe e cerchi di botte. E qua e là, sulle porte senza uscio, vedevasi qualche povero diavolo che voltava le spalle alle stanzucce nude, aspettando colle mani in mano e il viso lungo, in silenzio, come nell'anticamera di un moribondo. Sul marciapiedi del Casino di Compagnia erano schierate su due file di sedie alcune signore venute a vedere lo spettacolo, che si facevano vento, degli uomini che fumavano; un sorbettiere portava in giro dell'acqua fresca; il baldacchino del Santissimo appoggiato al muro, colle aste in fascio; e di faccia la chiesa spalancata, senza lumi, solo un luccichìo di santi dorati in fondo all'altare in lutto; e sopra tutto ciò, sul chiacchierìo, sul frastuono, sui boati del vulcano, la campana che sonava a processione, senza cessare un istante.

Al Nord, verso l'Etna, lo stradone si allungava in mezzo a due file di ginestre arboree, formicolante di curiosi che andavano a vedere, ridendo, schiamazzando, chiamandosi da lontano, e gli strilli soffocati delle signore barcollanti sul basto malfermo delle mule, e il vociare di quelli che vendevano gazzosa, birra, uova e limoni, sotto le baracche improvvisate. Via via che i più lontani giungevano sull'erta udivasi gridare – Ecco! Ecco! – con un grido quasi giulivo. Di faccia, a destra e a sinistra, fin dove arrivava l'occhio, come il ciglione alto di una ripa scoscesa, nera, fumante, solcata qua e là da screpolature incandescenti, dalle quali la corrente di lava rovinava con un acciottolìo secco di mucchi immensi di cocci che franassero. A due passi le ginestre in fiore si agitavano ancora alla brezza della sera; delle signore si stringevano al braccio del loro compagno di viaggio, con un fremito delizioso; altri si sbandavano per le vigne, lungo la linea della corrente minacciosa, scavalcando muriccioli, saltando fossatelli, le donne colle sottane in mano, con un ondeggiare infinito di veli e d'ombrellini, mentre il crepuscolo moriva nell'occidente, e la marina in fondo dileguava lontana, nel tempo istesso che l'immensa fiumana di lava sembrava accendersi nell'orizzonte tetro. Dal paesetto perduto nell'oscurità giungeva sempre il suono delle campane, e un mormorìo confuso e lamentevole, un formicolìo di lumi che si avvicinavano, come delle lucciole in viaggio. Poi, dalle tenebre della via, sbucò una processione strana, uomini e donne scalzi, picchiandosi il petto, salmodiando sottovoce, con una nota insistente e lagrimosa della quale non si sentiva altro che – Misericordia! misericordia! – E sul brulicame nero e indistinto di quei penitenti, fra quattro torce a vento fumose, un Cristo di legno, affumicato, rigido, quasi sinistro, barcollante sulle spalle degli uomini che affondavano nella sabbia.

...e chi vive si dà pace

Come la batteria partiva a mezzanotte, Lajn Primo aveva invitato la sua ragazza a desinare – una gentilezza per mostrarle il dispiacere che provava nel lasciarla. – Sapevano giusto un'osteria di campagna, appena fuori la porta, bel sito e vino buono, quattro ciuffetti di verde al sole, l'altalena e il giuoco delle bocce, i tavolinetti sotto il pergolato, da starci bene in due soli, senza soggezione; e subito dopo la campagna larga e quieta, grandi fabbriche in costruzione, tutte irte di antenne, un folto d'alberi a diritta, e in fondo la linea dei monti, che digradavano. Anna Maria s'era messa il vestitino nuovo, colla giacchetta attillata, le scarpette di pelle lucida e le calze rosse. Sentiva una gran contentezza, stando insieme al suo bel militare, coi gomiti sulla tovaglia, i mezzi litri che andavano e venivano, Lajn Primo di faccia a lei, col naso nel piatto, dandole delle ginocchiate di tanto in tanto. Però, al vedergli il chepì coll'incerato, e la striscia gialla della giberna che gli fasciava il petto, si sentiva gonfiare il cuore nel seno, grosso grosso, da mozzarle il fiato. – Mi scriverai? Di'? mi scriverai? – Egli accennava di sì, a bocca piena, guardandola negli occhi lucenti che l'accarezzavano tutto, il panno grosso dell'uniforme e la faccia lentigginosa di biondo. C'erano nel piatto dei mandarini colle foglioline verdi. Essa ne strappò una, e volle mettergliela alla bottoniera.

Lì accanto si udiva l'urtarsi delle bocce fra di loro. Alcune ragazze schiamazzavano attorno l'altalena, colle gonnelle in aria. Passavano dei carri per la strada, cigolando; delle nuvole grigie d'estate che lasciavano piovere una gran tristezza.

Lajn Primo chiacchierava sempre lui, col sigaro in bocca, la testa già lontana, nei paesi dove andava la batteria, cercando di tanto in tanto la mano di Anna Maria attraverso la tavola, quando in bocca gli venivano le parole buone. Poi, come aveva il vino allegro, si mise a canticchiare:

Morettina di la stacioni,
Ecco il trenno che già parti.
Mi rincresse di lasciarti,
Il soldato mi tocc' affar.

E tutt'a un tratto la ragazza scoppiò a piangere, col viso nel tovagliuolo.

– Via! via! I morti soli non si rivedono!... – Stavolta però gli tremavano i baffi rossi anche a lui, e le mani, nell'affibbiarsi il cinturone. Vollero fare quattro passi sino al fiume, come le altre volte. C'era un sentieruolo fangoso a sinistra, fra i campi, sotto dei grandi olmi. Anna Maria si lasciava condurre a braccetto, colle sottane in mano, gli occhi socchiusi che non vedevano, un gran sbalordimento dentro, una dolcezza infinita e malinconica, al tintinnìo di quella sciabola e di quegli sproni e al contatto di quell'uniforme contro cui tutta la sua persona le sembrava che volesse fondersi. Egli le aveva passato il braccio attorno alla vita, mormorandole ne' capelli tante paroline affettuose che essa udiva confusamente, l'orecchio però sempre teso verso la tromba della caserma, da buon soldato.

A un certo punto Anna Maria gli sfuggì di mano, e corse a inginocchiarsi sul ciglione del fossatello, senza badare al vestito nuovo, per cogliere delle foglioline verdi che spuntavano dal muricciuolo.

– Per te! le ho colte per te!

Egli non sapeva più dove metterle; le diceva ridendo che lo caricava d'erba come un asino, così, per farla ridere. La ragazza però non rispondeva; stava segnando delle grandi lettere storte sulla corteccia di un olmo, con un sasso, due cuori uniti e una croce sopra. Lajn non voleva, per via del malaugurio; però l'aveva presa fra le braccia, intenerito anche lui, tanto non passava nessuno nella stradicciuola fangosa di là dell'argine. Essa diceva di no, diceva di no, col cuore gonfio. Guardava piuttosto un gran muraglione nerastro, ch'era dirimpetto, quasi volesse stamparselo negli occhi. Gli diceva: – Guarda anche tu! anche tu! – Aveva il vino triste, poveretta! Calava la sera desolata, con una squilla mesta e lontana dell'avemaria che picchiava sul cuore. Quanto piangere fece Anna Maria cheta cheta nel fazzolettino ricamato!

Prima di lasciarla, sull'angolo della via, egli le aveva detto: – Verrò a salutarti un'altra volta, prima di partire; fatti trovare sulla porta. – E si tenevano per mano, non si risolvevano a staccarsi l'uno dall'altro. Lajn Primo tornò infatti a salutarla un'altra volta, prima di partire, come passasse per caso, nell'andare in quartiere. Anna Maria teneva per mano la figlioletta del portinaio – un pretesto per star lì sulla porta – e gli fece segno che c'era gente dietro l'uscio. Allora scambiarono ancora quattro parole per dirsi addio, senza guardarsi, parlando del più e del meno: lui che gli tremavano i baffi rossi un'altra volta. – Passerete di qua, per andare alla stazione? – Sì, sì, di qua! – Ogni momento della gente che andava e veniva; Ghita nel cortile ad accendere il gas. Lajn Primo accese un sigaro, e se ne andò colle spalle grosse. Anna Maria lo guardava allontanarsi.

La gente si affollava per la via, a veder passare i soldati che partivano pel campo: tutti gli inquilini della casa, sotto il lampione della porta: Ghita che teneva abbracciata Anna Maria; suo padre, il portinaio, e i padroni anche loro, alle finestre coi lumi. Così la povera ragazza vide passare la batteria dov'era il suo artigliere, in mezzo alla calca e ai battimani; i cavalli neri che sfilavano a due a due, scotendo la testa, dei cassoni enormi che facevano tremare le case; e sopra, sui cappelli e i fazzoletti che sventolavano, i chepì degli artiglieri coll'incerato, dondolando. Non vide altro; tutti quei chepì si somigliavano. Il suo Lajn però la scorse, alle folte trecce nere, in mezzo alle comari, la mamma di Ghita che stava contandole delle frottole; la vide che lo cercava, povera figliuola, con gli occhi smarriti e il viso pallido, senza poterlo scorgere, seduto basso com'era sul sediolo accanto al pezzo, il guanto sulla coscia, al suono triste della marcia d'ordinanza, che si allontanava.

Passarono città, passarono villaggi; dovunque, sulle porte, uomini e donne che s'affacciavano a veder passare i soldati. Alle volte, nella folla, un musetto pallido che somigliava ad Anna Maria – « Morettina di la stacioni... » – Alle volte, lungo lo stradone polveroso, un'osteria di campagna coll'altalena e il pergolato verde, come quella dov'erano stati a desinare insieme. Alle volte un fossatello con due filari d'olmi, o un muraglione nerastro che rompeva il verde. Oppure una cascina coi panni stesi al sole, una vecchierella che filava, un sentieruolo come quello per cui era disceso dai suoi monti, col fagottino sulle spalle larghe e robuste che lo avevano fatto prendere artigliere. Poscia la via bianca e polverosa, rotta, sfondata dal passaggio della truppa, formicolante di uniformi; e di tanto in tanto uno squillo di tromba, che sonava alto nel brusìo.

Di qua del fiume una gran folla: soldati di tutte le armi, un luccichìo, tende di cantiniere che sventolavano, e cavalli che nitrivano; delle canzoni dolci e malinconiche, in tutti i dialetti, come un'eco lontana del paese, in mezzo alle risate e al rullo dei tamburi: – « Morettina di la stacioni, mi rincresse di lasciarti!... » – Sull'altra sponda la campagna calma e silenziosa, coi casolari tranquilli affacciati nel verde delle colline; e sulla linea scura che traversava il fiume luccicante qua e là, l'ondeggiare delle banderuole turchine, una lunga fila di lancieri polverosi che sfilavano sul ponte.

Le quattro trombe della batteria tutte insieme sonarono

– Avanti. – Poscia, di là del ponte – A trotto! – in mezzo a un nugolo di polvere, alberi e casolari che fuggivano, pennacchi di bersaglieri ondeggianti fra i seminati. Di tanto in tanto, in mezzo al frastuono, si udiva un rombo sordo, dietro le colline. E fra gli scossoni dell'affusto la canzone della partenza che ribatteva: – « Ecco il trenno che già parti... » – A galoppo, *Marche*! – Addio, Morettina! Addio!

Su, su, per l'erta, sfondando i solchi, sradicando i tralci, saltando i fossati, i cavalli fumanti e colle schiene ad arco, gli uomini a piedi, spingendo le ruote, frustando a tutto andare. Poi, sulla cima del colle, due carabinieri di scorta immobili, a cavallo, dietro un gruppo di ufficiali che accennavano lontano, alle vette coronate di fumo, e dei soldati sparsi per la china, fra i solchi, come punti neri. Qua e là, dei lampi che partivano dalla terra bruna; e il rombo continuo, nelle colline dirimpetto: delle nuvolette dense che spuntavano in fila sulla cresta.

Detto fatto, i pezzi in batteria, e musica anche da questa parte. Allora, dopo cinque minuti, attorno alla batteria cominciò a tirare un vento del diavolo; la terra che volava in aria, gli alberi dimezzati, solchi che si aprivano all'improvviso, dei sibili acuti che passavano sui chepì. Però attenti al comando, e nient'altro per il capo; né capelli bianchi, né capelli neri. – Abbracci' avanti! – Alt! – Caricat! – Prima il povero Renacchi che stava per compir la ferma. – Mamma mia! Mamma mia! – Numero due, manca! – Attenti! – Si udiva il comando secco e risoluto del biondo ufficialetto che stava impettito fra i due pezzi, ammiccando nel fumo, cogli occhi azzurri di ragazza, i quali vedevano forse ancora il piccolo *coupé* nero che aspettava in piazza d'armi, e la mano bianca allo sportello. – Abbracci' avanti! – Alt! – Caricat! – Tutt'a un tratto giù in un gomitolo anche lui, fra un nugolo di polvere, gemendo sottovoce e mordendo il cuoio del sottogola. Solo il comandante rimaneva in piedi, ritto sul ciglione, in mezzo al vento furioso che spazzava via tutto, guardando col cannocchiale, come un gran diavolo nero.

Lajn Primo in quel momento stava chino sul pezzo, a puntare, strizzando l'occhio turchino, come soleva fare per dire ad Anna Maria quanto gli piacesse il suo musetto, e facendo segno colla destra al numero tre di spostare a sinistra la manovella di mira, quando venne la sua volta anche per lui. – Ah! Mamma mia! – Colle mani tentò di aggrapparsi ancora all'affusto, delle mani che vi stampavano il sangue – cinque dita rosse. – Numero quattro, manca! – Attenti!

Il telegrafo portava le notizie, una dopo l'altra: tanti morti; tanti feriti. – Ciascun bollettino cinque centesimi. – Anna Maria ne aveva raccolto un fascio, lì sul cassettone. E poi, due volte al giorno, all'andare e venire dalla fabbrica, passava dalla posta. – Nulla, nulla. – Che gruppo allora nella gola! che peso sul cuore e dinanzi agli occhi! La sera sopratutto, quando sonava la ritirata! La notte che se lo sognava, e lo vedeva sotto il pergolato, canticchiando – « Mi rincresse di lasciarti » – e le stringeva la mano sulla tovaglia! Avesse avuta la mamma almeno, per sfogarsi! Il babbo, poveretto, cosa poteva farci? notte e giorno sulla macchina, a correre pel mondo. La sua amica Ghita, che non aveva fastidi, lei, e non se la prendeva di nulla, faceva spallucce, ripetendole:

– Gli uomini, mia cara, son tutti così. Lontano dagli occhi, lontano dal cuore! – Quanto piangere fece in quel fazzolettino!

Tornavano i soldati, lunghe file di cavalli, battaglioni interi. Dinanzi al castello, in piazza d'armi, erano pure tornati i carretti colle arance, e quelli del sorbetto a due soldi, e le bambinaie coi ragazzi, e le coppie che si allontanavano sotto gli alberi. Artiglieri che andavano e venivano, coll'incerato sul chepì, tale e quale come Lajn Primo. – N. 7, N. 9. – Solo mancava il numero del suo Lajn. Nella fabbrica aveva sentito dire che molta truppa era stata mandata in Sicilia – laggiù, lontano. – Lontano dagli occhi, lontano dal cuore! – Neppure un rigo, in tre mesi! Quante gite alla posta! quante volte ad aspettare il portalettere dal portinaio! Tanto che Cesare, il servitore dirimpetto, il quale veniva a pigliare le lettere della contessa, le diceva anche lui, ridendo:

– Nulla, eh? Ha male alla penna il suo artigliere?

Una vera persecuzione quell'antipatico, colla faccia di donna, e i capelli lucenti di pomata! Aveva un bello sbattergli la finestra sul muso! Tutto il giorno lì, di faccia, in anticamera, a farle dei segni colle manacce sempre infilate nei guanti bianchi, scappando solo un momento appena sonavano il campanello, e tornando subito a montare la sentinella. Sempre, sempre, quasi ci si cocesse anch'esso a poco a poco, al vedersela ogni giorno lì di faccia. Sicché una volta la fermò per le scale, e le disse: – Cosa le ho fatto, infine? Almeno me lo dica! – E come si vedeva che le parole gli venivan dal cuore, essa non ebbe animo di mandarlo a quel paese.

Pensava sempre a quell'altro, lavorando alla finestra. Chissà, chissà dov'era? di là di quelle case, dove andavano quelle nuvole scure? Che tristezza quando giungeva la sera! La campana di Sant'Angelo, lì vicino, che le picchiava sulla testa, e in cuore la tromba della ritirata, che piangeva. Il servitore accendeva i lumi, dirimpetto, e poi rimaneva ancora lì, nell'ombra delle cortine, si scorgeva dai bottoni che luccicavano. Quanto piangere in quel fazzolettino ricamato! Tanto che il cuore era stanco e s'era vuotato intieramente.

Il giorno di San Luca, ch'era anche la festa del portinaio, andarono tutti al Monte Tabor. Ghita era venuta a prenderla per forza, e anche Cesare, il quale s'era fatto dare il permesso quel giorno dalla padrona, e le aveva detto stringendole le mani: – Venga, venga con noi! Così, a star sempre chiusa, piglierà qualche malanno! – Una gran tavolata all'aria aperta, l'altalena e il giuoco delle bocce. – Cesare che pensava sempre ad una cosa, le rispose: – M'importa assai delle bocce adesso! Mi lasci stare vicino a lei piuttosto, ché non la mangio mica! – La sera poi al ritorno le diede il braccio; tutta la brigata a piedi pel bastione, sotto i platani che lasciavano cadere le foglie. Una bella sera tutta stellata. Delle ombre a due a due che si parlavano all'orecchio, sui sedili, voltando le spalle alla strada.

Anna Maria chiacchierava di questo e di quello, per non lasciar cadere il discorso. L'altro zitto, a capo chino. – Buona sera, buona sera. – Aspetti, aspetti. L'accompagno sino all'uscio, di sopra. Non voglio che salga le scale così al buio e tutta sola. Ora accendo un cerino. – No, no, ci son le stelle. – Delle stelle lucenti che scintillavano sui tetti, attraverso i finestroni ad arco, ogni ramo di scala – sei rami. Anna Maria digià stanca, s'era appoggiata al muro, proprio accanto al finestrone, col fiato ai denti. – Ah! le mie povere gambe! – Egli sempre zitto, guardandola, nella poca luce che lasciava vedere soltanto il musetto pallido e gli occhi lucenti – Che fatica! Una giornata intera! Dev'essere molto tardi. Guardi quante stelle! – Batteva un po' la campagna anche lei, poveretta, per sfuggire da quel silenzio. Ma lui non rispondeva ancora. – Bella sera! Non è vero? – Allora egli le prese la mano, e balbettò con la voce mutata: – Se crede che abbia capito quel che m'ha detto, sa!... – E anche lei fu vinta da una gran dolcezza, da un grande abbandono. Gli lasciò la mano nella mano, e chinò il capo sul petto.

Quest'altro aveva le mani bianche e pulite di uno che non fa nulla, i capelli lisci, la pelle fine, certe garbatezze d'anticamera che la accarezzavano. Lo vedeva ogni giorno, l'aspettava alla porta, si lasciava condurre la domenica a desinare in campagna, alla stessa tavola, sotto il pergolato, colle ragazze che schiamazzavano sull'altalena, e gli avventori che giocavano alle bocce. Avevano passeggiato insieme per quella stradicciuola fangosa, sotto i pioppi, stringendosi l'uno all'altro, nella sera che li celava. Poi egli voleva sapere questo e quello; voleva frugare come un furetto nel presente e nel passato. La faceva ritornare, passo passo, verso quelle altre memorie che le rifiorivano in cuore come una carezza e una puntura. Era geloso della stradicciuola dove era stata a passeggiare con quell'altro, geloso della campagna che avevano vista insieme, della tavola alla quale s'erano seduti e del vino che avevano bevuto nello stesso bicchiere. Diventava a poco a poco ingiusto e cattivo. Un vero ragazzo, ecco. Un ragazzo bizzoso da mangiarselo coi baci. Che dolcezza per Anna Maria allora! Che dolcezza triste ed amara! Tutte le lacrime che egli le faceva versare le restavano in cuore, e glielo rendevano più caro.

Le bruciava le labbra; ma infine... infine glielo disse: – Non ci penso più, ti giuro! Non ci penso più a quell'altro!... – Cesare non voleva crederle! Anzi, a ogni cosa che ella facesse per provarglielo, ogni bacio, ogni carezza, ogni parola, era come se quell'altro si mettesse fra loro due. Allora Anna Maria un sabato sera gli fece segno dalla finestra, con tutte e due le braccia, col viso illuminato. – Domani! Domani! – E all'ora solita si vestì, in fretta, colle mani tremanti, tutta radiosa, le calze rosse, le scarpe lucide, la giacchetta attillata, tale quale come quel giorno ch'era andata l'ultima volta coll'artigliere, e volle condurlo proprio là, nel sentieruolo sotto i pioppi. – Perché? Cosa vuoi fare? – domandava Cesare. – Vedrai! Vedrai!

Erano cresciute delle altre fronde all'olmo, nel maggio che fioriva, del verde che celava i due cuori color di ruggine, legati insieme dalla croce. Essa però li rinvenne subito, e con un sasso, gli occhi lucenti, il seno che le scoppiava, le mani febbrili, si mise a raschiare da per tutto, sulla corteccia dell'olmo, le iniziali, i due cuori, la croce, tutto. Poi gli buttò le braccia al collo, a lui che stava a guardare con tanto di muso, e se lo strinse al petto, furiosamente.

– Mi credi ora? Mi credi ora?

Egli le credette allora, con quelle braccia annodate al collo, e quel seno che si gonfiava contro il suo petto. Ma dopo fu la stessa storia; ogni cosa che gli dava ombra: se era allegra, se era malinconica, se cantava, se taceva, se si pettinava in certo modo, e se non voleva confessare che quegli orecchini fossero un ricordo di quell'altro, se la vedeva dal portinaio, o se la incontrava vicino alla posta. Ogni carezza, ogni parola; delle parolacce amare, dei musi lunghi, delle risate ironiche, degli impeti di collera, dei voltafaccia bruschi di servitore che sputi villanie dietro le spalle dei padroni. – Con lui non dicevi così! – Con quell'altro era un altro par di maniche! – No! no! te lo giuro! Non ci penso più! Tu solo adesso! Tu solo! – Poi gli arrivò a dire: – Non gli ho mai voluto bene!...

– O allora? – rispose il servitore.

E infine un giorno essa gli mostrò una carta; una carta che gli aveva portata nel petto, come una reliquia. – Guarda! Guarda! – Era il certificato di morte del *suo artigliere*, come glielo buttava in faccia a ogni momento Cesare. Il certificato di morte di Lajn Primo, soldato del 5° artiglieria, c'era il bollo e tutto, non ci mancava nulla; la povera donna glielo portava come un regalo, come un regalo del bene che aveva voluto e delle lacrime che aveva versate, come un regalo di tutta sé stessa, della donna innamorata e sottomessa.

L'altro, il maschio, per tutta risposta fece una spallata.

Il bell'Armando

Ecco quel che gli toccò passare al Crippa, parrucchiere, detto anche il *bell'Armando,* Dio ce ne scampi e liberi!

Fu un giovedì grasso, nel bel mezzo della mascherata, che la *Mora* gli venne incontro sulla piazza, vestita da uomo – già non aveva più nulla da perdere colei! – e gli disse, cogli occhi fuori della testa:

– Di', Mando. È vero che non vuoi saperne più di me?

– No! no! quante volte te l'ho a dire?

– Pensaci, Mando! Pensa che è impossibile finirla del tutto a questo modo!

– Lasciami in pace. Ora sono ammogliato. Non voglio aver storie con mia moglie, intendi?

– Ah, tua moglie? Essa però lo sapeva quello che siamo stati, prima di sposarti. E oggi, quando t'ho incontrato a braccetto con lei, mi ha riso in faccia, là, in mezzo alla gente! E tu, che l'hai lasciata fare, vuol dire che non ci hai né cuore né nulla, lì!

– Be', lasciamo andare. Buona sera!

– Di', Mando? È proprio così?

– No, ti dico! Non voglio più!

– Ah, non vuoi più? No?

E il Crippa, colpito lì dove la *Mora* diceva che non ci aveva né cuore né nulla, andò annaspando dietro a lei, come un ubriaco, e gridando: – Chiappatela! chiappatela! – Poi cadde come un masso, davanti alla bottega del farmacista.

Le guardie e la folla ad inseguirla, strillando anche loro: – Piglia! piglia! – Finché un giovane di caffè la fece stramazzare con un colpo di sedia sul capo; e tutti quanti l'accerchiarono, stralunata e grondante di sangue, col seno che gli faceva scoppiare il gilè dall'ansimare, balbettando:

– Lasciatemi! lasciatemi!

Appena la riconobbero, così rabbuffata, a quel po' di luce del lampione, scoppiarono improperi e parolacce:

– È la *Mora*! quella donnaccia! l'amante del Crippa!

Come se gli avesse parlato il cuore, al disgraziato! Giusto in quei giorni, era stato dal maresciallo a denunziargli la sua amante, che voleva giocargli qualche brutto tiro: – La *Mora* non vuole lasciarmi tranquillo, ora che ho preso moglie, signor maresciallo. – E il maresciallo aveva risposto: – Va bene – al solito, senza pensare a ciò che potesse covare dentro di sé una donna come quella. Ora le guardie arrivavano dopo che la frittata era fatta, sbracciandosi a gridare: – Largo! largo!

In quel momento si udì un urlo straziante, e si vide correre verso la bottega del farmacista, dove stavano medicando il ferito, una donna colle mani nei capelli. Era l'altra, la moglie vera, che piangeva e si disperava, gridando: – Giustizia! Giustizia, signori miei! Me l'ha ucciso, quell'infame, vedete! – Il Crippa abbandonato su di una seggiola, tutto rosso di sangue, col viso bianco e stravolto, la guardava senza vederla, come stesse per lasciarla dopo soli due mesi di matrimonio, poveretta! La folla voleva far giustizia sommaria della *Mora*, ch'era rimasta accasciata sul marciapiedi, in mezzo agli urli e alle minacce della folla, come una lupa. Arrivarono sino a darle delle pedate nel ventre; tanto che le guardie dovettero sguainare le daghe per menarla in prigione, in mezzo ai fischi, che sembrava una frotta di maschere.

Dopo, al cospetto dei giudici, quando le mostrarono i panni insanguinati della sua vittima, non seppe che cosa rispondere.

– Questa donna ch'è stata di tutti, – tonava il pubblico accusatore, coll'indice appuntato verso di lei, come la spada della giustizia; – questa donna che, per ogni trivio, fece infame mercato della propria abbiezione, e della cecità, voglio anche concedere alla difesa, della acquiescenza del suo amante, questa donna, o signori, osò arrogarsi il diritto delle affezioni pure e delle anime oneste; osò esser gelosa, il giorno in cui il suo complice apriva gli occhi sulla propria vergogna, e si sottraeva al turpe vincolo, per rientrare nel consorzio dei buoni, ritemprandosi colla santità del matrimonio!

Ella udì pronunziare la sua condanna, disfatta, cogli occhi sbarrati e fissi, senza dir verbo. Si alzò traballando, come ubriaca, e nell'uscire dalla gabbia di ferro, batté il viso contro la grata.

Prima l'aveva fatta cadere *il signorino* – se ne rammentava ancora come un bel sogno lontano, nell'azzurro. – Aveva pianto e supplicato. Indi, a poco a poco, vinta dal rispetto, dalla lusinga di quella tenerezza orgogliosa, dalla collera di quel ragazzo abituato a fare il suo volere in casa, s'era abbandonata timorosa e felice. Era stato un bel sogno, ch'era durato un mese. Egli saliva furtivo nella cameretta di lei, colle scarpe in mano, e si abbracciavano tremanti, al buio. Il giorno in cui il giovanetto dovette far ritorno all'Università, pioveva a dirotto; essa si rammentava pure dello scrosciare malinconico e continuo di quella grondaia. L'avevano sentito tutta la notte, colle braccia al collo l'una dell'altro, cogli occhi sbarrati nelle tenebre, contando le ore che sfilavano lente sui tetti. Poi lo vide partire coll'ombrello sotto l'ascella e la cappelliera in mano, senza dirle una parola davanti ai suoi. La signora però, coll'istinto della gelosia materna, indovinò le lacrime che doveva soffocare la ragazza in quel momento, e si diede a sorvegliarla. Un giorno, dopo averla mandata fuori con un pretesto, salì nella cameretta di lei, si chiuse dentro, e quando la Lena fu di ritorno colla spesa, trovò la padrona seria e accigliata, che le aggiustò il conto su due piedi, le ordinò di far fagotto, e la mise alla porta con una brutta parola.

La povera Lena, non sapendo che fare, schiacciata sotto la vergogna, prese la diligenza per la città, e andò a trovare il suo amante. Egli non era in casa. L'aspettò sulla porta, seduta sul marciapiede, col fagottino accanto. Dopo la mezzanotte lo vide che rientrava insieme a un'altra. Allora si alzò, colle gambe rotte dal viaggio, e si allontanò rasente al muro, zitta zitta. Il giovane non ne seppe mai nulla.

Era sopravvenuto un altro guaio, il suo fallo che era visibile a tutti. Cercò inutilmente di collocarsi. Spese quei pochi quattrini che le avanzavano; e infine, per vivere, fu costretta a prendere alloggio in un albergaccio dove la Questura veniva, di tanto in tanto, a far le sue retate. Lì ebbe a fare la prima volta con quella gente. Padrona ed avventori ridevano delle paure sciocche di lei, quando le guardie entravano all'improvviso di notte, e frugavano sotto i letti. Uno di quegli avventori, detto il *Bulo*, uomo sulla cinquantina, colla faccia dura, il quale arrivava ogni quindici o venti giorni, senza bagaglio, ed era sempre in moto di qua e di là, s'innamorò di lei. Ella disse di no. Allora egli le offerse di sposarla. Lena disse ancora di no, sbigottita da quella faccia, e vergognosa di dover confessare il suo passato. Poscia, quando fu all'ospedale, e che lui soltanto venne a trovarla, colle mani piene d'arance, vinta da una gran debolezza chinò il capo piangendo, e gli confessò il suo fallo.

Il *Bulo* protestava che non gliene importava nulla – acqua passata – purché non si ricominciasse da capo – e così si accordarono. Il *Bulo* non era affatto geloso; la lasciava sola per mesi e settimane, e continuava ad andare sempre in giro pel suo mestiere, che non si sapeva quale fosse. Il Crippa, suo compagno, bazzicava solo in casa, aiutandolo nei negozi ai quali ei solo aveva mano, aspettandolo quando non c'era, avendo sempre qualche cosa da dirgli sottovoce, prima che il *Bulo* si mettesse in viaggio. Nel medesimo tempo faceva l'asino alla comare, s'irritava alla resistenza di lei, abituato a fare il gallo della Checca, sempre vestito come un figurino, coi capelli arricciati e lucenti. Le portava dei vasetti di pomata, delle boccette di profumeria. Ella ribatteva che suo marito non se lo meritava. – Era stato tanto buono con lei! – Il Crippa, che certe storie non le capiva, badava a ripetere: – Or bene, giacché vostro marito ha chiuso gli occhi una prima volta...

Fu un giorno che il marito tardava a venire; e il Crippa la colse nella stanza di sopra, col pretesto di cercare un pacchettino che il compare gli aveva scritto di mandargli. La Lena, china sul cassetto del mobile, cercava insieme a lui, col seno gonfio, quando il *bell'Armando* tutt'a un tratto l'afferrò pei fianchi, e le accoccò un bacio alla nuca.

– No! no! – balbettava essa tutta tremante, bianca come cera; ma il sangue le avvampò all'improvviso in faccia; arrovesciò il capo, cogli occhi chiusi, le labbra convulse, che scoprivano i denti. Dopo rimase tutta sottosopra, tenendosi la testa fra le mani, quasi fuori di sé.

– Cosa ho fatto, Dio mio! Cosa m'avete fatto fare!

Il Crippa, contento come una Pasqua, cercava di chetarla. Ormai... suo marito non ne avrebbe saputo mai nulla, parola di galantuomo, se avesse avuto giudizio anche lei...

Il *Bulo* però lo seppe, o lo indovinò, al vedere l'aria smarrita della Lena, che ancora non aveva fatto il callo a certe cose. Il *bell'Armando,* più sfacciato, gli faceva le solite accoglienze da fratello, buttandogli le braccia al collo, dandogli conto dei loro negozi per filo e per segno.

Il *Bulo* lo guardò colla faccia dura, e gli rispose secco secco:

– Vi ringrazio, compare, di tutto quello che avete fatto per me; e un giorno o l'altro ve lo renderò.

La Lena sentì gelarsi il sangue a quelle parole. Ma il Crippa, che aveva mangiato la foglia anche lui, le disse nell'orecchio, mentre il compare era andato di sopra un momento, a mutarsi di panni:

– Stai tranquilla, che ci penso io!

La notte stessa vennero le guardie ad arrestare il *Bulo*; e misero sottosopra tutta la casa, rimovendo perfino i mattoni del pavimento per vedere quel che c'era sotto. Il *Bulo,* mentre lo menavano via ammanettato, le lasciò detto per ultimo addio:

– Salutami il compare, e digli che ci rivedremo al mio ritorno.

Il giorno dopo arrivò il Crippa, fresco come una rosa. La Lena, che aveva qualche sospetto, non seppe nascondergli la brutta impressione. Però egli si scolpò subito giurando colle braccia in croce. Due giorni dopo arrestarono anche lui, come complice del *Bulo,* mettendoli a confronto l'uno con l'altro. Ma prove non ce n'erano; il Crippa dimostrò ch'era innocente come Dio; e per ribattere l'accusa spiattellò innanzi ai giudici la storia della comare, un tiro che cercava di giocargli il marito per gelosia. – Pelle per pelle, cara mia!... – disse poi alla Lena. – Da mio compare non me l'aspettavo questo servizio!... Quante ne ho passate, vedi, per causa tua!...

Ormai non c'era più rimedio. Tutto il paese lo sapeva. Perciò ella si mise col Crippa apertamente.

E si rammentava anche di questo – che un giorno, dopo che gli si era data tutta, anima e corpo, dopo che per amor suo aveva sofferto ogni cosa, la fame, gli strapazzi, la vergogna del suo stato, dopo che per lui era arrivata a vendere sin la lana delle materasse, il *bell'Armando* l'aveva piantata, per correre dietro a una stracciona che gli spillava quei pochi soldi strappati a lei. E quando, pazza di dolore e di gelosia, cercava di trattenerlo, cogli occhi arsi di lacrime, dicendogli: – Guarda, Mando!... Guarda che ti rendo la pariglia!... – egli si stringeva nelle spalle, per tutta risposta.

Poi, allorché s'incontrarono di nuovo, era passato tanto tempo! tanto tempo! e tante vicende! Anch'essa era mutata, tanto mutata! Ma quell'uomo non se l'era potuto levare mai dal cuore, e adesso, la sciagurata, chinava il capo e si sentiva venir rossa come una volta.

Fu una sera tardi, che ella tornava a casa tutta sola, per combinazione. Egli la chiamò per nome, guardandola negli occhi con un certo fare, con un risolino che la rimescolava tutta. Lei voleva scusarsi balbettando, tentando di giustificarsi umilmente, mentre sentiva che il cuore le balzava verso quell'uomo. Lui le tappò la confessione in bocca con un bel bacio, un bacio che la fece impallidire, e le passò il cuore come un ferro.

Avrebbe preferito una coltellata addirittura. Ma egli non era geloso, no. Ormai!...

Un giorno le capitò dinanzi tutto rabbuffato. Aveva bisogno di denari; ma si fece pregare un bel pezzo prima di confidarglielo. Lena glieli diede il giorno dopo. D'allora in poi tornò spesso a domandargliene, senza farsi più pregare. E infine quando la poveretta, colla nausea alla gola, come una costretta a mandar giù delle porcherie, si arrischiò a dirgli: – Ma dove vuoi che li pigli, questi denari? – per tutta risposta Mando le voltò le spalle.

– Senti, – esclamò la Lena, con un impeto di tenerezza selvaggia, buttandoglisi al collo; – se li vuoi... se li vuoi proprio questi denari... Ma dimmi almeno che mi vorrai bene lo stesso...

Egli si lasciò abbracciare, ancora accigliato, brontolando fra i denti.

Lena glielo diceva spesso:

– Vedi, lo so che tu non mi vuoi bene. Ma non me ne importa; perché te ne voglio tanto io; tutto il male che ho fatto, l'ho fatto per te, intendi?

E il giorno in cui venne a sapere che egli prendeva moglie, l'ultima volta che ebbe ancora il coraggio di comparirle dinanzi col sorrisetto ironico e la giacchetta nuova, gli disse:

– Lo so che la sposi pei quattrini. Ma ora tu devi fare quel che ho fatto io per te.

Il *bell'Armando* fingeva di non capire. Allora Lena lo afferrò per i capelli profumati, colle labbra bianche, e gli disse:

– Guarda, Mando! Guardami bene negli occhi! E dimmi s'è possibile finirla così, del tutto, dopo quel che abbiamo fatto tutti e due! Dimmi se potresti dormire senza rimorsi nel letto di quella donna...

Il Crippa campò, per sua fortuna; mise giudizio, ed ebbe figliuoli e sonni tranquilli, in quel buon letto morbido e caldo; mentre la *Mora* scontava la pena sul tavolaccio dell'ergastolo.

Nanni Volpe

Nanni Volpe, nei suoi begli anni, aveva pensato soltanto a *far la roba.* – Testa fine di villano, e spalle grosse – grosse per portarci trent'anni la zappa, e le bisacce, e il sole, e la pioggia. Quando gli altri giovani della sua età correvano dietro le gonnelle, oppure all'osteria, egli *portava paglia al nido,* come diceva lui: oggi un pezzetto di chiusa; domani quattro tegole al sole: tutto pane che si levava di bocca, sangue del suo sangue, che si mutava in terra e sassi. Allorché il nido fu pronto, finalmente, Nanni Volpe aveva cinquant'anni, la schiena rotta, la faccia lavorata come un campo; ma ci aveva pure belle tenute al piano, una vigna in collina, la casa col solaio, e ogni ben di Dio. La domenica, quando scendeva in piazza, col vestito di panno blu, tutti gli facevano largo, persino le donne, vedove o zittelle, sapendo che ora, fatta la casa, ci voleva la padrona.

Egli non diceva di no; anzi! ci stava pensando. Però faceva le cose adagio, da uomo uso ad allungare il passo secondo la gamba. Vedova non la voleva, ché vi buttano ogni momento in faccia il primo marito; giovinetta di primo pelo neppure, *per non entrare subito nella confraternita*, diceva lui. Aveva messo gli occhi sulla figliuola di comare Sènzia la Nana, una ragazza quieta del vicinato, cucita sempre al telaio, che non si vedeva alla finestra neppure la domenica, e sino ai ventott'anni non aveva avuto un cane che le abbaiasse dietro. Quanto alla dote, pazienza! Vuol dire che aveva lavorato egli per due. La Nana era contenta; la ragazza non diceva né sì né no, ma doveva esser contenta anche lei. Soltanto qualche mala lingua, dietro le sue spalle, andava dicendo: – Acqua cheta rovina mulino. – Oppure: – Questa è volpe che se la mangia il lupo, stavolta!

A Pasqua finalmente giunse il momento *della spiegazione.* I seminati erano alti così; gli ulivi carichi; Nanni Volpe aveva terminato allora di pagare l'ultima rata del mulino. – Ogni cosa proprio opportuna. Infilò il vestito blu, e andò a parlare a comare Sènzia. La ragazza era dietro l'uscio della cucina ad ascoltare. Quando poi sua madre la chiamò, comparve tutta rossa, lisciata di fresco, colla calzetta in mano, e il mento inchiodato al petto.

– Raffaela, qui c'è massaro Nanni che ti vuole per sposa, – disse la madre.

La giovane rimase a capo chino, seguitando a infilare i punti della calza, col seno che le si gonfiava. Massaro Nanni aggiunse:

– Ora si aspetta che diciate anche voi la vostra.

La mamma allora venne in aiuto della sua creatura:

– Io, per me, sono contenta.

E Raffaela levò gli occhi dolci di pecora, e rispose:

– Se siete contenta voi, mamma...

Le nozze si fecero senza tanto chiasso, perché compare Nanni Volpe non aveva fumi pel capo, e sapeva *che a fare un tarì ci vogliono venti grani.* Pure non si dimenticarono i parenti più stretti ed i vicini; e ci furono dolci del monastero, e vino bianco. Fra gli invitati c'erano anche quelli che sarebbero stati gli eredi di Nanni Volpe, poveri diavoli che s'empivano di roba, e si sarebbero mangiata cogli occhi anche la sposa. Questa, impalata nel vestito di lana e seta, cogli ori al collo, badava già ai suoi interessi, l'occhio al *trattamento,* il sorrisetto della festa e una buona parola per tutti, amici e nemici. Nanni Volpe, tutto contento, si fregava le mani, e diceva fra sé e sé:

– Se non riesce bene una moglie come questa, vuol dire che non c'è più né santi né paradiso!

E Carmine, suo cugino alla lontana, che lo chiamava zio per amor della roba, ed ora gli toccava anche mostrarsi amabile con lei che gli rubava il fatto suo, diceva alla zia, ogni manciata di confetti che abbrancava:

– Avessi saputo la bella zia che mi toccava!... Vorrei pigliarmi gli anni e i malanni di mio zio, stanotte!

Chiusa la porta, quando tutti se ne furono andati, compare Nanni condusse la sposa a visitare le stanze, il granaio, sin la stalla, e tutto il ben di Dio. Dopo posò il lume sul canterano, accanto al letto, e le disse:

– Ora tu sei la padrona.

Raffaela, che sapeva dove metter le mani, tanto gliene aveva parlato sua madre, chiuse gli ori nel cassetto, la veste di lana e seta nell'armadio; legò le chiavi in mazzo, così in sottanina com'era, e le ficcò sotto il guanciale. Suo marito approvò con un cenno del capo, e conchiuse:

– Brava! Così mi piaci!

Tutto andava pel suo verso. Nanni Volpe badava *alla campagna,* duro come la terra; e sua moglie poi gli faceva trovare la camicia di bucato bella e pronta sul letto, quando tornava il sabato sera, la minestra sul tagliere, e il pane a lievitare per l'altra settimana. Teneva conto della roba che il marito mandava a casa: tanti tumoli di grano, tanti quintali di sommacco, tutto segnato nelle taglie, appese in mazzo a piè del crocifisso; buona massaia e col timor di Dio, a messa col marito la domenica e le feste, confessarsi due volte al mese, e il resto del tempo poi tutta per la casa, sino a far la predica al marito, se Carmine, il nipote povero, veniva a ronzargli intorno.

– Non gli date nulla, a quel disutilaccio, o se no, non ve lo levate più di dosso. A lasciarli fare, i vostri parenti, vi mangerebbero vivo.

E compare Nanni si fregava le mani, e rispondeva:

– Brava! Così mi piaci.

Carmine alla fine aveva odorato da che parte soffiava il vento, e s'era attaccato alla gonnella della zia, per strapparle di mano qualche misura di fave, o qualche fascio di sarmenti, nell'inverno rigido che spaccava le pietre.

– Che ci avete un sasso, lì nel cuore, per lasciar morir di fame il sangue vostro? Con tanto ben di Dio che ci avete in casa! Se voi volete, lo zio Nanni non dice di no.

– Io che posso farci? Lo sai che è lui il padrone.

Poi un'altra volta:

– Almeno aveste dei figliuoli, pazienza! Ma cosa volete farne di tutta quella roba, quando sarete morti, marito e moglie?

– Se non abbiamo figliuoli, vuol dire che non c'è la volontà di Dio.

Il giovinastro allora si grattava il capo, guardando la zia cogli occhi di gatto. Un giorno per toccarle il cuore, arrivò a dirle:

– Così bella e giovane come siete, è un vero peccato che non ci sia la volontà di Dio!

– O a te che te ne importa?

Carmine ci pensò su un momento, e poi rispose, fregandosi le mani:

– Vorrei essere nella camicia dello zio Nanni, e vi farei vedere se me ne importa!

– Zitto, scomunicato! O lo dico a tuo zio, i discorsi che vieni a farmi, sai!

– Me lo date dunque cotesto fiasco di vino?

– Sì, per levarmiti dai piedi. Non dir nulla a compare Nanni però.

Carmine finalmente, trovato ora il tasto che bisognava toccare, quando aveva bisogno di qualche cosa, tornava a dire alla zia:

– Siete bella come il sole. Siete grassa come una quaglia. Il Signore non fa le cose bene, a dare il biscotto a chi non ha più denti.

La zia Raffaela si faceva rossa dalla bile; lo sgridava come un ragazzaccio che era, e perché gli si levasse dinanzi gli metteva in mano qualche cosuccia. Una volta gli lasciò andare anche un ceffone.

– Fate, fate, – disse Carmine, – ché dalle vostre mani ogni cosa mi è dolce.

– Non venirci più qui! Non mi far peccare a causa tua! Ogni volta poi, mi tocca dirlo al confessore.

– Che male c'è? Son vostro nipote, sangue vostro.

– No, no, non voglio. La gente parlerebbe, vedendoti sempre qui. Poi, no, non voglio!

– Io ci vengo soltanto per vedervi. Non vi domando più nulla, ecco. Mi avete affatturato, è colpa mia?

Un giorno, durante la raccolta, mentre Carmine aiutava a scaricare l'orzo nel granaio – Raffaela che faceva lume, tutta rossa e in camiciuola anche lei – lo scellerato l'afferrò a un tratto pei capelli, come una vera bestia che era, e non volle lasciarla più, per quanto essa gli martellasse gli stinchi cogli zoccoli, e gli piantasse le unghie in faccia.

– Per la santa giornata ch'è oggi!... – sbuffava Carmine col fiato grosso. – Stavolta non vi lascio, no!

Raffaela tutta scomposta, torva, col seno ansante che le rompeva la camiciuola, andava brancicando per trovare la lucerna caduta a terra, e balbettava, colle labbra ancora umide:

– M'hai fatto spandere dell'olio! Accadrà qualche disgrazia!

Nanni Volpe, nel rompere il maggese, alle prime acque, aveva acchiappata una perniciosa. – La terra che se lo mangiava finalmente – e il medico e lo speziale pure. Raffaela, poveretta, si sarebbe meritata una statua in quella circostanza. Tutto il giorno in faccende col nipote, a far cuocere decotti, e preparar medicine pel malato. Lui rimminchionito in fondo a un letto, pensando sempre ai denari che volavano via, e ai suoi interessi ch'erano in mano di questo e di quello: gli uomini che mangiavano e bevevano alle sue spalle, e se ne stavano intanto nell'aia senza far nulla, ora che mancava l'occhio del padrone; il *curatolo* che gli rubava certo una pezza di formaggio ogni due giorni; la porta del magazzino che ci voleva la serratura nuova, tanto che il camparo doveva averci pratica colla vecchia. La notte non sognava altro che ladri e ruberie, e si svegliava di soprassalto, col sudore della morte addosso. Una volta gli parve anche di udir rumore nella stanza accanto, e saltò dal letto in camicia, collo schioppo in mano. C'erano davvero due piedi che uscivano fuori, di sotto il tavolone, e Raffaela in sottanino che s'affannava a buttarvi roba addosso:

– Al ladro! al ladro! – si mise a gridare Nanni Volpe, frugando sotto la tavola colla canna dello schioppo.

– Non mi uccidete, ché sono sangue vostro! – balbettò Carmine rizzandosi in piedi, pallido come la camicia; e Raffaela, facendosi il segno della croce, brontolava:

– L'avevo ben detto, che l'olio per terra porta disgrazia!

Poscia, spinto fuori dell'uscio Carmine più morto che vivo, e ancora mezzo svestito, Raffaela si mise attorno a suo marito, coi beveroni, col vino medicato, per farlo rimettere dallo spavento, scaldandogli i piedi col fiasco d'acqua calda, rincalzandogli nella schiena la coperta: – Lei non sapeva, in coscienza, come si fosse ficcato là quel ragazzaccio. Gli aveva detto, è vero, in prima sera, di aiutarla a cavar fuori il bucato; ma credeva che a quell'ora se ne fosse già andato da un pezzo.

Nanni, rammollito dal letto e dalla malattia, lasciava dire e lasciava fare. Però, testa fina di villano, col naso sotto il lenzuolo, pensava ai casi suoi, e al modo di levare i piedi da quel pantano senza lasciarci le scarpe.

– Senti, – disse alla moglie appena giorno. – Ho pensato di far testamento.

– Che malaugurio vi viene in mente adesso?

– No, no, figliuola mia. Ho i piedi nella fossa. Mi son logorata la pelle per far la roba, e voglio aggiustare i conti prima di lasciar la fattoria.

– Almeno si può sapere che intenzione avete?

– Quanto a questo sta' tranquilla. Sai come dice il proverbio? « L'anima a chi va e la roba a chi tocca ».

– Dio vi terrà conto del bene che mi avete fatto e che mi fate; – rispose Raffaela intenerita. – M'avete presa nuda e cruda come un'orfanella, e anch'io vi ho rispettato sempre come un padre.

– Sì, sì, lo so, – accennò il marito, e la nappina del berretto che accennava di sì anch'essa. Volle pure confessarsi e comunicarsi, per essere in pace con Dio e cogli uomini, quando il Signore lo chiamava. Mandò a cercare persino suo nipote, e gli disse:

– Bestia, perché sei scappato? Avevi paura di me, che sono il sangue tuo?

Carmine, come un baccellone, non sapeva che rispondere, dondolandosi ora su una gamba e ora sull'altra, col berretto in mano.

– Rimetti il tuo berretto, – conchiuse lo zio Nanni. – Qui sei in casa tua, e puoi venirci quando vuoi. Anzi sarà meglio, per guardarti i tuoi interessi.

E come l'altro spalancava gli occhi di bue:

– Sì, sì, va' a chiederlo al notaro il testamento che ho fatto, ingrataccio! « L'anima a Dio e la roba a chi tocca ».

Allora Raffaela saltò su come una furia:

– L'anima la darete al diavolo! Come un ladro che siete! Sì, un ladro! Perché vi ho sposato dunque?

– Questo è un altro affare; – rispose Nanni spogliandosi per tornare a letto; – un altro affare che non può aggiustarsi, al caso, come un testamento.

– Ohé! – gridò Carmine affrontando la zia che voleva slanciarsi colle unghie fuori. – Ohé! lasciate star lo zio! O vi tiro il collo come una gallina!

Raffaela uscì di casa inferocita, giurando che andava a citare suo marito dinanzi al giudice, per avere il fatto suo, e voleva farlo morir solo e arrabbiato come un cane.

– Non importa! – disse Carmine, il nipote. – Se mi volete, ci resto io con voi, che sono sangue vostro.

– Bravo! – rispose Nanni. – E ti guarderai i tuoi interessi pure.

Però Raffaela in casa della mamma fu accolta come un cane che viene a mangiare nella scodella altrui.

– Non hai la tua casa adesso? Non sei già maritata? che vuoi qui?

Essa voleva almeno gli alimenti dal marito. Ma Nanni Volpe sapeva il codice meglio di un avvocato.

– L'ho forse cacciata via di casa? – rispose al giudice. – La porta è aperta, se vuol tornare, lei.

Carmine badava a dirgli che faceva uno sbaglio grosso, a mettersi di nuovo la moglie in casa, con quell'odio che doveva avere adesso, che un giorno o l'altro l'avrebbe avvelenato per levarselo dinanzi.

– No, no, – rispose lo zio col suo risolino d'uomo dabbene. – Il testamento è in favor tuo, e se mi avvelena non ci guadagna nulla. Anzi! – Si grattò il capo a pensare se dovesse dirla, e infine se la tenne per sé, ridendo cheto cheto.

Infatti Raffaela tornò a casa sottomessa come una pecora. – L'accompagnò la mamma Sènzia e gli altri parenti. – Nulla nulla. Son cose che succedono fra marito e moglie; ma ora la pace è fatta, e vedrete come vostra moglie si ripiglia il cuore che gli avete dato, compare Nanni.

– Io non gliel'ho tolto, – rispose Nanni Volpe. – E non voglio toglierle nulla, se lo merita.

Raffaela per meritarselo si fece buona ed amorevole che non pareva vero, sempre intorno al marito, a curarlo, a prevenirgli ogni desiderio e ogni malanno. Il vecchio le diceva:

– Fai bene, fai bene. Perché se mi accade una disgrazia prima che io abbia avuto il tempo di rifare il testamento, è peggio per te.

E si lasciava cullare e lisciare, e mettere nel cotone, e ci stava come un papa.

– Un giorno o l'altro, – diceva sempre, – se il Signore mi dà tempo, voglio rifare il testamento. Ho lavorato tutta la vita; ho fatto suola di scarpe della mia pelle; ma ora ho il benservito. Tutto sta ad avere il giudizio per procurarsi il benservito.

Il solo fastidio che gli fosse rimasto, in quella beatitudine, erano le liti continue fra Carmine e la zia. Strilli e botte da orbi tutto il giorno; e non poteva neppure alzarsi per separarli.

Alle volte Raffaela compariva tutta arruffata, sputando fiele, col sangue che le colava giù dal naso, mostrando gli sgraffi e le lividure:

– Guardate cosa m'ha fatto, quell'assassino!

– Ehi, ehi, Carmine, cosa le hai fatto a tua zia, birbante?

– Perché non lo cacciate via a pedate, quel fannullone?

– Eh, eh, bisogna averci un uomo in casa, ora che sono inchiodato al letto.

– Vedrete! vedrete! Un giorno o l'altro vi fa fare la morte del topo, per non lasciarvi il tempo di rifare il testamento. Vi dà il tossico, com'è vero Dio!

– O tu che ci stai a fare allora, se non mi guardi la pelle e i tuoi interessi?

Sempre quell'affare del testamento, che Carmine n'era contento, così come gli aveva detto lo zio, e la moglie no; e Nanni Volpe fra i due non trovava modo di rifarlo, dicendo ogni volta che si sentiva peggio; sicché Raffaela, al vedere che se ne andava di giorno in giorno, ormai tutto una cosa col berretto di cotone, si mangiava il fegato dalla bile, e si sentiva male anche lei, tanto che infine glielo disse chiaro e tondo in faccia a Carmine stesso, il quale stava imboccando lo zio col cucchiaio in una mano e reggendogli il capo coll'altra.

– Fate bene a tenervi così caro il sangue vostro, perché non sapete il bel servizio che v'ha fatto vostro nipote!

Carmine voleva romperle sul muso la scodella e il candeliere; ma il vecchio agitando due o tre volte adagio adagio il fiocco del berretto disse:

– Sì, sì, lo so.

Così se ne andò all'altro mondo, pian pianino e servito

come un principe. Quando Carmine volle cacciar via a pedate Raffaela dalla casa, che oramai doveva esser di lui solo, fece aprire il testamento, e si vide allora quant'era stato furbo Nanni Volpe, che aveva canzonato lui, la moglie e anche Cristo in paradiso. La roba andava tutta all'ospedale; e zia e nipote s'accapigliarono per bene stavolta, dinanzi al notaro.

Quelli del colèra

Il colèra mieteva la povera gente colla falce, a Regalbuto, a Leonforte, a San Filippo, a Centuripe, per tutto il contado; e anche dei ricchi: il parroco di Canzirrò, ch'era scappato ai primi casi, e veniva soltanto in paese per dir messa, a sole alto, l'aveva pigliato nell'ostia consacrata; a don Pepé, il mercante di bestiame, gliel'avevano dato invece in una presa di tabacco, alla fiera di Muglia, un sensale forestiero – per conchiudere il negozio – diceva lui. Cose da far rizzare i capelli in testa! Avvelenata persino la fontana delle Quattro Vie; bestie e cristiani vi restavano, là! A Rosegabella, venti case, un bel giorno era capitato il merciaiuolo, di quelli che vanno in giro colle scarabattole in spalla, e quanti misero il naso fuori per vedere, tanti ne morirono, fin le galline. Ciascuno badava quindi ai casi propri, collo schioppo in mano, appiattato dietro l'uscio, accanto la siepe, bocconi nel fossatello, per le fattorie, nei casolari, da per tutto. Quelli di San Martino s'erano anche armati, uomini e donne. Volevano morir piuttosto di una schioppettata, o d'altra morte che manda Dio. Ma di colèra, no! non lo volevano!

Nonostante, lo scomunicato male andavasi avvicinando di giorno in giorno, tale e quale come una creatura col giudizio, che faccia le sue tappe di viaggio, senza badare a guardie e a fucilate. Oggi scoppiava a Catenavecchia, il giorno dopo si sentiva dire che era alla Broma, cinque miglia soltanto da San Martino. Una povera donna gravida di sei mesi, per avere aiutato certa vecchia che l'era caduto l'asino dinanzi alla sua porta, e fingeva di piangere e disperarsi, era stata presa dai dolori quasi subito, ed era morta, lei e il bambino: sangue d'innocente che grida vendetta dinanzi a Dio!

La sera, da quelle parti, chi aveva il coraggio di arrischiarsi sino in cima alla salita, vedeva dietro la china che nasconde il paesetto i fuochi e i razzi che sembravano quelli della festa del santo patrono, tutti col capitombolo verso San Martino; e il domani poi si trovavano le macchie d'unto per terra e lungo i muri; qua e là si sussurrava dei rumori strani che si udivano la notte: gatti che miagolavano come in gennaio; tegole smosse quasi tirasse il maestrale; gente che aveva udito picchiare all'uscio dopo la mezzanotte, com'è vero Dio; e dei carri che passavano per le stradicciuole più remote, come delle macchine asmatiche che andavano strascinandosi di porta in porta, soffiando e sbuffando, il Signore ce ne scampi e liberi!

Il venerdì, verso mezzogiorno, Agostino, quello delle lettere, era tornato dal rilievo della Posta colla borsa vuota e tutto stravolto. Sua moglie, poveretta, al vederlo con quel viso si cacciò le mani nei capelli: – Che avete fatto, scellerato? Dove l'avete preso tutto quel male in un momento? – Egli non sapeva dirlo. Laggiù, arrivato al ponte, s'era sentito stanco tutt'a un tratto, e s'era seduto un momento sul parapetto. Prima di lui c'era stato un viandante, il quale si asciugava il sudore con un fazzoletto turchino. – Don Domenico, il fattore, l'aveva predicato tante e tante volte, di badare sopra tutto a certe facce nuove che andavano intorno, per le vie, e nelle chiese perfino! (Potevate sospettarlo, nella casa di Dio?) Cavavano fuori il fazzoletto, finta di soffiarsi il naso, e lasciavano cadere certe pallottoline invisibili, che chi ci metteva il piede sopra poi, per sua disgrazia, era fatta!

Il giorno stesso, a precipizio, chi aveva qualche cosa da portar via, e un buco dove andare a rintanarsi, in una grotta, fra le macchie dei fichidindia, nelle capannucce delle vigne, era fuggito dal villaggio. Avanti il somarello, con quel po' di grano o di fave, il cesto delle galline, il maiale dietro, e poi tutta la famiglia, carica di roba. Quelli che erano rimasti, i più poveri, da principio avevano fatto il diavolo, minacciando di sfondar le porte chiuse, e bruciare le case dei fuggiaschi; poscia erano corsi a tirar fuori dal magazzino tutti i santi del paese, come quando si aspetta la pioggia o il bel tempo, l'Addolorata, coi sette pugnali di stagno, san Gregorio Magno, tutto una spuma d'oro, san Rocco miracoloso che mostrava col dito il segno della peste, sul ginocchio. All'ora della benedizione, nel crepuscolo, quelle statue ritte in cima all'altare buio, facevano arricciare i peli ai più induriti peccatori. Si videro delle cose allora da far piangere di tenerezza gli stessi sassi: Vito Sgarra che si divise dalla Sorda, colla quale viveva in peccato mortale da dieci anni; Padre Giuseppe Maria a far la croce sul debito degli inquilini che proprio non potevano pagarlo; Angelo il Ciaramidaro andare alla messa e alla benedizione come un santo, senza che gli sbirri gli dessero noia, e la notte dormire tranquillo nel suo letto, colla disciplina irta di chiodi e insanguinata al capezzale, accanto allo schioppo carico che ne aveva fatte tante. Misteri della Grazia! come diceva il predicatore. Tutta la notte, in fondo alla piazzetta, si vedeva la finestra della chiesa illuminata che vegliava sul villaggio; e di tratto in tratto udivasi martellare la campana, alla quale rispondeva da lontano una schioppettata, poi un'altra, poi un'altra, una fucilata che non finiva più, pazza di terrore, e si propagava per le fattorie, pei casolari, per le ville, per tutta la campagna circostante, dove i cani uggiolavano, sino all'alba.

La domenica mattina, spuntava appena l'alba, si vide una cosa nuova nel Prato della Fiera, appena fuori del villaggio. Era come una casa di legno, su quattro ruote, con certe figuracce brutte dipinte sopra, e lì vicino un vecchio carponi, che andava cogliendo erbe selvatiche. I cani avevano dato l'allarme tutta la notte; e quello del maniscalco, che stava da quelle parti, non s'era dato pace, quasi avesse il giudizio.

– Eccolo lì, povera bestia! gli manca solo la parola! – Il maniscalco raccontava a tutti la stessa cosa, via via che andavasi facendo gente dinanzi alla bottega. La gente guardava il cane, guardava la baracca, e scrollava il capo.

Dirimpetto, sugli scalini della croce in capo alla strada, c'erano altri in crocchio, che guardavano, e parlavano sottovoce fra di loro, col viso scuro. Dal muro del cimitero spuntava lo schioppo di Scaricalasino, malarnese, che accennava a tre o quattro altri suoi compagni della stessa risma, lontan lontano, verso la Broma, e poi verso Catenanuova, con gran gesti neri al sole. Dal ballatoio della gnà Giovanna suo marito chiamava gente anche lui, in fondo alla piazza, agitando le braccia in aria. – Quello! Quello! – gridavasi da un crocchio all'altro. E il vecchio carponi era corso a rintanarsi. Sul finestrino del carrozzone era passata una figura bianca di donna, coi capelli scarmigliati; poi s'erano uditi strilli di ragazzi e pianti soffocati. Dalla strada principale giungevano il farmacista, il Capo Urbano, le guardie, col giglio sul berretto e grossi randelli in mano. La folla dietro, come un torrente, mormorando; uomini torvi, donne col lattante al petto. Da lontano, verso San Rocco, la campana sonava sempre a distesa. Don Ramondo, colle mani e colla voce andava dicendo alla folla: – Largo, largo, signori miei! Lasciatemi vedere di che si tratta. – Poi sgusciarono dentro il baraccone tutti e due, lui e il Capo Urbano; le guardie sbatterono l'uscio sul naso ai più riottosi. Ci fu un po' di parapiglia, un po' di schiamazzo, qualche pugno sulla faccia. Infine il farmacista e il Capo Urbano ricomparvero vociando tutti e due che non era nulla, il Capo Urbano sventolando un foglio di carta in aria, don Ramondo sgolandosi a ripetere: – Niente! Niente! Son poveri commedianti che vanno intorno per buscarsi il pane. Poveri diavoli morti di fame.

La folla nonostante li seguiva mormorando e accavallandosi come un mare. Sulla piazza il Capo Urbano fece anche lui il suo discorsetto: – Via! via! State tranquilli. Sono o non sono il Capo Urbano? – Poi infilò l'uscio della farmacia con don Ramondo. La folla cominciò a diradarsi. Alcuni andarono a casa, a contar la notizia; altri, siccome il sagrestano si slogava sempre a sonare a messa, entrarono in chiesa. Qualcheduno, più ostinato, ritornò verso il Prato della Fiera. Quei poveri diavoli di comici, che si tiravano dietro la loro casa al par della lumaca, passato il temporale, tornarono a metter fuori le corna ad uno ad uno, appunto come fa la lumaca. Il vecchio aveva sciorinato all'uscio un gran cartellone dipinto. La moglie, con un tamburo al collo, chiamava gente; i ragazzi, camuffati da pagliacci, facevano mille buffonerie, e la giovinetta, colle gambe magre nelle maglie color di carne fresca, un fiore di carta nei capelli, il gonnellino più gonfio di una bolla di sapone, le braccia e le spalle nere fuori del corpetto di seta stinta, soffiava nella tromba, col poco fiato del suo petto scarno. Pure era una novità pel paese, e i giovinastri correvano a vedere, spingendosi col gomito. Inoltre i comici avevano altri richiami per il pubblico: un cardellino che dava i numeri del lotto; il ronzino che contava le ore, e indovinava gli anni degli spettatori colla zampa; un ragazzo che camminava sulle mani, portando in giro, stretto fra i denti, il piattello per raccogliere la *buona grazia*. Quando si era fatta un po' di gente, calavano il tendone un'altra volta, e rientravano tutti a rappresentare la commedia coi burattini, la donna col tamburone al collo, gridando sempre dalla piattaforma: – Avanti, signori! Avanti, che comincia! – Si pigliava alla porta quel che si poteva: un baiocco, delle fave, qualche manciata di ceci anche. I ragazzi gratis. Fino alla sera, tardi, ci fu ressa dinanzi alla baracca, sotto il gran lampione rosso che chiamava gente da lontano. Amici e conoscenti si vociavano da un capo all'altro del Prato della Fiera; si scambiavano i frizzi salati e le parolacce come dentro avevano fatto Pulcinella e Colombina. Nessuno pensava più al castigo di Dio che avevano addosso.

Ma la notte – ci volevano più di due ore alla messa dell'alba – Tac tac, vennero a chiamare in fretta lo speziale. – Presto, alzatevi, don Ramondo, ché dai Zanghi hanno bisogno di voi! – Il poveraccio non riusciva a trovare i calzoni al buio, in quella confusione. Zanghi, steso sul letto, freddo, colla barba arruffata, andava acchiappando mosche, colle mani fuori del lenzuolo, le mani nere, gli occhi in fondo a due buchi della testa. Sua moglie seminuda, coi capelli sulle spalle, tutta gonfia e arruffata anche lei come una gallina ammalata, correva per la stanza, cercando di aiutarlo senza saper come, coi figliuoli che le strillavano dietro. – Dottore! dottore! Che c'è? Che ve ne pare? – Don Ramondo non diceva nulla: guardava, tastava, versava la medicina nel cucchiaio, colle mani tremanti, la boccetta che urtava ogni momento nel cucchiaio, e faceva trasalire. E il malato pure, colla voce cavernosa, che sembrava venire dal mondo di là, balbettando: – Don Ramondo! Don Ramondo! Che non ci sia più aiuto per me? Fatelo per questi innocenti, ché son padre di famiglia! Poi, come s'irrigidì, colla barba in aria, e i figliuoli si misero ad urlare più forte, aggrappandosi alle coperte di lui che non udiva, don Ramondo prese il suo cappello, e la donna gli corse dietro in sottana com'era, colle mani nei capelli, gridando aiuto per tutto il vicinato. Spuntava l'alba serena nel cielo color di madreperla; alla chiesa, lassù, si udiva sonare la prima messa.

Per le stradicciuole ancora buie si udiva uno sbatter d'usci, un insolito va e vieni, un mormorìo crescente. Sull'angolo della piazza, nel caffè di Agostino il portalettere, buon'anima, avevano dimenticato il lume acceso, nella bottega vuota, i bicchierini ancora capovolti nel vassoio; e dinanzi all'uscio c'era un crocchio di gente che discuteva colla faccia accesa. Neli, il maggiore dei figliuoli, sporgeva il capo di tanto in tanto fra le tendine dello scaffale, più pallido del suo berretto da notte, cogli occhi gonfi, per vedere se qualcheduno venisse a prendere il rum o l'acquavite. E a tutti coloro che l'interrogavano dall'uscio, senza osare di entrare, rispondeva sempre scrollando il capo: – Così! Sempre la stessa! – Poi si vide uscire dalla parte del vicoletto la ragazzina che andava correndo dal sagrestano per le candele benedette.

Ogni momento giungeva qualcheduno che veniva dalla casa di Zanghi, e aveva visto dall'uscio spalancato il letto in fondo alla camera, col lenzuolo disteso, le candele accese al capezzale e i figliuoli che piangevano. Altri portavano altre brutte notizie. – Il Capo Urbano che stava imballando le materasse; il farmacista che tardava ad aprire la bottega. – La folla cominciava ad ammutinarsi a misura che cresceva. – Cristiani del mondo! Che ci vogliono far morire davvero come bestie nella tana? – Uno, colla faccia stralunata, raccontava come Zanghi avesse acchiappato il male, nella baracca dei commedianti. L'aveva visto lui, coi suoi occhi, il vecchio che lo tirava per la falda del vestito perché gli pareva che volesse passare a scappellotto. – Anche comare Barbara! che pur non si era mossa di casa! – E quell'infame Capo Urbano che andava dicendo « Non è nulla, non è nulla, » e mostrava la carta bianca! Quella era la carta del Sotto Intendente, che ordinava di lasciar spargere il colèra! – Ah! volevano proprio farli morire come bestie nella tana, cristiani di Dio!

Tutt'a un tratto si udirono dietro lo scaffale delle grida: – Mamma! mamma! – e delle strida di dolore disperate. Neli irruppe nella bottega urlando come una bestia feroce, coi pugni sugli occhi. Un parente corse lesto lesto a chiudere gli scaffali, per tutta quella gente che s'affollava nella bottega e nessuno poteva tenerla d'occhio.

Allora la folla, quasi fosse corsa una parola d'ordine, si mosse tutta come una fiumana, gridando e minacciando. Un'anima buona si mise le gambe in spalla, e corse per le scorciatoie dal Capo Urbano, a dirgli che scappasse. Ma il poveraccio, da un bel pezzo, fiutando come si mettevano le cose, aveva infilato l'usciuolo dell'orto, carponi fra le viti, e preso il volo pei campi.

Quelli del baraccone stavano facendo cuocere quattro fave, a ridosso del muricciuolo, seduti sulle calcagna, per covar la pentola cogli occhi, tutta la famiglia. A un tratto udirono gridare: – Dàlli! dàlli! – e videro la folla inferocita che correva per sbranarli. – Signori miei! siamo poveri diavoli, poveri commedianti che andiamo intorno per buscarci il pane! – Il vecchio annaspando colle mani, per fare intendere le sue ragioni; la donna che copriva i figlioletti colle ali, come una chioccia; la giovinetta colle braccia in aria. Arrivò una prima sassata, che fece colare il sangue. Poi un parapiglia, la gente in mucchio accapigliandosi, gli strilli delle vittime, che si udivano più forte. – No! no! non li ammazzate ancora! Vediamo prima se sono innocenti! Vediamo prima se portano il colèra! – C'erano pure delle anime buone in quella ressa. Ma gli altri non volevano intender ragione: Neli di comare Barbara, che gli sanguinava il cuore dall'angoscia; Scaricalasino che aveva visto coi suoi occhi Zanghi stecchito sotto il lenzuolo; massaro Lio che si sentiva già i dolori di ventre addosso. In un attimo la baracca fu tutta sottosopra: i burattini, gli scenari, i cenci, la poca paglia fradicia dei sacconi. Poi, dopo che non ebbero più dove frugare, fecero un mucchio d'ogni cosa, e vi appiccarono il fuoco. – Bravo! E adesso come farete a scoprire se portavano il colèra? – gridavano alcuni. Ma il povero capocomico non sentiva e non badava più a nulla, né le grida di morte, né le falci, né le scuri; pallido e stravolto, col sangue giù per la faccia, i capelli irti, gli occhi fuori della testa, voleva buttarsi sul fuoco per spegnerlo colle sue mani, urlando che lo rovinavano, che gli toglievano il suo pane, strappandosi i capelli dalla disperazione, in mezzo alla famigliuola tutta pesta e malconcia, scampata per miracolo alla strage. – Meglio, meglio che ci avessero uccisi tutti! – Neppure il colèra li aveva voluti, da per tutto dove l'avevano incontrato, stanchi ed affamati.

Ancora, dopo cinquant'anni, Scaricalasino, il quale è diventato un uomo di giudizio, dice a chi vuol dargli retta, che il colèra ci doveva essere nel baraccone. Peccato che lo bruciarono! Quelli erano ricconi che andavano attorno così travestiti per non dar nell'occhio, e buscavano centinaia d'onze a quel mestiere.

Dove avevano saputo far le cose bene era stato a Miraglia, un paesetto mangiato dal colèra e dalla fame, il giorno in cui s'erano viste certe facce nuove per la via dove da un mese non passava un cane, e la povera gente, senza pane e senza lavoro, aspettava il colèra colle mani in mano. Anche costoro mostravano di essere dei viandanti rifiniti dal lungo viaggio, come una famigliuola di zingari; l'uomo che si dava per calderaio, la moglie che diceva la buona ventura, la figlia, una bella bruna, la quale doveva averne fatte molte, così giovane com'era, e portava attaccato al petto cascante un bambino affamato e macilento. Dei suoi diciotto anni non le erano rimasti altro che due grandi occhi neri, degli occhi scomunicati che vi mangiavano vivo. Anch'essi si portavano dietro tutta la loro casa in un carretto sconquassato, coperto da una tenda a brandelli, che veniva avanti traballando, tirato da un somarello sfinito. Siccome la popolazione si era commossa al loro apparire, e minacciava, il Capo Urbano accorse anche qui colle guardie, armate sino ai denti, gridando da lontano – Via! via! – come si fa ai lupi. Loro a ripeter la commedia che venivano da lontano, che li avevano scacciati da ogni dove, che erano affamati, e preferivano li uccidessero lì a schioppettate. Allora, per non saper che fare, temendo di accostarsi per paura del colèra, li lasciarono lì, fuori del paese, guardati a vista come bestie pericolose. Nessuno chiuse occhio, quella notte, la vigilia di san Giovanni, che c'era un chiaro di luna come di giorno. Tutt'a un tratto, coloro che stavano a guardia, nascosti dietro il muro, videro lo zingaro che s'era avventurato carponi sino alle prime case, razzolando in un mondezzaio. Colà l'uccisero di una schioppettata, come un cane arrabbiato. Dopo gli trovarono un torsolo di cavolo, che ci aveva ancora in pugno, e il petto della camicia tutto gonfio di bucce e frutta marcia. Al rumore, alle grida che si udivano da lontano, tutto il paese fu in piedi subito, e la caccia incominciò. La vecchia fu raggiunta all'argine del fossatello, barcollando sulle gambe stecchite. La giovane dinanzi al carretto, che voleva difendere la sua creatura, come succede anche alle bestie, con certi occhi che facevano paura, e cercava di afferrare le scuri per aria, colle mani insanguinate. Dopo, frugando fra i cenci della carretta, trovarono le pillole del colèra e ogni cosa. Ma quegli occhi più d'uno non poté dimenticarli. E ancora, dopo cinquant'anni, Vito Sgarra, che aveva menato il primo colpo, vede in sogno quelle mani nere e sanguinose che brancicano nel buio.

Però, se erano davvero innocenti, perché la vecchia, che diceva la buona ventura, non aveva previsto come andava a finire?

Lacrymæ rerum

Alla finestra dirimpetto, si vedeva sempre il lume che ve
gliava, la notte – le lunghe notti piovose d'inverno, e quando la luna di marzo, ancora fredda, imbiancava la facciata
della casa silenziosa. La stanza era gialla, con una meschina
tenda di velo appesa alla finestra. A volte vi apparivano
dietro delle ombre nere, che si dileguavano rapidamente.

Ogni sera, alla stessa ora, si vedeva passare un lume di
stanza in stanza, sino alla camera gialla, dove la luce si
avvivava intorno a un letto bianco circondato dalle stesse
ombre premurose. Indi la casa tornava scura e sembrava
deserta, nel gran silenzio della via. Solamente, allorché vi
saliva lo schiamazzo notturno di un ubriaco, o il passaggio
di una carrozza faceva tremare i vetri delle finestre, una
di quelle ombre tacite e dolorose si affacciava a spiare nella via, e poi si dileguava.

Di giorno tutte quelle finestre chiuse sembravano quasi
misteriose. Al balcone della camera gialla c'era un vaso
di garofani che morivano di incuria, spioventi sul muro
umidiccio, e che il vento agitava perennemente. Verso il
tramonto si fermava dinanzi alla porta un legnetto, che
dei visi pallidi stavano ad attendere ansiosamente dietro i
vetri, s'intravedeva un affaccendarsi per le stanze, e il lume
che si accendeva anche di giorno nella camera solitaria.
L'ultima visita che fece il legnetto nella stradicciuola solitaria fu più breve delle altre. Un vecchio dai capelli bianchi, col piede sul montatoio, scrollava pietosamente il ca-

po, rispondendo a una giovinetta che le era scesa dietro supplichevole sino alla porta, colle mani giunte e il viso disfatto; anch'essa diceva di sì col capo, macchinalmente, cogli occhi sbarrati e quasi pazzi in quelli del vecchio. Poi, quando egli fu partito, si celò il viso nel fazzoletto e rientrò nell'andito.

Era una sera di primavera, tepida e dolce. Dalla strada saliva la canzone nuova, e il chiacchierìo delle ragazze innamorate, nel plenilunio d'aprile. Al primo piano della casa, dietro una ricca tenda di broccato, si udiva sonare il valzer di *Madama Angot*.

Poscia per la via deserta si udì una squilla, lo scalpiccìo e il borbottare dei fedeli che accompagnavano il viatico; s'affacciarono i vicini, alcuni ginocchioni, col lume in mano, e la folla s'ingolfò sotto la porta spalancata a due battenti, fra due file di lanterne che andavano balzelloni. Tutte le finestre del quartierino desolato si illuminarono per la prima volta, dopo tanto tempo, per l'ultima solennità, mentre la folla degli estranei ingombrava la casa, con un luccichìo tremolante di ceri, nella camera gialla. E dopo che tutti quanti furono partiti, la casa rimase sempre illuminata e deserta, quasi per una lugubre festa. Vi si vedeva solo di tanto in tanto il passaggio delle solite ombre che correvano all'impazzata, in un affaccendarsi disperato.

Nel silenzio alto dell'ora tarda, dietro quei vetri lucenti sulla facciata bianca di luna, sembrava indovinarsi delle invocazioni deliranti, dei singhiozzi soffocati, delle braccia supplichevoli stese verso il cielo sereno. Un usignuolo si mise a cantare all'improvviso da un terrazzino tutto verde di pianticelle odorose, nel silenzio della luna alta, dimenticando forse in quell'ora la sua prigione, pei cespugli del bosco nativo. Di quarto d'ora in quarto d'ora l'orologio squillava lentamente, dall'alto della torre.

La quiete greve della notte sembrava pesare anche su quella casa desolata. Il lume vegliava sempre tristamente nella camera silenziosa. Solo le ombre desolate si agitavano più frettolose e più smarrite, e nell'angolo dove ogni sera si ravvivavano i lumi, luccicavano adesso due fiammelle funebri. Verso mezzanotte si era udito bussare alla porta, e per le stanze si era notato un via vai. Poi tutto si era raccolto in quell'attesa sconfortata. La luna ora lambiva il pavimento, mentre i lumi si spegnevano. La brina sgocciolava ghiacciata sui vetri. A un tratto, in quella semioscurità, successe un correre affannato, un affaccendarsi di gente smarrita, colle mani nei capelli, uno sbattere d'usci. Poi la camera gialla si illuminò vivamente sulla facciata di tutta la casa nera.

L'alba imbiancava pallida e piovigginosa; allora si vide per la prima volta, dopo tanto tempo, la finestra della camera gialla spalancata, e le due candele che ardevano immobili al capezzale del letto bianco. Più tardi vennero degli estranei che andavano e venivano per la stanza, indifferenti, col cappello in capo. Uno che fumava un sigaro alla finestra, si chinò a fiutare il garofano rugginoso che penzolava; aveva una faccia pallida da malato o da prigioniero, colle gote azzurrognole di una folta barba accuratamente rasa.

Di poi quella finestra rimase chiusa e buia la notte; e le altre accanto si aprirono ogni mattina a lasciare entrare l'estate che veniva. E la sera perfino vi si affacciavano timidamente delle giovanette vestite di nero, che ascoltavano in silenzio la canzone nuova, il suono del pianoforte di sotto, e il chiacchiericcio dei vicini.

Una mattina di settembre si videro tutte le finestre spalancate, e le stanze vuote, anche quella gialla, che si era spogliata delle meschine tende bianche, e mostrava una gran macchia di un giallo più carico al posto del letto che non c'era più. Quelle povere masserizie erano sgomberate silenziosamente nella notte, colla triste famigliuola timida. Una vecchia serva venne a pigliare il vaso di garofani, mentre il padron di casa andava guardando per ogni dove coi muratori, gridando e bestemmiando. Egli additava le macchie della vecchia tappezzeria gialla, e i mattoni rotti del pavimento, sputando pel disgusto su quei guasti; tanto che la vecchiarella se ne andò a capo chino, portandosi sotto lo scialle il vaso di garofani come una reliquia.

I muratori si misero a scrostare e martellare da per tutto. E da mattina a sera udivasi la sega del falegname che strideva. Nell'ultima camera avevano alzato un gran ponte, e attraverso quei trespoli si vedevano pendere i brandelli della carta gialla. Dopo vennero pittori, tappezzieri, e le persone ch'erano sloggiate un mese prima non avrebbero ritrovato più le memorie delle loro ore d'angoscia in quelle stanze tappezzate di nuovo e ridenti. Il lume vegliava un'altra volta sino a notte tarda nell'antica camera gialla, dietro le tende di trina foderate di seta celeste; ma le due ombre che si vedevano sempre accanto, cercandosi, correndosi dietro, si confondevano con molli ondulazioni, si univano in una sola; e la mattina si vedeva pure qualche volta una testolina bionda e rosea, che sollevava la tendina allato a una testa bruna e sorridente. Nella sala attigua, sotto un grande specchio dorato che rifletteva la luce di una lumiera velata da un paralume color di rosa, si udivano alle volte le note allegre di un pianoforte, nello scrosciare della pioggia notturna.

Quando giunse la primavera, e l'usignuolo tornò a cantare fra il verde del terrazzino, e le ragazze al lume di luna, i due innamorati presero il volo come due farfalle, e non si videro più. Al settembre la casa mutò d'aspetto, e nella camera azzurra venne a stare un gran letto matrimoniale, che tutte le mattine prendeva aria onestamente dalla finestra spalancata. La casa risonò da mattina a sera del gridìo dei bimbi, e degli strilli del neonato che la mamma allattava a piè del letto. Il marito tornava la sera stanco, colla faccia disfatta, e litigava tutto il tempo colla moglie e coi figliuoli. Poi rimaneva a scartabellare dei conti sulla tavola sparecchiata, sino ad ora tarda, colla fronte fra le mani, sotto il lume che agonizzava. La mattina usciva a buon'ora col passo frettoloso. Di tanto in tanto si udiva una scampanellata furiosa in anticamera, e la madre correva a chiudersi in camera, facendo segno al suo ragazzo di dire che non c'era, coll'indice sulle labbra. Il bimbo tornava, dopo un lungo ciangottare, a parlar colla mamma, la quale riaffacciava la testa allo sbattere violento della porta che faceva tintinnare il campanello; e l'uomo che se ne era andato così in collera, si fermava in mezzo alla strada, a spiare la finestra chiusa. Alle volte la povera donna era costretta a mostrarsi, per calmare il visitatore che non voleva sentir ragione, giungendo le mani in croce, con gran gesti che volevano esser creduti. Tutte le finestre spalancate lasciavano diffondersi pel vicinato indifferentemente pianti di bimbi e liti di genitori. Un giorno, verso mezzodì, venne un vecchietto col cappello bisunto e un fascio di cartacce in mano, seguìto da due uomini malvestiti, i quali si misero a frugare dappertutto, scrivendo dei fogliacci in fretta. La famigliuola li seguiva di stanza in stanza tristamente. La roba fu portata via, alcuni giorni dopo, e delle poche masserizie rimaste caricarono un carro, e se ne andarono dietro a quello, il padre prima, coll'ombrello sotto il braccio, e la moglie dietro coi bambini in coda e il poppante al collo, senza neppur voltarsi a guardare quelle finestre che rimasero spalancate notte e giorno, per mesi e mesi, come se il padrone avesse voluto farne svaporare il tanfo di miseria che vi si era rinchiuso.

Poi vi tornarono dei mobili eleganti, e delle stoffe ricche appese alle finestre. Non vi si udirono più né strilli né schiamazzi; ma un silenzio beato dappertutto; i lumi sembrava s'accendessero da sé, fin nella camera azzurra che aveva una luce velata d'alcova. Non vi si vedeva nessuno; soltanto a notte alta, una testa che faceva capolino timidamente, e guardava nella via, socchiudendo adagio adagio le persiane; e la luce che passava fra le stecche ne indorava i capelli biondi, poi si stampava sul muro della casa dirimpetto in strisce lucenti, come un faro. Dopo alcuni minuti un passo frettoloso e guardingo si udiva nella via, l'ombra della testa bionda appariva rapidamente dietro le persiane, e la finestra si chiudeva. Una sera, nell'alto silenzio, squillò all'improvviso una scampanellata minacciosa.

Si videro delle ombre correre dietro le tende all'impazzata, e le stanze illuminarsi rapidamente una dopo l'altra. Indi un silenzio d'attesa profondo, nel quale risonarono a un tratto delle strida di terrore e degli urli di collera.

I vicini corsero alle finestre, col lume in mano. Ma il quartiere era tornato silenzioso, soffocando i dolori o le collere che racchiudeva fra le sue tappezzerie sontuose. Le finestre rimasero chiuse per un gran pezzo, e allorché si riaprirono, entrarono nelle stanze i muratori che demolivano la casa, per far luogo alla strada nuova, la quale passava di là.

Giorno e notte, dal muro sventrato, si vedevano le stanze nude e abbandonate, colle pitture del soffitto che pendevano, le gole dei camini squarciate e nere. La carta gialla ricompariva sotto la tappezzeria lacera, il segno del letto e le macchie scure, i chiodi sul camino a cui era appeso il grande specchio dorato, il campanello ciondoloni sull'uscio della scala spalancato. Il vento vi faceva turbinare la polvere, la pioggia le inondava, il sole vi rideva ancora sulle pitture, gialle, verdi, azzurre; la luna e la luce dei lampioni vi entravano ogni notte; si posavano sulla macchia unta del letto, sui fiorami dorati del salottino misterioso, scendendo sempre, di mano in mano che il piccone dei muratori si mangiava le rovine.

I ricordi del capitano d'Arce

I ricordi del capitano d'Arce

D'Arce, cullato dal rullìo del bastimento, aveva posato il bicchierino sulla tavola, affissando l'orizzonte mobile attraverso il cristallo del finestrino, quasi vedesse ancora ciò che stava narrando.

– No, neanche la punta di un dito. Adesso è storia vecchia... e anche triste!... Non ci siamo neppur detto di amarci... quello che si chiama amare... Mi piaceva assai, ecco. Andavo da per tutto dove sapevo d'incontrarla, alla Villa, al Sannazzaro, al concerto serale dello *Châlet*. Mi sentivo battere il cuore e inciampavo nelle seggiole appena scorgevo da lontano i nastri rossi del suo cappellino. Mi rassegnavo al cipiglio e all'accoglienza glaciale del Comandante, solo per vedere i begli occhi grigi di lei che mi cercavano nella folla. Essa mi salutava con un sorriso appena accennato: sapete, quel sorriso che vedete soltanto voi, quella fiamma lieve e rapida che illumina a un tratto un bel viso delicato, e vi dice: – Grazie!... – Ma amore, no. Perché c'era di mezzo Alvise Casalengo, mio camerata, mio compagno d'armi e di scuola. – Adesso è andato a finire nella Navigazione Generale, *requiescat* anche lui! – Ma allora era il mio Pilade, troppo Pilade, ahimè, perché potessi fingere d'ignorare quello che sapevano tutti, sebbene Alvise, com'è naturale, non me ne avesse fatta mai la confidenza. Appunto, giusto per rappresentare la parte di uno che non vuole sapere, *filavo* anch'io il mio briciolo di corte alla signora

Ginevra Silverio, la moglie del mio Comandante, in quei due mesi di licenza che avevo passato a Napoli: una corte modesta e superficiale, da non passare il guanto, quel tanto d'omaggio ch'era indispensabile di tributare alla moglie del mio superiore, bella, elegante, un po' civetta pure, dicevano; ma civetta con tanta naturalezza e tanta grazia che quasi non se ne accorgeva. Essa s'era lasciata corteggiare anche da me perché non stonassi nel coro, perché tutti le facevano la corte, perch'ero intimo di Alvise, perché le piacevo, infine. Ciò che era venuto in seguito, ciò che mi sembrava a volte vederle balenare negli occhi e sentirmi tremare nella voce... Sapete come avviene... gli ostacoli, i riguardi umani, la diffidenza del marito, la stessa sicurezza leale di Alvise... Tante punture deliziose, un'attrattiva di sacrificio, un profumo soave di frutto proibito, più velenoso di quelli rubati nell'orto coniugale... In conclusione, ditemi un po', adesso che ne parliamo coi gomiti sulla tovaglia, qual merito ne ho avuto agli occhi di quell'animale che ha piantato amici e spalline per fare il cabotaggio da Palermo a Genova? Il guaio era che il Comandante se la pigliava con l'intero genere umano, causa la pulce che Alvise gli aveva messo nell'orecchio – un pasticcio dell'ordinanza per cui c'erano state fra marito e moglie delle scene spiacevoli, convulsioni, lagrime, il dottore chiamato in fretta e in furia, di notte... Insomma quello che non sarebbe avvenuto, se il Comandante, credendo di far meglio, non avesse avuto la cattiva idea di prendere al suo servizio un cretino di nuova leva il quale non capiva nulla. Poi ogni cosa s'era chiarita per il meglio. Alvise, com'è naturale, era rimasto *a latere* del Comandante, e quella bestia dell'ordinanza, in punizione, sacco e branda, e imbarcarsi subito. I cocci rotti avevano dovuto pagarli gli altri, gli amici di casa, il Comandante stesso, pover'uomo, diventato un orso, un Otello, una bestia feroce. Ti rammenti, Serravalle, quando la signora Ginevra ti si svenne o quasi nelle braccia, ballando in casa Maio? Era tanto delicata, poveretta! E le piaceva tanto il ballo, che suo marito, per la tranquillità dell'alcova coniugale, si rassegnava ad essere di tutte le feste, insieme a lei.

Ma con che viso ci veniva, quell'uomo! Come faceva cascar le braccia ai poveri ufficialetti che gli arrivavano freschi freschi dalla Spezia o da Livorno, e che s'immaginavano di disarmarlo pigliandolo colle buone! Anch'io, purtroppo, ero nella lista dei sospetti. Non so per qual motivo – perché ero più gentile e premuroso degli altri, perché gli ero simpatico, perch'ero amico d'Alvise, fors'anche... Giudizi umani! Il fatto è che nell'animo del Comandante ero un uomo perduto. Tante cose me l'avevano fatto capire: quel diavolo d'uomo aveva un modo di piantarvi gli occhi in faccia per dirvi buongiorno, che v'imbarazzava realmente. E le ingiustizie del superiore, le punizioni e gli arresti che piovevano come gragnuola, l'ordine d'imbarco comunicatomi per telegrafo, quando si sapeva che la squadra sarebbe rimasta a Genova un'altra settimana! Anche lei, povera donna, sembrava consegnata, colla sentinella alla porta, un genovese cane il quale si piantava rispettosamente per mandarmi via, se tentavo di rompere il blocco in un giorno della settimana che non fosse il martedì, il giorno di ricevimento della signora Ginevra, il giorno di tutti e di nessuno. Allorché l'avevo pregata di accordarmi un'entrata di favore, l'avevo vista così imbarazzata, così esitante... Ecco, se avessi voluto permettermi un'indiscrezione col mio amico Alvise, sarebbe stata quella di chiedergli in un orecchio: – Come diavolo fai?...

Era una povera vittima, quella disgraziata! una schiava legata alla catena corta. Chi l'avrebbe immaginato, di voialtri, quando la vedevi arrivare, col nasino palpitante e la febbre negli occhi, e una voglia di divertirsi fino nelle scarpette che si sarebbero messe a ballare da sole? Ma una paura del marito con tutto ciò! Bastava un'occhiata di lui per farle gelare il sorriso con cui vi si abbandonava nelle braccia, anelante, facendosi vento presto presto, smarrita da un capogiro delizioso. E le carezze timide colle quali cercava di sedurre quel cerbero, l'aria inquieta con cui si abbandonava a certe graziose imprudenze, guardandosi intorno per non esser sorpresa da lui, o gli fissava in volto i begli occhi sorridenti per cercare d'indovinare che vento tirasse, le piccole astuzie, le bugiette dietro il ventaglio, i complotti colle amiche per strappare al marito il permesso di un'ultima polca. Giacché la poveretta sapeva quel che le sarebbero costati poi a quattr'occhi quelle audacie disperate, quei colpi di testa ai quali cedeva con tutto il sangue al viso – delle audacie innocentissime. Noi altri uomini non sappiamo mai quanto coraggio ci vuole a fare certe cose.

Immaginate adesso un uomo che vi tira a bruciapelo l'ordine d'imbarco dopo una di quelle sere... innocente com'ero... e la povera signora Ginevra anch'essa!... Nulla di nulla, vi giuro! Neanche una parola, neanche un dito... Se ce ne fu il pericolo, dopo... un momento solo... la colpa fu tutta sua, di lui!...

D'Arce vuotò d'un fiato il resto del cognac, e posò il bicchierino sulla tavola, stringendosi nelle spalle come un uomo che ha navigato per tutti i mari, ne ha viste di tutte le razze e di tutti i colori, e non si meraviglia più di nulla.

– Però non potevo abbandonare Napoli e l'Italia senza andare a salutare la signora Ginevra, tanto più che non avevo potuto vedere neppure il lembo del suo vestito, quand'ero andato a fare la mia visita di congedo, in gran tenuta, fra le dieci e le undici. Lui sì, ce l'avevo trovato il signor Comandante, straordinariamente rabbonito dalla mia partenza, e mi aveva accomiatato con belle parole: – Faccia buon viaggio, e metta il tempo a profitto. So da buona fonte che li terranno un pezzo imbarcati, e avranno tempo di studiare e di farsi onore. Il mare è una gran scuola e un gran corroborante per la gioventù.

Grazie tante! Ma il buon viaggio volevo che me lo desse lei, la signora Ginevra. Non potevo rassegnarmi a tutte quelle belle cose che mi aveva detto suo marito, senza vederla un'ultima volta, e sentire anche quel che ne pensava lei. La mia stessa innocenza mi dava ai miei occhi una specie di salvacondotto per andare a trovarla. Per altro m'ero proposto di essere prudente ed audace come un vero innamorato. E contavo sul gran da fare che c'era al Comando, appunto per quella benedetta partenza. La sera, appena sbirciai il mio superiore che svoltava l'angolo della piazza... – due ore di guardia col naso incollato ai vetri del Caffè d'Europa, amici miei, temendo ogni momento di veder capitare Alvise, che volentieri avrei voluto sapere a casa, magari agli arresti, magari colla febbre. – Vedevo il mio amico in ogni soprabito gallonato che incontravo, lungo la strada, rasente al muro, e il cuore mi batteva un po'... Quando fui poi in via Partenope... Il cerbero che custodiva la porta della signora Ginevra mi lasciò passare senza alzare gli occhi dal *Pungolo,* o credette forse che venissi per un affare di servizio, o si lasciò ingannare dalla somiglianza dell'uniforme... prendendomi per *quell'altro*... Sì in quel momento mi faceva un certo effetto di esser scambiato con un altro. Pensavo ad Alvise, che andava e veniva senza tante difficoltà, e che sarebbe rimasto a Napoli!...

Entrava appunto un bel chiaro di luna dai finestroni colorati, e passava per la strada il ritornello della canzone in voga che solevano suonare allo *Châlet.* Tutte le piccole seduzioni che vi formano le grandi, sapete!... Avevo il cuore alla gola nel bussare all'uscio della signora Ginevra, forse perché ella stava al terzo piano... o perch'ero giovanissimo, allora... Il fatto è che mi sentii penetrare lo squillo acuto e vibrante del campanello sino al cuore, come un sussulto, come una puntura, direi, ripensando ad Alvise... Al mio superiore, no, non ci pensai, altro che per almanaccare un pretesto, pel caso che mi avesse fatto trovare un marinaio comandato di sentinella all'uscio della moglie anche a quell'ora...

Ma invece venne ad aprire Gioconda, quella bella giovane che aveva il viso come il nome, vi rammentate? Essa mi aveva visto spesso venire, nei bei giorni in cui non avevo ancora perso la stima del Comandante, e mi accolse con un graziosissimo sorriso: il medesimo sorriso della sua padrona, indulgente e grato verso le debolezze umane, il sorriso che comprendeva e perdonava, e voleva farsi perdonare ciò che doveva dirmi: – La signora era un po' sofferente, stava già per andare a letto...

Era scritto, vi dico! Mentre mi rassegnavo a tornarmene via, triste come la morte, e indugiavo a scusarmi per l'ora indebita, adducendo la partenza immediata... l'assenza lunga, e questo e quell'altro... – intanto le vedevo negli occhi una gran simpatia, alla buona giovane. – In quel momento il campanello elettrico squillò di nuovo, premuroso e carezzevole, uno squillo che veniva dalle stanze interne stavolta, e diceva: Sì! sì! sì!...

– Se vuol passare un momento in sala, farò a ogni modo l'imbasciata...

Ho anch'io adesso i galloni di Comandante, e molti anni di più sulle spalle, ma ancora, vedete, mi sembra di sentirmi battere il cuore nel soprabito attillato di guardia-marina, rammentando quell'istante in cui vidi comparire sull'uscio del salotto *lei*, tutta sorriso, nella bocca, negli occhi, nel fruscìo del vestito, quel sorriso carezzevole e buono con cui accoglieva i suoi amici e che ho ancora dinanzi agli occhi, quando vado a pregare sulla sua tomba, poveretta!

D'Arce riempì di nuovo il bicchiere, sforzandosi di mostrarsi disinvolto, ripreso, suo malgrado, dalla commozione di quei ricordi.

– La vedo ancora, seduta su quel canapè basso e largo come un letto. Aveva delle calze di seta nera, delle calze terribili, amici miei, sotto quel vestito bianco, tanto che ella se ne accorse, e ritirò adagio adagio i piedini, facendosi rossa. Proprio una bambina, vi dico! civetta, innocente nella sua civetteria come l'aveva fatta sua madre, e con una paura del marito, in quel momento, che le faceva tendere l'orecchio e troncare il discorso di tratto in tratto. Anch'io mi sentivo assai sconvolto... Allora scappammo a parlare tutti e due in una volta, come cavalli spaventati, battendo la campagna, con una vivacità che voleva sembrar sincera. – Io non avevo voluto partire senza andare a salutarla. – Essa non aveva voluto lasciarmi partire senza dirmi addio. – Partire, lasciarsi... – In fondo a ogni parola c'era sempre quella nota, sempre quel tono triste, in sordina, in note tenute, in tutte le note, all'infuori della tua, mio povero Alvise, che dormivi lealmente fra i due guanciali della tua felicità, o piuttosto che perdevi al Circolo, in quel momento stesso, lieto del proverbio che lusingava il tuo amor proprio. – E le nostre parole dicevan tutt'altro, dicevano tutt'al più di viaggi e paesi lontani, di orizzonti sconosciuti, o delle memorie che si portano via, e dei luoghi cari che non si vorrebbero lasciare... – Felice lei che andrà così lontano, per tanto mare, per tanto mondo! Come vorrei volare anch'io, come vorrei venire! – Felice lei piuttosto, che rimane in questa città di cui il cuore porta via tanti ricordi... in questo nido di cui gli occhi non si saziano di baciare ogni angolo e ogni cosa!... – Questo dicevano i sorrisi vaghi, gli occhi umidi, erranti per quel salotto di cui tu conosci ogni gingillo, di cui ogni gingillo ha contato le tue ore felici, fortunato Alvise! – voi! – voi! – voi! – Ma non una parola d'amore, torno a dirvi. S'indovinava, era sottinteso, in ogni sillaba, in ogni frase, discorrendo di amici e di conoscenti... anche di Alvise – ella per provarmi ch'era lontano, tanto lontano dal suo salotto e dal suo pensiero! – io per rallegrarmi della sua assenza – per rallegrarcene intimamente tutt'e due, come eravamo lieti dell'assenza del Comandante... il quale però avrebbe potuto ascoltare tutto ciò che si diceva, lei ed io, senza dover snudare il brando, senza che l'angelo custode della sua casa avesse avuto motivo di tapparsi le orecchie.

In quella squillò di nuovo il campanello dell'anticamera, forte, improvviso, minaccioso: una scampanellata da padrone, di quelle scampanellate che vi pigliano pei capelli, e vi fanno saltare in aria. Ella impallidì visibilmente, e s'alzò di botto, come fuori di sé, agitando istintivamente la mano in un gesto vago. E tutto a un tratto mi si abbandonò fra le braccia, quasi stesse per svenire, cogli occhi smarriti, il seno palpitante... balbettando: lui! lui!

Proprio lui che l'aveva voluto, non è vero? Una povera donna il più delle volte si butta nel precipizio pel timore dell'abisso! Non ascoltava più, non capiva più che così facendo si accusava della colpa di cui eravamo innocenti... Innocenti dinanzi agli uomini e dinanzi a Dio! Essa era caduta come una morta sul canapè, fissando gli occhi spaventati sull'uscio, quasi aspettando di veder comparire di momento in momento il suo giudice e il suo giustiziere... Aspettai anch'io, in piedi, abbottonandomi macchinalmente l'uniforme, come si aspetta in un duello la pistolettata dell'avversario... cinque minuti... dieci... un'eternità. Nulla, non era stato nulla. La cameriera venne a dire poco dopo che eran venuti a cercare il padrone per un affare di servizio.

Accidenti al servizio! La povera signora mi sfuggì di mano come un'anguilla, e non volle più saperne di ripigliare il duetto, proprio quando avevo tante altre cose da dirle, quando il suo viso pallido e i suoi occhi stralunati mi davano le vertigini, mentre respingevami colle mani tremanti, balbettando: – Andatevene! andatevene!...

Soltanto mi dava del voi; mi dava le mani tremanti e gli occhi che si smarrivano nei miei, bramosi e spaventati...

Nient'altro, amici miei... Una donna che ha paura, capite... La paura me l'aveva data un momento e la paura me la ritolse.

Giuramenti di marinaio

– Giuratemi!... giurami!

Chi non avrebbe giurato, al vederla così pallida sotto i nastri rossi del cappellino, al vedere i begli occhi lucenti e il sorriso triste che mi cercava come un bacio? – povera e cara Ginevra, innamorata sino ai capelli, in un *fiat*, da un momento all'altro, dacché le avevo confessato d'amarla, in segreto, senza speranza, da circa due mesi! – Anch'essa! anch'essa! Peccato che avessimo aspettato l'ultimo momento a dircelo! – Almeno voleva lasciarmi negli occhi, nel sangue, nell'anima, la sua immagine, il suo profumo, le ultime sue parole. – Lì, lì, e lì! in tutto voi, fin nel vostro vestito, dovunque sarete, sempre! – Era venuta per questo alla Villa, a quell'ora. – Non sapete quel che ci è voluto! – In ogni suo accento, nel suono della voce, nel muovere delle labbra, c'erano tali carezze che penetravano in me come una gran dolcezza, e come altrettante punture anche, di tratto in tratto, allorché pensavo ad Alvise che dicevano suo amante. – E gelosa, sapete!... di tutte!... di tutte le donne che avete conosciuto... La Seraffini, dite?... o la Maio... a costei le facevate la corte! Non negate. V'ho conosciuto in casa sua. Il guaio è che l'avrete compagna di viaggio sino a Genova! Giuratemi!... Neanche una parola!... almeno a lei... almeno a quelle che conosco!... Pensate a me, d'Arce! Pensate che vi veggo, laggiù, dovunque sarete, che vi seguo col pensiero, dal momento che metterete il piede sul battello, nella cabina, a tavola... Colei ci verrà pure, a tavola, dovesse rendere l'anima a Dio, per farvi ammirare le sue smorfie e il suo vestito da viaggio...

Ella guardava tristamente il bel mare azzurro che doveva separarci per tanto tempo, fra poche ore, e aveva gli occhi gonfi di lagrime, e mi abbandonava la mano, senza curarsi della gente che poteva vederci – per altro erano delle coppie mattutine che venivano a cercare le ombre discrete della Villa, e avevano altro pel capo anche loro – senza pensare al pericolo che correva, senza pensare a quell'orco di suo marito... senza pensare ad altri. E mi si abbandonava tutta, con quella manina tremante di cui parevami di sentire le carezze e la febbre attraverso il guanto di Svezia; e intrecciava le sue dita alle mie, e si attaccava a me, voleva legarsi a me, per sempre – l'una dell'altro – col cuore gonfio ambedue di amore eterno, di costanza e di fedeltà – io a dispetto dei miei venticinque anni – ella col marito sulle spalle... ed Alvise, e tutti gli spergiuri latenti in una bella donna che ride volentieri, e ama sentirsi dire che il suo sorriso fa perdere la testa al prossimo... Allora balbettai:

– Anche voi!... anche tu... giurami!...

Ella non rispose, colle mani nelle mie, gli occhi negli occhi, e una fiamma rapida le salì al viso: – Che posso farci? che posso farci? – voleva dirmi, povera donna. Ma a un tratto mi lesse in viso il nome di un altro, l'immagine odiosa del mio amico Alvise che tornava a mettersi fra di noi. – Oh! – mormorò, scolorandosi rapidamente. – Oh, d'Arce!

Chinò il capo, passandosi le mani sul volto, e non disse altro. Aveva una peluria bionda che moriva dolcemente sulla bianchezza immacolata della nuca. Le dolci parole, il delirio, la frenesia che mi si gonfiarono in cuore allora per chiederle perdono! Come avrei voluto buttarmi a' suoi piedi e abbracciare i suoi ginocchi, i ginocchi che si accennavano vagamente fra le molli pieghe del vestito bigio!... Essa continuava a scuotere il capo, con un sorriso dolce e malinconico, e riprese:

– Quanti orrori vi avranno narrato sul conto mio... le mie buone amiche... lui stesso, fors'anche! Non negate... è inutile. Voglio che sappiate tutto... oramai, sul punto di lasciarci forse per sempre!... Come a un fratello... come in punto di morte... Mi crederete, d'Arce? mi crederete?... Sono stata un po' leggiera... un po' civetta anche, mettiamo... Ecco, vi dico tutto! In casa mia poi, bisogna sapere quante noie! Che scene e che musi lunghi per un misero ballonzolo, fra quattro gatti... per andare una sera a teatro... Non sono né vecchia né gobba infine. Mio marito invece vorrebbe tenermi sotto chiave nella santabarbara della sua nave. Pedante, sospettoso, uggioso! Una cosa tremenda, caro mio! Allora, capite bene... se bisogna nascondergli le cose più innocenti... la colpa è tutta sua... E una povera donna... a meno di finir tisica... Sì, parola d'onore, tante volte ho sputato sangue. Chi sa se mi troverete ancora quando tornerete in Italia, povero d'Arce!.... Vi ricorderete sempre di me, dite? Verrete a trovarmi al camposanto?

Trasse pure il fazzolettino dalla tasca del petto, e se lo recò alla bocca, tossendo un po', con certe piccole scosse che facevano sollevare gli omeri delicati sotto la giacchetta attillata, e le inumidivano gli occhi di un languore sorridente, e le facevano il viso tutto color di rosa. No, no, non volevo sentirla parlare così! L'avrei difesa da quelle malinconie, fra le mie braccia, stretta stretta. Ella schermivasi gaiamente; minacciava pure col fazzolettino... – Badate!... Che matto!... Siamo due matti!... Avete sempre quel brutto sospetto? No, sentite, voglio dirvi tutto. È meglio che sappiate tutto da me stessa... pel caso che egli vi abbia fatto le sue confidenze... *quell'altro*... giacché siete suo amico... Sì, lo so... voialtri uomini siete discreti... Lasciamola lì! È vero che mi ha fatto un po' di corte... come tanti altri... più degli altri anche... E me la son lasciata fare. Mio marito... me lo ha messo fra i piedi lui stesso, il vostro amico, col pretesto di farne il suo ufficiale d'ordinanza... E gli ha attaccato il suo male pure... le sue esigenze e le sue gelosie. Dite la verità, vi avrà fatto delle scene anche a voi, Alvise? Un bel divertimento, quei musi lunghi! E senza averne il diritto, vi giuro! Mi credete, d'Arce? mi credete? Vedete adesso come sono venuta a voi!... Lo sapete... da due mesi... i miei occhi che vi dicevano... – Poi, a voce più bassa, accostando il viso al mio, figgendomi gli occhi nell'anima, con un sospiro: – Tua! Soltanto tua!... Mi credi?

Li avessi visti ai suoi piedi, in quel momento, il marito, e *quell'altro,* mi avessero detto che anche loro... Avrei giurato che mentivano. Mi turbava però il rimorso delle infedeltà che le avevo fatto... prima di conoscerla... e anche dopo... Sì, delle vertigini... qualche momento di oblìo... Ero arrivato a farle di queste confessioni, in quel punto, nel caldo della passione... Volevo dirle tutto, per ispirarle la mia fede, perché non avesse a dubitare anch'essa, mentre saremmo stati tanto lontani!... – Ah, sentite, è una cosa terribile! Volersi tanto bene... proprio all'ultimo momento... volersi così! E neanche la punta di un dito!... Non mi guardate a quel modo, per l'amor di Dio!... Proprio un amore senza macchia e senza paura, questo nostro!... Ah! quel sorriso che mi fiorirà sempre in cuore! Quella fossetta che fate sulla guancia, ridendo!... Un amore siffatto non deve aver paura di nulla... e di nessuno... del tempo che passa...

– Che ora sarà adesso? – chiese a un tratto lei.

Erano circa le due. Essa s'alzò in piedi sgomenta. – Dio mio! così tardi! Ah, povera me! – Poi mi stese la mano e volle pure cavarsi un po' il guanto, buona e cara Ginevra, perché le baciassi il polso sulla nuda carne, lì, dove la piccola vena azzurra avrebbe voluto portarmi su su pel braccio, e le labbra volevano struggersi. – Addio! addio! – Per ricordo strappò una foglia dal cespuglio, dandomene la metà; l'altra se la nascose dentro il guanto, proprio dove si era posata la mia bocca. E nel viso affilato, negli occhi, nella voce, la poveretta aveva il medesimo struggimento che sentiva, pareva che non potesse staccarsi da me. Dovette fare uno sforzo – come uno strappo, nell'ultima stretta di mano – e se ne andò frettolosa, pensando ch'era tardi. Ho ancora nelle orecchie il fruscìo della sua sottana di raso. Povera Ginevra, come doveva avere il cuore gonfio anche lei! E le sarebbe toccato dissimulare poi col marito e con tutti gli altri! Almeno io... Io mi posi a sedere dove essa era stata, andai a rintracciare il ramoscello dal quale aveva strappato la fogliolina. Feci insomma tutto ciò che fanno gl'innamorati in casi simili. Infine dovetti accorgermi che si faceva tardi e che avevo ancora la valigia da terminare.

La prima persona che vidi sul battello, al momento d'imbarcarmi, fu Alvise, il buon Alvise che era venuto a salutarmi, e mi stendeva la mano, a mia confusione. Gliela strinsi con un po' di rossore al viso, ma grato e commosso, quasi mi avesse recato qualcosa della donna che amavamo entrambi. Non c'era nulla di male, se l'amava anch'esso, giacché lei non poteva soffrirlo, e mi preferiva a lui, e si lasciava rubare a lui. Per nascondere il mio imbarazzo gli domandai se ci fossero già dei passeggieri a bordo. – No, non molti – rispose lui. – La signora Maio, una simpatica compagna di viaggio.

La signora Maio risaliva sul ponte in quel momento; c'incontrammo insieme alla scaletta. – Oh, d'Arce! – Colei è un vero demonio, poiché al vedermi quella faccia i suoi occhi si misero a ridere da soli sotto il velo blu; e non la finiva più colle domande: – Dove andavo – se mi era toccata una buona destinazione – se sarei stato un pezzo laggiù – se mi rincresceva di lasciare l'Italia – il bel cielo di Napoli – gli amici...

Ah, Ginevra! Buona Ginevra! Che pensiero gentile!... che piacere mi hai fatto!...

Era proprio lei, la buona Ginevra, che inaspettatamente veniva a dare il buon viaggio alla sua cara amica che odiava, come Alvise era venuto per me. – Per voi! per vedervi ancora un'ultima volta! – dicevano i suoi occhi nel rapido sguardo che mi rivolse. E bastò per farmi rizzare le orecchie sul vero motivo che aveva condotto Alvise a bordo, e farmi allungare tanto di muso. Però essa era meno imbarazzata di me, che dovevo esser pallido in modo ridicolo. Filava imperturbabile il cinguettìo delle donne che non vogliono dir nulla, con la sua amica, con Alvise – a me rivolse appena qualche parola. – Ah, va via anche lei? Partono tutti! Cosa hanno al Ministero che vi mandano tutti via? – Poi fu colta d'ammirazione pel berrettino da viaggio della signora Maio, un cosino di stoffa eguale al vestito, ch'era un amore, posato bravamente sui bei capelli castani, avvolti nella garza che dava una straordinaria finezza al bel visetto ardito e al mento spiritoso. Si mise ad accomodarne le pieghe con un buffetto che sembrava una carezza, dietro le spalle della sua amica, e intanto mi lanciò un'occhiata tremenda. – L'amica prestavasi discretamente alla manovra, col tatto di una donna che sa vivere e lasciar vivere, tutta per lei, affabilissima anche con Alvise, dimenticando quasi che io fossi lì, come un intruso in quel terzetto spensierato che lasciava suonare la campana della partenza senza badarci. Infine la ragazza che andava in giro col piattello a raccogliere i soldi pei virtuosi che ci avevano strimpellato l'augurio di buon viaggio, il cameriere che spingeva verso la scaletta i venditori di cannocchiali e di pettini di tartaruga, fecero capire ch'era il momento di separarci. Le due amiche si buttarono le braccia al collo. Alvise s'ebbe pure la sua stretta di mano all'inglese dalla signora Maio, la quale trovò un mondo di saluti da lasciargli, per lui, pei suoi amici, per tutto il genere umano, occupandolo, impadronendosene, pigliandoselo, tutto per sé, tenendolo sempre per mano, mentre Ginevra stringeva la mia forte forte – fu l'unico segno – e le labbra che tremavano, il sorriso che spasimava, e l'occhiata lunga... Poi la rivolse sull'amica, scintillante, e quasi minacciosa.

– Buona Ginevra! – osservò la Maio, rispondendo al saluto che essa continuava a mandare dalla barchetta, mentre si allontanava in compagnia di Alvise. – E pensare che le toccherà pigliarsi delle osservazioni da quell'orso del Comandante, se egli arriva a sapere...

La gentile signora volle ancora restar lì, appoggiata al parapetto, perché la nostra amica potesse continuare a salutarci, rispondendo al saluto col fazzoletto anche lei, di tanto in tanto, sbadatamente e guardando altrove. Poi mi lasciò solo, e scese nella cabina, allorché il fazzolettino della barchetta poté seguitare a sventolare da lontano senza compromettersi. Caro fazzolettino che tremava nella brezza, e palpitava verso di me, e moriva nella caligine della sera, sul fondo già scuro del bel lido che cominciava a formicolare di lumi, a destra verso Portici, a sinistra per la Riviera. Quante volte avevo colà cercato i nastri rossi del tuo cappellino, amor mio, e i tuoi occhi bramosi mi avevano detto: – Sì, sì, lo so!... Io pure!... – Tu pure pensi a me in questo momento, e cerchi il lume del mio bastimento fra gli altri lumi che si allontanano dal porto, mentre Alvise ti dà la mano per aiutarti a scendere a terra, seccatore! Egli può ancora udire lo scricchiolìo delle tue scarpette che si affrettano verso una carrozzella, e vedere il tuo piedino che si posa sul montatoio. Qual via farai per andare a casa? San Ferdinando... Chiaia... Le vetrine scintillanti del Caffè d'Europa, dinanzi a cui tu passi come una visione... Gli oziosi che stanno a vederti dal marciapiedi! Quante volte ti ho aspettata anch'io, lì!... Lo sai che ti vedo... e ti accompagno cogli occhi, io pure... passo passo, come tu promettesti di pensare a me?... Come ero felice di sentirti parlare, di sentirti dire che volevi seguirmi col pensiero, col cuore, ogni momento, dacché avrei messo il piede sul ponte, nella cabina, a tavola!... Povera e cara Ginevra! ti seccava che ci dovesse venire quell'altra, a tavola! Ti seccava, come mi secca che Alvise ti abbia accompagnata... Eri gelosa... E senza motivo, credi! Colei ha capito subito che sono ben preso, sino ai capelli, tutto tuo!... Non è mica una sciocca la signora Maio!... E a tavola non vorrà perdere il tempo a farmi ammirare le sue smorfie, come le chiami, cattiva! Non vorrà che io rida di lei sotto i baffi... Ed io non voglio ch'essa rida di me, se non mi vede a pranzo, se le lascio immaginare che io stia qui a *pascermi di lai*... com'ella suol dire quando il suo musetto sardonico vi mette tutti i diavoli in corpo.

La signora Maio però non era scesa a tavola. Il posto di lei rimaneva vuoto, a destra del capitano. Ma l'udivo muoversi nella cabina, dietro le mie spalle, con un fruscìo d'abiti che mi turbava, a volte sommesso, quasi timido e pudibondo, a volte alto e brusco, come agitato da un'improvvisa fantasia. Che diavolo faceva la bella signora? Si sentiva male? Stava per coricarsi? Non la finiva più di sgusciare delle sottane e di sfibbiare dei ganci?... Il vestito, no... Quello non era il *frù-frù* vivo della seta... Era piuttosto il fruscìo molle della biancheria più intima. Pareva di sentirne il profumo all'ireos. Il fatto è che mi guastava il pranzo, mi dava delle distrazioni, una tensione d'udito in cui sembravami di vedere ogni parte del suo vestiario, a misura che le passava per le mani, di vederla nelle bottiglie e negli specchi dirimpetto, colle braccia nude, pettinandosi per la notte. – Brutta notte che avrei passato con quella cabina attaccata alla mia! – Povera Ginevra, le parlava il cuore! – Talché non volli aspettare neppure il caffè, e andai sul ponte a fumare un sigaro... e pensare *a lei*...

– Bravo, d'Arce! Venite a farmi compagnia, – udii una voce che mi chiamava da poppa. Proprio la Maio, che desinava tranquillamente, al lume della bussola, col piatto sulle ginocchia.

– Come... voi qui! – mi scappò detto.

– Grazie! Credevo che aveste già notata la mia presenza a bordo, ingrato! – rispose sorridendo e mordendo una fetta di pera.

– Mi era parso di sentire... Chi c'è dunque nella vostra cabina?

– La cameriera, credo. Starà mettendo in ordine la mia roba. Pensate che devo starci quattro o cinque giorni in quella gabbia!

– Tanto meglio!

– Tanto meglio, sia pure, giacché siete in vena d'amabilità. Intanto mi tocca far penitenza, come vedete...

– L'avrei fatta anch'io volentieri con voi, se avessi saputo...

– Oh, voi... è un'altra cosa. Prima di tutto siete corazzato... sul mare; e poi vi sono i regolamenti, che so io, tutti quegli ostacoli che avete immaginato voialtri... a bordo. Mentre io... povera donna... Mi è riuscito intenerire il cameriere... con un po' di buona volontà... È una vergogna! In tanti anni che ho l'onore di appartenere alla marina di Sua Maestà... per via di mio marito, non sono arrivata a farmi il piede marino, come dite voialtri; e se non voglio morir di fame bisogna prendere delle precauzioni. Volete prenderne anche voi? Lì, in quel sacchetto, c'è della menta di Van-Pol eccellente. Fumate pure, sapete che la sigaretta non mi dà noia. Non ci conosciamo da oggi, mi pare! Anzi, se volete darmene una anche a me...

Mentre allungava il musetto color di rosa per accenderla, quasi volesse baciarmi, mi parve di vedere un altro punto luminoso nei suoi occhi, un balenìo che diceva: Traditore! Ma si tirò subito indietro, per farmi un po' di posto nel seggiolino pieghevole al quale aveva appoggiato i piedi, avvolgendosi nel suo mantellone da viaggio.

Invece, come attratto, mi accostai a lei, guardandola dal basso, col sorriso sincero di quei momenti, dicendole colla voce un po' roca:

– Sapete che mi hanno dato la cabina accanto alla vostra?

– Tanto meglio.

– Per voi, forse... Ma per un povero diavolo...

– Ah, la tentazione? Beveteci sopra un bicchier d'acqua. Del resto vi prometto che passerò la notte sopra coperta. Laggiù si soffoca... Il faro di Napoli! – interruppe a un tratto, additando un punto luminoso in fondo.

Sembrava un occhio che ci spiasse dall'orizzonte buio, ora tremulo, come velato di lacrime, ora raggiante all'improvviso. Sembrava che giungesse sino a noi, col mormorìo vasto e profondo del mare, l'eco della città, con sospiri soffocati, con voci misteriose, con canzoni malinconiche.

La Maio s'alzò, vacillante pel rollìo del bastimento, e prese il mio braccio, appoggiandovi anche il petto nel fare qualche passo, sfiorandomi col vestito, col mantello grave che mi si avvolgeva alle gambe e mi legava.

– Non ci reggo, no, caro d'Arce! A momenti vi casco nelle braccia! – balbettò fra due scoppi di risa soffocati che risuonavano come una musica.

Infine si fermò presso la sponda, senza lasciare il mio braccio, col gomito sulla ringhiera, e il bel mento delicato sulla mano nuda, guardando sempre laggiù, verso il punto luminoso.

– Cara Napoli! A quest'ora i nostri amici saranno tutti allo *Châlet.* Vi rammentate le belle serate allegre?... Quando il marito di Ginevra non era di cattivo umore, povera Ginevra... Come è stata buona venendo a salutarmi sino a bordo!... Tutta cuore... si farebbe in quattro pe' suoi amici... È per questo che ne ha molti... e devoti... voi, Alvise... Mi sembra di vederlo quel diavolo di Alvise, a combinare il giochetto per nascondere a quell'orso di marito l'innocente scappata d'oggi... d'accordo con Ginevra... Il solito giuoco di bussolotti... là, là, e là!...

Questa volta essa aveva il sorriso diabolico in bocca, mentre picchiava sul parapetto colla mano nuda. Era sempre stata la mia passione quella mano un po' lunga, un po' magra, che diceva tante cose e faceva perdere la testa. Mi chinai su di essa e la baciai.

Ritirò la mano, lentamente, senza dir nulla; ma il sorriso le morì sulle labbra che parvero tremare e scolorirsi.

– Ecco come siete, tutti quanti!... – mormorò dopo un momento, guardandosi intorno, e passandosi la mano sul viso.

Eravamo soli, nascosti dalla parete della scala; la presi per forza e la baciai sulla bocca avidamente, felice di sentire che già si abbandonava, come fosse la prima volta.

– Dite la verità – mi chiese poi. – Ve la siete fatta dare apposta la cabina accanto alla mia?

Alvise aveva ragione di dire che era una simpatica compagna di viaggio: allegra, graziosa, riboccante di spirito, e senza malinconie. Se qualche momento ne avevo io, delle malinconie, ripensando alle ultime parole della mia Ginevra, ai suoi begli occhi lagrimosi che mi chiedevano di esserle fedele, quest'altra metteva la miglior grazia a farmi tosto spergiuro... e contento. Una di quelle donne che non passano la pelle, ma che sanno accarezzarla. Discreta poi! Mai una allusione o una parola. Sapeva forse che il mio cuore era preso, e si contentava del resto. Talché continuai ad andare a trovarla anche dopo che fummo arrivati a Genova, mentre aspettavo l'imbarco per Montevideo.

– Sapete, povera Ginevra... – mi disse un bel giorno, leggendo una lettera che le era giunta allora da Napoli. – Pare che abbia avuto dei guai laggiù, per quello scapato di Alvise... S'è lasciata cogliere dal marito, la sera stessa che partimmo, vi rammentate?

A quella notizia dovetti fare un viso molto sciocco, poiché ella soggiunse, col suo ghignetto malizioso, stavolta:

– Ve l'aveva fatto anche lei, il giuramento del marinaio?

Commedia da salotto

– Badate! Egli sa tutto!

La signora Ginevra era pallidissima lasciando cadere quelle parole a fior di labbra, rapidamente, mentre fingeva di rispondere con un sorriso al profondo inchino di Alvise Casalengo, allungandogli, nel passare, una stretta di mano breve e confidenziale. Egli, inquieto, cercò cogli occhi il marito di lei nell'altra sala.

Ma non poté chiederle altro. La folla li separò tosto. Ella, sorridente sempre, scollacciata sino al dorso, scintillante di gioie, aggiravasi fra i tavolinetti preparati per la cena, chinandosi a odorare i fiori, ad ammirare tutte quelle graziose ventoline colorate; rispondeva gaiamente ai saluti, agli auguri, alle strette di mano. In fondo alla sala, nel gran specchio inclinato sul caminetto, si mirò un istante ad assicurare la stella di brillanti che le tremolava fra i capelli, pallidissima, quasi la sfumatura livida che le accerchiava i begli occhi si fosse allargata a un tratto per tutto il viso delicato.

– Sola? – esclamò la contessa Maio. – Libera e sola? Che miracolo!

– Sì – rispose Ginevra collo stesso tono allegro. – Una volta ogni fin d'anno almeno!... Ho lasciato Silverio in anticamera... coll'Ammiraglio... Sono fuggita...

Le parole e le labbra ridevano. Ma gli sguardi erravano inquieti, come cercando ancor essi. Alvise, sempre vicino all'uscio, stava a discorrere col suo amico Gustavo, tranquillamente, lisciandosi i baffi tratto tratto per dissimulare una ruga sottile che gli si contraeva di tanto in tanto all'angolo della bocca, e l'ansietà acuta che balenava suo malgrado negli occhi, i quali volgevansi spesso verso il salotto d'ingresso. Dietro a un vecchietto calvo, dinanzi a cui tutti s'inchinavano, entrò il marito della bella Ginevra, col fiore all'occhiello, salutando gli amici, baciando la mano alle signore, solamente un po' duro e un po' rigido nel vestito nero, con un lieve aggrottar di sopracciglia appena incontrò lo sguardo fermo e rispettoso di Casalengo, il quale lo aspettava sull'uscio, piantandosi militarmente.

– Ah, lei, tenente?... Ha terminato quel rapporto?

Casalengo stava per rispondere, quando la signora Gemma, ad una parola dettale rapidamente sottovoce dalla sua amica Ginevra, la quale aveva seguito ansiosa quell'incontro, con occhi che luccicavano intensi, quasi tutti i suoi lineamenti si alterassero all'improvviso, mentre passava macchinalmente il fazzolettino sulle labbra, attraversò la sala rapidamente, per andare a impadronirsi del Comandante.

Poscia tornando trionfante al braccio di lui, le chiese:

– Hai caldo?

– No... Sì, veramente... Un po'...

– Sei pallida. Fa troppo caldo qui, cara Ginevra.

– No, no... Non importa...

La buona Gemma, intanto, aveva sequestrato il Comandante nel vano di una finestra, tenendolo a bada con delle chiacchiere, interrompendosi con delle risate argentine che squillavano in mezzo al brusìo della sala, facendo di tutto per sedurre quell'orso, saettando di tempo in tempo alla Ginevra un'occhiata lucente che voleva dire: – Cosa diavolo è successo? Indi prese il braccio dell'Ammiraglio e lo condusse verso il canapè, stordendo anche lui col suo cicaleccio allegro, continuando a guardar come distratta, come a caso, la sua amica e il marito di lei ch'era preso adesso nel circolo della contessa, voltandosi più guardinga verso il salotto dov'era andato a cacciarsi Casalengo insieme al suo camerata Gustavo. Infine Gemma abbandonò l'Ammiraglio alle altre signore, e passò nel salotto anche lei. Ginevra li vide che discorrevano animatamente con Casalengo. Egli coll'aria grave, rispondendo a monosillabi, Gemma diventata seria, con un interesse che tradivasi dai minimi gesti, per quanto fosse abituata a padroneggiarsi in pubblico. Gustavo s'era dileguato al par di un'ombra.

Una domanda a lei rivolta la fece trasalire in quel punto: Serravalle che le chiedeva un valzer e insisteva per averne la promessa: – Le fo paura? Non vuol vedermi neppure? È ancora in collera, dopo tanto tempo?

Essa lo guardò un istante come trasognata, battendo le palpebre, col bel sorriso pallido che stentava a rifiorire sui lineamenti disfatti: – Ah, lei?... No! Mai più... Del resto non si ballerà...

– Sì, sì, dopo cena, me l'ha detto la contessa... per cominciare l'anno nuovo... Cominci l'anno con una buona azione, lei!... Non ce n'è un'altra che balli il valzer come lei!... Dica di sì! dica di sì... un giro solo!... l'ultimo!...

– Mai più! mai più!... Sarebbe il primo dell'anno nuovo, se mai... Non voglio passare tutto l'anno a svenirmi nelle sue braccia... Sul serio, lei gira troppo in furia... Mi fa girare il capo... Si rammenta?

– Ah! per l'amor di Dio... Non me lo rammenti, piuttosto! Non me lo faccia perdere il capo, lei!... Ha detto di sì!... Consegno qui la sua promessa!...

Ella rideva tutta quanta, come una bambina, a scatti, con una fossetta sulla gota, con certi movimenti che facevano sbocciare gli omeri delicati dalla scollatura del vestito. Altri giovanotti le fecero ressa intorno, mentre Serravalle se ne scappava segnando nel taccuino il valzer che le aveva quasi strappato a forza. Ciascuno la supplicava d'accordargli un posto al suo tavolinetto, nel va e vieni degli invitati che sedevano a cena in piccoli gruppi di tre o quattro, con delle esclamazioni giulive, degli scrosci di risa, dei nomi barattati da un tavolino all'altro, un fruscìo di seta, un luccicare di gemme, delle spalle nude che si chinavano con movimenti graziosi. Ella tenendo testa a tutti quanti, schermendosi col ventaglio, ribattendo i frizzi e le galanterie, spiava sottecchi ogni atto, ogni gesto di suo marito e di Casalengo, il quale stava cercando il suo posto anche lui. I loro sguardi si evitarono d'accordo, non appena s'incontrarono, per caso. Il Comandante, dando il braccio alla contessa, le parlava nel viso, allegro e disinvolto anche lui. La signora Ginevra, ritta dinanzi al posto dove aveva letto il suo nome sul cartoncino litografato, cavava adagio adagio le mani scintillanti di anelli dall'apertura del guanto che le saliva sino al gomito, avvolgendoli mezzi intorno al polso. Gemma, che aveva potuto raggiungerla finalmente senza dar nell'occhio, le chiese sottovoce, brevemente:

– Cos'è stato?

– Nulla... Ti dirò poi...

Ella così dicendo s'era chinata a leggere i nomi dei suoi compagni di tavola. Ma scorgendo quello di Alvise di faccia a lei, un'attenzione delicata della contessa, che studiavasi di mettere insieme bene i suoi invitati, non seppe reprimere un moto come di sgomento.

– No, no... per carità...

Gemma colse a volo il significato di quelle poche sillabe: – Casalengo, faccia il piacere... venga qui, con me... Mi liberi da Sansiro, che è una vera persecuzione...

Sansiro, il quale dovette prendere il posto di Alvise Casalengo, di faccia alla signora Ginevra, fece un inchino troppo profondo, che gli valse un'occhiata fulminante di lei. Però in mezzo all'allegria generale lui solo rimaneva straordinariamente grave e taciturno, senza la più piccola freddura, senza permettersi con la bella Ginevra una sola delle spiritosaggini che facevano scappare le signore, quasi avesse voluto protestare col suo contegno contro l'accusa della signora Gemma. Affettava di volgere le spalle a Casalengo; chinava gli occhi sul piatto se la signora Ginevra volgeva i suoi verso il tavolinetto vicino. Mostravasi servizievole e premuroso; ma discretamente, con un certo sussiego, parlando poco e di cose serie. Bruni, che era il terzo, faceva lui per tutti e tre.

Nondimeno la festa languiva in quell'angolo della sala, malgrado gli sforzi di Casalengo che stuzzicava e tormentava peggio di Sansiro la signora Gemma. La povera Ginevra s'era fatta seria, quasi sentisse pesare di tanto in tanto sulla sua graziosa testolina gli sguardi acuti del marito, il quale dal canto suo battevasi i fianchi per tener desta l'allegria nel crocchio della contessa. Gli uomini fingevano di essere occupatissimi nel fare onore alla cena, le signore sfioravano appena un'ala di fagiano o accostavano il bicchiere alle labbra. Sembrava che un'invincibile musoneria si propagasse da quel cantuccio per tutta la sala, senza che una parola fosse stata detta, senza che un'indiscrezione fosse sfuggita, senza che un gesto avesse tradito il segreto, quasi l'istinto di tutti quei complici mondani li avesse avvertiti insieme del dramma che celavasi sotto il sorriso. Il Comandante, vuotando l'uno dopo l'altro dei gran bicchieri d'acqua, animava però da solo il circolo della padrona di casa, la quale coll'occhio vigile intorno, col sorriso amabile per tutti quanti, guardava di tratto in tratto l'orologio posto di faccia a lei sul caminetto. A un dato momento, quand'essa toccò il bicchiere del Comandante con un dito di *champagne* spumante in fondo al suo, gli invitati si alzarono frettolosi. Degli augurii, dei baci, degli accenni, dei saluti s'incrociarono da un punto all'altro, da un tavolino all'altro. Un muovere di seggiole, uno scomporsi di gruppi, una cordialità generale e un po' chiassosa che voleva essere sincera. Dei sorrisi che si cercavano, e degli sguardi che si spiavano a vicenda. La signora Ginevra aveva chinato i suoi per tornare ad infilarsi i guanti. Gemma, nello scambiare con lei il bacio d'augurio, le disse all'orecchio:

– Bada, Ginevra! Non ti far scorgere. Hai tutti gli occhi addosso!

– Ah, Dio mio! Dio mio!

Poscia, mentre s'avviavano a braccetto verso il pianoforte, dove una folla di signore assediava l'Ammiraglio che sorbiva lentamente il caffè, essa balbettò:

– Tieni a bada mio marito... per carità... due minuti soli...

E siccome Gemma insisteva per sapere cosa fosse avvenuto, infine, aggiunse:

– Ti dirò poi... ti dirò poi...

L'Ammiraglio narrava una storiella allegra, con tutti i punti e le virgole, senza lasciarsi intimidire dal coro delle proteste, dalle esclamazioni di rimprovero, dai ventagli che lo minacciavano. Gemma facendo coro alle sue amiche, coll'indignazione anch'essa nella bocca sorridente, era riuscita ad insinuarsi fra il Comandante e l'uscio del salottino dove si fumava: – Che orrore!... Siete un orrore!... tutti quanti! Anche lei, Silverio! Sì, anche lei che trova da ridere a coteste infamie! – Col busto inarcato, volgendo indietro la testolina accesa, ella seguiva colla coda dell'occhio la sua amica che aveva l'aria di fuggire lei pure Gustavo e Serravalle troppo insistenti dietro di lei. – No, no, Ginevra! non stare ad ascoltarli!... Sono diventati impossibili!... tutti quanti!

Così dicendo tornò a prendere il braccio dell'amica, giusto sull'uscio del salotto in fondo al quale Casalengo stava fumando una sigaretta, appoggiato alla spalliera della poltrona.

– Che vuoi fare, Ginevra? No, per l'amor di Dio! Sta' attenta! Tuo marito ha un certo viso questa sera!

– Bisogna ch'io gli parli... assolutamente!... Non ho avuto tempo d'avvertirlo... Se mio marito riesce a trovarsi solo con lui prima che io l'abbia prevenuto nascerà qualche disgrazia!...

La poveretta era convulsa mentre balbettava quelle parole, sottovoce, coll'aria più indifferente che poteva, nello stesso tempo che accostava il capo ad ammirare la bella croce di brillanti sul petto dell'amica. – Ah, Dio!...

Suo marito entrava in quel momento nel salottino, diritto, calmo, arrotolando fra le dita una sigaretta. Poi si chinò per accenderla a quella di Casalengo, mentre la moglie in fondo alla sala, sentivasi venir meno, colla visione di quei due uomini che si trovavano faccia a faccia negli occhi stralunati. La contessa, che vedeva ogni cosa dal suo posto, si mosse subito, e passò immediatamente nella stanza dove fumavasi.

– Ah, Dio mio! – balbettò la povera Ginevra.

– Via, mia cara!... Vedi!... È lì la contessa. Non c'è pericolo pel momento...

Essa, interrottamente, con un soffio di voce, le labbra smorte e convulse, gli sguardi erranti qua e là, disse cosa era stato.

– L'ordinanza l'ha visto venire ieri sera... tardi... Ha detto ogni cosa a mio marito... Io non ho avuto tempo di suggerire una scusa *a lui*...

Intanto davano mano a sgombrar la sala per far quattro salti. I giovani aiutavano, allo scopo di impietosire la padrona di casa e strapparle un sì. Ma la contessa tappavasi le orecchie per non lasciarsi sedurre, ostinata, inflessibile, tossendo in mezzo al fumo delle sigarette, diceva sempre di no, ridendo e colle lagrime agli occhi.

– No, no... Dite anche di no, voialtri signori mariti!... Aiutatemi!... Lo faccio per voialtri... È tardi... Me ne dispiace, miei cari giovinotti, ma questo non era nel programma... Non voglio farmi tanti nemici... – Il Comandante Silverio l'appoggiava ridendo. Anzi, si avvicinò alla moglie, per farle osservare dolcemente ch'erano circa le due, che essa aveva l'aria un po' stanca, che si sarebbe affaticata troppo e sarebbe stata una vera imprudenza per lei così delicata... così cagionevole... Invano Gemma vi frapponeva le sue preghiere, il suo ventaglio, l'impegno con Serravalle. La sua amica, in un momento che nessuno poteva udirla, l'aveva supplicata:

– Non mi lasciare andare!... Ho paura!...

I giovanotti muovevano cielo e terra. Infine, come la vinsero, appena risuonarono le prime battute festanti del valzer, la bella peccatrice si lasciò prendere dal ballo, tutta, diventata tutt'altra donna da un momento all'altro, col viso acceso, gli occhi ebbri, il seno palpitante, spensierata, gaia, una bambina, dimenticando ogni cosa, passando da un ballerino all'altro senza un'esitazione o una preferenza. Quando incontrò la mano di Alvise, febbrile e parlante, nella contraddanza, essa gli porse due dita inguantate, come a tutti gli altri. Casalengo ballava anche lui disperatamente, senza riposarsi un minuto, senza lasciare il tempo a un pensiero o ad una parola molesta di intromettersi fra lui e le ballerine che andava invitando una dopo l'altra, quasi indovinando e obbedendo a una parola d'ordine. A un dato punto, nel bel mezzo d'uno sfrenato galoppo, la signora Gemma gli buttò sul viso poche parole rapide.

Le signore s'accomiatavano infine, ancora anelanti, un po' rosse, coll'allegria e l'eccitazione nelle parole e nel gesto. Alvise Casalengo, che era venuto a salutare fino in anticamera la signora Ginevra, disse tranquillamente al marito di lei che l'aiutava ad infilare la pelliccia:

– Comandante, per terminare quel rapporto che mi ha ordinato mi occorrono alcuni schiarimenti... Ero venuto a chiederglieli... ieri sèra...

– Ah! – rispose Silverio piantandogli gli occhi in faccia. – Va bene. Mi spiegherà poi...

Alvise vide biancheggiare fugacemente le sottane di lei che montava in carrozza senza neppure osare di volgere il capo, e rimase inquieto sulla porta, lasciando spegnere il sigaro, colpito dallo sguardo del marito, il quale esprimeva chiaramente di non credere alle sue parole, e dal tono brusco di quella risposta che gli faceva immaginare ciò che sarebbe accaduto più tardi in casa Silverio.

Accadde che a quattr'occhi, nel disordine profumato dello spogliatoio, dove la Ginevra, poveretta, s'era lasciata prendere dalle convulsioni, discinta, coi bei capelli sciolti, fra le lagrime calde e le calde parole, e il dottore per giunta, chiamato in fretta e in furia, e ch'era lì sempre fra i piedi, a tastarle polso e ordinare calmanti, il marito dovette convincersi che Casalengo era proprio venuto a cercarlo per un motivo innocentissimo, e il giorno dopo, quando Alvise venne a prendere gli ordini come al solito, in tenuta bianca, un po' pallido soltanto per la stanchezza della notte, gli disse battendogli sulla spalla:

– Quel benedetto rapporto ci ha dato un gran da fare, a lei e a me! Se ne sbrighi in due parole, e mi dica subito quali schiarimenti le occorrono, senza bisogno di tornare a incomodarsi stasera.

Né mai, né sempre!

Se un angelo del cielo fosse disceso a promettere sul serio la dolce lusinga che Casalengo credevasi obbligato di tubare tratto tratto all'orecchio roseo della signora Silverio, nei momenti buoni: – Per sempre uniti! – L'uno dell'altro! – Sempre! – Lei, no. Lei non ne diceva delle sciocchezze, neanche in quei momenti...

Ora poi, da che aveva corso il pericolo di vedersi cascare fra capo e collo tanta felicità, per l'imprudenza di un domestico – da che suo marito stava in guardia e minacciava una catastrofe, era diventata prudente, in modo da far disperare Casalengo, l'imprudente! – Ah, no, mio caro! Se sapeste, che paura!

La bomba scoppiò all'improvviso, quando meno la povera signora sentivasi disposta a dar fuoco alle polveri: uno di quei colpi di vento o di follia che vi fanno perdere la bussola. E Casalengo l'aveva persa davvero dietro a quella donna che rassegnavasi docilmente al supplizio di non riceverlo più da solo a solo – specie quando la incontrava al ballo o in teatro, e non poteva neppure metterle un bacio sull'omero nudo. Qualcosa gli diceva: Bada, essa non è più quella di prima. C'è qualcosa, un pensiero fisso, un segreto, *un altro*, negli occhi che ti guardano, nelle labbra che ti sorridono, nel gesto, nel suono della voce. Proprio! il vostro peccato, che vi si rivolta contro, e vi punisce...

– Ginevra! È impossibile durarla così... quando si ama... se mi amate ancora...

– Ingrato! – ribatté lei, fermandosi un minuto solo, sull'uscio della sala da giuoco.

– Perdonatemi... Avete ragione... sempre. Ma mettetevi nei miei panni, s'è vero che mi amate...

– Lasciatemi! Lui s'è voltato a guardarci... Avete visto?

Aveva ragione, sempre, lei; anche quando rideva e civettava in mezzo a una folla di cicisbei per sviare i sospetti; mentre lui doveva tenersi in corpo il dubbio, la febbre, la gelosia, in fino! la smania di sapere e di toccare con mano la sua disgrazia, di stringersela fra le braccia, e di conficcarsela ben bene nel cuore – costretto a mostrarsi disinvolto anche lui, onde evitare il ridicolo, allorché finalmente ella volle offrirgli una tazza di thè, nel vano di una finestra.

– Grazie. Me la son meritata. È vero.

– Ma... secondo. Lasciatemi guardarvi in viso...

– Ah no! Non facciamo imprudenze! Io, per esempio, potrei vedere nel vostro qualcos'altro...

– Che cosa?

– Lui!...

– Lui, chi?

– Lui, *quell'altro*... Vedete se sono buono!

Il poveretto arrivava a bruciarle sotto il naso il granellino d'incenso della gelosia amabile. Una cosa deliziosa. Ella, ridendo, diceva di no, di no, col sì negli occhi.

– Un altro, chi? Siete matto?

– Che so io... il sogno di stanotte, il chiaro di luna, la canzone che passa, l'ultima parola che vi è rimasta nell'orecchio, fra tante... forse senza che ve ne siate accorta voi stessa...

Casalengo si batteva i fianchi, non potendo combattere il rivale incognito ch'era inutile cercare, ch'ella non avrebbe confessato giammai, e che non osava forse confessare a sé stessa, ancora. Una voce gli diceva all'orecchio, a lui pure: È inutile, tutto ciò che farai aggraverà i tuoi torti di geloso che ha dei diritti, ed è diventato un ostacolo. Non potrai essere con lei né magnanimo, né dispotico, e neanche innamorato, quasi. Se minàcci t'avvilisci, e se piangi sei ridicolo. L'ultimo di cotesti imbecilli che le fanno la corte ha un gran vantaggio su di te. Non puoi mostrarti a lei né umile, né minaccioso, né indifferente, né sospettoso. Comunque ella ti risponda, sdegnosa, o docile, o tranquilla, o timida, ti butterà egualmente in faccia un rimprovero, una accusa, una di quelle parole che rompono braccia e gambe, e fanno chinare il capo: – Seccatore! – Bisogna umiliarti colle finzioni, scendere alle indagini tortuose, rassegnarti al supplizio stesso che hai inflitto al marito di lei: la pena del taglione, il castigo di Dio, poiché c'è una giustizia lassù anche per queste cose: e diventare odioso come un marito, peggio ancora, perché tu sei legato a lei soltanto da quel vincolo ch'essa vorrebbe mettersi sotto i piedi. Tu non hai la scusa della famiglia e dello scandalo da evitare, quando non hai il coraggio di rompere quella catena; non hai il diritto e la legge, per costringere e dominare la donna di cui sei geloso; non puoi averla sotto gli occhi a tutte le ore per spiarla; non hai l'interesse per difenderti, né la scelta del momento per riconquistarla. Le stesse armi con le quali hai combattuto ti si ritorcono contro: le astuzie, i ripieghi inesauribili che ella sapeva trovare, il sangue freddo nei momenti difficili che ammiravi in lei, e il candore delle bugie che ti sembravano deliziose nella sua bocca... E l'ebbrezza della vittoria, poi! il ricordo di certi momenti che ti si ficca nelle carni col sospetto di un rivale latente fra te e lei...

Proprio un affare serio, anche per un uomo meno innamorato di Casalengo – giacché l'immagine di un rivale passato, presente o futuro c'entra un po' in tutti i romanzi del cuore. Una tentazione da farvi perdere il lume degli occhi.

– Sentite, Ginevra!... È assurdo... quando si ama... se si ama... non cercare... non trovare in tutta Napoli un cantuccio, un momento per ritrovarsi, come prima... fosse anche per cinque minuti soli... A meno che...

– A meno che, nulla! Lo sapete e avete torto.

Pure gli aveva accordato quell'appuntamento, proprio perché non ne aveva voglia, per lealtà, perché era un'imprudenza e un pericolo serio in quel momento, col marito che le stava alle costole, e sembrava fiutasse in aria qualcosa anche lui. Gliel'aveva accordato fors'anche perché indovinava i sospetti di lui, e sentivasi colpevole, in fondo in fondo. Le donne hanno di coteste delicatezze che noi uomini non arriveremo mai a comprendere.

– Ebbene, – gli disse, – giacché lo volete assolutamente... Sia pure. Ditemi quando e dove... Non importa. Cercate voi.

Casalengo aveva trovato: un alberguccio losco che essendo brutto assai sembravagli non potesse essere scoperto da altri. Essa ripeté:

– Sia pure... dove volete. Non importa.

Prese a due mani il suo coraggio e le sue sottane, e salì in punta di piedi quella scaletta sudicia, sfidando alteramente gli sguardi avidi e indiscreti del servitore bisunto, appena velata da un pezzetto di trina che si era cacciata in tasca, come non s'era curata del viso che aveva fatto la cameriera vedendola uscire a quell'ora e vestita così dimessamente, come s'era rassegnata all'insolenza del lazzarone che l'aveva scarrozzata sino al vicoletto oscuro, dopo mille andirivieni sospetti, ghignando e ammiccando alla gente che incontrava, per accusare il soffietto traballante sotto il quale tentava di nascondersi la povera signora messa così alla berlina, rinfacciandole al termine della corsa: – Cinque lire? A chi le date? Un servizio come questo!

Casalengo aspettava dietro la finestra, colle tendine calate, il cuore in sussulto, innamorato sino ai capelli, dopo tanto tempo che non si erano più visti... o quasi. Essa entrò senza esitare, pallidissima, premendosi il petto anche lei. Ritirò la mano che egli le aveva presa, e cavò dal manicotto una boccettina che fiutò a lungo, senza risponder-

gli, senza muovere un passo, guardandosi intorno cogli occhi lucenti: degli occhi in cui erano tante cose, all'infuori dello smarrimento e dell'abbandono che aspettava lui. Però, in quel momento Alvise vide soltanto lei, bella, bianca, bionda, odorosa, sola con lui. E la ringraziava colla voce tremante, col cuore traboccante di riconoscenza e d'ardore, col viso acceso, colle mani tremanti. Accarezzava il manicotto e i guanti di lei; le faceva dolce violenza per attirarla vicino a lui, sul canapè a grandi fiori gialli e rossi:
– Cara Ginevra... Bella e buona tanto!... Finalmente!... Povera bimba... come le batte il cuore!... Qui, qui sul mio!...

– Ditemi, – rispose invece lei, sempre colla boccetta sotto il naso. – Non potreste aprire quella finestra?

– Ah! – esclamò Casalengo, lasciandosi cadere le braccia. – Ah!

Ella si pentì subito d'essersi lasciata sfuggire quelle parole che erano state una fitta al cuore del povero innamorato, e sedette rassegnata, scusandosi col dire:

– Ma si soffoca qui!...

– Perdonatemi... C'è un mondo di gente alla finestra dirimpetto... Non ho potuto trovare di meglio... per la vostra sicurezza...

– Vi ringrazio. Avete ragione.

Adesso rimanevano in silenzio l'uno rimpetto all'altra, imbarazzati e quasi cerimoniosi. Talché lei, buona in fondo, se ne avvide, e volle togliersi i guanti e la veletta, per compiacenza, cercando ove posarli. Poi, a buon conto, cacciò ogni cosa nel manicotto, che si tenne in grembo.

– Scusatemi, Alvise... Vi sembrerò strana... Sono tutta... così!...

Alvise continuava a tacere, seduto di faccia a lei, guardandola fissamente, tristamente. E nei suoi occhi un sentimento nuovo, una grande amarezza balenava. Infine, con voce mutata, nella quale tradivasi suo malgrado quell'angoscia, le disse:

– Ahimè, Ginevra... siete come una che non ama più!

Anch'essa allora alzò gli occhi splendenti, guardandolo fisso, con un sorriso amaro all'angolo della bocca.

– Avete ragione di dirmi ciò... adesso... e qui!...

– Ah! Non vedete quanto soffro? Non sentite che vi amo come un pazzo? Non avete indovinato tutte le torture?...

Vinto dalla commozione, dal desiderio, dalla passione, si lasciò trascinare a dirle tutto: le angoscie, i palpiti, il dubbio, le notti passate sotto le sue finestre, la febbre che gli metteva addosso solamente quella breve striscia del suo polso nudo, i castelli in aria, i sogni, le follie... tutto, tutto, proprio come un bambino: l'abbandono intero che tanto piace alle donne. Essa gli posò infatti le mani sui capelli, quasi per accarezzarlo, commossa di vedersi ai piedi la forte giovinezza di quel fanciullo di trent'anni, come abbandonandosi anche lei, per riconoscenza. Soltanto, vedendogli luccicare le lagrime negli occhi, tornò fredda come prima.

– No... ecco... Ho avuto una gran paura... Ecco cos'è...

– Paura di che, povera bimba?...

– Ma di lui, mio caro. Si fa presto a dire... Vorrei vedervici voi!

E anch'essa sciorinò allora tutto ciò che aveva patito e temuto, dal giorno che suo marito era entrato in sospetto. Non si riconosceva più quell'uomo. Un Otello addirittura! Dormiva col revolver sotto il guanciale. Una paura atroce, un batticuore continuo... Se incontrava lui, Casalengo... se non lo vedeva... temendo che un gesto o una parola lo tradisse... trasalendo a ogni lettera che portava la posta... se udivasi il campanello... Ogni cosa che la metteva sottosopra... l'umore del marito, il contegno dei domestici...

– Insomma una cosa da far venire i capelli bianchi, amico mio!

– Ebbene! – esclamò Casalengo raggiante, stringendole le mani da farle male, seduto ai piedi di lei, supplicandola cogli occhi innamorati, accarezzandola col sorriso ebbro. – Ebbene!...

– Ebbene, che cosa?

– Fuggiamo insieme!... lontano da Napoli!... in capo al mondo!... Troveremo pure un nido dove nascondere la nostra felicità!...

Ella spalancò gli occhi, attonita, quasi le avessero proposto di condurla alla luna in pallone, d'andare a un ballo in veste da camera, di camminare a testa in giù. Sicché il lirismo e l'entusiasmo del povero innamorato caddero a un tratto. Ma lei, vedendolo così mortificato, ripigliò immediatamente, mettendogli la mano sulla bocca:

– Zitto!... zitto!... per carità!...

Cercò di fargli intendere ragione, di farlo rientrare in se stesso, quel gran fanciullone, proprio colle buone, con dolcezza, abbandonandogli le mani anche, purché non ne parlasse più... Egli non ne parlava più infatti, baciava e ribaciava quell'epidermide fine e profumata, risalendo lungo il braccio, sollevandosi sulle ginocchia.

Allora la bella Ginevra tornò ad avere la paura di prima.

– Badate, Alvise!... Siete proprio sicuro che nessuno m'abbia vista?... Voglio dire che nessuno abbia potuto vedermi... mentre venivo?...

– Ma... certamente...

– Perché... m'è sembrato che qualcuno mi seguisse... una carrozzella, sì... dalla Villa sino a Foria... E anche nel salir la scala... Lui non pareva risolversi ad uscire. M'ha chiesto se andavo al concerto... Siete sicuro della gente di questa casa?

– Sicurissimo... Chi volete... Nessuno vi conosce...

Alvise non connetteva più, dal momento che quella manina gli si era posata sulla bocca. Cercava le parole, balbettava, tentava di rifarsi al punto di prima e di riguadagnare il tempo perso, indispettito di vederselo fuggire a quel modo, stupidamente, dopo tanti ostacoli e tante difficoltà per trovarsi un'ora insieme!... Ma lei però aveva il coraggio di pensare a tante altre cose in quel momento; badava a difendere la sua veletta e il manicotto!...

– No... davvero... Alvise... Ho paura!...

– Ah, sì!... la carrozzella... Foria... la scala!...

– Ecco! – rispose lei corrucciata. – Ecco come siete!

– Ma io sono come uno che ama, cara mia! Non ho i vostri *ma* e i vostri *se*... E neanche voi li avevate, prima...

– Ecco! ecco! Me lo merito!

– Oh, Ginevra!... oh!...

Ella si era messo il fazzoletto agli occhi: un'altra gran tentazione, il profumo di quel fazzoletto, e le lagrime di quegli occhi! Alvise le afferrò di nuovo le mani, baciandole, baciando il fazzoletto, gli occhi, il vestito, fuori di sé, delirante, chiedendole se l'amava ancora, proprio, tutta tutta, se sentiva anche lei quello struggimento e quella frenesia. Essa diceva di sì, di sì, coi cenni del capo, col rossore del viso, col tremito delle mani, abbandonandoglisi a poco a poco, mutandosi in viso, fissandolo col turbamento delizioso negli occhi, balbettando anche lei, vinta alla fine:

– Non vedete... Non vedi... Sarei qui forse?... Vi pare che sia una cosa da nulla?...

– Sì, è vero! Perdonami, povera bimba! Bimbetta bella e cara!... Come batte quel cuoricino!... Anch'io, sai!... Ma è un'altra cosa... Non è vero?... Guardami! Sorridimi! È stato un grande affare, eh, questa scappata?... Un colpo di testa!... Non siam fatti per le tempeste grosse dell'amore! Preferiamo la maretta che ci culla e ci accarezza!... Non è vero? di', confessalo! Siamo un po' civettuole anche! Ci piace di vederci corteggiate e di far perdere la testa al nostro prossimo, eh?... Di'! di'!... Tutti coloro che ti corrono dietro e sospirano alla luna!... Confessalo! Confessati! Dimmi, chi è l'amante della luna adesso? colui che sospira di più per la mia Ginevra? Lo sai? te ne sei accorta? ti piace, di'... ti piace far disperare il prossimo tuo?...

Ella sorrideva proprio come una bimba, stordita, commossa, riconoscente di quella nuova adulazione, dicendo di no, di no, che amava il suo Alvise, lui solo! E gli buttò anche le braccia al collo. Tanto che lui non disse più nulla e ricominciò a parlare soltanto coi baci, dei baci che se la mangiavano viva, e le facevano mettere dei piccoli gridi soffocati:

– No!... no!... Davvero!... Zitto!... Sento proprio rumore. Lì!... nella scala, dietro l'uscio!... sentite?...

– Ah!... quella scala maledetta!...

Ma Alvise s'arrestò lui pure a un tratto, udendo realmente il rumore di un alterco sul pianerottolo, poiché il cameriere voleva guadagnarsi coscienziosamente la sua mancia, e difendeva energicamente l'ingresso del santuario. Una voce li fece allibire entrambi, la voce di Silverio. L'uscio sgangherato si spalancò a un tratto, e apparve lui, il marito, Otello, cieco di rabbia e di gelosia – e stavolta poi con ragione, almeno all'apparenza. – Il cuore le parlava, a lei!

Ciò che allora accadde può bene immaginarsi; perché anche dei gentiluomini, in certe occasioni, perdono il lume degli occhi tale e quale come dei semplici facchini. Una scena terribile e tale da guarire in un momento di ogni tentazione passata e futura la povera donna che faceva sforzi disperati per svenirsi. Mai più, mai più poté levarsi dagli occhi il gesto di Alvise che aggiustavasi la cravatta, cercando il cappello per uscire insieme al suo nemico mortale, e andare a tagliarsi la gola d'amore e d'accordo. Fuori di sé, derelitta, andò un'ora dopo a bussare alla porta di lui.

Alvise parve stupefatto.

– Voi!... qui!

– Oramai!... – balbettò ella smarrita. – Oramai... siete il mio amante...

– Ma no, amor mio!... è impossibile!...

– E dove volete che vada adesso?

– A casa vostra. Non temete. Vostro marito è un gentiluomo. Tutto è accomodato.

– Accomodato, in che modo?

– Non sarà fatta parola di voi nella questione fra me

e vostro marito... Ci sarà di mezzo un'altra donna... una che non avrà nulla da perdere.

– Nessuno vi crederà.

– Non importa che credano. Ma bisogna che sia così. Vostro marito partirà immediatamente per un lungo viaggio... Voi sarete libera...

– Ah!...

– Credetemi!... – diss'egli stringendole forte le mani, quasi colle lagrime agli occhi. – Credetemi che darei tutto il mio sangue purché non fosse avvenuto tutto ciò!

Ella gli si buttò fra le braccia, piangendo tutte le sue lagrime, abbandonandosi interamente all'uomo che un'ora prima cercava un nido in capo al mondo per andare a nascondervi il loro amore e la loro felicità. Adesso invece cercava di calmare la povera Ginevra, preoccupato dei riguardi che doveva alla riputazione di lei, ai *ma* e ai *se* che le aveva rimproverato poco prima, cercando di farle comprendere le esigenze mondane che un'ora avanti voleva farle mettere sotto i piedi, un po' pallido, malgrado il suo coraggio provato, tutto un altr'uomo, imbarazzato, esitante, guardando l'uscio e l'orologio ogni momento, rispettoso e delicato, uomo di mondo sino ai capelli, è vero, ma un uomo di mondo cui sia caduta una tegola sul capo, e gli sia rimasta fra le braccia *una gatta da pelare,* per usare la frase gentile che nessuno dice e tutti pensano in casi simili.

– Infine... – proruppe, – cara Ginevra... aspetto qualcuno... Non potete farvi trovare qui da questo qualcuno...

Il senso morale è industrioso in tanti modi. E non è a dire che Casalengo ne fosse peggio dotato degli altri. Quando il suo rivale se lo vide sotto la mira della pistola, con quella faccia, disse piano agli amici che l'assistevano: – Ecco un uomo morto.

Certo non mancò per lui, che gli piantò due pollici di ferro fra le costole, e lo mise a letto per un pezzetto. La signora viaggiò tutto quel tempo, almeno si disse. E se pure andò a trovare il suo amico, di nascosto, proprio da suora di carità, non se ne seppe mai nulla ufficialmente. Le lettere, per andare da lei a lui, facevano un lungo giro, coll'aiuto di un'amica fidata. Talché quando la signora Ginevra riaprì il suo appartamento in via Partenope, libera e sola, più bella e elegante che mai, fu una gara fra le signore e gli uomini in voga a darvisi ritrovo. Alvise vi andò cogli altri, all'ora del thè, un giorno che il salotto era pieno di gente, e la bella Silverio faceva gran festa a tutti.

– Ah, Casalengo! Bravo! Temevo che fosse partito, o che mi avesse dimenticata.

Egli vi ritornò altre volte, nei giorni di ricevimento e anche dopo. Si fermava allo sportello della sua carrozza, al passeggio; e andava a salutarla nel palchetto, al San Carlo. Era sempre uno degli intimi, come prima, il cavalier servente dell'elegante mondana, mentre il marito di lei viaggiava lontano, talché non c'era persona che sapesse vivere la quale invitando la signora Ginevra dimenticasse di invitare Casalengo, e viceversa. Proprio il nido d'amore, tappezzato da Levera, e col terrazzino sul golfo di Napoli per contemplare le stelle, e la luna di miele. Erano liberi, soli e senza alcun sospetto. Ma non era più la stessa cosa, o almeno non era più la stessa cosa di prima. Nella loro felicità aprivasi una lacuna, una crepa in cui s'abbarbicavano delle male piante che aduggiavano il bel sole d'amore e facevano impaccio alle parole e alle cose gentili. Lei, infine, non sapeva perdonare a Casalengo l'inchino profondo, l'aria troppo rispettosa con la quale veniva a salutarla, in teatro, al ballo, fra i suoi amici. Lui aggrottava le ciglia suo malgrado, tal quale come Silverio, se qualcheduno di essi mostravasi più appiccichino degli altri, più assiduo e premuroso degli altri verso di lei – tacendole le sue pene, oppure stordendola col cinguettarle alle orecchie delle sciocchezze che la facessero ridere. – Le conosceva anche lui le arti di cotesti seccatori... e anche lei un po' civettuola lo era stata sempre... per incoraggiare ogni sciocchezza che le tubassero all'orecchio.

– Una noia, cara Ginevra!... Non capisco come certuni

si buttino addosso a una signora e le facciano gli occhi dolci per dirle magari: buona sera!

– Quello che facevate voi, mio caro... allora... nei bei tempi... Quando vi dicevo: Né mai, né sempre...

Carmen

– No, non mi tentate, Casalengo! Sapete che mi chiamano Carmen! Il vostro amico è « biondo e bello e di gentile aspetto »; è ingenuo, timido e cavalleresco... ritorna adesso dagli antipodi... Insomma, mi piace assai. Non voglio conoscerlo. – Essa gliel'aveva detto!

Invece Casalengo credeva che scherzasse: leggerezza, vanità, orgoglio d'amante che fosse stato in lui; cecità di stolto che Dio voglia perdere; incanto di quelle labbra che avrebbero fatto commettere qualsiasi sciocchezza per vederle sorridere ancora in siffatta maniera; distrazione procuratagli dai monili serpentini che tintinnavano scorrendo giù pel braccio nudo, il quale levavasi minaccioso, col dito rivolto al cielo: – Guardate, Casalengo! C'è un Dio lassù per queste cose!...

Ma quando lui, col sorriso fatuo che gli segnava già le prime rughe sottili accanto agli occhi, s'ostinò a fare la presentazione: – Il mio amico Aldini... – Essa rispose semplicemente: – Gli amici dei nostri amici... – E stese la mano al nuovo arrivato con tanta cordialità, così lieta di scorgere nel giovanetto l'omaggio di un grande imbarazzo, che volle pure ringraziarne Casalengo con un'occhiata rapida: un'occhiata in cui era il sorriso del diavolo.

Aldini, che aveva sentito parlare sino a Zanzibar della gran passione per cui il suo amico Casalengo s'era giuocate le spalline di comandante, provava adesso una certa sorpresa dinanzi a quella donna che non aveva poi nulla d'estraordinario. Un viso delicato e pallido, come appassito precocemente, come velato da un'ombra, dei grandi occhi parlanti, in cui era della febbre, dei capelli morbidi e folti, posati mollemente in un grosso nodo sulla nuca, e il bel fiore carnoso della bocca – la bocca terribile – come dicevano amici e gelosi.

Ma lo turbava il profumo mondano, la carne mortificata dalla gran vita, che traspariva fra le trine preziose, il segno che il braccialetto le lasciava sulla pelle delicata – e gli dava un gran da fare per non mangiarsela cogli occhi. Ella se ne avvide, e mise cinque minuti buoni a infilarsi il guanto, in premio dell'ammirazione muta che le tributavano gli occhi sinceri del giovinetto, i rossori fugaci, le parole mozze... Da abbracciarlo, lì, dinanzi a tutti quanti! E gli lasciò in pegno il ventaglio, tornando a ballare il valzer – un legame, lo scettro della sultana.

– Eccoti comandato... servizio particolare! – gli disse Casalengo ridendo. – Se avevi qualche impegno, ti scuserò io, caro Riccardo...

– No! Oh no! – esclamò Aldini, stringendo forte il ventaglio colle due mani.

Adesso osservava alla sfuggita, con una curiosità inquieta e rispettosa, il suo amico Casalengo, la forte giovinezza di lui come curva sotto un giogo, il sorriso distratto sulle labbra riarse, le frasi stonate, il pensiero fisso, l'ardore segreto, la ruga impercettibile e quasi nascosta fra le ciglia, gli sguardi erranti, suo malgrado, attratti dalla donna amata che gli fuggiva dinanzi nelle braccia di un altro, raggiante, e gli buttava in faccia il sorriso, il profumo, il vento dell'abito, la nudità delle spalle, tutte le seduzioni, i fantasmi dell'amore e della donna, quali erano passati dinanzi agli occhi a lui pure, Aldini, nelle calde fantasticherie dell'adolescenza, discorrendo laggiù della maliarda la quale prendeva lui pure adesso, con una parola, con un nulla, legandolo, incatenandolo a sé con quel ninnolo che gli aveva messo fra le mani, come un fanciullo che si voglia tenere a bada.

– Ah, ma sapete! È proprio carino il vostro amico Aldini!

– Ve l'avevo detto, – rispose Casalengo un po' ironico. Ella si strinse nelle spalle con un movimento che gli mise sotto il naso i begli omeri nudi.

– Badate però. È un ragazzo... un ragazzo pericoloso.

– Ah, così? – disse lei.

E Carmen volle farne l'esperimento, povero Aldini. Tanti altri, ora vinti e intossicati per tutta la vita, l'avevano chiamata con quel soprannome di guerra e di malaugurio, ch'era la punzecchiatura delle sue amiche gelose, e la carezza o la maledizione degli incauti che si lasciavano prendere al fascino del suo sorriso dolce e buono – la più strana cosa, su quella bocca di vampiro. Poich'essa faceva il male con una incoscienza ch'era la sua maggiore attrattiva; vi metteva una sincerità, quasi una lealtà che le faceva perdonare i suoi errori, come il gran nome che portava le faceva aprire tutte le porte. E una squisita eleganza, una grazia innata fin nelle bizzarrie, un'ingenuità provocante fin nella stessa civetteria, l'aria di gran dama anche in un veglione, avida di piaceri e di feste, quasi divorata da una febbre continua di emozioni e di sensazioni diverse, una febbre che la consumava senza ravvivare il suo bel pallore diafano, né le sue labbra dolorose, ma che però la lasciava spesso in una prostrazione desolata, le dava delle ore di stanchezza e di uggia, di cui i suoi adoratori pagavano la pena: ore tremende – in cui non c'era altro da fare che prendere il cappello e andarsene – dicevano i forti, quelli che avevano pianto poi dietro l'uscio di lei. – Gli altri, coloro che cercavano di spiegare le sue follie, se non di scusarle, dicevano ch'era ammalata, ch'era matta – tutti i d'Altona erano morti tisici o dementi – che aveva provato dei gran dolori e dei gran disinganni, ch'era ferita a morte, condannata senza speranza, e voleva vivere vent'anni in venti mesi.

– Gliel'ha detto anche a lei, il mio amico Casalengo, che mi chiamano Carmen? – chiese ella ad Aldini, col sorriso mordente, la prima volta che un'ondata di folla glielo mise di nuovo faccia a faccia, all'uscire dal Sannazzaro.

Ma gli stese la mano senza rancore. Poscia, mentre aspettava la carrozza, stretta nella pelliccia, e con quell'aria di stanchezza e di noia che faceva scappare la gente, soggiunse:

– M'accompagni. Servirà ad insegnarle la strada... quando vorrà venire a farmi una visita. Troveremo qualche amico a casa... degli amici suoi e miei, per prendere il thè insieme... se non ha paura che l'avveleni come la Lucrezia Borgia di stasera... una Lucrezia tremenda, da morir di noia!...

Fu in tal modo che lo prese, – come, per fargli posto nel legnetto, aveva preso e raccolto a due mani il suo vestito, – e lo avvolse fra le pieghe di esso, e lo stordì col suo profumo, allorché la pelliccia, scivolandole giù per le spalle, gli buttò al viso e alla testa la trasparenza di quegli omeri rosei – senza volerlo, quasi senza avvedersene, in quell'ora di uggia e d'umor nero che l'avrebbe fatta dar della testa nell'imbottitura del *coupé*, e che egli le leggeva sul viso smorto, mentre guardava distrattamente attraverso il cristallo, ai bagliori fugaci che gettavano le vetrine scintillanti dentro la carrozza che correva su per Toledo – senza dirgli una parola, né rivolgergli un'occhiata, quasi non pensasse più a lui, o subisse ancor essa lc strano imbarazzo di quell'incontro, di quel silenzio, dell'oscurità che li avvolse tutti e due a un tratto nello stesso mistero e nella stessa tentazione, appena il legno svoltò pel corso Vittorio Emanuele – o sapesse che ciò doveva bastare a mettergli nel cuore, a lui, nelle carni, incancellabile, la febbre di quell'occasione che fuggiva rapida, la sete di quelle labbra di donna che si celavano nell'ombra, il turbamento di quella sfinge che rimaneva per lui impenetrabile, nello stesso tempo che gli palpitava allato. – Degli angeli godono così di sfiorare la colpa colle loro ali candide – ed essa non era un angelo, no, povera signora! Talché quando lo presentò ai suoi amici che l'accoglievano festanti: – Il tenente Aldini! – con un'aria di trionfo, quasi avesse detto: – Ecco il Figliuol Prodigo! – era così pallido e stralunato, il povero Figliuol Prodigo, e come abbagliato dalla piena luce del salotto, o dalla fiamma ch'essa gli aveva accesa in cuore! Ed essa aveva davvero qualcosa dello spirito del male, in quel momento, nel sorriso ironico, nell'aria strana, nel pallore marmoreo del volto, nell'allegria forzata colla quale davasi tutta ai suoi ospiti, lottando di brio e d'arguzia, servendo il thè, dimenticando completamente Aldini in un cantuccio, faccia a faccia con un album di ritratti nel quale cercava di nascondere il suo imbarazzo.

– Che cosa vi ha fatto quel povero giovine? – le chiese sottovoce Casalengo, mentre inchinavasi a prendere una tazza di thè dalle sue mani.

– Tutti m'avete fatto! – rispose lei nel medesimo tono di scherzo.

Ed era forse la verità, il grido di rivolta del suo cuore ulcerato, il senso di disgusto che aveva trovato in fondo al bicchiere, l'amarezza che l'aveva colta allo svegliarsi dai sogni d'oro – quando aveva visto il pentimento mal dissimulato dell'uomo a cui aveva tutto sacrificato – quando era stata ferita dall'insulto che nascondevasi sotto il madrigale dei galanti resi audaci dalla sua caduta – quando l'era mancata sin l'alterezza e l'illusione del sentimento puro, della fede giurata, pel tradimento altrui, ed anche pel proprio. – Non valeva di meglio, no, essa ch'era stata debole nell'ora stessa in cui *un altro* le era infedele. Tanto peggio! Tanto peggio per tutti, anche per lei, che sentiva rifiorire il bel fiore azzurro dentro di sé. Non le avevano detto che i fiori durano un giorno, e che solo sinché odorano esistono? Era tornato spesso in quella casa di cui essa gli aveva insegnato la via, il Figliuol Prodigo, timido e rispettoso, ma preso proprio sino ai capelli, innamorato come un pazzo, di un amore bizzarro che si pasceva di chiaro di luna e di passeggiate sotto le finestre. – L'aveva visto tante volte, lei, prima d'andare a letto, nel buio della strada!

Ed era strano come ciò la facesse sorridere di piacere, le facesse cacciare il viso infocato nel guanciale, con una muta carezza.

Era una voluttà sottile e penetrante, il gusto di un'infedeltà che non poteva dar ombra a Casalengo; ma così dolce, quando beveva il bacio dagli occhi ingenui d'Aldini, e sentivasi ricercare avidamente da quell'adorazione bramosa, tutta, il seno palpitante, mentre ballava con lui, e le braccia che avrebbero voluto avvincerlo, al sentire come gli batteva il cuore contro il suo, il cuore che gli si dava, e la bocca, e la persona intera – e neppur tanto così, nondimeno! Né una parola e neanche un dito! – Una volta sola, smarrita, in quelle ondate di sangue che la musica e il valzer le mandavano alla testa... – No, Riccardo, così... mi fate male!...

Insomma, era scritto lassù. Ella non avrebbe voluto, no, davvero, per timore del poi, per timore di lui e di sé stessa... e di Casalengo pure, giacché non era cattiva in fondo. Ma allorché volle proprio, coll'anima e col corpo... Tanto peggio! Almeno non volle essere né ipocrita né egoista. Aveva sempre pagato del suo la festa, in moneta di lagrime e di onte segrete; e non doveva nulla a nessuno, neppure al Casalengo, cui aveva dato il diritto di mostrarsi geloso sacrificandogli tutto quando non l'amava più.

Come Aldini ricevette l'ordine d'imbarco, e minacciava di dare la dimissione, di tagliarsi la gola, un mondo di cose, ella gli disse:

– No, Riccardo. Verrò con voi... dovunque...

Una proposta che lo sbalordì, povero Aldini, quasi presentisse già il momento in cui doveva pesargli come una catena, quella dolce compagna che gli buttava le braccia al collo. Ma allora vide soltanto le belle braccia delicate che l'avvincevano, e le labbra fragranti che gli si promettevano per sempre. Ella forse, sì, ebbe la visione di quel giorno, nella nube che le misero agli occhi innamorati le lagrime di tenerezza.

– Sì, viaggerò anch'io. Non ho nulla che mi trattenga

qui... No, no... lo sapete!... Né altrove, in nessun luogo... Ho buttato al vento il mio fazzoletto... per lasciar fare al destino... Non per voi, siate tranquillo. Sono ricca e padrona di me. Sarò libera... fra breve... non dubitate. Lasciate fare a me... che non farò del male né a voi né ad altri. M'hanno sempre detto che i viaggi di mare gioverebbero alla mia salute. E poi, non vi terranno sempre imbarcato, mio povero Riccardo... Vi lasceranno mettere piede a terra, di tanto in tanto... per dimostrare alle belle straniere che ci abbiamo dei begli ufficiali a bordo delle nostre navi... per proteggere delle connazionali color di filiggine o color di cioccolatte... Ebbene, io sarò laggiù ad aspettarvi, dove indicherà il telegrafo o il giornale. Vi farà piacere di trovar lì una tazza di thè e un cappellino da cristiani, non è vero? E senza pesare tanto così su di voi! senza nuocere alla vostra carriera... Non avranno da dire né i regolamenti, né il servizio, né i superiori, e neanche le conoscenze che raccatterete per via, quando vi manderanno troppo lontano, o dove non sarò certa di trovare un caminetto e dei fiori freschi... Vedete che non fo la brava, e non vi prometto mari e monti... Liberi e felici come due uccelli dell'aria! Soltanto, quando anche questa bella volata nell'azzurro ci stancherà... o ci verrà a noia... a voi o a me... poiché tutto finisce... Quando vorrete maritarvi, o amerete un'altra... Sì, sì, ragazzo mio, un bel giorno rideremo di queste belle parole che ci fanno piangere adesso... Ma non importa, se adesso sono sincere... Quando vi parrà che io vi sia d'inciampo nella carriera o nella vita, e vorrete riprendere tutta intera la vostra libertà, ditemelo francamente... Come io dirò francamente a un'altra persona che voglio riprendere la mia libertà, oggi stesso... Non v'inganno e non inganno, vedete, Riccardo! Non sono peggiore di quella che sembro... Ma non ci diamo la pena e il tormento di mentirci, mai! Mi promettete?... mi prometti?

– Oh, amore! amore bello! – esclamò Aldini fuori di sé, tentando di prendersela fin da quel momento fra le braccia avide.

– No! – rispose lei, mettendogli le mani sul petto. – Non ancora... Quando sarò libera... e tua!

Casalengo fu ripreso bruscamente da un accesso dell'amore antico, appena essa gli fece capire che il suo era morto, lì, presso quel tavolinetto, dove l'avevano strascinato un pezzo, per abitudine e per dovere, nella mezz'ora prima di pranzo che il suo amico, sempre galante e gentiluomo, non mancava mai di dedicarle. Ora egli sentivasi mordere al cuore dal pensiero che un altro le facesse tremare la voce ed il cuore come un tempo aveva fatto lui, come sembravagli di provare ancora dentro di sé in quel momento – e che fosse stato sempre così, e che dovesse durare eternamente, anche per lei...

Ella prese un fiore che si piegava avvizzito nel vasetto d'argento, e gli disse tristamente:

– Vedete questa rosa che mi avete donata ieri?

Casalengo chinò la fronte sulla mano, e tacque un istante.

– Partirete? – domandò poi.

– Sì.

– Per dove?

Ella non rispose.

– Volete darmi almeno quel fiore? – chiese tristamente Alvise.

Ella esitò alquanto, prima di rispondere.

– Grazie!... Voi sapete vivere...

Egli si alzò in piedi, leggermente pallido, stretto nel vestito che gli dava ancora la sua aria militare, ma perfettamente padrone di sé, col sorriso un po' ironico dei suoi bei giorni.

– E lasciar vivere... sì, ho imparato a mie spese. Mi permettete di darvi un consiglio, in nome di questa benedetta esperienza?

– Dite.

– Partite sola... e più tardi che potete.

Ella arrossì sino ai capelli.

– Non dubitate. Ci avevo pensato... pel vostro amor proprio.

– No, mia cara, per voi stessa, quando ritornerete, e avrete bisogno dei vostri amici. E inchinandosi a baciarle la mano, aggiunse con un sorriso pallido:

– Voglio rimanere vostro amico... se volete... se sapete...

Prima e poi

– No – m'avete detto. – Non sciupiamo il bel sogno d'oro, Riccardo!

Ah, voi non sapete cos'è quel sogno d'oro nei vostri occhi che cercano i miei, e il fascino che metteva allora nel vostro pallido sorriso la triste scienza del *poi*!

Tutto, tutto l'ho assaporato quel terribile fascino – nel dolce lividore che i baci altrui v'hanno lasciato sulle palpebre, nella rugiada di cui sono ancora umide le vostre labbra, nel molle abbandono con cui vi appoggiavate al parapetto del battello, nel gesto carezzevole della vostra mano che additava Capri, laggiù, in fondo, a Casalengo – lui che non trema, né impallidisce più nel parlarvi.

No, non voglio pensare a lui. Mi sembra d'impazzire. Avete indovinato quanto ho sofferto in quell'eterna gita di piacere? E anche voi! Ho sentito tremare la vostra mano mentre vi aiutavo a scendere nella barca. Oh, Ginevra, quando vi siete abbandonata trasalendo contro il mio petto nel buio della Grotta Azzurra!... Che m'importa di Casalengo, che m'importa del *poi*, che ve ne importa anche a voi, poiché le vostre pupille s'intorbidano e si smarriscono figgendosi nelle mie?...

Sentite, ieri sera son tornato da voi, sapendo che vi avrei trovato *quell'altro* e che non mi avreste ricevuto. Gioconda m'ha detto infatti: – La signora non c'è. – E s'è fatta rossa, vedendomi così pallido.

Avevo visto del lume nel vostro salotto. Mi son fermato nella via sino alle undici per vederlo ancora e sentirmene ardere gli occhi ed il sangue – sino all'ora in cui l'*altro* se n'è andato. Ho cercato di indovinare se l'amate ancora, dal suo passo e dalla sua andatura. Se avessi visto quel lume nella vostra camera da letto mi sarei ucciso.

Oggi avete risposto alla domanda insidiosa della vostra amica Gemma con uno scherzo amaro: – Né mai, né sempre! – Ah, com'era dolorosa la vostra gaiezza in quella gita di piacere! e quanto avete dovuto amare quell'uomo, per non voler più amare!

Ho sentito parlarne sin laggiù, in capo al mondo, dove l'avventura di Alvise Casalengo metteva in rivoluzione il quadrato degli ufficiali, e il vostro bel nome correva come un bacio sulla bocca dei giovani allievi. Voi mi avete preso sin d'allora, colla curiosità o la vaga gelosia che m'ispiravate, quando pensavo a voi che non conoscevo, nelle lunghe vigilie di quarto, sotto le stelle di un altro emisfero. M'avete preso colle vostre bianche mani, dandomi il ventaglio da tenere, la prima volta che c'incontrammo, vi rammentate? Voi, mondana, non immaginaste neppure ciò che poteva essere una vostra parola o un semplice gesto pel giovane selvaggio che vi arrivava da Zanzibar già innamorato e pauroso di voi, quanta avida e gelosa penetrazione fosse negli occhi che divoravano la vostra bellezza offerta alteramente, il sorriso noncurante col quale ne accoglievate l'omaggio, l'abbandono ch'era nel concedervi ai vostri ballerini, il suono della voce con cui parlavate ad Alvise – e in cui *sentivo* le dolci parole che gli avrete dette – l'ebbrezza che provai io stesso la prima volta che mi deste del *voi*, quasi m'aveste già dato qualcosa della vostra persona. Vi rammentate? quel giorno che sorprendeste il primo lampo di follia e d'adorazione nei miei occhi, e vi faceste di porpora, odorando il mazzo di fiori che vi aveva mandato Casalengo, per coprirvene il seno?... Così m'avete preso, per *sempre*! Non ci credete voi a questa parola? Perché avete chinato il capo quando vi ho confidato tremando il mio segreto? e avete lasciato la vostra mano nella mia? Quante cose mi avete dette senza parlare, in quell'angolo del salotto che son rimasto a guardare dalla strada, stanotte! Quante cose vi ho detto chinando la fronte sul vostro ritratto che sorride dalla cornicetta di *strass* posata sul tavolino! Così mi pareva di veder brillare e sorridere a *quell'altro* i vostri occhi in quelle tre ore orribili che ho passato sotto le vostre finestre. Quando m'è sembrato di vedere Alvise dietro i vetri, quando vi siete avvicinata a lui, forse per porgergli una tazza di thè, forse per guardare nella via, e le vostre due ombre si sono confuse insieme... Mi avete visto voi, Ginevra, laggiù, sotto la pioggia, coi piedi nel rigagnolo? Vi siete rammentata allora del dubbio atroce che doveva torturarmi, e che cercate di scacciare, ogni volta, quando posate la mano sul mio capo, pallida anche voi della mia angoscia, e balbettate: No!... no, Riccardo, vi giuro?...

Vi credo, voglio credervi, ho bisogno di credervi. Perché dunque? perché mi fate soffrire a questo modo? Perché temete di sciupare il bel sogno d'oro? Oh, se sapeste come l'ho visto dietro le cortine color di rosa, che sembravano agitarsi e palpitare allorché siete passata nella vostra camera da letto, e animarsi di un incarnato più vivo quando vi siete avvicinata allo specchio, e velarsi di un'ombra pudica, dove passava la carezza dei vostri movimenti! Poi quella stessa ombra ha trasalito quasi, e s'è dileguata a un tratto dalla finestra del vostro spogliatoio, ed è solo rimasto il chiarore diffuso del globo roseo che veglia sui vostri sogni dolci e sulle vostre palpebre chiuse. Oh, struggersi e morire su quelle palpebre chiuse – perché non abbiate a temere il *poi* – perché duri sempre il bel sogno d'oro! Sempre! sempre! Il *poi* non esiste, quando si ama. Non esiste il domani, non esiste quel ch'è stato ieri, non penso più a Casalengo. Penso a voi, e vi amo, e vi voglio, come se tutta la mia vita e l'universo intero fossero in questo momento e in questo desiderio.

Ahimè, Riccardo, il bel sogno d'oro è finito, da che vi siete svegliato nelle mie braccia.

Non ve ne voglio, e vi prego di non volermene. Soltanto non ostiniamoci a chiudere gli occhi, con questo bel sole che deve accompagnarvi nella vostra traversata.

Buon viaggio, amico mio. Vi scrivo seduta a quel medesimo tavolinetto della veranda su cui posavate la vostra tazza, quando venivate a prendere il thè nel mio salotto. La signorina del N. 17 continua a strimpellare quel valzer che vi metteva di cattivo umore – *Dolores*, mi sembra – e anche a me, quando vi vedevo così uggito. Ma adesso, non so il perché – forse il bel sole, dopo questa eterna notte in cui m'è parso d'impazzire, forse il vostro ricordo, come che sia – mi mette in cuore delle ondate di dolcezza malinconica, specialmente alla ripresa delle prime battute che piacevano anche a voi, alle volte, nei momenti buoni. Ho ancora dinanzi agli occhi il movimento del vostro capo che segnava il tempo – il bel tempo  e le buone risate che si facevano, allora...

Dove vi raggiungerà questa lettera, a Lima, al Messico? Vorrei che vi portasse il sorriso che vi piaceva tanto, una volta, e che non aveste a temere di trovarvi né lagrime né piagnistei, prima d'aprirla. Le arie di salice piangente non mi vanno. Anzi! M'avete sempre detto che son venuta al mondo ridendo... e civettando. È vero, sì. Com'ero felice di vedervi fare il muso lungo! M'avete amata pazzamente e lealmente. Che Dio ve lo renda coll'amore delle altre, di tutte quelle a cui sorriderete e a cui piacerà il vostro sorriso. M'avete dato il bel fiore azzurro del vostro cuore e della vostra giovinezza. Quante volte ci siamo inebriati insieme del suo profumo, tenendoci per mano, fra gente nuova e paesi sconosciuti, sotto le alte stelle a cui davamo dei nomi dolci, appoggiando al vostro braccio la mia persona stanca e addolorata d'aver tanto amato – e non voi soltanto. – Vedete che vi dico tutto, e non mi faccio migliore di quel che sono. Voi mi avete amata forse per questo; e non mi amaste più quando sentiste ch'ero tutta vostra, tutta, tutta, Riccardo! senza pensare al *poi* che doveva venire tosto o tardi – e ch'è venuto.

Ora ho civettato e riso coi vostri amici, con tutti quelli che mi conducevate in casa per aiutarvi a passare le sere insieme a me. – Hadow specialmente, che ha i più bei denti di cristianità e mi faceva perdere la testa colla sua gaiezza. Voi non ve ne siete neppure accorto, ahimè!

Poi che siete partito ho paura di Hadow, e partirò anch'io, appena mi sarò rimessa del tutto, per tornare in Europa. Questo cielo implacabilmente azzurro m'acceca e mi fa male. Gioconda, che sta preparando i bauli, ha trovato degli oggetti che avete dimenticato qui: una scatola da sigarette, un fazzoletto colla vostra cifra. Vi porterò ogni cosa a Napoli, dove vi ho conosciuto, e dove ho lasciato degli altri amici come voi. Ve lo restituirò poi laggiù, il fazzoletto, « terso di lagrime » quando vi rivedrò, se vi rivedrò, e tornerete da me, come gli altri amici. Adesso mi sento abbastanza forte per affrontare il viaggio di ritorno. M'avete perdonato le pene e le noie che vi ho date da Genova sin qua? Come siete stato buono e affettuoso con questa povera ammalata! – malata di corpo e d'anima. – Quanto m'avete resa felice, e come m'avete guastata! Ieri sera, quando ci lasciammo, « ho fatto i capricci » proprio come una bimba viziata. Non me ne do pace, no, Riccardo! Gioconda pretendeva che avessi la febbre, che dovessi prendere del laudano, del cloralio, che so io, alle quattro del mattino, figuratevi! Ah, che misera cosa non potere cambiar d'umore come si cambia di vestito, e avere dei nervi che fanno la festa mentre si ha voglia di dormire! La buona dormita che vorrei fare sino a Napoli, tutta d'un fiato, senza sogni e senza sentirmi vivere, e svegliarmi laggiù, nel paese che ride e canta, senza pensare a quel ch'è stato ieri o a quel che sarà domani! Quando ci rivedremo, laggiù, se ci rivedremo, voglio che mi troviate savia, grassa e prosperosa come quella bionda vergine ch'è venuta a far la tisica, qui all'albergo, e la vocina sottile per cantare le arie del Tosti, svenendosi sul piano. Voglio che torniamo a ridere, senza musi lunghi, e senza « dolci languori negli occhi desiosi ». Oh, no! A che pro adesso? Noi ci siamo detto tutto. E le parole amare che rimangono all'ultimo... No, Riccardo! quelle no! Ieri sera eravate nervoso anche voi. La mano che vi ho stesa nel dirvi addio, la mano *che ci parlava* altre volte, e vi diceva tante cose, non ha saputo trattenervi. Ho persa anche la fede in quel povero neo che vi faceva perdere la testa a voi una volta, e che non ha saputo dirvi nulla neppure esso, ahimè!

Ecco ora che fo la sfacciata per non sembrarvi noiosa, perché l'ultima immagine mia, l'ultimo ricordo che vi lascio sia buono, dolce, affettuoso e piacevole. Sarà forse l'ultima civetteria che rimane, dopo *la fine*. Vorrei che mi vedeste ancora come vi son piaciuta, quando vi son piaciuta, senza menzogne, senza reticenze, senza veli, tutta per voi, anima e corpo, *tutta una cosa con voi*, come quando si ama bene e molto – fin sopra ai capelli – direte voi. E la prova è che abbiamo vuotato il sacco della felicità, voi forse più in fretta, io certo con maggior spensieratezza, poiché dovevo sapere come vanno a finire queste cose, io che son più vecchia di voi. – Ho cent'anni da ieri in qua, amico mio. – Ma non mi pento di avervi lasciato sfogliare pazzamente « le rose del cammino » perché ce n'erano tante, e così belle, che sembrava non dovessero terminare giammai; e vi ho aiutato anch'io a sfogliarle, sorridendo e chiudendo gli occhi, come fo adesso, per non sentirne le spine. Se mentre vi scrivo per l'ultima volta non ho saputo nascondervi tutte quelle che mi son rimaste nelle mani, perdonatemi. Non è come cavarsi un guanto, capirete! Ma « è pena così dolce » che tornerei a chiudere gli occhi, e a buttarmi a capofitto nelle spine. – Non con voi, Riccardo. Con voi il bel sogno d'oro è finito, e bisogna metterci sopra la croce delle orazioni funebri.

Il salice piangente stavolta son proprio io, la Ginevra vostra di un tempo.

Ciò ch'è in fondo al bicchiere

Quando la signora Silverio tornò insieme al marito – da Nuova York, da Melburne, chi lo sa? – tutti videro ch'era finita per lei, povera Ginevra. Metteva del rossetto; portava ancora la pelliccia nel mese di maggio; veniva a cercare il sole e l'aria di mare alla Riviera di Chiaja, dalle due alle quattro, nella carrozza chiusa, come un fantasma. Ma ciò che stringeva maggiormente il cuore era la macchia sanguigna di quell'incarnato falso nel pallore mortale delle sue guance, e il sorriso con cui rispondeva al saluto degli amici – quel triste sorriso che voleva rassicurarli.

Anche il Comandante non si riconosceva più: aveva la barba quasi grigia, le spalle curve, e delle rughe che dicevano assai su quella faccia abbronzata d'uomo di mare. Indovinavasi ciò che avessero dovuto fargli soffrire i farfalloni che svolazzavano un tempo intorno alla sua bella Ginevra, adesso che non era più geloso di lei, ed era tornato a prendersela sotto il braccio pietosamente, chinando il capo a tutti i suoi capricci, quasi sapesse che la poveretta non ne avrebbe avuti per molto tempo...

Dopo era ripartito subito, per ordine superiore, dicevasi; e dicevasi pure che l'ordine d'imbarcare l'avesse chiesto colla stessa sollecitudine con cui un tempo aveva desiderato di non lasciare la moglie e il Dipartimento di Napoli. Essa, disperatamente, s'attaccava alla vita colle manine scarne, povera donna, e affaticavasi a menare a spasso i suoi guai e i suoi terrori segreti, ai balli, in teatro, come ripresa dalla febbre mondana – e forse era la stessa febbre che la teneva in piedi, sotto le armi, torturandosi delle ore dinanzi allo specchio, per strascinarsi poi col fiato ai denti sino al suo palchetto, o per passare soltanto da una sala da ballo. – Ma così felice, sotto la carezza dei binoccoli che si puntavano sul suo petto anelante, e sembravano scaldarle il sangue nelle vene! Così grata a quell'anima buona che venisse a farle un briciolo di corte! – Senza cadere in tentazione, no! La tentazione ormai era lontana, e le aveva lasciato i lividori sulle carni. – Tanto che sorrideva al marito, quando egli era ancora lì, come a dirgli: – Vedi, che male c'è?...

Aveva preso un quartiere in via di Chiaja, per stare notte e giorno in mezzo al rumore e al movimento della città; perché gli amici venissero a trovarla più facilmente, all'uscire dal teatro o prima di pranzo, e riceveva specialmente il mercoledì sera. Suo marito stesso me ne aveva fatto cenno al caffè, prima di partire, dimenticando le sue prevenzioni contrarie e forse anche i suoi sospetti: – Venga a trovarla, povera Ginevra. Le farà tanto piacere.

Ella accoglieva con gran festa tutti quanti. Appena mi vide, mi corse incontro col suo bel sorriso che innamorava, stendendomi le mani. Era proprio tornata la bella signora Silverio che ci faceva perdere la testa a tutti noi della Regia Marina, quando i disinganni e le amarezze non avevano ancora spento il suo bel sorriso civettuolo, e messo qualcosa di duro nella linea delle sue labbra. – Ho lasciato tutto lì, le noie, le cose tristi! – pareva dire; e faceva un gesto grazioso col braccio esile, accennando lontano, allorché tornavano nel discorso i ricordi malinconici.

Al primo vederla, sotto il gran paralume chinese vicino al quale stava più volentieri, non mi parve nemmeno tanto patita. Dei pizzi superbi davano una certa vaporosità alla sua figurina snella, e dei grossi filari di perle le coprivano interamente la scollatura del vestito. Ripeteva sovente: – Adesso sto bene. Son guarita interamente.

Sorrideva anche delle sue paure. Soleva rammentarle

soltanto per far capire che le avevano lasciato una grande indulgenza per tutte le debolezze e tutti gli errori umani. – E i tradimenti anche! – mi disse, spalancando gli occhioni, e accennando col muover del capo e col sorriso che mi accusavano. – Sapete che sono stata molto male, caro d'Arce? Ho creduto di fare il gran viaggio! Torno da lontano, adesso... di laggiù, dove si sa tutto, e tutto si perdona!...

Si volse a cercare la sua amica Maio, e la pregò lei stessa di offrirmi il thè. Da lontano vidi i suoi occhi fissi su di noi, nel breve istante che scambiammo un profondo inchino cerimonioso. Poi la bella Maio tornò a raccogliere gli omaggi altrui come una regina. Quando andai a posare la tazza vuota sul tavolinetto, al quale la signora Ginevra appoggiava di tanto in tanto la mano, coll'aria un po' stanca e affaticata, ella mi chiese a bruciapelo, fissandomi in viso quegli occhi luminosi:

– Così? Non avete più nulla da dirvi, né voi né lei?

– Ahimè, no.

– Oooh! – esclamò ridendo, – oooh!...

E inzuccherò senza pietà il thè dell'Ammiraglio.

La contessa Ardilio le offrì di aiutarla. Ella accettò subito per venire a sedere accanto a me su di un canapè d'angolo.

– Abbiamo molte cose da dirci; ma è meglio non parlarne, è vero? A che serve oramai? Siamo perfettamente ragionevoli tutti e due... Allora quando seppi il torto che avete fatto alla parola datami... il giuramento del marinaio, vi rammentate?... – E sorrideva, povera Ginevra. – Però non ve ne volli... né a voi, né a lei... Ebbi dei torti anch'io... Ma voi sapevate che non ero libera...

Allora mi parlò francamente di Alvise, il solo che non potesse farsi vivo fra i suoi amici. – Anch'io ho bisogno di perdono, lo so!... Ora tutto ciò è passato... lontano tanto! Vedete come ve ne parlo?...

Tornava a fare quel gesto vago, tirando in su i guanti lunghissimi. Tutta la sua civetteria riducevasi adesso a una cura gelosa di nascondere le sue povere carni mortificate.

E di colui pel quale aveva sentito forse più trionfante la vanità della sua bellezza, quando appariva in una festa, colle spalle e le braccia nude, soltanto per lui, discorreva adesso tranquillamente, con una certa amara disinvoltura. Solamente non lo chiamava più pel suo nome di battesimo:

– Povero Casalengo... Un buon amico e un uomo di mondo... Dei pochi che sappiano pigliarlo com'è, il mondo!...

Rammentava ancora gli altri, passando in rivista delle memorie che accendevano dei punti luminosi nelle sue pupille. D'un solo non fece motto, forse perché era ancora troppo presente dinanzi ai suoi occhi, quando parevano oscurarsi a un tratto, e pareva come delle ombre livide le lambissero il viso emaciato.

Ma tornava subito gaia e sorridente, occupandosi dei suoi invitati, facendosi in quattro per pensare a tutti. Si avventurò sino all'uscio del salotto ove fumavasi, col fazzoletto alla bocca, con quella gaiezza che rendeva così ospitale la sua casa.

– No, no, mi piace anzi! Fumerei anch'io, se non mi facesse tossire. – Avrebbe chiuso gli occhi, e si sarebbe lasciata soffocare per far piacere agli altri, ed avere tutte le sere la casa piena di gente sana e allegra che la facessero illudere d'esser sana e allegra lei pure. Aveva inchiodato Sansiro al pianoforte, e minacciava di fare un giro di valzer.

– No! con lei, no! giammai! – mi disse respingendomi con le braccia tese.

Sembrava proprio rivivere nel suo elemento, e parlava insino di « lasciarsi andare » a bere « qualcosa di forte » eccitandosi, colle guance già accese e il sorriso ebbro, lei che aspirava soltanto delle lunghe boccate d'etere « per tenersi su ». Però, di tanto in tanto, alla sfuggita, guardavasi furtivamente negli specchi, e l'occhiata ansiosa, quasi smarrita, tradiva l'interno sbigottimento. Tutt'a un tratto, mentre mesceva il thè a dei giovanotti ch'erano giunti tardi, venne meno fra le braccia di Serravalle, tutta di un pezzo, come un cencio. Nondimeno, appena si riebbe alquanto, cercò di rassicurare amici ed amiche che le si affollavano intorno, volgendo la cosa in scherzo, bianca come il suo vestito, facendosi vento col fazzoletto, balbettando, col sorriso smorto:

– Ah!... la colpa è di Serravalle!... Non posso vedermelo accanto senza cadergli fra le braccia... È destinato, povero Serravalle!... Si rammenta, quella volta che si ballava insieme in casa Maio?

Fu l'ultima sua festa, povera donna. A poco a poco gli amici dileguarono quasi tutti; e ciò la rattristava assai, quantunque non lo dicesse. Chiedeva di loro ai pochi fedeli che continuavano a farle visita, di tanto in tanto. Un giorno che le recai il saluto di Alvise provò un gran piacere. – Ah, Casalengo... si rammenta!... – mormorò lieta. Volle anche sapere a chi Casalengo facesse la corte, in quel tempo, e le sfavillavano gli occhi alle piccole maldicenze che si fanno sottovoce nei circoli mondani.

– Colui, sì!... sa vivere! – ripeté, e accennava pure col capo, assorta.

Mi era grata del tempo che rubavo « all'altra mia amica » per dedicarlo a lei, e mi chiamava « il suo buon fratello ». – Fratello, non è vero? – ripeteva colla sua grazia maliziosa. E c'era quasi un rimasuglio di rancore involontario nella carezza della parola affettuosa.

Alcune volte, quando mi diceva quelle cose, specie sull'imbrunire, che provava una gran tristezza e mi aveva pregato di non lasciarla mai sola, al vedere i suoi occhi luminosi, il sorriso ancora dolce che le rianimava il viso e pareva dissiparne le ombre, mi sentivo riprendere irresistibilmente da quella moribonda, con un'immensa dolcezza amara.

Essa preferiva quell'ora, l'angolo del salotto riparato dal paravento chinese, la mezzaluce che dissimulava il suo pallore e il suo male. Era il suo pudore e l'ultima sua civetteria. Nell'ombra sentiva che il suo profumo e la sua voce ancora dolce mi parlavano meglio di lei, della Ginevra che avevo conosciuto un tempo.

– *Colei* lo sa che siete qui... che fate un'opera buona... per meritarvi il paradiso?

Come diceva quelle parole! Come esse sonavano e penetravano! Come attiravano verso di lei quell'anelito frequente e quelle povere mani febbrili!

– No... non mi fiderei più degli amici... e delle amiche! Ho imparato a spese mie, caro d'Arce!

Una sera che aveva tossito più del solito, e parlava più triste, reggendosi il capo col braccio appoggiato al tavolino, mi disse guardandomi fisso, china verso di me, nello stesso tempo che schermivasi dalla luce colla mano aperta.

– Noi non siamo stati mai... nulla. Ecco perché mi siete rimasto fedele.

Le si era fatta la voce un po' roca. Tutto ciò che le veniva alla mente e sulle labbra aveva la stessa velatura stanca, e un abbandono che avvinceva me pure. Senza quasi avvedermene le avevo preso la mano, ed essa me la lasciò, calda ed inerte.

Allora, senza guardarmi, quasi senza volerlo, mi confidò il segreto di ciò che aveva sofferto laggiù, lontana da tutti, in paese straniero. Una storia semplice e dolorosa, senza dramma, senza neppure l'ombra di una rivale. Colui pel quale aveva abbandonata la sua casa e la sua patria non l'amava più: ecco tutto. – Amore... chi lo sa? Anch'io avevo amato Casalengo... o m'era parso, prima di lasciarlo per quell'altro... – Per una parola che ci suoni meglio all'orecchio, per un'occhiata che lusinghi il nostro vestito nuovo, per una frase musicale che ci faccia sognare ad occhi aperti... Ecco perché ci perdiamo, e ciò che forma quest'amore. Quando egli non ebbe più dinanzi altre seduzioni con cui confrontare la mia, quando non temé più altri rivali... Una mattina, sull'alba, tornò pallido e fosco. Aveva perduto. Giuocava da un pezzo, da che non mi amava più. E si voleva uccidere perché non poteva pagare... Non per me... Lui che aveva tutte le delicatezze, tutta la poesia, tutta la nobiltà dell'animo. E l'ultima rottura fra di noi, l'ingiuria che non poté perdonarmi, fu quando gli offrii d'aiutarlo, io ch'ero parte di lui, che vivevo soltanto per lui, che gli avevo sacrificato ben altro, che non sapevo cosa farmi del mio denaro... Mi lasciava appunto per questo, perché egli non ne aveva più. L'onore degli uomini è così fatto. Poi, quand'egli fu partito, colui che aveva detto di non poter vivere senza di me, lasciandomi sola e moribonda in un albergo... mio marito ebbe pietà di me – lui che non mi amava più e non doveva più amarmi... Pagò un altro debito d'onore anche lui...

Parlava calma, con un filo di voce, interrompendosi di tratto in tratto e lasciando morire in un soffio certe parole. Le passò sul volto un sorriso che la fece sembrare più pallida.

– Povero d'Arce! V'ho intronate le orecchie per narrarvi le solite storie. Cose che succedono a tutti... Lo sappiamo e torniamo a cascarci. Allora vuol dire che dev'essere così, non è vero? Anche voi...

Nel luglio e l'agosto stette meglio. Però non si lasciò indurre a mutar paese per qualche tempo. Il silenzio e la quiete della campagna le facevano paura. Volle piuttosto andare alla festa di Piedigrotta. S'era fatto fare apposta un vestito elegantissimo, e aveva combinato una carrozzata allegra, nella quale ero invitato io pure. – La Maio, no! – mi disse sfavillante. Tutto quel chiasso e quel movimento l'eccitavano assai.

Tornò stanchissima e si mise a letto per due o tre giorni. Dopo si strascinò ancora un pezzo fra letto e lettuccio. La tristezza delle giornate autunnali la pigliava lentamente. Se non mi vedeva all'ora solita, mi teneva il broncio, quasi avessi mancato a una tacita promessa. Faceva spesso dei progetti per l'avvenire; s'illudeva più facilmente, ora che le fuggiva la terra sotto i piedi, e che non aveva più la forza di strascinarsi sino al canapè. Così tenacemente s'attaccava al mio braccio, che le parlavo anch'io di Sorrento e di Nizza, col cuore stretto. Ella diceva di sì, di sì, tutta contenta, tornando ad affermare col capo, tornando a sorridere come una bambina.

Consultava insieme a me delle guide e dei giornali di mode, e aveva fissato l'epoca del viaggio: – Dopo il carnevale, appena tornerà la primavera. Tornerò a rifiorire anch'io, vedrete! Tutti v'invidieranno la vostra bella amica... Amica, veh!

Aveva ordinato degli abiti da ballo per quell'inverno. Si faceva bella ancora per me. Diceva « che erano le sue prove generali ». Una sera si fece trovare in abito da ballo, presso un gran fuoco. Com'era contenta, povera Ginevra! Quel sorriso ingenuo nella bocca e negli occhi che le mangiavano il viso, mi mise un brivido nei capelli: lo stesso brivido che mi faceva trasalire quando l'udivo gemere sottovoce nella stanza accanto per abbigliarsi – e quel giorno che la cameriera mi chiamò spaventata, cercando colle mani tremanti la boccettina d'etere sopra la tavoletta. Essa, pure in quel momento, coprivasi colle mani il misero petto scarno...

Una volta mi disse: – Quanto saremmo stati felici... allora... di poterci vedere liberamente, come adesso!...

In dicembre peggiorò rapidamente. Non si alzò più dal letto; non parlò più di viaggi. Il parlare stesso la stancava. La baraonda e l'allegria fragorosa del Natale napoletano le davano noia. Sembrava distaccarsi a poco a poco da ogni cosa.

Però voleva ancora che andassi a vederla spesso, più che potevo, e lagnavasi che tutti l'abbandonassero. Stava poi ad ascoltarmi, immobile, guardandomi fisso. Alle volte i suoi occhi si offuscavano, quasi guardassero dentro sé stessa, o in un gran buio, e il viso le si affilava maggiormente, con un'espressione d'angoscia vaga. Dopo sembrava ritornare da lontano, con una cert'aria smarrita. Mi sorrideva dolcemente, quasi per scusarsi dell'involontaria distrazione, ma in modo che stringeva il cuore.

In quei giorni tornò a Napoli suo marito, chiamato per telegrafo. Essa volle festeggiare con lui l'ultima sera dell'anno, e invitò pochi amici. Le avevano apparecchiato un tavolino accanto al letto, e dei fiori, un gran numero di candele nella camera. Era raggiante, poveretta, e sembrava proprio una bambina, sparuta, fra le gale e i pizzi della cuffia e del corsetto. Ci salutava col capo ad uno ad uno, alzando verso di noi la coppa nella quale aveva fatto versare un dito di *champagne*, e beveva cogli occhi alla nostra salute, senza accostarvi le labbra, come sapesse ciò che si trova in fondo al bicchiere, come anche i nostri augurii la rattristassero. Infine si lasciò vincere dalla comune gaiezza; parve che tornasse a sorridere a una vaga speranza, e sorrideva a tutti, a tutti noi, cogli occhi e le labbra, col viso pallido e magro.

Il capo d'anno le recai dei fiori, un gran fascio di rose che ero andato a cogliere per lei a Capodimonte. Ella si levò giuliva a sedere, e le volle sul letto, tutte. Ripeteva: – Quante! quante! – scegliendo le più belle, immergendovi le mani...

Era tanto contenta! Mi mostrò i regali che le avevano mandato gli amici, e le amiche... « tutti quanti! » La camera n'era piena, sulle mensole, sul canapè, da per tutto. Ella indicava ad uno ad uno il nome del donatore. Dalla gioia mi pose un braccio intorno al collo, dicendomi:

– Ma nessuno come voi!... nessuno! Voi siete il mio caro fratello, non è vero? E mi vorrete sempre bene così, sempre, sempre... perché non fummo mai altro!... Un momento... ci fu il pericolo... Vi rammentate? Ma era scritto lassù!.. lassù!...

In quel momento portarono il regalo del marito: un magnifico abito da ballo che la cameriera spiegò trionfante sulla poltrona. Ella indovinò la delicata e pietosa intenzione d'illuderla che c'era nella scelta del dono, e ne fu scossa profondamente. Non disse nulla; gli occhi le si fecero più grandi e più lucenti, e tornò a coricarsi, tirandosi la coperta fino al mento.

Mi lasciò senza dirmi addio, povera e cara Ginevra! L'ultima volta che la vidi, in presenza del marito e di due o tre altri, ella sembrava già non fosse più di questo mondo. Non mi disse nulla; non sembrò nemmeno accorgersi di me. Stava zitta, chiusa, cogli occhi sbarrati e fissi. Il Comandante rispondeva per lei qualche parola, colla voce rauca, i capelli arruffati, la barba incolta, pallido anche lui, e col viso gonfio dalle notti insonni. Un momento appena, udendo la mia voce, ella volse su di me quegli occhi che non guardavano e non dicevano più nulla: e tornò a rivolgerli altrove, indifferente. Li attirava adesso soltanto una striscia di luce che moriva sulle tendine istoriate.

Fu l'ultima volta che la vidi. Dopo, l'uscio delle sue stanze rimase chiuso per tutti. Erano arrivati dei parenti da Venezia e da Genova. Gli amici erano tornati a chiedere di lei o a lasciare il loro nome alla porta: tutti coloro che avevano ballato in quella casa e vi avevano passato delle ore liete. Parecchi ci avevano perduto anche la testa, un tempo, e parlavano di lei che moriva, a voce bassa, prima di tornare al Circolo o al teatro, facendosi piccini dinanzi al marito che ripigliava il suo posto in casa sua, all'ultima ora, invecchiato in un mese, rispondendo alle condoglianze e alle strette di mano collo sguardo chiuso e la mano gelida.

Seppi ch'era morta dall'invito per assistere ai funerali. Nelle sale dove essa ci aveva ricevuti festante, era una gran folla, e molti fiori, come il primo giorno dell'anno, sulle mensole, sui tavolini, sul pianoforte. C'erano tuttora gli avanzi delle candele nei candelabri posti dinanzi agli specchi dove ella s'era guardata. Le sue amiche misero dei fiori sulla bara. La signora Maio soffocava i singhiozzi con un fazzolettino di pizzo.

Prima di morire aveva detto che voleva una semplice bara coperta di raso bianco, e una semplice lapide col suo nome. Non ci furono discorsi sulla tomba. La sua orazione funebre fu fatta da Casalengo, che venne a trovarmi la sera stessa, per parlarmi di lei.

– Povera Ginevra! e non disse altro.

Dramma intimo

Casa Orlandi era tutta sossopra. La contessina Bice spegnevasi lentamente: di malattia di languore, dicevano gli uni: di mal sottile, dicevano gli altri.

Nella gran camera da letto, quasi buia in tutto il quartiere illuminato come per una festa, la madre, pallidissima, seduta accanto al letto dell'inferma, aspettava la visita del dottore, tenendo nella mano febbrile la mano scarna e ardente della figliuola, parlandole con quell'accento carezzevole, e quel falso sorriso con cui si cerca di rispondere allo sguardo inquieto e scrutatore dei malati gravi. Tristi colloqui che celavano sotto una calma apparente la preoccupazione di un morbo fatale, ereditario nella famiglia, il quale aveva minacciato la contessa medesima dopo la nascita di Bice – il ricordo delle cure inquiete e trepide che avevano accompagnato l'infanzia delicata della bambina – l'ansia dei presentimenti minacciosi che avevano quasi soffocato la maternità della genitrice e scusato i primi traviamenti del marito, morto giovane, di un male da decrepito, dopo avere agonizzato degli anni su di una poltrona. Più tardi un altro sentimento aveva fatto rifiorire la giovinezza della vedova, appassita anzi tempo fra quella culla minacciata, e quello sposo di già cadavere prima di scendere nella tomba: un affetto profondo e occulto, inquieto, geloso, che si mischiava a tutte le sue gioie mondane, e sembrava vivere di esse, e le raffinava, le rendeva più sottili, più penetranti, quasi una delicata voluttà che profumava ogni cosa, una festa, un trionfo di donna elegante. Adesso quell'altra nube paurosa, sorta a un tratto colla malattia della figlia in quel cielo azzurro, sembrava posare simile a una gramaglia sui cortinaggi pesanti del letto dell'inferma, e distendersi sino a incontrare degli altri giorni neri: la lunga agonia del marito, la faccia grave e preoccupata di quello stesso medico ch'era venuto quell'altra volta, il tic-tac di quella stessa pendola che aveva segnato delle ore d'agonia, e riempiva ora tutta la camera, tutta la casa, di un'aspettativa lugubre. Le parole della madre e della figliuola, che volevano sembrar gaie e tranquille, morivano come un sospiro nella penombra della vôlta altissima.

A un tratto il campanello elettrico squillò nella lunga fila di stanze sfavillanti e deserte. Un servitore silenzioso precedeva in punta di piedi il medico, vecchio amico di casa, il quale sembrava solo calmo, nell'attesa inquieta di tutti. La contessa si rizzò in piedi, senza poter dissimulare un tremito nervoso.

– Buona sera. Un po' tardi oggi... Finisco adesso il mio giro. E questa ragazza com'è stata?

S'era seduto di contro al letto; aveva fatto togliere la ventola dal lume, ed esaminava l'inferma tenendo fra le dita bianche e grassocce il polso delicato e pallido della fanciulla, ripetendo le solite domande. La contessa rispondeva con un lieve tremito nervoso nella voce; Bice, con monosillabi tronchi e fiochi, sempre fissando il medico con quegli occhi inquieti e lucenti. Nell'anticamera si succedevano gli squilli sommessi del campanello che annunziavano altre visite, e la cameriera entrava come un'ombra per annunziare all'orecchio della signora il nome degli amici intimi che venivano a chiedere notizie della contessina.

A un certo momento il dottore rizzò il capo.

– Chi è entrato adesso nella sala accanto? – domandò con una certa vivacità.

– Il marchese Danei, – rispose la contessa.

– La solita pozione per questa notte, – continuò il medico quasi avesse dimenticato la sua domanda. – Bisogna osservare a che ora cadrà la febbre. Del resto, nulla di nuovo. Diamo tempo alla cura...

Ma non lasciava il polso dell'inferma, fissando uno sguardo penetrante sulla fanciulla, la quale aveva chinato gli occhi. La madre aspettava ansiosa. Un istante le pupille ardenti della figlia si fissarono in quelle di lei, e Bice avvampò subitamente in viso.

– Per carità, dottore! per carità! – supplicava la contessa, riaccompagnando il medico, senza badare agli amici e ai parenti che aspettavano in sala chiacchierando fra di loro sottovoce. – Come ha trovato stassera la mia ragazza? Mi dica la verità!

– Nulla di nuovo, – rispondeva lui. – La solita febbriciattola... il solito squilibrio nervoso...

Ma quando furono in un salottino appartato, si piantò ritto dinanzi alla contessa, e disse bruscamente:

– La sua figliuola è innamorata di questo signor Danei.

La contessa non rispose sillaba. Solo impallidì orribilmente, e per istinto si portò le mani al petto.

– È un po' di tempo che lo sospettavo, – riprese il medico con certa rude franchezza. – Ora ne son certo. È una complicazione nella malattia, che per la estrema sensibilità dell'inferma, in questo momento, può farsi grave. Bisogna pensarci.

– Lui! – fu la prima parola che sfuggì alla madre, quasi fuori di sé.

– Sì, il polso me l'ha detto. Lei non aveva alcun indizio? Non ha mai sospettato qualche cosa?

– Mai!... Bice è così timida... così...

– Il marchese Danei viene spesso in casa?

La poveretta, sotto lo sguardo fisso e penetrante di quell'uomo che assumeva l'importanza di un giudice, balbettò: – Sì.

– Noi altri medici alle volte abbiamo cura d'anime, – aggiunse il dottore sorridendo. – Forse è stata una fortuna che quel signore sia venuto mentre io ero qui.

– Ma ogni speranza non è perduta, dottore? Per l'amor di Dio!...

– No... secondo i casi. Buona sera.

La contessa rimase un momento in quella stanza, quasi al buio, asciugandosi col fazzoletto il freddo sudore che le bagnava le tempie. Quindi ripassò per la sala, rapidamente, salutando gli amici con un cenno del capo, guardando appena Danei, ch'era in un canto, nel crocchio degli intimi.

– Bice!... figlia mia!... Il medico t'ha trovata meglio oggi, sai!

– Sì, mamma! – rispose la fanciulla dolcemente, con quell'amara indifferenza degli ammalati gravi che stringe il cuore.

– Di là ci sono degli amici... che sono venuti per te... Vuoi vederli?

– Chi sono?

– Ma... tutti. La zia, Augusta... il signor Danei... Possono entrare un momentino?

Bice chiuse gli occhi, come assai stanca, e nell'ombra, così pallida com'era, si vide un lieve rossore montarle alle guance.

– No, mamma. Non voglio veder nessuno.

Attraverso le palpebre chiuse, delicate come foglie di rosa, sentiva fisso su lei lo sguardo desolato e penetrante della madre. All'improvviso riaprì gli occhi, e le buttò al collo quelle povere braccia esili e tremanti sotto la battista, con un atto ineffabile di confusione, di tenerezza e di sconforto.

Madre e figlia si tennero abbracciate a lungo, senza dire una parola, piangendo entrambe delle lagrime che avrebbero voluto nascondersi.

Ai parenti e agli amici che chiedevano premurosi notizie dell'inferma, la contessa rispondeva come al solito, ritta in mezzo alla sala, senza poter dissimulare uno spasimo interno che di quando in quando le mozzava il respiro. Allorché tutti se ne furono andati, rimasero faccia a faccia Danei e lei.

Tante volte, durante la malattia di Bice, erano rimasti soli alcuni minuti, come allora, nel vano della finestra, scambiando qualche parola di conforto e di speranza, o assorti in un silenzio che accomunava i loro pensieri e le loro anime nella stessa preoccupazione dolorosa. Momenti tristi e cari, nei quali essa attingeva il coraggio e la forza di rientrare nell'atmosfera cupa e lugubre di quella stanza d'inferma con un sorriso d'incoraggiamento. Stettero alquanto senza aprir bocca, colla fronte sulla mano. La contessa aveva tale espressione di tristezza in tutta la persona, che Danei non trovava la parola da dirle. Finalmente le stese la mano. Ella ritirò la sua.

– Sentite, Roberto... Ho da dirvi una cosa... una cosa da cui dipende la vita di mia figlia...

Egli aspettava, serio, un po' inquieto.

– Bice vi ama!...

Danei parve sbalordito, guardando la contessa che si era nascosto il viso fra le mani, e piangeva dirottamente.

– Essa!... È impossibile!... Pensateci bene!...

– No... È un'idea che m'ha fatto nascere il suo medico... Ed ora ne son certa. Vi ama da morirne...

– Vi giuro!... Vi giuro che...

– Lo so, vi credo. Non ho bisogno di cercare perché mia figlia vi ami, Roberto! – esclamò la madre tristamente.

E si abbandonò sul divano.

Roberto era commosso anche lui. Tentò di pigliarle la mano un'altra volta. Ella la respinse dolcemente.

– Anna!...

– No... no! – rispose lei risolutamente.

E le lagrime silenziose pareva che le solcassero le guancie delicate come degli anni, degli anni di dolore e di gastigo che sopravvenivano tutt'a un tratto nella sua esistenza spensierata. Il silenzio sembrava insormontabile. Infine Roberto mormorò:

– Cosa volete che faccia?... dite...

Essa lo guardò smarrita, con un'angoscia indicibile, e balbettò:

– Non so!... non so... Lasciatemi tornar da lei... Lasciatemi sola...

Come rientrava nella camera dell'inferma, dall'ombra del cortinaggio gli occhi della figlia luccicarono ardenti, fissi su di lei, con un lampo incosciente che agghiacciò la madre sulla soglia.

– Mamma, – chiese Bice, – chi c'è ancora?

– Nessuno, figlia mia.

– Ah!... Statti con me, allora. Non mi lasciare.

E le teneva le mani, tremante.

– Povera bambina! Povero amore! Guarirai presto, sai! L'ha detto il medico.

– Sì, mamma.

– E... e... sarai felice.

La figlia le fissava sempre in viso quello sguardo.

– Sì, mamma.

Poi chiuse gli occhi, che sembravano neri nelle orbite incavate. Successe un mortale silenzio. La madre scrutava quel viso pallido e impenetrabile con uno sguardo ardente, arrossendo e impallidendo a vicenda.

A un tratto si fece smorta come lei, e la chiamò con un'altra voce:

– Bice!

Il suo petto si contraeva spasmodicamente, come se qualche cosa vi agonizzasse dentro. Poscia si chinò sulla figliuola, posando la guancia febbrile su quell'altra guancia scarna, e le mormorò nell'orecchio, con un soffio appena intelligibile:

– Senti, Bice... tu ami?...

Bice spalancò gli occhi all'improvviso, tutta una fiamma in volto. E con quegli occhi sbarrati e quasi paurosi, affascinati dagli occhi lagrimosi della madre, balbettò con un accento ineffabile d'amarezza, e quasi di rimprovero:

– Oh, mamma!...

Allora la sventurata, sentendosi penetrare quella voce e quelle parole sino all'intimo del cuore, ebbe il coraggio di aggiungere:

– Danei ha chiesto la tua mano.

– Oh mamma! oh mamma! – ripeteva la fanciulla con lo stesso accento supplichevole e dolente, stringendosi nelle coperte con un senso di pudore. – Mamma mia!...

La contessa, che sembrava anche lei nello smarrimento dell'agonia, balbettò:

– Però... se tu non l'ami... se non l'ami... di'!...

L'inferma ascoltava palpitante, ansiosa, agitando le labbra senza proferir parola, con gli occhi spalancati, enormi sul volto rifinito, che interrogavano gli occhi della madre. Tutt'a un tratto, come quella si chinava verso di lei, l'abbracciò stretta, tremando a verga, stringendola con tutta la forza delle sue povere braccia, con un'effusione che diceva tutto.

La madre, in un impeto d'amore disperato singhiozzava:

– Guarirai! Guarirai!

E tremava convulsivamente ancor essa.

Il giorno dopo la contessa aspettava Danei nel suo gabinetto, seduta accanto al caminetto, stendendo verso il fuoco le mani così bianche che sembravano esangui, cogli occhi fissi sulla fiamma. Quanti pensieri, quante visioni, quanti ricordi passavano dinanzi a quegli occhi! La prima volta che si era turbata al cospetto di Roberto – il silenzio ch'era caduto all'improvviso fra di loro – e le prime parole d'affetto che egli le aveva sussurrato all'orecchio, abbassando la voce ed il capo – il batticuore delizioso che soleva imporporarle le gote ed il seno, quando egli l'aspettava nel vestibolo dell'Apollo, per vederla passare, bella, fine, elegante, nella mantellina di raso bianco. – Poscia, le lunghe fantasticherie color di rosa, in quel posto medesimo, le gioie trepide e intense, le attese febbrili, nelle ore in cui Bice prendeva la lezione di musica o di disegno. Ora, allo squillare del campanello, si rizzò con un tremito nervoso; e immediatamente, mercé uno sforzo della volontà, tornò a sedere, colle mani in croce sulle ginocchia.

Il marchese si fermò esitante sull'uscio. Ella gli stese la mano che ardeva, evitando di guardarlo. Siccome Danei, non sapendo che pensare, chiedeva della Bice, la contessa rispose dopo un breve silenzio:

– La sua vita è nelle vostre mani.

– Per l'amor di Dio, Anna!... v'ingannate!... – rispose lui. – Bice s'inganna... Non può essere... non può essere!...

La contessa scosse il capo tristamente.

– No, non m'inganno! Me l'ha confessato lei... Il dottore dice che la sua guarigione dipende... da ciò!...

– Da che cosa?...

Per tutta risposta ella gli fissò negli occhi gli occhi arsi di febbre. Allora, sotto quello sguardo, la prima parola di lui, impetuosa, quasi brusca, fu:

– Oh!... no!...

Ella giunse le mani.

– No, Anna! Pensateci bene... Non può essere... V'ingannate... – ripeteva Danei, agitato anche lui violentemente.

Le lagrime le soffocarono la voce in gola. Poi stese le mani a Roberto, senza dir nulla, come nei bei tempi trascorsi. Soltanto, quel viso che gli esprimeva uno spasimo d'angoscia e una preghiera straziante, era diventato tutt'altro in ventiquattr'ore.

Roberto chinò il capo al pari di lei.

Erano entrambi due cuori onesti e leali, nel significato mondano della parola, nel senso di esser sinceri in ogni loro atto. Perché la fatalità facesse abbassare quelle teste alte e fiere, bisognava che le avesse messe per la prima volta di fronte a un risultato che rovesciava bruscamente tutta la loro logica, e ne mostrava la falsità. La rivelazione della contessa aveva colpito Danei di stupore. Adesso, ripensandoci, ne era spaventato; e in quel contrasto d'affetti e di doveri combattentisi sotto il riserbo imposto ad entrambi dalla rispettiva posizione che li rendeva più difficili, egli trovavasi imbarazzato. Parlò di loro due, del passato, dell'avvenire che gli faceva paura; cercando le frasi e le parole onde scivolare sui tanti argomenti scabrosi, per non urtare o ferire alcuno di quei sentimenti così delicati e complessi.

– Pensateci bene, Anna! Questo matrimonio è impossibile!

Essa non sapeva che dire. Balbettava solo: – Mia figlia! mia figlia!

– Ebbene... Volete che io parta... che mi allontani per sempre!... Sapete qual sacrifizio farei!... Ebbene, lo volete?

– Ella ne morrebbe.

Roberto esitò, prima d'affrontare l'ultimo argomento. Poi mormorò abbassando la voce:

– Allora... allora non resta che confessarle ogni cosa...

La madre s'irrigidì in una contrazione nervosa, con le dita increspate sul bracciuolo della poltrona. E rispose con voce sorda, chinando il capo:

– Lo sa!... Lo sospetta!...

– E nondimeno?... – riprese Danei dopo un breve silenzio.

– Ne sarebbe morta... Le ho fatto credere che s'ingannava.

– E lo ha creduto?

– Oh! – esclamò la contessa con un triste sorriso. – L'amore è credulo... Lo ha creduto!

– E voi? – chiese Roberto con un tremito che non poté dissimulare nella voce.

– Io ho già tutto sacrificato a mia figlia.

Poi gli stese la mano, e soggiunse:

– Sentite com'è calma?

– Siete certa che sarà sempre così calma?

Ella rispose:

– Sempre!

E sentì freddo nella nuca, alla radice dei capelli.

Si alzò vacillante, e si strinse il capo di lui sul petto.

– Ascoltate, Roberto, ora è la madre che vi abbraccia! Anna è morta. Pensate a mia figlia; amatela per me e per essa. Ella è pura e bella come un angelo. La felicità la farà rifiorire. Voi l'amerete come non avete mai amato... Dimenticherete ogni cosa... siate tranquillo!

Roberto, pallidissimo, non rispose verbo.

Il matrimonio della contessina Bice fu annunciato officialmente pochi giorni dopo che essa entrò in convalescenza. Amici e parenti venivano a congratularsi nello stesso tempo dei due fortunati avvenimenti. Il marchese Danei era uno sposo convenientissimo, e se qualche indiscreto arrischiò delle osservazioni sulla disparità degli anni – o altro – fu messo subito a tacere dal coro unanime delle signore che si sollevavano scandolezzate. La fanciulla risanava davvero, raggiante di vita nuova, colla sincerità, la credulità, l'oblio, l'egoismo della felicità, che espandeva nel seno della madre, la quale trovava la forza di sorridere. Il medico si fregava le mani, borbottando:

– Io non ci ho alcun merito. Fo come Pilato. Questa benedetta gioventù se ne ride della scienza. Adesso ecco le mie prescrizioni: – Recipe: L'inverno a San Remo o a Napoli. L'estate a Pegli o a Livorno. Una scappata a Roma, nel carnevale, e un bel maschiotto alla fine della cura.

La contessa, alla figliuola che avrebbe voluto condurla seco, aveva risposto:

– No. Io e il dottore non ci abbiamo più nulla a fare in questo viaggio. Tutta la mia pretesa è che siate felici.

E sorrideva agli sposi, col suo sorriso un po' triste. La figliuola, a volte, aveva inconsciamente degli sguardi acuti che correvano come un lampo dal fidanzato alla madre. A quelle parole, senza saper perché, l'abbracciava ogni volta strettamente, nascondendole il viso in seno.

La contessa aveva detto che quella sarebbe stata l'ultima sua festa; e le sue spalle bianche e delicate mostraronsi realmente un'ultima volta allo sposalizio, nelle sale scintillanti di lumi e affollate d'amici e parenti come nei giorni più tristi in cui erano venuti a chieder notizie della Bice. Roberto, allorché baciò la mano della contessa, non poté dissimulare un certo turbamento. Poscia quando l'ultima carrozza fu partita, e non rimase a piè dello scalone che il piccolo *coupé* del marchese, e la carretta inglese che portava alla stazione il bagaglio degli sposi, mentre Bice era andata a cambiarsi d'abito, rimasti soli un momento, la contessa e Roberto:

– Fatela felice! – disse lei.

Danei era nervoso; abbottonava macchinalmente il soprabito da viaggio e tornava a cavarsi i guanti. Non disse nulla.

Madre e figlia s'abbracciarono teneramente, a lungo. Infine la contessa respinse quasi bruscamente la figliuola, dicendo:

– È tardi. Perderete il treno. Andate, andate!

La contessa Orlandi aveva tossito un poco quell'inverno, e di tanto in tanto aveva avuto bisogno del medico. Costui, onde non spaventarla, la sgridava, perché essa soleva passare la mattinata in chiesa – a salvarsi l'anima e perdere il corpo – diceva lui. Il buon uomo pigliava la cosa leggermente, per rassicurarla, ma in realtà era inquieto, e ingannandosi a vicenda con una finta gaiezza, pensavano entrambi a una minaccia più grave. Bice scriveva che stava bene, che si divertiva tanto, che era tanto felice, e più tardi accennò anche vagamente a un altro avvenimento che avrebbe affrettato il loro ritorno prima che finisse l'anno.

La contessa telegrafò di non farne nulla, di aspettare l'avvenimento là dove si trovavano, protestando che temeva per la figliuola lo strapazzo del viaggio. Piuttosto sarebbe andata lei stessa a raggiungerli. Però non andava mai, cercando mille pretesti, differendo di giorno in giorno quel viaggio, quasi le pesasse. I telegrammi si succedevano. Infine Roberto ebbe un dispaccio: – Arrivo stasera.

La prima persona che Anna vide sul marciapiedi della stazione, giungendo, fu Roberto che l'aspettava, solo. Ella si premeva con forza il manicotto sul cuore, quasi le mancasse il respiro. Il marchese le baciò la mano, sul guanto, e le diede il braccio, mentr'essa balbettava:

– Bice?... Come sta?

Fuori era fermo il piccolo *coupé* del marchese, col servitore accanto allo sportello aperto. Ella esitò un istante, al momento di montare insieme a lui. Poi si strinse nel suo cantuccio, chiusa nella pelliccia, col velo sul viso.

– Bice sta bene, – rispondeva lui, – per quanto è possibile... Sarà tanto contenta! – Sembrava che cercasse le parole, col viso rivolto allo sportello, impaziente d'arrivare. Sfilavano le case e le botteghe illuminate. A un tratto successe l'oscurità, nell'attraversare una piazza. Tutti e due, istintivamente, si scostarono e tacquero.

Bice era corsa ad incontrare la madre, e le si buttò al collo con un diluvio di carezze e di parole sconnesse. Era sofferente, e Roberto le diede il braccio per salire le scale. La contessa veniva dopo, un po' stanca anch'essa, soffocata dalla pelliccia greve.

Allorché furono nel salotto, in piena luce, ella fu colpita dall'aspetto di Bice, dalla sua veste da camera larghissima, dalle mani venate d'azzurro, posate sui bracciuoli della poltrona dove s'era lasciata cadere come sfinita, ma raggiante di una serena felicità. Roberto si chinava per parlarle nell'orecchio. Senza avvedersene si appartavano entrambi spesso e volentieri, discorrendo sottovoce fra di loro, presso la fiamma del caminetto che li colorava di un'aureola rosata, lontani dal mondo, lontani da tutti, dimenticando ogni cosa...

Dopo il primo sbigottimento di quella sera, la contessa sembrava più calma. Allorché trovavasi sola con Roberto, e lui parlava, parlava, quasi avesse paura del silenzio, ella ascoltava col sorriso distratto, sprofondata nella poltrona, accanto al fuoco che lumeggiava d'azzurro i capelli neri, col fine profilo opaco inquadrato nella luce al pari di un cammeo.

Però una nube sembrava sorgere fra madre e figlia, nell'intimità della famiglia: una freddezza incresciosa e insormontabile che agghiacciava le affettuose espansioni: un imbarazzo che rendeva moleste le premure di Roberto per l'una o per l'altra, e spesso anche la sua presenza fra di loro – come un'ombra del passato che offuscava gli occhi della figlia, che faceva impallidire la madre, che turbava anche Roberto, di tanto in tanto. Una sfumatura d'amarezza accennavasi a volte nelle parole più semplici, nei sorrisi che si evitavano, negli sguardi che si cercavano sospettosi.

Una sera che Bice s'era ritirata prima del solito, e Roberto era rimasto nel salotto insieme alla contessa, per farle compagnia, il silenzio piombò all'improvviso, quasi minaccioso. Anna stava a capo chino, dinanzi al fuoco che spegnevasi, presa da un brivido, tratto tratto, e il lume posato sul caminetto le accendeva dei riflessi dorati alla radice dei capelli, sulla nuca delicata che sembrava accendersi anch'essa di fiamme vaghe. Come Roberto si chinò a prender le molle, essa trasalì vivamente, e si alzò di scatto per augurargli la buona notte, accusando un po' di stanchezza. Il marchese l'accompagnò sino all'uscio, in preda anche lui a un vago turbamento. In quella apparve Bice, come un fantasma, vestita del suo accappatoio bianco.

Madre e figlia si guardarono, e la prima rimase senza parola, quasi senza fiato. Roberto, il meno imbarazzato di tutti e tre, chiese:

– Che hai, Bice?

– Nulla... Non potevo dormire... Che ora è?

– Non è tardi. Tua madre stava per ritirarsi... dice di sentirsi stanca...

– Ah, – rispose Bice. – Ah... – E non disse altro.

Anna, ancora tremante, balbettò con un triste sorriso:
– Sì... sono stanca... Alla mia età... figliuoli miei!...
– Ah, – ripeté Bice.
Allora la madre, facendosi pallida come una morta, come soffocata da un'angoscia ineffabile, aggiunse con quello stesso sorriso doloroso:
– Non mi credete?... Non mi credi, Bice?...
E rialzando alquanto i capelli sulle tempie, mostrò che quelli di sotto erano tutti bianchi.
– Oh... È un pezzo... tanto tempo!...
Bice, con uno slancio affettuoso, le buttò le braccia al collo, e le cacciò la testa in seno, senza dir altro. E le mani della madre sentirono che tremava tutta quanta, ancor essa. Roberto, il quale sembrava sulle spine, s'era levato per andarsene, quasi vedesse di esser di troppo fra quelle due donne, e nell'istante in cui i suoi occhi s'incontrarono in quelli di Anna, arrossì, e parve divampare in quell'istante un ricordo del passato.

La contessa Anna passò due settimane in casa della figlia, dove si sentiva estranea, accanto a Bice, accanto a lui! Come erano mutati! Quando egli le dava il braccio per andare a tavola, quando la figliuola le diceva – Mamma! – senza guardarla, e arrossiva se parlava di suo marito! – Dimenticherete, siate tranquillo! – ella aveva detto a Roberto. E non avevano dimenticato del tutto, né l'uno né l'altra!...
Chiudeva gli occhi e rabbrividiva a quel pensiero... Qualche volta, all'improvviso, la sorprendevano anche degli impeti di collera, di un'altra gelosia pazza. Le aveva rubato perfino il cuore di sua figlia, colui! Tutto le aveva tolto quell'uomo!
Una sera si udì un gran trambusto per la casa. Cocchieri e servitori erano stati spediti in fretta; il medico e un'altra donna erano giunti premurosi, ed erano entrati subito nella camera di Bice. E nessuno era venuto a cercare di lei,

sua figlia stessa non la voleva al suo capezzale, in quel momento. – No, nessuno aveva dimenticato! – Quand'egli venne ad annunziarle la nascita della sua nipotina, quell'uomo!... Quando lo vide così commosso e raggiante... – Non l'aveva mai visto così! – Quando lo vide al capezzale di Bice, che era supina sul letto, come fosse già morta, con una lagrima di tenerezza per lui soltanto negli occhi socchiusi... degli occhi che non cercavano che lui!... Allora sentì un odio implacabile contro quell'uomo che accarezzava la sua figliuola dinanzi a lei, e a cui Bice soltanto sorrideva, anche in quel punto.

Come misero il suo nome alla neonata, ed essa la tenne a battesimo, disse sorridendo: – Ora posso morire.

Bice andava rimettendosi lentamente. Però il suo organismo delicato vibrava ancora. Nei lunghi giorni di convalescenza le venivano dei pensieri neri, degli impeti d'irritazione sorda e irragionevole, degli scoramenti improvvisi, quasi tutti l'abbandonassero. Allora guardava muta, cogli occhi neri, e diceva al marito con accento indescrivibile:

– Dove sei stato? – Dove vai? – Perché mi lasci sola?

Ogni cosa la feriva; sembrava ingelosirsi anche di quel resto di eleganza ch'era sopravvissuto nella madre sua. Era arrivata a dirle, cercando di dissimulare la febbre che le si accendeva suo malgrado negli occhi: – Quando partirai?

La madre chinò il capo, quasi sotto il peso di un gastigo inevitabile.

Ma Bice tornava poi in sé, e pareva chiedere perdono a tutti colle sue parole e le sue carezze affettuose. Appena incominciò ad alzarsi da letto, la contessa fissò il giorno della partenza. Nel lasciarsi, madre e figlia, alla stazione, erano commosse entrambe, abbracciandosi senza dire una parola, all'ultimo momento, quasi dovessero lasciarsi per sempre. La contessa giunse tardi a casa sua, di sera, affranta, intirizzita dal freddo. La casa vuota e deserta era fredda ancor essa, malgrado il gran fuoco acceso, malgrado le lumiere solitarie, nelle stanze malinconiche.

La salute della contessa Anna declinò rapidamente. Da prima ne accusò la stanchezza del viaggio, le commozioni, la stagione rigida. Stette circa tre mesi fra letto e lettuccio, e il medico tornò a visitarla tutti i giorni.

– Non è nulla – ripeteva lei. – Oggi mi sento meglio. Domani m'alzerò.

Alla figliuola scriveva regolarmente, senza accennare però alla gravità del male che l'uccideva. Verso il principio dell'autunno parve migliorare davvero. Ma a un tratto peggiorò in guisa che i familiari si credettero obbligati di telegrafare al marchese.

Roberto giunse il giorno dopo, spaventato.

– Bice non sta bene, – disse al dottore che l'aspettava. – Sono inquieto anche per lei. Non sa nulla... Ho temuto che la notizia... l'agitazione... il viaggio...

– Ha ragione... Anche la salute della marchesa ha bisogno di molti riguardi... È una malattia gentilizia, pur troppo!... Io stesso non avrei preso su di me tale responsabilità... E se non fosse stata la gravità del caso...

– Molto grave? – chiese Roberto.

Il dottore scosse il capo.

L'inferma, appena le annunziarono la visita del genero, entrò in una grande agitazione.

– E Bice? – chiese appena lo vide. – Perché non è venuta?

Egli balbettava, quasi pallido quanto lei, sentendosi anch'esso un sudore freddo alla radice dei capelli.

– Siete stato voi... a dirle che non venisse?... – seguitava lei colla voce tronca e soffocata.

Egli non le aveva mai udito quella voce, né visto quegli occhi. Una donna, china sul capezzale, sforzavasi di calmare l'inferma. Infine essa tacque, abbassando le palpebre, stringendo forte le mani sul petto.

Volle confessarsi la sera stessa. Dopo che si fu comunicata fece chiamare di nuovo il genero, e gli strinse la mano, quasi per chiedergli perdono.

Nella stanza vagava ancora l'odore dell'incenso – l'odore della morte; soffocato di tratto in tratto da un odore più acuto di etere, penetrante, che pigliava alla gola. Delle ombre livide sembravano errare sul volto della moribonda.

– Ditele... – balbettò la poveretta. – Dite a mia figlia...

L'affanno la vinceva soffocandole le parole nella strozza, facendole stralunare gli occhi deliranti. Allora accennò che non poteva più, con un moto del capo desolato.

Di tanto in tanto bisognava sollevare di peso sui guanciali quel povero corpo consunto, nell'angoscia suprema dell'agonia. Ella però faceva segno che Roberto non la toccasse. Le si erano quasi sciolti i capelli, tutti bianchi.

– No... no... – furono le ultime sue parole che si udirono gorgogliare indistinte. Giunse le mani per chiudere la battista che le si era aperta sul petto, e così passò, colle mani in croce.

Ultima visita

« Vorrei morir... »

Donna Vittoria cantava divinamente. Però gli amici che frequentavano la sua casa (casa Delfini era una specie di succursale del Circolo) l'udivano raramente. Essa pretendeva che il canto l'affaticasse; soleva dire ridendo che sarebbe morta di una malattia di petto. – Per questo motivo, allorché compariva ai balli o al teatro, nel turbinìo infaticabile della vita elegante, splendente di bellezza e scollacciata sino al dorso, su quel petto delicato ch'era rimasto una meraviglia dopo dieci anni di matrimonio, fioccavano i complimenti e i madrigali dei suoi adoratori. – Ne aveva tanti!... – essa diceva con quel sorriso che faceva palpitare il bel nasino arcuato – per far la guardia alla sua virtù, guardandosi in cagnesco fra di loro!... – Amici del marito (il solo del fior fiore del Circolo che non fosse obbligato a farsi vedere un momento nel salotto di lei) o delle sue amiche, le quali venivano a prendere il thè, a farsi ammirare, a darsi degli appuntamenti, a discorrere di tutto, fuorché di musica, ch'era la passione segreta di Donna Vittoria – il solo vizio che nascondesse agli amici – diceva lei – il suo egoismo e la sua civetteria – dicevano gli altri. Talché quella sera che si era lasciata piegare dalle calorose insistenze della cugina Roccaglia, era stato proprio un avvenimento, udire la sua voce un po' velata che accennava squisitamente quella musica, con un certo riserbo signorile, con una tinta di malinconia anche.

– Ah, sì! – esclamò galantemente il vecchio duca d'Orezzo. – Morire a quella maniera è una bella cosa!

Ella scherzava adesso gaiamente coi suoi intimi, che si affollavano intorno al pianoforte rimproverandole la sua ingratitudine. – Ah, valeva proprio la pena di esserle fedeli, tutte le sere, perch'ella fosse così avara della sua voce, soltanto con loro! – Anche lei, Ginoli, ha il coraggio di lagnarsene? – Io no. La musica mi fa male... quando le sento dire a quel modo « Vorrei morire!... » – Gli occhi di lei ridevano negli occhi del bel giovane biondo, che si accesero anch'essi un istante di una luce più viva, malgrado il loro riserbo mondano, com'era passata una carezza nel tono della voce che voleva sembrare disinvolta e scherzevole.

– Davvero... – soggiunse lei. – Alle volte, sapete... in certi momenti deliziosamente tristi...

Essa parlava gaiamente della morte nel fervore della festa, al ritmo del valzer di Chopin che l'eccitava vagamente, splendente di gemme e di bellezza, sotto gli occhi innamorati di Ginoli. All'uscire di casa Roccaglia, in mezzo alla scorta di galanti che si affrettavano a metterle la pelliccia sulle spalle, a darle il braccio, ad aprir lo sportello del legnetto tiepido e profumato come un nido, aveva sentito un brivido scenderle per le belle spalle nude, ancora ansanti pel valzer, sotto la lontra del mantello. Il suo medico, il medico delle signore eleganti, era venuto il giorno dopo a fare quattro chiacchiere, sprofondato nella gran poltrona ai piedi del letto, buttando giù svogliatamente prima d'andarsene, senza togliersi i guanti, due o tre lineette della sua bella scrittura da signora su d'un foglietto medioevo con la corona a cinque foglie.

Alla porta era una vera processione di carrozze, di amici, di servitori in livrea; tutti che lasciavano una parola, un nome, una carta di visita, di cui il portiere ogni sera recava in anticamera un vassoio pieno zeppo, colla lista fitta di condoglianze e di auguri, insieme al bollettino della giornata, redatto in guisa da poter passare sotto gli occhi dell'inferma, la quale voleva leggere ogni giorno i nomi di coloro che si erano ricordati di lei. Se ne parlava al Circolo, al teatro, come s'incontravano fra di loro, amici e conoscenti di lei, in visita, dal confettiere, allo sportello delle carrozze, a Villa Borghese. – La povera Donna Vittoria!... – Le visite si succedevano a casa Delfini: delle signore eleganti, degli uomini che venivano un momento a stringere la mano al marito di lei, delle coppie che vi si davano ritrovo, delle ondate di profumi leggieri e delicati che passavano nell'atmosfera greve, delle osservazioni brevi che si scambiavano i visitatori a bassa voce, nell'uscire, con un segno del capo, o della mazzettina, stringendo il manicotto al seno, o stringendosi nelle spalle. La sera miss Florence lasciava il romanzo che stava leggendo, e scendeva colla bimba nella camera della signora, la quale accoglieva entrambi con un sorriso pallido. La figliuola, una ragazzina bianca e delicata, con lunghe trecce color d'oro pendenti giù per le spalle, e la compostezza di una donnina, andava a baciare la mamma in punta di piedi, col passo leggiero di signorina ben educata. Le chiedeva della salute in inglese o in tedesco, secondo la giornata; poi le augurava la buona notte, e se ne andava dietro all'istitutrice, diritta e impettita. Però una mattina il dottore s'era fatto serio all'udire Donna Vittoria lagnarsi di un altro guaio serio, sopravvenutole nella notte: un dolore pungente che le attraversava il petto, dalle spalle al seno: – Come dicono che sia il mal d'amore!... – Donna Vittoria ne parlava in tono di scherzo, con una specie di febbre d'amore realmente negli occhi, sulle guance, e nella voce rotta. Il dottore la pregò di lasciarsi osservare, così, sollevandosi un poco, una cosa da nulla. Una cosa che le faceva un effetto curioso, a lei, al sentire contro la batista quel viso di uomo che pareva l'abbracciasse, e le faceva battere il cuore davvero, e la faceva scomporre in volto, senza saper perché, mentre si forzava ancora di ridere, fra due colpetti di tosse: – Proprio il mal d'amore, eh, dottore? – Egli non rispose subito, intento, coll'orecchio sulle sue spalle delicate che trasalivano e s'imporporavano. Poi aveva espresso il desiderio « di consultarsi con qualche collega sul metodo di cura », e s'era fermato un momento in anticamera a discorrere sottovoce col marito dell'inferma. Calava la sera, una sera tiepida di primavera. Per la via udivasi il rumore non interrotto delle carrozze che tornavano dal passeggio. Soltanto nella camera dell'inferma, che dava sul giardino, regnava un gran silenzio.

Quando la figliuola era andata ad augurarle la buona notte, secondo il solito, Donna Vittoria aveva trattenuta la ragazzina per mano, e le aveva detto, nella sua lingua nativa, poche parole che accusavano la febbre, col sorriso già triste nel viso color di cera. La bimba ascoltava seria e zitta, coi grand'occhi azzurri spalancati. Sino a tarda ora, come s'era sparsa la notizia del consulto tenutosi in casa Delfini, erano venuti degli amici di Donna Vittoria, che il marito di lei riceveva nel suo salottino da fumare – un salottino da scapolo, con delle figure scollacciate alle pareti, e dove scoppiettava una fiammata allegra – distribuendo dei sigari e delle strette di mano, discorrendo di ciò che avevano detto i medici, e di quel che dicevasi al Circolo e nei crocchi mondani. Qualche signora, venendo a chiedere notizie dell'amica, dopo il teatro, s'avventurò a cacciare un momento la testolina incappucciata in quel recesso profano, scandolezzandosi « degli orrori » che v'erano in mostra, sgridando Delfini e lasciandogli un saluto per « la cara Vittoria », empiendo le sale del fruscìo dei loro strascichi, e del gaio cinguettìo che fugava le idee nere. I domestici sbadigliarono un po' più del solito in anticamera, e sino a tarda ora lo stesso *coupé* che aveva ricondotta la padrona dal ballo in casa Roccaglia stette attaccato a piè dello scalone, coi due fanali accesi che si riverberavano nell'acqua della fontana. Null'altro.

Ma la stessa notte l'inferma aveva peggiorato rapidamente. Il medico, chiamato in fretta e in furia sin dall'alba, si turbò in viso al primo vederla. Stette appena cinque minuti e promise di tornare fra qualche ora. Intanto fece prevenire il suo collega del consulto, suggerì alla cameriera di svegliare Delfini, che dormiva ancora, prescrisse un sacco d'ordinazioni che fecero perdere la testa ai servitori e alle cameriere. Per un momento la casa fu tutta sottosopra. Nel cortile c'era un va e vieni frettoloso di carrozze, coi cavalli fumanti e coi cocchieri ancora in giacchetta. Dei parenti giungevano a ogni momento, col viso lungo, parlando sottovoce. Il medico era tornato due volte. Verso le quattro, prima d'andarsene, aveva scritto un'ultima ordinazione sul tavolino dell'anticamera, volgendo le spalle all'uscio, dinanzi al servitore serio e grave, di già in cravatta bianca sino dalle dieci di mattina. Poi, il *coupé* di Donna Vittoria era andato a prendere di corsa una lontana parente, mezza beghina, dinanzi al cui vestito dimesso, quasi umile, gli usci dorati si spalancarono premurosamente. Costei s'era assisa al capezzale dell'inferma, con un'aria d'intimità quasi materna, chiedendole come si sentisse, chiacchierando di cose diverse con la voce pacata delle donne che vivono nella pace della chiesa. Parlò di sé, dei suoi piccoli guai di tutti i giorni, del solo conforto che si trova nella religione. – Giusto incominciava allora la quaresima, l'epoca della penitenza, dopo i peccati del carnevale. A volte le malattie sono avvertimenti che dà il Signore perché ci si rammenti di Lui. Appunto perciò i buoni cristiani antichi usavano chiedere il Viatico appena s'ammalavano. Non è giusto aspettare l'ultimo momento per riconciliarsi con Dio. Già il miglior rimedio è una buona confessione, si era visto tante volte, con dei malati gravi...

Donna Vittoria, bianca come il merletto del guanciale su cui posava la testa, ascoltava senza dire una parola, spalancando gli occhi, quasi affascinata da un'orribile visione interiore, col viso già stravolto da un'angoscia suprema, agitando le mani, agitando il capo che non poteva trovar requie sul guanciale. Tutt'a un tratto si fece proprio cadaverica in volto, cercando di rizzarsi sulla vita, balbettando:

– No... più tardi... più tardi... Non mi fate questi discorsi... Non mi fate morir di spavento... Andatevene, zia!... andatevene!... Più tardi, poi...

La beghina se ne andò finalmente, stringendosi nelle spalle, brontolando delle parole oscure, accennando col capo al marito di Donna Vittoria che aspettava all'uscio, sbigottito anche lui. L'inferma gli fece cenno d'accostarsi, interrogandolo cogli occhi ansiosi, con un'espressione di rancore pure, in fondo a quegli occhi atterriti, chiedendogli perché avessero lasciata entrare quella donna... perché?... perché?... La voce le si era mutata a un tratto, come il viso, come gli occhi che fissava in volto a tutti quanti e domandavano ansiosi: – Sto proprio così male?... Cosa ha detto il medico?... Perché non mandate a chiamare il medico? – Ad un tratto si abbandonò sul letto supina, con un terrore immenso nel viso. – Ah... Dio mio!... così presto!...

Il triste annuncio giunse di buon'ora al Circolo. Ginoli teneva banco, aspettando che fosse l'ora d'andare a far visita in casa Delfini, come al solito, quando il duca d'Orezzo, che aveva preso posto fra i giuocatori un momento prima, ripeté la frase che correva da una settimana sulla bocca degli amici: – La povera Donna Vittoria!... – stavolta in tal tono che tutti quanti levarono il capo. Ginoli aveva voltato un nove. Allora gli stessi visi tornarono a chinarsi sulle carte, rannuvolati.

– Pur troppo! – rispose il duca alla domanda di Ginoli, che aveva dimenticato di ritirar le poste. – S'è già confessata...

Ginoli vinceva sempre con una vena implacabile che l'inchiodava al suo posto, e non teneva allegri neppure i suoi compagni di giuoco. Accusasse un cinque o chiamasse con un sette, tutte le follìe di un giuocatore inesperto che voglia fare lo spaccone, o che abbia perduta la testa, gli giovavano invece a sventare le astuzie dei suoi avversari, i quali non sapevano più a che santo votarsi, e maledicevano in cuor loro gli uccelli di malaugurio che vanno in giro a portare la disdetta e le cattive nuove. Santa-Sira, il quale aveva già le orecchie infocate, saettò di nascosto un'occhiataccia sul duca. Ma Lionelli, il quale aspettava la rivincita, e temeva che Ginoli lasciasse le carte, osservò garbatamente che in tal caso non conveniva andare in casa Delfini quella sera... per non disturbare... Altri approvarono, guardando alla sfuggita Ginoli a cui tremavano le mani nel dare le carte, e luccicavano delle goccioline di sudore sulla fronte, quasi perdesse tutto sulla parola; e Domitilla discretamente cambiò discorso, per riguardo a Ginoli che teneva il banco, e di cui conoscevasi la relazione con Donna Vittoria. Peraltro si facevano pochi discorsi, ciascuno avendo da pensare ad altro, con quella maledetta partita che s'era fatta più seria che non si credesse, e che sarebbe stata un disastro per qualcheduno, se Ginoli non fosse stato quel gentiluomo che era, e non avesse capito che gli conveniva continuare a giuocare, come facevano tutti gli altri amici di Donna Vittoria, per la riputazione di lei. Con una partita così grossa, nessuno avrebbe voluto tenere il banco per lui. – Tanto da lasciarmi tirare il fiato, – aveva egli detto sorridendo, quasi l'emozione della vincita fosse stata realmente tale da togliergli il respiro.

Finalmente, quando poté correre in casa Delfini, dopo una serie fortunata di zeri che gli riconciliò i suoi amici del Circolo, era circa mezzanotte. Domitilla aveva voluto accompagnarlo per salvare le apparenze. Salendo le scale gli disse: – Bada... sei ancora tutto sottosopra...

Nel salotto c'erano dei parenti, una signora attempata, amica di casa, che si era offerta di vegliare la notte, e due altri, marito e moglie, zii, per parte di madre, di Donna Vittoria. La zia parlava di cure portentose, di guarigioni insperate. Gli altri tacevano, senza ascoltare. La contessa Roccaglia parve molto sorpresa di veder comparir Ginoli, e rivolse la parola a Domitilla, per salvare le apparenze:

– Non sapevate... povera Vittoria!...

Allora Ginoli dovette ascoltare le osservazioni della zia, ch'era stata nella camera dell'inferma, e balbettare delle condoglianze comuni, dinanzi a tutti quegli occhi fissi su di lui. Di tanto in tanto passava un domestico frettoloso; una cameriera socchiudeva discretamente l'uscio delle stanze della signora. Un momento si vide far capolino anche il marito di lei, pallidissimo, che scomparve subito. Nel salotto discorrevasi a voce bassa, con parole tronche, con un vago senso di malessere e di fastidio reciproco. Lo zio guardava l'orologio tratto tratto. Poi succedevano dei lunghi intervalli di silenzio che pesavano su tutti, quasi d'attesa funebre. A un certo punto l'uscio si spalancò e comparve prima l'istitutrice, col fazzoletto agli occhi, reggendo la fanciullina che sembrava svenuta; e il padrone di casa attraversò il salotto barcollando, senza salutare nessuno, fissando soltanto uno sguardo singolare su Ginoli che aveva chinato il capo. Dall'uscio rimasto aperto udivasi il rumore di un affaccendarsi frettoloso, nelle stanze dell'inferma. La cameriera era venuta correndo a prendere un candelabro dal caminetto. Allora gli zii e la vecchia signora le erano andati dietro. Come Ginoli si era alzato anche lui, vacillante, pallido come un cadavere, quasi non sapesse più quel che si faceva, la contessa Roccaglia lo fermò sull'uscio, dicendogli piano:

– No... S'è confessata or ora... s'aspetta il Viatico...

Si udì il suono funebre di un campanello, e uno scalpiccìo di gente che saliva. Ginoli, dileguandosi come un'ombra, quasi inseguito dallo squillare di quel campanello, vide un'altra ombra in fondo all'anticamera, dinanzi a cui dovette chinare il capo, irresistibilmente.

Bollettino sanitario

(Corrispondenza in 4ª pagina)

San Remo, 10 novembre

Sono qui da ieri sera. Venite.

Viola

San Remo, 21 novembre

VIOLA fa sapere alla sola persona dalla quale è conosciuta, che ella aspetta inutilmente da otto giorni.

San Remo, 8 dicembre

Perché non siete venuto, GIACINTO? Avete letto le mie del 10 e 21 novembre? Avete dimenticato la vostra promessa? Dove siete? Ho bisogno di voi.

San Remo, 16 dicembre

Mi sono ingannata; perdonatemi. Voi siete come tutti gli altri.

Sorrento, 22 dicembre

Io sono precisamente come tutti gli altri, cara signora VIOLA; anzi, come tutti quegli altri che hanno bisogno di pace, e a cui i medici prescrivono il riposo dell'anima e del corpo, e il clima di Nizza o di Napoli.

Giacinto

San Remo, 25 dicembre

Godeteveli. Parto domani. È inutile dirvi dove andrò, poiché è inutile che mi scriviate. Addio.

Viola

Sorrento, 20 gennaio

Alla signora VIOLA – non del pensiero. – Mia cara, giacché ai vostri occhi devo comparire assolutamente colpevole, eccovi la mia giustificazione: ve la mando come posso. Per altro, nessuno vi conosce, nemmen io, e voi non avete esitato per la prima a far correre le poste ai nostri piccoli segreti. Sono stato malato, molto malato; ho creduto di morire, e ho avuto paura. Vedete quanto io sia lontano dal mondo e dalle sue illusioni, se vi confesso anche cotesto! Ho vista la vita dall'altro lato. Se sapeste che rovescio! La giovinezza, il passato, voi! Quante cose si veggono nelle cortine stinte di un letto d'albergo, a cinque lire per notte, coll'odore delle medicine sotto il naso, e il russare dell'infermiera in un canto! Mi sembrava di non dovermi alzare più. Andavo cercando col pensiero tutto ciò che si era presa la mia vita, e non lo trovavo: il giuoco, gli amici, le amiche... E i sogni della giovinezza... Vi rammentate, quella prima sera che mi bruciaste l'anima colle lenti del vostro cannocchiale? Che miseria! E pensare che tutto ciò ora non mi fa battere il cuore come la voce grossa del dottore il quale mi misura la febbre col termometro!

Che cosa volete, cara VIOLA! Ritorno dal paese freddo delle ombre, dove anche il fiore del pensiero intirizzisce; e mi scaldo tranquillamente a questo bel meriggio d'inverno, come un ebete, con un *plaid* sulle ginocchia, le orecchie ben calde dentro il mio berretto di lontra; e sorrido soltanto al sole che mi bacia le mani diacce, gialle, di un bel giallo d'oro, come i mucchi di luigi che illuminavano le nostre notti di Montecarlo, dove *quell'altro* mi vinceva anche voi.

Vi rammentate, a Venezia? Avevate un colletto alto da uomo, un ferro di cavallo alla cravatta, un cappellino grigio, a tese piatte, con un ciuffo di piume di struzzo sul davanti: ricordi che mi sembrano gai e festosi in questa bella giornata d'inverno: – l'occhiata lunga e calda che mi lanciaste nel vestibolo, sirena! e la furberia con la quale vi nascondevate dietro le spalle oneste e larghe del vostro compagno, nel palchetto, per puntare il cannocchiale su di me! Quante belle cose ci dicevamo! Due o tre volte chinaste il capo e sorrideste: un sorriso che voleva dire tante cose: – Vi saluto! – Davvero? – Sì! – Venite? – che so io... forse non lo sapevate voi stessa. Io sorrisi e chinai il capo come voi. Che potevamo dire di più? Tutto l'amore umano non è in quel linguaggio senza parole? – Chi sei? – Mi piaci! – Mi vuoi? – Quel bel signore che vi dava il braccio non avrebbe potuto chiedervi né sentirsi rispondere altro da voi, neppure nel momento in cui posava la sua testa accanto alla vostra sul medesimo guanciale. Eppure, tutta la notte questa visione non mi fece chiudere occhio.

Lasciamo stare, lasciamo stare! Ecco che ricasco di nuovo nella fantasticheria erotica – la più malsana divagazione della mente, dice il mio medico. Ora non c'è nulla per me che valga una buona nottata di sonno profondo, collo spirito e il corpo nella bambagia tiepida delle coperte. Erano tante notti che non potevo dormire, mangiato dalla tosse, mangiato dalla febbre! Sentite, quando vi dicono che in cotesti momenti hanno pensato a voi, che siete stata il conforto, il sollievo, che so io, vi mentiscono come furfanti. In principio, forse, quando il male non ha compito il suo lavorìo, quando il medico non ha fatto il viso lungo, quando non si è visto passare lo spettro nero nelle prime ombre della sera... Allora, forse... quando il sangue ancora ricco dà con la febbre quella sensazione di benessere, si può pensare a *lei*, alla donna, alla treccia bionda sul guanciale, alla mano bianca che apre dolcemente le cortine, agli occhi lucenti che aspettano... Così mi guardavate, dal fondo di quella loggia. – Che cosa ne avete fatto del vostro bel cavaliere? Sapete, ultimamente lo incontrai a Napoli. Non volle riconoscermi, e fece bene. Ho un sospetto che quell'uomo in dominò della *cavalchina* fosse lui, e che abbia udito quando deste l'indirizzo al gondoliere...

Lasciatemi in pace, lasciatemi in pace, ecco quello che vi ho detto poi, nelle lunghe notti senza sonno e senza sogni. E vi ho detto anche peggio. Che ve ne importa? Che me ne importa? Io voglio dormire, voglio dormire soltanto. Voi siete bella, sana, giovane, ricca. Avete lì San Mauro ai vostri piedi, Giuliano che vi fa ridere, il duca che vi manda delle violette da Nizza. Lasciatemi in pace.

Vedete, è un'ora che vi scrivo. Il sole m'ha lasciato adagio adagio, e col sole le liete fantasie che suscitava la vostra memoria. Ora ho freddo, e la nebbia è calata anche su di voi. Che colpa ne ho io? Se vedeste com'è triste questo mare che illividisce, e questo verde che si fa scuro! Sento il bisogno del bel fuoco che scoppietta nel camino, e del buon brodo che fuma nella tazza. Se stanotte potessi dormire senza cloralio, quanto sarei felice! Vedete quanto poco ci vuole per avere la felicità? Il dottore m'assicura che sto meglio, e che forse fra un mese o due potrò lasciare Sorrento... Giacché dovete sapere che odio Sorrento, odio questo mare, questo cielo, questo verde implacabile, in mezzo al quale sono costretto a vivere, se voglio vivere. Ora difatti mi sento meglio, ho pensato a voi, ho riletto le vostre lettere, ho sentito rifiorire in me qualcosa del passato che credevo morto, e che mi rianima invece, e mi riscalda. Dunque anch'io posso rivivere? Allora, allora... No, non voglio pensare ad altro. Il medico dice che mi fa male. Il mio male siete voi. Non mi importa più di nulla, capite! Sentite... siete già in collera? Vi chiedo perdono. Sono un uomo dell'altro mondo: eccovi spiegato il motivo del mio silenzio. Non pensate più a me. Se mi vedeste ora, volgereste il capo dall'altra parte. Lasciatemi in pace.

Sorrento, 25 marzo

È proprio vero. Sto meglio, son quasi guarito, sapete? Il male non era così grave come si temeva. Chi ne sa nulla? Questi medici, dottoroni! non lo sanno neppur loro. Certo è che son guarito, guarito! Oggi ho fatto una lunga passeggiata a piedi. Che bel sole! che bel verde! Quella ragazza che mi vende le viole ha detto che non mi ha visto mai così di buona cera. Anche qui si fa la corte, come laggiù la fanno a voi, e non potete immaginare quanto sia ingenua e credula la civetteria dei malati. Le ho dato venti lire. Quanta gente si può far contenta con venti lire. Ho portato il *plaid* sul braccio, tutto il dopo pranzo.

C'è un povero storpio che suona da un'ora il valzer di *Madama Angòt* sotto le mie finestre. Sì, quella musichetta gaia può avere il suo merito anch'essa quanto il vostro Chopin e il vostro Mendelssohn. Le belle sere passate nel vostro salottino, guardandovi le mani e accarezzandovi i capelli! Non mi sgridate. Sono un gran colpevole che vi domanda perdono e viene a picchiarsi il petto dietro la vostra porta. Dove siete? Che avete pensato di me? Ero tanto lontano da voi, tanto! Ed ora desidero tanto di rivedervi! Basta, non ne parliamo. Non me lo merito, lo so. L'avete ancora quel serpentello d'oro al braccio? Come mi farebbe bene una bella chiacchierata con voi, di quelle chiacchierate che sapete fare, mezzo sdraiata sulla poltrona, e colle scarpette accavalciate l'una sull'altra! Sono circa sei mesi che non parlo. E vedete, che perciò chiacchiero, chiacchiero per lettera, e vi corro dietro con la mente, e con qualche altra cosa anche, qui nel petto... Se siete tuttora in collera, dovreste perdonarmi soltanto al pensare che, se voleste dirmi dove siete, verrei a piedi, come un pellegrino, a sciogliere il voto, foste anche in capo al mondo! Non mi sgomenterei, no! Ora son forte. Ah, com'è bella la vita!

Sì, vi avevo promesso: – « Quando mi permetterete di venirvi a trovare... dovunque sarete... » – Poi fui in collera con voi che m'avete lasciato partire. Quella sera che mi posaste la fronte sul petto, a Villa d'Este? Perché non siete venuta con me? Eravate tutta tremante. Mi amavate dunque? Perché non avete voluto che ci acciuffassimo pei capelli, io e quell'uomo? Che notte ho passata sotto le vostre finestre! Fu là che presi la tosse... E ve ne volli. Sì, sì, quando vi seppi partita, partita con colui, vi odiai, fui malato, volli dimenticarvi. Giuliano mi disse che San Mauro vi faceva la corte, e che il duca portava discretamente al collo la vostra catena. Che m'importa adesso? Io so che avete le mani bianche e che ve le siete lasciate baciare da me. So che a San Remo non siete più da un pezzo, e che mi avete aspettato colà, e che siete partita senza dire per dove. Ed io vi ho lasciata partire! Ero pazzo allora, o son pazzo adesso? Nessuno potrebbe dirlo. Quello che so di certo, è che in questo momento vorrei baciare ancora le vostre mani bianche.

Sorrento, 11 aprile

VIOLA cara! VIOLA bella! VIOLA bionda! Eccomi ginocchioni dinanzi a voi, con le mani in croce, la fronte sul tappeto. Lasciatemi baciare le vostre scarpette piccine! Sì, sì, lo so, sono molto colpevole. Non merito il perdono. Ditemelo, ma ditemelo voi stessa. Sono otto giorni che ho fatte le valigie, e che aspetto una vostra parola, dura, assai dura, che mi dica di venirvi a chiedere perdono. Pensare che forse eravate sola a San Remo, e che avreste lasciato l'uscio socchiuso... Ah, come darei della testa nella parete! Sono stato peggio di colpevole: sono stato uno sciocco. Non ci cascate anche voi, se mi amate ancora, per picca, per dispetto. Pensate che potremmo vederci, soli, dirci colla bocca tutto ciò che ci siamo detto quella sera alla Fenice col canocchiale! Vi dico delle cose pazze. Sono pazzo, vi giuro...

Sorrento, 16 aprile

GIACINTO supplica e scongiura a mani giunte VIOLA di fargli avere un rigo, una parola, qualunque sia, perché il silenzio implacabile di lei gli mette addosso tutte le febbri.

Sorrento, 29 aprile

Sentite, non ne posso più. Aspetterò qui la vostra lettera sino a domani. Domani, ultimo giorno d'aprile, non so quel che farò. Vi amo, vi amo, mi sento morire un'altra volta. Fatelo per pietà almeno, VIOLA! Stanotte ho tossito di nuovo e ho avuto la febbre.

Sorrento, 8 maggio

Ah, che siate proprio tale quale vi avevo giudicata! senza cuore, senza spirito, senz'altro che lo spumeggiare delle vostre trine e lo scintillìo dei vostri diamanti. Frivola e dura altrettanto! Vi odio, vi detesto! Voi mi fate morire, consunto da questa febbre che mi avete messa nel sangue, maledetta! Tenetevi il duca che v'insulta co' suoi doni. Tenetevi Giuliano, che si ride di voi. Tenetevi San Mauro che vi mette in un mazzo con le ballerine della Scala. Io vi ho buttato in faccia la giovinezza mia, che avete distrutto, la vita che mi avete succhiata coi baci, vampiro!

Giacinto

Genova, 8 maggio

Aspettatemi. Verrò.

Viola

Napoli, 14 maggio

No, no, mio caro GIACINTO. È meglio non vederci più. Sono stata a trovarvi, incognita; l'albergatore mi aveva aperta una finestra sul giardino, dove eravate a passeggiare. Come siete mutato, mio povero e caro GIACINTO!

VIOLA è morta.

Don Candeloro e C.[i]

Don Candeloro e C.i

Don Candeloro era proprio artista nel suo genere: figlio di burattinai, nipote di burattinai – ché bisogna nascerci con quel bernoccolo – il suo pane, il suo amore, la sua gloria erano i burattini. – Non son chi sono se non arrivo a farli parlare! – diceva in certi momenti di vanagloria come ne abbiamo tutti, allorché gli applausi del pubblico gli andavano alla testa, e gli pareva di essere un dio, fra le nuvole del palcoscenico, reggendo i fili dei suoi « personaggi »

Per essi non guardava a spesa. Li perfezionava, li vestiva sfarzosamente, aveva ideato delle teste che muovevano occhi e bocca, studiava sugli autori la voce che avrebbe dovuto avere ciascuno di essi, *Almansore* o *Astiladoro*. Quando declamava pei suoi burattini, nelle scene culminanti, si scaldava così, che dopo rimaneva sfinito, asciugandosi il viso, nel raccogliere i mirallegro dei suoi ammiratori sfegatati, come un attore naturale.

Di ammiratori ne aveva da per tutto, alla Marina, alla Pescheria, certuni che si toglievano il pan di bocca per andare a sentire da lui la *Storia di Rinaldo* o *Il Guerin Meschino*, e se l'additavano poi, incontrandolo per la strada, colla canna d'India sull'omero e la sua bella andatura maestosa, che sembrava *Orlando* addirittura. Era un gran regalo quando egli rispondeva al saluto toccando con due dita la tesa del cappello. Se nasceva una lite in teatro, e venivano fuori i coltelli, bastava che don Candeloro si mostrasse fra le quinte, e dicesse: – Ehi ragazzi!... – con quella bella voce grassa.

Giacché s'era fatta anche la voce, come il gesto e la parlata, sul fare dei suoi « personaggi » e pareva di sentire un *Reale di Francia* anche se chiamava il lustrastivali dal terrazzino.

Con queste doti innamorò la figliuola di un oste che teneva bottega lì accanto. La ragazza era bruttina, ma aveva una bella voce, e doveva avere anche un bel gruzzolo. – La voce è tutto! – le diceva don Candeloro sgranandole gli occhi addosso, e accarezzandosi il pizzo. – Grazia! Che bel nome avete pure! – Andava spesso a far colazione all'osteria per amore della Grazia, e le confidò che pensava d'accasarsi, dacché aveva voltato le spalle alla vecchia baracca del padre, e messo su il nuovo teatro che rubava gli avventori al SAN CARLINO, e al TEATRO DI MARIONETTE. Si mangiavano fra di loro come lupi, padre e figlio, e i suoi colleghi erano giunti ad ordirgli la cabala, e fargli fischiare la *Storia di Buovo d'Antona.* – Spenderò i tesori di Creso! – aveva fatto voto quel dì don Candeloro battendo il pugno sulla tavola. – Ma non son chi sono se non li riduco a chiuder bottega tutti quanti!

Lui con dei contanti avrebbe fatto cose da sbalordire. Insino il balletto e la pantomima avrebbe portato sul suo teatro; tutto colle marionette. – Ci aveva qualcosa lì! – e si picchiava la fronte dinanzi alla Grazia, fissandole gli occhi addosso come volesse mangiarsela, lei e la sua dote. Si scervellò un mese intero, col capo fra le mani, a cercare un bel titolo pel suo teatrino, qualcosa che pigliasse la gente per gli occhi e pei capelli, lì, nel cartellone dipinto e coi lumi dietro. – *Le Marionette parlanti!* – Sì, com'è vero ch'io mi appello Candeloro Bracone! parlanti e viventi meglio di voi e di me! Non deve passare un cane che abbia un soldo in tasca dinanzi al mio teatro, senza che dica: – Spendiamo l'osso del collo per andare a vedere cosa sa fare don Candeloro!

L'oste veramente non si sarebbe lasciato prendere a quelle spampanate, perché sapeva che gli avventori serii preferiscono andare a bere il buon vino nel solito cantuccio oscuro; e del resto, lui voleva un genero con una professione da cristiano, come la sua, a mo' d'esempio, e non un commediante con la zazzera inanellata, che parlava come un libro e gli incuteva soggezione.

– Quello è un tizio che ci farebbe muovere a suo piacere come i burattini, te e me! – disse alla figliuola. – Bada ai fatti tuoi: le buone parole, qualche risatina anche, con gli avventori. E poi orecchie di mercante. Hai inteso?

Ma il tradimento gli venne da un finestrino che dava sul palcoscenico, al quale la ragazza correva spesso di nascosto a mettere un occhio, e dove si scaldava il capo con tutte quelle storie di paladini e di principesse innamorate. Don Candeloro, dacché s'era dichiarato con lei, lasciava socchiusa apposta l'impannata, e le sfuriate di amore, *Rinaldo* e gli altri personaggi, le rivolgevano lassù; tanto che la ragazza ne andava in solluchero, e aveva a schifo poi di lavare i piatti e imbrattarsi le mani in cucina.

« – Non pur me, ma infiniti signori questo amore ha fatto suoi vassalli, principessa adorata!... »

– Tu non me la dai a intendere! – brontolava l'oste colla figliuola. – Che diavolo hai in testa? Mi sbagli il conto del vino... Gli avventori si lamentano... Questa storia non può durare.

La catastrofe avvenne alla gran scena in cui *la bella Antinisca* ritorna alla città di Presopoli, e *Guerino* « quando la vidde » dice la storia « s'accese molto più del suo amore ». Smaniava per la scena, sbalestrando le gambe di qua e di là, alzando tratto tratto le braccia al cielo, squassando il capo quasi colto dal mal nervoso. Diceva, con la bella voce cantante di don Candeloro:

« – O Dio, dammi grazia ch'io mi possa difendere da questa fragil carne, tanto ch'io trovi il padre mio, e la mia generazione. »

E *la bella Antinisca,* dimenandosi anch'essa, e lagrimando (si capiva dalle mani che le sbattevano al viso):

« – O Signor mio, io speravo sotto la vostra spada di esser sicura del Regno che voi mi avete renduto, per questa cagione vi giuro per li Dei che come saprò, che voi siete partito, con le mie proprie mani mi ucciderò per vostro amore, e se mi promettete, che finito il vostro viaggio ritornerete a me, io vi prometto aspettarvi dieci anni senza prender marito. » « – No per Dio, sarete vecchia » – disse il Meschino. « – Questo non curo, pur che voi giuriate di tornare a me, di non pigliare altra donna. » – (Veramente *la bella Antinisca* aveva una voce di galletto che faceva ridere gli spettatori, giacché don Candeloro per le parti di donna aveva dovuto scritturare a giornata un ragazzetto che cominciava adesso a farsi grandicello, e per giunta recitava come un pappagallo, talché alle volte il principale, sdegnato, gli assestava delle pedate, dietro la scena). Allora *la bella Antinisca* cadde d'un salto fra le braccia del *Guerino*, piegata in due dalla tenerezza, e Grazia, arrampicata al finestrino, si sentì balzare così il cuore nel petto, che le sembrava proprio di essere nei panni dei due felici amanti, allorché il *Meschino*, in presenza di *Paruidas*, *Armigrano* e *Moretto*, giurò per tutti i sagramenti di farla sua donna e legittima sposa.

– Quando saremo marito e moglie, le parti di donna le farai tu! – le aveva detto don Candeloro. E la ragazza, ambiziosa, si sentiva gonfiare il petto dalla gioia, a quelle scene commoventi che facevano drizzare i capelli in capo ad ognuno, e si vedevano degli uomini con tanto di barba piangere come bambini, fra gli applausi che parevano subissare il teatro. – Sì! sì! – disse Grazia in cuor suo.

Il babbo invece disse di no. C'erano continuamente delle scene fra padre e figlia; quello ripetendo che la storia non poteva durare, e minacciando la ragazza di tornare a maritarsi, e metterle sul collo la matrigna. Lei dura nel proposito: o don Candeloro, o la morte! Quando don Candeloro andò a far la domanda formale, vestito di tutto punto, l'oste rispose:

– Tanto onore e piacere. Ma ciascuno sa i fatti di casa sua. Sono vedovo, non ho altri figliuoli, e mi abbisogna un genero che mi aiuti...

– Allora vuol dire che non son degno di tanto onore! – balbettò don Candeloro facendosi rosso, e piantandosi di tre quarti, colla canna d'India appoggiata all'anca.

– Nossignore, l'onore è mio.

– L'onore è vostro, ma vostra figlia non me la date...

– Nossignore. Come volete sentirla?

– Va bene. Umilissimo servo! – conchiuse don Candeloro calcandosi con due dita la tuba sull'orecchio, e se ne andò mortificatissimo.

– Senti – disse poi alla Grazia dal finestrino. – Tuo padre è un ignorante che non capisce nulla. Bisogna prendere una risoluzione eroica, hai capito?

La ragazza esitava a prendere la risoluzione eroica di infilare l'uscio e venirsene a stare con lui, per costringere poi il babbo ad acconsentire al matrimonio. Ma don Candeloro aveva il miele sulle labbra, e sapeva trovare delle ragioni alle quali non si poteva resistere. Le diceva di fare nascostamente il suo fagotto... con giudizio, s'intende... – C'era anche la sua parte nei denari del padre, – e venirsene dove la chiamavano i cieli. – Non hai giurato per gli Dei di essere mia donna e legittima sposa?

Il vecchio però era un furbo matricolato, il quale cantava sempre miseria, e nascondeva i suoi bezzi chissà dove. Grazia non portò altro che quattro cenci in un fazzoletto, e quelle poche lire spicciole che aveva potuto arraffare al banco. – Come? – balbettò don Candeloro che si sentiva gelare il sangue nelle vene. – In tanto tempo che ci stai, non hai saputo far di meglio?...

Questo era indizio che non sarebbe stata buona a nulla, neppure per lui; e le questioni cominciarono dal primo giorno. Basta, era un gentiluomo, e la promessa di Candeloro Bracone era parola di Re. Il bello poi fu che lo stesso giorno in cui andarono all'altare, lui e la sposa, il suocero volle fargli la burletta di andarci lui pure, insieme a una bella donnona colla quale aveva combinato il pateracchio lì per lì. – Senza donne non possiamo stare né io né il mio negozio, cari miei, – gli piaceva ripetere, con quel sorrisetto che mostrava le gengive più dure dei denti, e faceva venire la mosca al naso. – State allegri e che il Signore vi prosperi e vi dia molti figliuoli. Alla mia morte poi avrete quel che vi tocca.

I figliuoli vennero infatti a tutti e due, genero e suocero, uno dopo l'altro. Ma l'oste prometteva di metterne al mondo quanto il *Gran Sultano*, e di campare gli anni del *Mago Merlino*. Ogni volta che gli partoriva la moglie o la figliuola, invitava tutto il parentado a fare una bella mangiata.

Crescevano i figliuoli, e i pesi del matrimonio; ma viceversa poi diminuivano gli introiti e il favore popolare. Quella gran bestia del pubblico s'era lasciato prendere a certe novità che avevano portato Bracone il vecchio e il proprietario del SAN CARLINO. Adesso nei teatrini di marionette recitavano dei personaggi in carne ed ossa, la *Storia di Garibaldi*, figuriamoci, ed anche delle farsacce con *Pulcinella*; e vi cantavano delle donne mezzo nude che facevano del palcoscenico un letamaio. La gente correva a vedere le gambe e le altre porcherie, tale e quale come le bestie, ché don Candeloro ne arrossiva pel mestiere, e preferiva piuttosto fare il saltimbanco o il lustrascarpe, prima di scendere a quelle bassezze. Per non recitare alle panche era arrivato a far entrare in teatro gratis dei vecchi avventori, fedeli alle belle *Storie d'Orlando* e dei *Paladini antichi*, coi quali almeno si sfogava dicendo vituperi dei suoi colleghi:

– Perché non mettere le persiane verdi alle porte, come certi stabilimenti?... Sarebbe più pulito. Dovrebbe immischiarsene la Questura, per Satanasso!

Però l'ignoranza e l'ingratitudine del pubblico gli facevano cascare le braccia. Non valeva proprio la pena di sudare coi libri, e spendere dei tesori per dare roba buona a degli asini. – Volete lavare la testa all'asino? – Gli stessi burattini recitavano svogliatamente, vestiti come Dio vuole. – Ci si perdeva l'amore dell'arte e d'ogni cosa, parola di gentiluomo! – Dov'erano andati i bei tempi in cui si facevano due rappresentazioni al giorno, la domenica e le feste, e la gente assediava la porta, quand'era annunziato sul cartellone un « personaggio » nuovo? Don Candeloro, colla barba di otto giorni e la zazzera arruffata, passava le giornate intere nella bettola del suocero, a dir corna dei suoi colleghi, o a litigare colla moglie, ora che in casa pareva l'inferno. Grazia, adesso che aveva visto cosa c'era dietro le belle scene impiastricciate, stava con tanto di muso a rammendar cenci anche lei, a stemperar colori, e rompersi braccia e schiena, vociando come un pappagallo per le *Artemisie* e le *Rosalinde*, dall'avemaria a due ore di notte; che specie quando il Signore le mandava dei figliuoli (e succedeva una volta all'anno) era proprio un gastigo di Dio.

– Tu non sai far altro, per Maometto! – le rinfacciava il marito furibondo.

L'oste dava soltanto buoni consigli: – Non vedete che gli avventori corrono al vino nuovo? Cambiate il vino. – Ma don Candeloro non si piegava. Piuttosto avrebbe tolto su baracca e burattini, e sarebbe andato pel mondo a far conoscere chi era Candeloro Bracone, giacché i suoi concittadini non sapevano apprezzarlo. La piazza « non faceva più » per lui! Se c'era ancora un po' di buon senso e di buon gusto dovevasi andare a cercarlo in provincia, dove non erano ancora penetrate quelle sudicerie. Finalmente spiantò davvero il teatro, mise ogni cosa su di un carro, e via di notte, per non dar gusto ai nemici. L'oste prese lui a pigione il magazzino per metterci delle botti, e allargare il negozio, ora che la figliuolanza era cresciuta.

– Te l'avevo detto, – disse alla Grazia. – Quello non

è mestiere da cristiani. Se fossi rimasta a vendere del vino, non saresti ridotta adesso a far la zingara. Ben ti stia!

Don Candeloro viaggiò per valli e per monti, come i cavalieri antichi, con tutto il suo teatro ammucchiato in un carro, e la moglie e i figliuoli sopra. Il guaio era che non si trovava con chi combattere. Quei contadinacci ignoranti ed avari, sfogata la prima curiosità, voltavano le spalle alle « marionette parlanti » o s'arrampicavano sul tetto del teatrino per godersi la rappresentazione *gratis*. Arrivando in un villaggio, don Candeloro scaricava la roba sulla piazza, pigliava in affitto una bottega, un magazzino, una stalla, quel che trovava, e si mettevano a inchiodare e incollare tutti quant'erano. Le stagioni duravano otto, quindici giorni, un mese, al più. Dopo, si tornava da capo a correre il mondo, e in quel va e vieni la roba andava in malora; si mangiavano ogni cosa le spese d'affitto e di viaggio, con dei carrettieri ladri ch'erano peggio dei saracini, e non usavano riguardi neanche a Cristo. Don Candeloro, avvezzo ad essere rispettato come un Dio da simile gentaglia, voleva farsi ragione colle sue mani, in principio, sinché si buscò una grandinata di calci e pugni.

E ci dovette arrivare anche lui, Candeloro Bracone, a fare il pagliaccio se volle aver gente nel suo teatro, e a rappresentare la pantomime nelle quali pigliavasi le pedate nel didietro dal minore dei suoi ragazzi per far ridere « la platea ». Quando vide che il pubblico non ne mangiava più in nessuna salsa delle « marionette parlanti », e ci voleva dell'altro per cavar soldi da quei bruti, ebbe un'idea luminosa che avrebbe dovuto fare la fortuna di un artista, se la fortuna baldracca non ce l'avesse avuta a morte con lui... – Ah, vogliono i personaggi veri?...

Un bel giorno si vide annunziare sul cartellone che la *parte di Orlando*, nei *Reali di Francia*, l'avrebbe sostenuta don Candeloro in persona « fatica sua particolare! ». E comparve davvero sul palcoscenico, lui e tutta la sua famiglia, in costume, e armato di tutto punto: delle armature ordinate apposta al primo lattoniere della città, e che erano costate gli occhi della testa. Il pubblico sciocco invece, al vedere quei ceffi di giudei che toccavano i cieli col capo, e suonavano a ogni passo come scatole di petrolio, si mise a ridere e a tirare ogni sorta d'immondizie sui *Paladini*, massime allorché ad *Orlando* cadde di mano la spada, ed egli, tutto chiuso nell'armi, non poté chinarsi per raccattarla. Urli, fischi e mozziconi di sigari in faccia ai *Reali*. Un putiferio da prendere a schiaffi tutti quanti, o da passar loro la spada attraverso il corpo, se non fosse stata di latta, pensando a tanti denari spesi inutilmente.

Da per tutto, ove si ostinava a portare i *Paladini di Francia* « con personaggi veri » trovava la stessa accoglienza: torsi di cavolo e bucce d'arance. Il pubblico andava in teatro apposta colle tasche piene di quella roba. Non li volevano più neanche « coi personaggi veri » i *Paladini*! Volevano le scempiaggini di *Pulcinella*, e le canzonette grasse cantate dalle donne che alzavano la gamba.

– E tu fagliele vedere le gambe! – disse infine alla moglie don Candeloro infuriato. – Diamogli delle ghiande al porco!

Lui stesso, colle sue mani, dovette aiutare la Grazia ad accorciare la gonnella, litigando con lei che pretendeva di non esser nata per quel mestiere, e si vergognava all'udire i complimenti che il pubblico indirizzava ai suoi stinchi magri. – Per che cosa sei nata? per far la principessa? Il pane te lo mangi, però! – Lui invece era preso adesso dalla rabbia di mostrare ogni cosa, a quegli animali, la moglie, la figliuola ch'era più giovane e chiamava più gente. – Anch'io, se vogliono vedermi!... Voglio calarmi le brache in faccia a quelle bestie! – Faceva delle risate amare, povero don Candeloro! Cercava le farsacce più stupide e più indecenti. Si tingeva il viso per fare il pagliaccio. Sputava sul pubblico, dietro le quinte: – Porci! porci!

Le marionette parlanti

Si rappresenta
Come il MESCHINO *andò per le* CAVERNE
E trovò MACCO *in forma di* SERPENTE
Col quale parlò
E giunse alla PORTA *della*
Fata
Indi farsa con
Pulcinella.

Il cartellone portava dipinto il Meschino, armato di tutto punto contro un drago verde, il quale vomitava delle lettere rosse che dicevano: *Ebbi nome* MACCO, *e andai facendo male sin da piccino*: tutta opera di don Candeloro, il quale dipingeva anche le scene, suonava la gran cassa, vestiva i burattini e li faceva parlare, aiutato dalla moglie e dai cinque figliuoli, talché in certe rappresentazioni c'erano fin venti e più personaggi sulla scena, combattimento ad arma bianca, musica e fuochi di bengala, che chiamavano gran gente.

Diciamo cinque figliuoli, però uno di essi veramente era figlio non si sa di chi, raccolto da don Candeloro sulla pubblica via per carità, ed anche perché aiutasse a lavare i piatti, suonar la tromba e chiamar gente, vestito da pagliaccio, all'ingresso del teatro.

– Martino, fate vedere i vostri talenti, e ringraziate questi signori.

Martino voltava la groppa, si buttava a quattro zampe e imitava il raglio dell'asino.

Egli era il buffo della Compagnia, faceva il solletico alle donne, e andava a cacciare il naso fra le assi del dietro scena, mentre si vestivano per la farsa. Colla ragazza poi inventava cento burlette che la facevano ridere, e le mettevano come una fiamma negli occhi ladri e sulla faccia lentigginosa.

– Be', Violante, vogliamo rappresentare al vivo la scena fra *Rinaldo* e *Armida*?

Una volta che don Candeloro lo sorprese a far la prova generale colla sua figliuola, la quale si accalorava anch'essa nella parte, e abbandonavasi su di un mucchio di cenci, quasi fossero le rose del giardino incantato, amministrò a tutti e due tal salva di calci e schiaffi da farne passare la voglia anche a dei gatti in gennaio. – Ah bricconi! Ah traditori! V'insegno io!... – La Violante ne portò un pezzo il segno sulla guancia. Ma ormai aveva preso gusto alle monellerie di Martino, sicché andava a cercarlo apposta dietro le quinte, fra le scene arrotolate, e i cassoni delle marionette, mentre lui smoccolava i lumi per la rappresentazione della sera, o soffiava sotto la marmitta posta su due sassi, nel cortiletto. Gli soffiava fra capo e collo dei sospiri che avrebbero acceso tutt'altro fuoco, pigliandosela colle stelle e coi barbari genitori. – Sta' tranquilla, – disse Martino, – sta' tranquilla che me la pagherà.

Adesso era lei che lo stuzzicava, vedendo che il ragazzo, ammaestrato dalle busse, stava all'erta pel principale, coll'orecchio teso e guardandosi intorno prima di allungare le mani verso di lei. Gli portava di nascosto i migliori bocconi; gli serbava, in certi posti designati, il vino rimasto in fondo al fiasco; per rivolgergli le parole più semplici, dinanzi ai suoi, faceva un certo viso come avesse l'anima ai denti, col capo sull'omero e gli occhi di pesce morto; pigliava il tono delle *Clorinde* e delle *Rosamunde* per dirgli soltanto: – Bisogna andare per l'olio, Martino. – Guarda che non c'è più legna sotto la mangiatoia...

E quando lavorava accanto a lui, sul palco, con le *Artemisie* in mano, gli buttava sul viso le parole infocate della parte, cogli occhi neri che mandavano lampi, e le labbra turgide che volevano mangiarselo.

« – O Cieli! Chi mai vedo a me dinanzi!... Mio signore... mio bene! »

– Lavora! lavora, sgualdrinella! – borbottava don Candeloro, allungando delle pedate, quando poteva.

– Com'è vero Dio! t'ho detto che me la pagherà! – rispose Martino fra i denti più di una volta. – « Sì, principessa adorata... »

E gliela fece pagare, un giorno che il principale era andato avanti a *procurar la piazza*, e la Compagnia e la baracca seguivano dietro su di un carro. Martino e la Violante finsero di smarrirsi per certe scorciatoie, in mezzo ai fichi d'India, e raggiunsero poi la comitiva in cima alla salita, scalmanati; Martino trionfante, quasi avesse vinto un terno al lotto, e la Violante che sembrava davvero una principessa, sdilinquendo attaccata al suo braccio, e lagnandosi di avere male ai piedi.

Chi si lagnò sul serio poi fu don Candeloro, che non poteva più maneggiare quel birbo di Martino, divenuto insolente e pigro, minacciando ogni momento di piantar baracca e burattini e andarsene pei fatti suoi.

– Ora che t'ho insegnato la professione, e t'ho messo all'onor del mondo!... ribaldo, fellone!...

Violante piangeva e supplicava l'amante di non abbandonarla in quel punto.

– Che vuoi? – disse Martino. – Sono stanco di lavorare come un asino pei begli occhi di non so chi. Ci levano la pelle. Non ci lasciano respirare un momento, neppure per trovarci insieme...

In tre mesi soltanto quattro volte, di notte, a ruba ruba, con una paura del diavolo addosso! Una sera che babbo e mamma avevano mangiato bene e bevuto meglio, la ragazza andò a trovare il suo Martino in sottana, che sembrava la *Fata Bianca*, sciogliendosi in lagrime come una fontana.

– Che facciamo, Dio mio?... Tu dormi invece!...

– Eh? Che vuoi fare? – rispose lui fregandosi gli occhi.

– Non posso più nascondere il mio stato... La mamma mi tiene gli occhi addosso... Bisogna confessare ogni cosa... Tu che hai più coraggio...

– Io, eh? Perché tuo padre mi dia il resto del carlino? Grazie tante! Piuttosto infilo l'uscio e me ne vo. Se tu vuoi venire con me, poi...

L'idea gli parve buona e l'accarezzò per un po' di tempo.

– Io so fare il salto mortale, l'uomo senz'ossa, il gambero parlante. Tu sei una bella ragazza... Sì, te lo dico in faccia... Vestita in maglia, a raccogliere i soldi col piattello, la gente non si farà tirar le orecchie per mettere mano alla tasca. Andremo pel mondo; ci divertiremo, e ciò che si guadagna ce lo mangeremo noi due. Ti piace?

Mai e poi mai don Candeloro si sarebbe aspettato un tradimento così nero. Proprio nel meglio della stagione, quando il pubblico cominciava ad abboccare, e da otto giorni che erano arrivati in paese, e avevano piantato le assi nel magazzino dell'arciprete Simola, s'intascavano soldi colla pala, e ogni sera si cenava! Fu allora che Martino e la Violante, sentendosi la pancia piena, sputarono fuori il veleno, e gli appiopparono il calcio dell'asino, la sera che il pubblico affollavasi in teatro per la continuazione delle imprese di *Guerin Meschino* alla ricerca della *Fata Alcida*, e prevedevasi più di venti lire d'incasso.

La moglie di don Candeloro, che da qualche tempo aveva dei sospetti e teneva d'occhio la figliuola, la sorprese tutta sossopra, dietro a Martino, il quale insaccava della roba. Violante, colta sul fatto, le si buttò ai piedi piangendo, come la *Damigella di Pacifero Re del Porchinos*, quando svela il suo fallo al genitore.

– Ah, scellerata! – strillò la madre. – Cos'hai fatto? Tuo padre ora v'accoppa tutt'e due!

Don Candeloro sopraggiunse in quel punto, facendo il diavolo a quattro appena intese di che si trattava. Sua moglie gridando aiuto, Violante buttandosi dinanzi all'amante per difenderlo eroicamente a costo dei suoi giorni, Martino arrampicandosi sull'intelaiatura delle quinte, con tanto di temperino in mano, i ragazzi strillando tutti in coro: una scena al naturale che chiunque avrebbe pagato l'ingresso volentieri per godersela. Don Candeloro però non dimenticò neppure allora né chi era né quel che aveva a fare.

– Zitti tutti! – gridò colla voce solenne delle grandi rappresentazioni. – Adesso apparteniamo al pubblico, che comincia a venire in teatro. Tu, Grazia, va' alla porta, se no entrano di scappellotto. Aggiusteremo i conti dopo, in famiglia.

Figuriamoci la povera madre che doveva sorridere alla gente incassando i due soldi del biglietto, con quel pensiero e quello spavento adesso!... Le prime scene poi, mentre aiutava il marito che aveva le mani legate dai burattini, e non poteva andare a prendere pel collo i due infami che non comparivano a tempo coi loro personaggi!...

– Che diavolo fanno? Adesso è *l'entrata di Alcida*. Com'è vero Dio, mi rovinano la meglio scena!...

Il pubblico, che non sapeva niente di tutto ciò, aspettava l'entrata della *Fata Alcida*, la quale doveva sedurre il *Meschino* per bocca della Violante; e lo stesso *Meschino* era rimasto colle braccia in aria, dondolandosi sulla punta dei piedi, e guardando la gente coi suoi occhi di vetro, come a chiedere: – Che succede adesso?

Succedeva che dietro le quinte c'era un casa del diavolo. Si udiva correre e bestemmiare, e a un certo punto la stessa scena, che figurava una bellissima loggia tutta istoriata a colonne gialle e turchine, ondeggiò come sorpresa dal terremoto. *Guerino* alzò ancora le braccia al cielo, tirato in su sgarbatamente, e uscì di furia, col manto rosso che gli si gonfiava dietro.

– Tradimento! Infami saracini! Voglio berne il sangue! – si udì gridare don Candeloro colla sua voce naturale.

Il pubblico si mise a strepitare. Dei burloni che avevano adocchiato qualche bella ragazza nei primi posti, cominciavano a spegnere i lumi. – Fermi! Ehi! Non facciamo porcherie! – gridavano altri. Nella baraonda si udì il correre dei questurini, che le orecchie esercitate riconobbero subito al rumore degli stivali.

– Musica! musica! Non è niente! niente!

Ma non ce ne fu bisogno. *Guerino* tornò in scena, piegandosi in due ad inchinare gli spettatori, e dall'altra parte comparve immediatamente la *Fata Alcida*; « di tanta bellezza adorna che la sua faccia splendeva come un sole » come spiegava a voce don Candeloro, il quale accese in quel punto un po' di magnesio, che fece un bel vedere sull'armatura di latta del *Meschino*, e il manto della fata tutto a draghi e biscie d'orpello.

– Bravi! bis! – gridarono i compari, che non ne mancavano.

Si sarebbe udita volare una mosca. Da un canto il *Guerino*, che faceva orecchio di mercante alle seduzioni della *Fata*, e lei che ostinavasi a riscaldare in lui « le ardenti fiamme d'amore » diceva colla sua stessa bocca, e con certi atti di mano anche, tanto che il *Meschino* dimenavasi tutto con un suon di ferraccia, e lasciava intender chiaramente « che se Dio per la sua grazia non gli avesse fatto tenere a mente gli avvertimenti dei *tre santi Romiti* di certo sarìa caduto ». La gente si sentiva drizzare i capelli in testa. Uno di lassù, nei posti da un soldo, gridò inferocito:

– Guardati, Meschino! Tradimento c'è!

Però gli avventori soliti avevano notato che quella non era la voce della *Fata Alcida*, e gli stessi gesti che faceva, di qua e di là, all'impazzata, non avevano niente di naturale. Per certo qualcosa di grosso doveva essere avvenuto dietro le quinte. Sicché da prima furono osservazioni e mormorii, e poi vennero le male parole. Infine allorché invece dei draghi e degli altri incantesimi che dovevano far nascere il finimondo, don Candeloro cercò di cavarsela con una manata di pece greca e picchiando su due scatole di petrolio per imitare il fracasso dei tuoni, scoppiò davvero l'inferno in platea: urli, fischi, bucce d'arance e pipe rotte, che pareva volessero sfondare il sipario. – Pubblico rispettabile, – venne a dire la moglie di don Candeloro più morta che viva, e con un occhio pesto, – ora viene una bella farsa tutta da ridere, nuovissima per queste scene. Onorateci e compatiteci.

Che farsa! La gente era lì dall'avemaria per godersi appunto la gran scena dell'incantesimo, e aveva speso i suoi denari per vedere « i personaggi » che si azzuffavano sul serio menando botte da orbi, e non don Candeloro, il quale fingeva di prendersi le legnate dal randello imbottito di stoppa e se la rideva poi sotto il naso. Parecchi si buttarono sulla cassetta. Ci fu un piglia piglia fra le guardie e i più lesti di mano. I comici saltarono giù dal palcoscenico, così come si trovavano, mezzo vestiti per la farsa, gridando e strepitando anche loro. Don Candeloro colla camicia di *Pulcinella*, scappò a correre verso la campagna, al buio in cerca dei fuggitivi, giurando d'accopparli tutt'e due, se li pigliava.

– Li ho visti io, – disse un ragazzo: ce n'è sempre di cotesti. – Son fuggiti per di qua.

Martino e la Violante correvano ancora infatti, tanta era la paura. Allorché incontravano dei carri per la strada, Violante si buttava dietro una siepe, poich'era in sottanina bianca, così come aveva potuto svignarsela mentre vestivasi per la farsa. Martino, più furbo, fingeva d'andare pe' fatti suoi, o di allacciarsi una scarpa. Poi, quando furono ben lontani, si accoccolarono dietro un muro, e mangiarono del salame, che Martino, innamorato com'era, aveva pensato a mettere da parte. Violante, più delicata e sensibile, badava piuttosto a guardare le stelle, pensando a quel che aveva fatto.

– Dove si va adesso? – chiese sbigottita.

– Domani lo sapremo – rispose lui colla bocca piena.

Cominciava a spuntare il giorno. Violante non aveva portato altro che uno scialletto logoro, sulla sottanina, e tremava dal freddo.

– Hai paura forse? – chiese lui.

– No... no... con te, mio bene...

Le venivano in mente allora le parlate d'amore che aveva imparato a memoria pei burattini, allorché Martino rispondeva colla voce grossa e facendo smaniare d'amore *Orlando* e *Rinaldo*. Così le damigelle e le principesse si lasciavano rapire dall'amante sui cavalli alati. Martino fermò un carrettiere che andava per la stessa via, e combinò di montare sul carro, lui e la Violante, pagando.

– Hai dei soldi? – chiese lei sottovoce.

– Sì, sta' zitta.

Dopo, per giustificarsi, si sfogò a dir male dei genitori di lei, che li facevano lavorare per nulla e si arricchivano a spese loro. – Infine, – conchiuse, – ho preso il mio. Tanto tempo che tuo padre non mi dava un baiocco.

Però la Violante non aveva appetito, sentendosi sullo stomaco la paura del babbo, e il peso di quell'azionaccia che Martino gli aveva fatto mettendo le mani nella cassetta. Lui invece era allegro come un fringuello; accarezzava la ragazza e faceva cantare i soldi in tasca; nelle strade maestre ci stava come a casa sua, e ad Augusta le fece far l'entrata in ferrovia come una principessa.

– Vedi! – le disse, pigliando i due biglietti di terza classe. – Vedi come tratto io!

Da principio non andava male. Violante era un po' goffa, un po' pesante; ma allorché girava in tondo su di un piede, o s'arrampicava sul dorso di Martino, scopriva tali attrattive che la gente correva in piazza a vedere, e metteva volentieri mano alla tasca. Martino chiudeva un occhio quando correvano anche dei pizzicotti, sottomano, mentre la ragazza girava contegnosa col piattello fra la folla. Pazienza! il mestiere voleva così. Oggi qua, domani lontani delle miglia. – Dove ti rivedranno poi gli sciocchi che si lasciano spillare i soldi per la tua bella faccia? – In compenso si mangiava e beveva allegramente, e lui andava a letto ubbriaco, sinché il diavolo ci mise la coda...

La Violante si ubbriacava pure agli applausi e alle esclamazioni salate del pubblico, sicché scorciava sempre più il sottanino, e rischiava di rompersi l'osso del collo nel fare il capitombolo. Per disgrazia s'accorse nello stesso tempo che bisognava slargare di giorno in giorno la cintura, e che le dolevano le reni nel fare le forze. Già quei baffetti gliel'avevano detto a Martino, che non l'avrebbe passata liscia. Sicché le rinfacciava che quando sarebbe divenuta grossa come il tamburone, il pubblico li avrebbe lasciati in piazza tutt'e due a grattarsi la pancia. Per giunta poi aveva dei sospetti su di un Tizio che correva dietro alla Violante, da un paese all'altro, e tirava a farlo becco.

Ne aveva avuti tanti la bella figliuola degli spasimanti che ustolavano dietro il suo gonnellino corto: militari, bei giovani, signori che avrebbero speso tesori! Nossignore! Ecco che ti va a cascare in bocca a quel disperato che portava tutta la sua bottega al collo, e girava anch'esso per il mondo a vendere spilli e mercerie di qua e di là. Per un palmo di nastro la brutta carogna si era venduta! Martino n'ebbe la certezza quando glielo vide al collo, e vide pure il merciaiuolo che lo pigliava colle buone anche lui, e gli pagava da bere per tenerlo allegro.

– Aspetta! – ghignava fra sé e sé Martino alzando il gomito. – Aspetta, che vogliamo ridere meglio quando verrà il momento che dico io!

Tollerò ancora un po', per necessità, finché la Violante poté aiutarlo a raccogliere soldi sulle piazze, odiandola internamente e dandole in cuor suo tutti i titoli che aveva imparato nei trivii. Poi, un bel giorno, accortosi che il merciaio allungava le mani sotto la tavola verso la Violante, mentre desinavano insieme come amici e fratelli all'osteria, fece una scena indiavolata, tirando fuori il coltello, minacciando gli amici che si frapponevano a metter pace.

– Che pace! Con quella canaglia?... Voglio mangiargli il cuore a tutti e due! – sbraitò raccogliendo i suoi cenci, e tanti saluti alla compagnia!

Il povero merciaio, che si vide cadere sulle braccia la Violante più morta che viva, e gravida di sette mesi per giunta, protestò la sua innocenza, e se la diede a gambe anche lui, la stessa notte. Sicché la sventurata rimase senza amici e senza quattrini, in mezzo a una via, e dovette lasciare all'Ospizio di Maternità il frutto del suo bell'amore.

Così babbo don Candeloro, passando da quelle parti, raccolse di nuovo nell'ovile la pecorella smarrita, ché la misericordia paterna è grande assai, e la ragazza, nel teatro delle MARIONETTE PARLANTI, riusciva di molto aiuto, massime ora che la mamma cominciava a sentire gli acciacchi degli anni e della figliuolanza. Violante lavava, cucinava, aiutava i fratelli nelle prove, mentre il genitore smaltiva l'uggia al caffè. Le marionette in mano sua parlavano davvero. Se la mettevano poi a riscuotere i soldi, in maglia carnicina, la gente entrava in teatro soltanto per rasentarle i fianchi. Sembrava la *Fortuna* delle « Marionette parlanti » come si suol dipingere, col piede sulla ruota e rovesciando il corno dell'abbondanza sul prossimo suo.

– Madre natura m'ha fatto così, – ripeteva dal canto suo don Candeloro nel crocchio degli amici, che si rinnovavano sempre in ogni paese e in ogni caffè nuovo, – il cuore largo come il mare e le braccia aperte...

Cogli anni era diventato filosofo. Aveva imparato a conoscere i capricci della sorte e l'ingratitudine degli uomini. Perciò pigliava il tempo come veniva, e gli amici dove li trovava. Si contentava di portare il corno di corallo fra i ciondoli dell'orologio, e un ferro di cavallo, del piede sinistro, inchiodato sulle assi della baracca.

Era andata su e giù quella baracca. Una volta, quando i figliuoli, fatti grandicelli, aiutavano anch'essi colle forze e nelle pantomime, le MARIONETTE PARLANTI contavano fra le prime di quante ne fossero in giro, e si stava bene. Poi i ragazzi erano sgattaiolati di qua e di là, in cerca di miglior fortuna o dietro la gonnella di qualche donnaccia dello stesso mestiere, e don Candeloro per aiutarsi era stato costretto a riprender Martino che aveva incontrato a Giarratana povero in canna, e ridotto a far qualsiasi cosa per il pane.

– Sono nato senza fiele in corpo, come i colombi, – disse allora don Candeloro. – Le anime grandi si conoscono appunto al perdono delle offese. Se mi prometti di non tornar da capo, ti piglio di nuovo in Compagnia, a quindici lire il mese, alloggio e vitto compreso.

– Sia pure, – rispose Martino che moriva di fame. – Lo fo per amor della Violante, che un giorno o l'altro deve esser mia moglie e legittima sposa. Ma intendiamoci, vossignoria, che non son più un ragazzo!... e se tornate a giocar di mano o a farmi patir la fame, ci guastiamo per l'ultima volta, com'è vero Dio!

Si rappattumarono anche colla Violante, per intromissione del babbo, il quale però prescrisse che dormissero lontani l'uno dall'altra, in omaggio al buon costume, finché fossero stati marito e moglie. Messosi così l'animo in pace, tornò agli amici e all'osteria, ora che al resto badavano gli altri. Nondimeno capitava spesso di dover sospendere le rappresentazioni per due settimane o tre a causa della Violante, la quale era costretta a tornare di tanto in tanto all'Ospizio di Maternità. Il fidanzato allora vomitava ogni sorta di improperii contro di lei, pigliandosela anche con la suocera, la quale non sapeva tenere gli occhi aperti come faceva lui, protestando di non averci colpa; e don Candeloro metteva pace e tornava a ripetere che quella storia doveva avere un termine, e che li avrebbe menati per le orecchie dinanzi al sindaco tutti e due, e l'avrebbe fatta finita.

Disgraziatamente i tempi non dicevano. Le marionette facevano pochi affari, e la Violante protestava che se Martino non arrivava a metter su teatro da sé, sinché doveva portar lei sola tutta la baracca sulle spalle, non voleva mettersi pure quell'altra catena al collo, e preferiva restar zitella come Sant'Orsola. Lei invece sapeva ingegnarsi col suo pubblico, di qua e di là, e per mezzo delle beneficiate e dei regali riusciva a porre da parte qualche soldo. Don Candeloro vedeva già il momento in cui gli avrebbero dato il calcio dell'asino, come aveva fatto lui con suo padre.

– Così paga il mondo! Non tutti hanno il cuore a un modo!

E ci aveva pure un'altra spina nel cuore il povero vecchio, al vedere la condotta che teneva la figliuola, e rodendosi internamente contro quella bestia di Martino che non si accorgeva di nulla. Accettava, è vero, per amor della pace, le cortesie e gli inviti a cena dei protettori che la figliuola sapeva trovare in ogni piazza; si lasciava mettere in fondo alla tuba il cartoccio coi dolci o gli avanzi del desinare per la sua vecchiarella che aspettava a casa; ma stava a tavola di mala voglia, senza alzare il naso dal piatto, col cuore grosso. E vedendo Martino che macinava a due palmenti, cuor contento, quell'altro! gli dava fra sé certo titolo che non aveva mai portato, lui!...

– Ah, no! Non nacqui sotto quella stella, io!

Paggio Fernando

– Paggio Fernando sarà lei! – esclamò il signor Olinto, puntando l'indice peloso. – Lei sarà un amore di *paggio*, parola d'onore!

Don Gaetanino Longo, rosso dal piacere, seguitò a tormentare i baffetti che non spuntavano ancora, e balbettò:

– Se crede... se le pare...

– E come! e come! – Il capocomico, col pugno sull'anca e il busto all'indietro, colla tuba bisunta sull'orecchio, e il mento ispido in mano, saettando un'occhiata sicura di conoscitore di fra le setole delle sopracciglia aggrottate, continuava a dire:

– Ma sicuro! Lei ha il fisico che ci vuole! Faranno una bella *macchia* insieme alla mia Rosmunda!

Allora scoppiarono i malumori e le gelosie fra i dilettanti raccolti intorno al biliardo nel Casino di conversazione. Si udì prima un'osservazione timida, come un sospiro, poscia il coro delle lagnanze: Perché è figliuolo del sindaco!... Perché torna dagli studi col solino alto tre dita!...

– Eh?... Che cosa?... Dicano, dicano pure liberamente. Siam qui apposta per intenderci... fra amici...

Si fece avanti un giovanotto magro e barbuto, sotto un gran cappellaccio nero, e cominciò:

– Io vorrei... Non dico per la distribuzione delle parti... Non me ne importa... Ma quanto alla scelta della produzione... Mi pare che sarebbe ora di finirla colla camorra...

– Eh? Che dice? Non le piace la *Partita a scacchi* dell'avvocato Giacosa?... Lavoro applaudito in tutte le piazze!...

L'altro fece una spallata, e l'accompagnò con un risolino che diceva assai. Don Gaetanino, che pigliava le parti dell'avvocato Giacosa, come si sentisse già sulle spalle la responsabilità della parte affidatagli, tirava grosse boccate di fumo dal virginia lungo un palmo, col cuore alla gola.

– Vediamo. Mi trovi di meglio. Cerchi lei, signor... signor...

Il giovanotto s'inchinò; cavò fuori dal portafogli un biglietto di visita, e lo presentò con un altro inchino al signor Olinto.

– Ah! ah! corrispondente della *Frusta teatrale* e dell'*Ape dei teatri*?... Felicissimo! Io non domando di meglio che contentare la libera stampa e la pubblica opinione... Vediamo, dica lei. Mi suggerisca, signor... – E tornò a leggere il biglietto di visita.

– Barbetti, per servirla.

– Signor Barbetti, dica lei... Se ci ha sotto mano qualche altra cosa che si adatti meglio al gusto di questo colto pubblico... Qualche lavoro di polso...

Barbetti si faceva pregare, masticando delle scuse, fingendo di ribellarsi all'amico Mertola, il quale moriva dalla voglia di tradire il segreto dell'amico Barbetti. Infine Mertola non seppe più frenarsi, e alzò la voce, scostandosi dall'amico, additandolo al pubblico per quel grand'uomo che egli era.

– Il lavoro di polso c'è... inedito... la sua *Vittoria Colonna*!... Gli è costata due anni di lavoro!...

– Ah! ah! – fece il capocomico. – Ah! ah! e me lo teneva nascosto, lei! Non sa ch'io sono ghiotto di simili primizie?

Barbetti s'arrese infine, e tirò fuori dal soprabitino un rotolo legato con un nastro verde.

– Adesso? – rispose il signor Olinto. – Su due piedi? Che mi canzona, caro lei?... Un lavoro di polso come il suo!... Bisogna vedere... bisogna studiare... Intanto dò un'occhiata...

Colla schiena appoggiata alla sponda del biliardo e il mento nel bavero di pelliccia, andava sfogliando le pagine, aggrottato, e borbottava:

– Bene, bene!... Effetto scenico!... Bei pensieri!... Stile elevato!... In questa parte la mia signora... Non le dico altro!...

– Con permesso! con permesso! – interruppe il cameriere del Casino, spingendosi avanti a gomitate. – Ecco qui don Angelino e il notaro Lello. Devo preparare il biliardo per la solita partita.

Il capocomico si cacciò la mazza sotto l'ascella, e raccattò gli scartafacci e i telegrammi sparsi sul panno verde.

– Va bene, va bene. Ne riparleremo. Intanto bisogna far girare la pianta.

Fu il più difficile. I giuocatori di tressetti rispondevano picche, e brontolavano contro quel forestiere che portava la jettatura. Seduta stante si dovettero ribassare i prezzi. Ma l'avvocato Longo, sentendo che c'era per aria un dramma dell'avvocato Barbetti, repubblicano e suo avversario nel Consiglio, una gherminella per togliere la parte di Paggio Fernando al suo figliuolo, dichiarò che non dava il teatro per rappresentazioni immorali e sovversive. Il signor Olinto, che andava mostrando la pianta del teatro col cappello in mano, gli disse:

– Ma che! Lei ci crede alla *Vittoria Colonna*? Una porcheria! Servirà per accendere la pipa. Lasci fare a me che so fare... Me ne trovo tra i piedi una ogni piazza, delle *Vittorie*!...

– Bene, faccia lei. Ma a buon conto sa che al sindaco spetta un palco, e un altro alla Commissione teatrale, senza contare il tanto per cento sull'introito lordo a beneficio dell'Asilo Infantile.

Le trattative durarono otto giorni. Il signor Olinto si scappellava con tutto il paese, per rabbonire la gente, e la signorina Rosmunda aiutava dal balcone, civettando, vestita di seta, con un libro in mano, mentre la mamma badava alla cucina. Don Gaetanino Longo, oramai sicuro del fatto suo, aveva confidato all'amico Renna:

– Quella me la pasteggio io!

E passava e ripassava sotto il balcone, succhiando il virginia, a capo chino, rosso come un pomodoro, lanciando poi da lontano occhiate incendiarie.

Il signor Olinto, che l'incontrava spesso, gli disse infine:

– Voglio presentarti alla mia signora. Così ti affiaterai pure con Jolanda.

Il tu glielo aveva scoccato a bruciapelo, fin dal primo giorno. Ma quel tratto d'amicizia commosse davvero don Gaetanino. Trovarono la signorina Rosmunda che stava leggendo accanto al lume posato su di un cassone, colla fronte nella mano, la bella mano delicata e bianca che sembrava diafana. Aveva i capelli nerissimi raccolti e fermati in cima al capo da un pettine di tartaruga, un casacchino bianco e un cerchietto d'argento, dal quale pendeva una medaglina, al polso. Da prima alzò il capo arrossendo e fece un bell'inchino al figliuolo del sindaco. Gli occhioni scuri e misteriosi sotto le folte sopracciglia lasciarono filare uno sguardo lungo che gli cavò l'anima, a lui! Ma in quella comparve la mamma infagottata in una vecchia pelliccia, coll'aria malaticcia, un fuoco d'artificio di ricciolini inanellati sulla fronte, e le mani, nere di carbone, nei mezzi guanti.

– Da artisti, alla buona, senza cerimonie – disse il signor Olinto. E cominciò a parlare dei suoi trionfi e delle famose candele che gli dovevano tanti autori che adesso andavano tronfi e pettoruti; e delle birbonate che aveva salvato da un fiasco sicuro, e passavano ora per capolavori.

– Anche quella *Vittoria Colonna*, vedi, se mi ci mettessi!...

Don Gaetanino assentiva col viso e con tutta la persona. Ma intanto guardava di sottecchi la figliuola, che aveva il viso lungo e il naso del babbo, ingentiliti da un pallore delicato, da una trasparenza di carnagione che sembrava vellutata, dalla polvere di cipria abbondante, e da una peluria freschissima che agli angoli della bocca metteva l'ombra di due baffetti provocanti. Essa di tratto in tratto gli saettava addosso di quelle occhiate luminose che lo irradiavano internamente.

– Ah! anche il signore si occupa?...

– Sì. Non hai inteso? Lui è Paggio Fernando...

Essa allora gli piantò addosso gli occhi e non li mosse più, perché egli vedesse ch'erano proprio belli. Il babbo colse giusto quel momento per passare in cucina; e don Gaetanino, sentendo di dover spifferare qualche cosa, balbettò col cuore che battevagli forte:

– Signorina!... son fortunato!... davvero!...

– Oh! Che dice mai?... Piuttosto io!...

– Il bicchiere dell'amicizia! – interruppe il signor Olinto tornando con una bottiglia in mano e gli occhi già accesi – Da artisti, alla buona. Scuserai... Non abbiamo mica il buon vino che bevete voi altri proprietari del paese...

La ragazza non volle bere. Il giovanetto, per cortesia, bagnò appena le labbra in quell'aceto, dicendole:

– Alla sua salute!

Essa alzò gli occhi su di lui, e lo ringraziò con quella sola occhiata.

– Divino!... Squisito! – sentenziò don Gaetanino, che non sapeva più quel che si dicesse. – Vi manderò domani un po' di quel vecchio... Questo qui è eccellente... Non c'è che dire... Ma domani...

La mamma voleva protestare. Il marito le chiuse la parola in bocca:

– Per qualche bottiglia di vino... Non è un gran male. Non è un regalo di valore. Fra amici... pel bicchiere dell'amicizia. Già verrai a berlo anche tu... la sera, quando non avrai altro da fare... intanto vi affiaterete con Jolanda.

Jolanda appoggiò l'invito con un'altra occhiata, e Paggio Fernando balbettò:

– Sì!... certamente!... felicissimo!...

Stava poi per rompersi l'osso del collo quando imboccò la botola della scaletta. Fuori c'era un bel chiaro di luna, una striscia d'argento fredda e silenziosa che divideva la strada in due. Egli camminava in quella striscia d'argento, col piede leggiero, il cervello spumante, il virginia rivolto al cielo, il cuore che batteva a martello, e gli diceva: – È tua! è tua!

A casa trovò una lavata di capo per l'ora tarda, e andò a letto senza cena. Il povero giovane passò una notte deliziosa, cogli occhi sbarrati nel buio, a veder pettini di tartaruga e occhiate lucenti che illuminavano la camera. Appena uscito, il giorno dopo, provò subito una smania di correre dall'amico Renna.

– Una divinità, caro mio! Una cosa da ammattire!

Renna, ch'era indiscreto, volle sapere a che punto fossero le cose, e lo costrinse a inventare dei particolari.

– Benone! – conchiuse. – Sai però cosa ti dico? Alla lesta! Non perdere il tempo a filare il sentimento. Già è donna di teatro; non ti dico altro!

– Io?... Filare il sentimento?... – borbottò Gaetanino, quasi reputandosi offeso. – Vedrai!...

Ma il signor Olinto era lì ogni sera, a fumare la pipa e centellinare il vino dell'amicizia. Quando lui usciva a prender aria poi, la mamma, che stava appisolata in un cantuccio, collo scaldino sotto le sottane, apriva un occhio. Filavano le occhiate, del resto, che era uno struggimento, e le pedate sotto la tavola, e il fuoco e l'accenno di certe frasi, alle prove:

Io ti guardo negli occhi che son tanto belli!!!

– Così! – esclamava il capocomico, picchiando della mazza per terra. – Faremo saltare in aria il teatro!

Intanto quel briccone di Barbetti metteva dei bastoni nelle ruote. Erano giunte due copie della *Frusta teatrale* con un articolaccio che diceva ira di Dio della camorra letteraria ed artistica, e fecero il giro del paese. La pianta del teatro rimaneva mezzo vuota. Don Gaetanino, per onore di firma, dovette prendere un palco ad insaputa del genitore. C'erano pure delle altre nubi in quel cielo azzurro. Il vino vecchio scorreva com'olio; e l'amico Olinto qualche volta, conducendolo a braccetto per le strade remote, gli faceva delle confidenze:

– Sono sulle spese... Otto giorni inoperoso sulla piazza... La recita non va... – Don Gaetanino dovette carpire le chiavi del magazzino e vendere del grano di nascosto.

Intanto il capocomico, per rabbonire il corrispondente della *Frusta teatrale* e dell'*Ape dei teatri*, aveva tirato in casa pur lui, a studiare *Vittoria Colonna*, insieme alla sua signora e alla ragazza. Quando don Gaetanino trovò anche Barbetti installato accanto alla Rosmunda, col cappellaccio in testa e il bicchiere in mano, fece tanto di muso, e andò a sedere in disparte.

– Lei mi deve fare entrare Vittoria alla terza scena – stava dicendo il capocomico. – C'è più interesse e movimento. Un valletto solleva la tenda, giusto all'ultima battuta mia: « sulla tua corona superba, il mio piede sovrano di pezzente!... » e comparisce lei, bella, maestosa, imponente...

E così dicendo additò la sua signora. Costei al richiamo spalancò gli occhi di botto, e si rizzò sulla vita, col viso di tre quarti, e un sorriso sospeso all'angolo della bocca. Rosmunda finse di dover andare di là, e passando vicino a don Gaetanino disse piano:

– Che seccatore!...

– No! – ribatté Barbetti solennemente. – Non muto neppure una virgola! Mi farei tagliare la mano piuttosto!

– Ah! Bene! bene! Questo si chiama aver coscienza artistica! Non come tanti altri che magari vi aggiungono o tagliano degli atti intieri... quasi fosse un giuoco di bussolotti... Mi pareva soltanto... pel movimento scenico... per l'interesse... per la pratica che ci ho!... Ma già, lei è il miglior giudice. Alla sua salute!

Don Gaetanino vedeva nell'altra stanza lampeggiare al

buio gli occhi della Rosmunda, la quale si voltava a guardarlo di tanto in tanto. Poi essa ritornò con un lavoro all'uncinetto e gli si mise allato.

– Che hai, Paggio Fernando?... – gli chiese sottovoce, con una musica deliziosa nella voce, e i begli occhi chini sul lavoro.

Allora senza curarsi di Barbetti, senza curarsi di nessuno, egli le disse il suo segreto, col viso acceso, colle parole calde che le balbettava all'orecchio come una carezza. Essa chinavasi sempre più sul lavoro, quasi vinta, scoprendo la nuca bianca. Poscia si sollevò con un sospiro lungo di cui non si udì il suono, appoggiando le spalle alla seggiola, colle mani abbandonate sul grembo, la testa all'indietro, il viso pallido, la bocca semiaperta, gli occhi languidi di dolcezza che si fissavano su di lui.

Ma quello sfacciato di Barbetti non se ne dava per inteso. Sembrava anzi che si pigliasse da sé la sua parte di confidenza e d'intimità in casa dei comici. Era lì ogni sera, stuzzicando la ragazza a fare il chiasso, bevendo il vino di don Gaetanino, giuocando a briscola col signor Olinto, sparlando di questo e di quello. – Da artisti! Una vita quieta e tranquilla, che si sarebbe dimenticato volentieri di cercar le piazze e le scritture, in quell'angolo del mondo! – diceva il capocomico. Quando non c'era l'amico Barbetti, faceva dei *solitari*, o si esercitava in certi giuochi di mano coi quali aveva messo sossopra dei teatri. Don Gaetanino, purché lo lasciassero quieto nel suo cantuccio, portava nelle tasche del cappotto salsicciotti e altri salumi, che piacevano tanto alla mamma, felicissimo quando poteva starsene insieme alla Rosmunda, colle mani intrecciate, guardandosi negli occhi, spasimando di desiderio, e volgendo le spalle agli altri.

– Eh? a che punto siamo? – chiedeva il Renna di tanto in tanto. Don Gaetanino rispondeva con un sorriso che voleva sembrar discreto.

– Ma c'è sempre Barbetti?

– Ci vado di notte... – confessò finalmente Gaetanino facendosi rosso, – dalla finestra!...

Tutto il paese sapeva ch'egli era l'amante della « prima donna » e papà Longo sequestrò le chiavi della dispensa, vedendo diradare i salsicciotti appesi al solaio, e avendo anche dei sospetti quanto al grano e al vino vecchio. Fu un affare serio, poiché l'orologio d'argento messo in pegno non durò neanche quarantott'ore. Per giunta il povero don Gaetanino era geloso di quella bestia di Barbetti, il quale colla Rosmunda si pigliava troppa libertà, senza educazione, subito in confidenza, con quelle manacce sudicie sempre per aria, e le barzellette salate che facevano ridere la ragazza. Due o tre volte, giungendo prima dell'ora solita, li aveva trovati a tavola tutti quanti, mangiando e bevendo alla sua barba. Vero è che Rosmunda si era alzata subito, con un pretesto, ed era venuta a dirgli in un cantuccio:

– Quel seccatore!... L'ho sempre fra i piedi!

Le prove tiravano in lungo, come la vendita dei biglietti per la serata. Il signor Olinto passava le giornate dal barbiere, al caffè, nelle spezierie, dando anche la sera una capatina nel Casino di conversazione, cavando fuori ogni momento la pianta, fermando la gente per le strade col cappello in mano. Aveva pure radunata una Commissione. « senza colore politico », per *proteggere la serata*, il presidente della Società operaia insieme al vice pretore, i quali avevano accettato soltanto per godersi la *Partita a scacchi* gratis. A Barbetti poi diceva, con una strizzatina d'occhi che doveva chetarlo:

– Abbi pazienza! Prima bisogna adescare il pubblico con quella roba lì! Più tardi poi... se abboccano... fuoco alla grossa artiglieria! E diamo mano all'arte sul serio!

Perciò ogni mattina alle 10, tutti in teatro per le prove: lui gesticolando colla canna d'India in mano e predicando dentro il bavero di pelo; la sua signora, come una marmotta, colla sciarpa di lana intorno al capo; Rosmunda col nasino rosso sul manicotto di pelle di gatto, e la veletta imperlata dal freddo.

– Là! Fatemi suonare quei versi!

Oh! Ma non sai, Jolanda, che ho giuocato la vita?

– Flon! flon! flon! La gamba un po' più avanti! La mano sul petto! Viva quella mano, perdio! che palpiti e frema! Tu sei innamorato della mia ragazza...

Il fatto è che a dirglielo in versi dinanzi a tanta gente, don Gaetanino diventava un minchione. C'erano pure gli altri dilettanti, in posizione, ad aspettare la loro battuta colla bocca mezzo aperta, e il cappellaccio di Barbetti che andava svolazzando al buio per la platea, come un uccello di malaugurio.

Jolanda al contrario, padrona di sé e del palcoscenico, si muoveva come una regina, agitava drammaticamente il manicotto, si piantava sull'anca, col seno palpitante, il torso audace, gli occhi stralunati sotto la veletta.

Tu giungesti, Fernando, tu che sei forte e bello,
E una voce nell'anima mi gridò tosto: È quello!...

– Perdio! Porca fortuna! – il babbo picchiava con forza il bastone sulle tavole. – Un insieme come questo!... Il pubblico balzerà in piedi, vi dico!... Dove me lo trovate?... Li tengo negli stivali tutti quei cavalieri e commendatori, quanto a saper mettere in scena!... È che la fortuna!...

Allora se la pigliava colla cabala, col gusto corrotto del pubblico, coi tempi che non dicevano, e deplorava che ora si corra dietro all'apparato, ai vestiti delle prime attrici, roba che non ha nulla a fare coll'arte, anzi che la corrompe. Un'artista, per contentare tutti al giorno d'oggi deve fare quel mestiere!

Don Gaetanino, mortificato, scusavasi col dire:

– Sicuro... quando avrò il costume... Adesso, con questi abiti... mi sento tutto...

Finalmente, papà Longo sequestrò anche le chiavi del magazzino. Allora il signor Olinto accorciò le prove. A Barbetti, che gli ronzava sempre intorno colla *Vittoria Colonna,* disse chiaro e tondo:

– Mio caro, se mi dai teatro pieno, volentieri... Ma se no, salutami tanto Donna Vittoria. Da tre settimane son qui sulle spese!

Sembrava che la sera della recita alla Rosmunda le parlasse il cuore. Nervosa, irrequieta, correndo ogni momento dinanzi allo specchio per darsi un po' di cipria, o per accomodarsi meglio la parrucca bionda.

Appena i tre violini della Filarmonica attaccarono il valzer di *Madama Angot*, essa stessa si buttò singhiozzando nelle braccia di Paggio Fernando, il quale aspettava dietro una quinta, irrigidito, e lo baciò sulla bocca, lievemente, tenendolo discosto per non sciupare il belletto.

– Che hai, Rosmunda?...

– Ora andremo via... fra qualche giorno!... Non ci vedremo più!

Comparve all'improvviso il babbo, come uno spettro, infarinato, bianco di pelo, colle calze bianche della moglie tirate sulle polpe, e due ditate nere sotto gli occhi: – Ragazzi! attenti! Fuori di scena!

Andò a rotta di collo la *Partita a scacchi.* Sia che ci fosse « il partito contrario »; sia che Paggio Fernando, con quei stivaloni e quella penna di struzzo dinanzi agli occhi, perdesse la tramontana. Incespicò, s'impaperò, batté i piedi in terra, tornò da capo: insomma un precipizio. L'amico Olinto, bestemmiando nel barbone di bambagia, gli faceva degli occhiacci terribili. Jolanda fu lì lì per isvenire. Barbetti e tre o quattro amici suoi dal cappellaccio repubblicano, in piedi addirittura fischiavano come locomotive. La mamma di don Gaetanino e tutto il parentado se ne andarono prima che calasse la tela. Il Sindaco, furibondo, voleva fare arrestare tutti quanti.

Ma fu peggio il giorno dopo, quando il povero innamorato, di sera, pigliando le strade fuori mano, andò a trovare la Rosmunda, con tanto di muso e bisbetica, che gli fece appena la carità di un'occhiata e di una parola. Meno male l'amico Olinto, che non ne parlava più e badava soltanto a fare i conti dello spesato, e con Barbetti, il quale prometteva mari e monti, e aveva di nuovo intavolato il discorso della *Vittoria*.

– Se avessi dato retta a me!... Quella è roba che fa ridere oramai... Non parlo per l'esecuzione...

Più di una volta, in quella sera disgraziata, don Gaetanino accarezzò l'idea del suicidio. Girovagò sin tardi per le strade buie come l'inferno. Andò a chinarsi sul parapetto del Belvedere, scivolando sui mucchi di sterro, colla morte nell'anima. Da per tutto, nella vallata scura e sinistra, nel cielo nuvoloso, sugli usci neri, vedeva il viso di lei rigido e chiuso; la vedeva ancora colla parrucca bionda e il bacio sulle labbra di carminio. Non chiuse occhio tutta la notte, tormentato da quella visione implacabile, colle stesse parole di Paggio Fernando che gli martellavano le tempie, ridicole, simili agli sghignazzamenti della platea, che gli facevano cacciare il capo disperatamente fra i guanciali.

Poi, come tutto passa, anche Rosmunda si calmò; il padre stesso di lei venne a cercarlo sin nella strada. Ricominciarono a far girare la pianta, e a parlare di un'altra recita con un « lavoro originale di penna paesana ».

Il capocomico e Barbetti tornarono a passar la sera discorrendo di *Vittoria Colonna*, egli e Rosmunda parlando di tutt'altro, a quattr'occhi, in un cantuccio, tenendosi le mani, benedicendo a quella *Vittoria* che tratteneva ancora in paese papà Olinto e la sua ragazza. Ma la gente non voleva più saperne di mettere mano alla tasca per simili sciocchezze. Il teatro rimaneva quasi vuoto. Barbetti seguitava a pigliarsela colla camorra, e don Gaetanino era indebitato sino agli occhi. Infine suo padre, vedendo che quella musica non cessava, ed egli rischiava davvero di perdere il figliuolo che già gli si ribellava contro, tanto era innamorato, prese un partito eroico: salassò il bilancio comunale di un centinaio di lire, raccolse un altro gruzzoletto per contribuzione, e mandò i denari ai comici per le spese del viaggio.

Che agonia l'ultima sera! Che schianto mentre Rosmunda preparava i bauli colle mani tremanti, e la mamma faceva friggere in cucina un po' di pesce per la cena d'addio! Don Gaetanino seguì la Rosmunda anche lì, dinanzi alla mamma che voltava le spalle, tenendola per mano, appoggiati al muro tutti e due, la ragazza singhiozzando forte come una bambina, nei brevi istanti che la mamma discretamente li lasciava soli.

– Addio!... per sempre!... Non ci vedremo più!... Sempre così!... sempre così!...

Ora gli parlava a cuore aperto, lamentandosi a voce alta, a rischio d'essere udita da Barbetti. Che gliene importava? Non si sarebbero visti mai più! Così era stato sempre, tutta la sua vita, da un paese all'altro, ogni due o tre settimane uno strappo al cuore, appena il cuore si attaccava a qualcuno...

– Ti ho voluto bene, sai! Tanto bene! tanto! – E lo guardava fisso, accennando anche col capo, cogli occhi pieni di lagrime.

L'amico Olinto, baciandolo sulle due guancie, coi baffi ancora umidi di salsa, gli disse all'ultimo momento:

– Arrivederci, Paggio Fernando! Le montagne sole non si muovono. Chissà!... Rammentati l'amico Olinto, in giro pel mondo, e viva l'allegria!

Don Gaetanino Longo rimase Paggio Fernando: nel paese, all'Università, più tardi, quando vinse il concorso di notaio, consigliere comunale, maritato, padre di famiglia: Paggio Fernando! E la moglie, per giunta, gelosa come una tigre per quel soprannome che gli faceva sospettare non so che infedeltà.

Dopo un gran pezzo, a Roma, dove aveva accompagnato il Sindaco per certo affare del municipio, rivide in teatro la Rosmunda, acclamata, festeggiata, tutti gli occhi su di lei, tutte le mani che l'applaudivano. Provò un tuffo nel cuore, soffiandosi il naso come una trombetta, coi lucciconi di tanti anni addietro che gli tornavano agli occhi. Ma Renna, segretario comunale, ch'era con lui nello stesso palco, se la rideva invece nella barba grigia; e Severino, il suo ragazzo, di già alto così, gli fece capire quant'era sciocco.

– Guarda, papà che piange! Se è tutta una finzione!...

I ragazzi al giorno d'oggi hanno più giudizio dei vecchi.

La serata della diva

– Sublime!... impareggiabile!... divina!... – acclamarono in coro gli ammiratori della seratante ammessi all'onore d'esprimerle a viva voce i loro entusiasmi.

– Celeste! – le soffiò sulla nuca Barbetti, il cronista teatrale.

La divina, imbacuccata nella pelliccia preziosa che la cameriera le aveva buttato premurosamente sulle spalle appena fra le quinte, ansante, col viso acceso, passò modestamente orgogliosa in mezzo alla folla degli amici che le facevano ala sino all'uscio del camerino, ringraziando col sorriso distratto i suoi ammiratori.

C'erano tutti quelli della *piazza.* Il principe d'Antona, in giacchetta, come uno che da per tutto si reputa in casa propria, Barbetti e il banchiere Macerata in cravatta bianca come dei principi; i soliti amici di tutte le prime donne che passano pel palcoscenico dell'Apollo. C'erano anche delle facce nuove, che se ne stavano timidamente in seconda fila: un giovanotto pallido e dagli occhi sfavillanti che tartagliava, una signora in voce di poetessa, la quale eclissavasi con affettazione dietro agli altri; e un po' in disparte il *Re di cuori*, come lo chiamavano, il *patito* della signora Celeste, un bel giovane taciturno che assumeva un'aria misteriosa. Barbetti scriveva già le impressioni della serata sul ginocchio, posando lo scarpino inverniciato sulla sponda del canapè, elegantissimo e insolente quand'era in cravatta bianca, mugolando fra le labbra:

– Ah, Celeste mia! Celeste voluttà!...

Lontano, al di là della scena buia e di un caos d'attrezzi, continuava ancora l'applauso, col crepitìo di un fuoco d'artifizio. Delle ballerine discinte si affacciavano alle ringhiere dei camerini soprastanti. Il buttafuori, in maniche di camicia, accorreva scalmanato. Le stesse voci plaudenti ripigliarono:

– Sentite! sentite!... Vi vogliono ancora!... Li avete proprio elettrizzati!...

La diva, nell'orgoglio del trionfo, fece un atto sublime di disdegno, lasciandosi cadere quasi sfinita sul canapè, accanto al ginocchio del cronista, e colla coda dell'occhio seguiva il lapis d'oro di lui, mentre rispondeva col solito sorriso stracco ai complimenti che le piovevano da ogni parte. L'impresario venne in persona a supplicarla « di accondiscendere al desiderio del pubblico », arruffato, gongolante, col sorriso cupido che voleva sembrar benevolo.

– Cara signora Celeste... abbiate pazienza!... un momentino solo!... Buttano sossopra il teatro, se no!...

La trionfatrice, a cui gli occhi sfavillavano di desiderio, ebbe però il coraggio di ripetere il magnanimo rifiuto, stringendosi nelle spalle, questa volta in barba all'uomo che teneva la cassetta. Ma il giornalista paternamente le tolse la pelliccia di dosso, senza dir nulla, e la spinse verso la ribalta in un certo modo che significava:

– Via, via, figliuola, non facciamo sciocchezze.

L'applauso, quasi soffocato sino allora, rinforzò a un tratto collo scrosciare impetuoso di una grandinata. Delle acclamazioni ad alta voce irruppero qua e là. E a misura che l'entusiasmo s'eccitava, propagandosi dall'uno all'altro, dei visi accesi, delle mani inguantate, dei petti di camicia candidissimi sembravano staccarsi confusamente dalla folla, e avanzarsi verso l'attrice. Più vicino, dinanzi a lei, dei professori d'orchestra si erano levati in piedi, plaudenti, e sino in fondo alla vasta sala, lungo la fila dei palchi gremiti di spettatori, nel brulichìo immenso della folla variopinta, si sentiva correre, quasi un fremito d'entusiasmo, l'eccitamento delle note d'Aida ancora vibranti nell'aria e dei seni ignudi che si gonfiavano mollemente, tutta la vaga sensualità diffusa per la sala, che rivolgevasi verso l'attrice e l'avviluppava come una carezza del pubblico intero – colle mani che si stendevano verso di lei per applaudirla – colle grida che inneggiavano al suo nome – col luccichìo dei cannocchiali che cercavano il suo sorriso ancora inebbriato, il sogno d'amore ch'era ancora nei suoi occhi, l'insenatura delicata del suo petto e la curva elegante della maglia che balenava tratto tratto fra le pieghe della tunica d'Aida, trasparente e semiaperta, quasi cedendo già all'invito delle braccia tese verso di lei, mentre essa inchinavasi dolcemente, col sorriso tuttora avido, volgendo sguardi lunghi e molli che cercavano l'amore della folla.

– Proprio così! – stava dicendo il giornalista che aveva fretta di andarsene a cena. – Stasera non ce n'è più per noialtri. Siamo in troppi, amici miei! Vi pare?... Dopo aver dato il cuore a duemila persone... e in musica per giunta!...

E Barbetti stonacchiò sotto il naso del *Re di cuori:*

– Morir d'amor per te!... per teee!...

Il principe sorrise lievemente, stendendosi sul divano. Macerata, mentre la diva rientrava nel camerino, ribatté con molto spirito:

– Va bene. Vuol dire che noi rappresentiamo l'entusiasmo pubblico... la deputazione dei dimostranti venuta a prendere l'*accolade*!... E la vogliamo, per bacco!

Così dicendo fece mostra di aprirle le braccia confidenzialmente. Ella vi mise soltanto la pelliccia, sedendo accanto al principe, il quale le baciò la mano.

– Un successone!... un vero trionfo! – ripeteva intanto il coro.

Ma essa non dava retta. Sembrava assorta, un po' stordita dell'applauso, e interrogava solo Barbetti con uno sguardo insistente.

Questi chinò il capo affermando, senza dire una parola.

– Ci penserete voi al telegrafo? – diss'ella un momento dopo.

Barbetti esitò.

– Va bene, ci penserò io... c'è tempo...

Una dozzina di persone pigiavansi nel camerino. E delle altre teste si ammonticchiavano all'uscio, degli altri visitatori sopraggiungevano: il direttore d'orchestra che veniva a congratularsi « del legittimo successo », un compositore famoso per cercare dei complimenti da per tutto, col pretesto di farne agli altri:

– Ah, signora Celeste, non ci siete che voi!... il vostro metodo!... la vostra voce!... l'arte vostra!...

Per cinque minuti si parlò anche d'arte e di musica. Il giovanetto tartaglione, strozzato dall'emozione, balbettò qualche frase sconnessa, facendosi rosso, di una fiamma sincera d'entusiasmo che avvivava le sue guance e i suoi occhi giovanili, e faceva sorridere la commediante. La poetessa si fece avanti alla fine, bisbigliando a mezza voce:

– Mia cara... Non ho saputo resistere... Quali sensazioni deliziose!...

Il principe si era alzato per cederle il posto; ma essa preferiva drappeggiarsi nel suo mantello, per recitare con voce dimessa un madrigale pomposo. Barbetti che si era messo a sedere sul bracciolo del canapè e la guardava insolentemente, si chinò poi all'orecchio della signora Celeste, dicendole:

– Ah, figliuola mia, se m'innamorate anche le donne, adesso!...

L'attrice riceveva tutti quegli omaggi negligentemente seduta sul canapè, come in trono, sorridendo a mala pena di tanto in tanto, in aria distratta, quasi tendesse ancora l'orecchio al rumore degli applausi, quasi cercando ancora il suo pubblico delirante coll'occhio assorto che fissavasi incerto su chi parlava. E tornava a sorridere incontrando gli occhi sfavillanti del giovinetto ingenuo che la divoravano. Fragranze rare e delicate emanavano dai fiori ammucchiati da per tutto, sulla poltrona, sulle seggiole, sul tavolinetto che reggeva lo specchio, fra le quinte: dei mazzi enormi, dei monogrammi inquadrati su dei cavalletti, delle giardiniere che impedivano il passo e che nessuno guardava; un profumo delizioso di vari odori che andava alla testa e inebbriava al pari della musica, al pari dell'amore d'Aida, al pari delle parole sonanti accompagnate dal ritmo armonioso, al pari degli applausi della platea, dei tanti visi accesi per lei, dei tanti cuori che essa aveva fatto palpitare, di tante fantasie e tanti vaghi desiderii che essa aveva destato e che erano venuti a deporsi ai suoi piedi, coll'adulazione ingenua e ardente del collegiale che aveva osato mandarle la sua dichiarazione d'amore per la posta, col francobollo da cinque centesimi: – « Stanotte vi ho sognata... Mi pareva di essere sotto un bell'albero, in un ameno giardino... e un usignuolo cantava colla vostra voce... » – oppure colla lusinga che era nell'articolo del giornale e nei versi dedicati a lei: « Celeste scende degli umani al core... » – « Per descrivere le impressioni veramente celestiali destate dal canto della grande artista signora Celeste... » Le parole e le frasi che l'avevano inneggiata in tanti modi si ripetevano in quel momento vagamente dentro di lei, quasi un'altra armonia interiore, tutte quante, le più insulse come le più artificiose; le facevano gonfiare il cuore egualmente del ricordo di tutti i suoi ammiratori – dall'adolescente imberbe che rizzavasi in piedi affascinato, dietro le spalle della mamma, nel palchetto di proscenio, al giornalista che smetteva il sorriso canzonatorio quando le parlava – al diplomatico che disertava il Circolo per lei, e le offriva le ultime fiamme avanzate dalle emozioni del giuoco e della *gran vita* – all'operaio che le gridava brutalmente il suo entusiasmo dalla piccionaia. – Tutti, tutti. – Fin l'impresario che si mostrava amabile – fino il telegramma che andava a cercarla in capo al mondo – fino il cronista di provincia che assediava il portiere del suo albergo – dovunque, in ogni *piazza*, fin nelle stagioni di riposo, ai bagni, ai quattro punti cardinali, sempre, lo stesso culto l'era stato tributato in tutte le lingue, lo stesso sentimento essa aveva letto in viso ad ammiratori di tutte le razze, il sentimento che le indicava il valore della sua persona e ispiravale l'amore di tutto ciò che riferivasi a lei, il teatro, l'arte, Aida, Valentina, Margherita, tutte le creazioni che incarnavansi in lei. E sentiva a momenti in quel trionfo di sé, in quell'orgoglio sconfinato del suo *io*, una tenerezza, una gratitudine, una simpatia, un'indulgenza per tutti gli omaggi che erano venuti a lei, comunque fossero, da qualunque parte venissero, e che si personificavano in tanti ricordi, in tante date, dei momenti deliziosi, delle parole che le avevano fatto palpitare il cuore un momento, di qua e di là... Chi poteva rammentarsi? Delle fisonomie e dei lembi di paesaggio le tornavano dinanzi agli occhi, di tanto in tanto: dei visi che dovevano turbarsi anch'essi, quando leggevano il suo nome nelle gazzette sparse ai quattro venti della terra, o il suo ritratto, sparso anch'esso ai quattro venti della terra, tornava a cadere loro sott'occhio. L'avevano tutti, il suo ritratto, nel giornale illustrato, nella vetrina dell'editore, sulle cantonate della via; i fotografi lo tiravano a centinaia di dozzine, ed essa se lo lasciava dietro, in ogni città, a dozzine intere, per tutti quanti, come dava a tutti quanti i tesori del suo canto, le emozioni della sua anima, i segreti della sua bellezza. Perché accordare delle preferenze quando aveva bisogno dell'ammirazione di tutti? Perché imporsi certi riserbi, vincolare il suo cuore o il suo capriccio, se doveva mutare amici e paese a ogni mutar di stagione, se nessuno le sarebbe stato grato della costanza, se la sua dignità stessa di donna doveva essere diversa da quella delle altre? E una malinconica dolcezza le veniva da tanti ricordi confusi, nello stordimento e nella vaga lassezza di quell'ora. E sorrideva più volentieri al giovinetto bleso di cui l'adorazione ingenua ridava una specie di verginità a quelle memorie. E il bel *Re di cuori*, collo sguardo supplichevole, implorava invano da lei quella sera l'occhiata complice che avrebbe dovuto assentire e promettere... Egli aspettava sempre, paziente e rassegnato, aiutando a porre in ordine lo stanzino, scegliendo i fiori da mettere da parte, cedendo il posto ai nuovi visitatori, dando sottovoce degli ordini alla cameriera, la quale affrettavasi a riporre i regali che brillavano sulla tavoletta, segnati da biglietti di visita. Macerata, che covava cogli occhi da un pezzo il suo, non seppe tenersi dal protestare:

– Come?... Senza farceli neppure ammirare?... Senza « farci vedere il cuore degli amici? »...

Gli astucci allora passarono di mano in mano, ammirati, lodati, sotto gli occhi sospettosi della cameriera, la quale si teneva ritta presso la cortina che nascondeva il fondo del camerino. Si ripeté un altro coro di esclamazioni:

– Bello! – Elegantissimo! – Stupendo! – Il banchiere insisteva sull'intenzione che esprimeva il suo dono, uno spillo a ferro di cavallo di brillanti. – « Per dare un bel calcio alla jettatura! » – Nella confusione poi alcuni dei biglietti che accompagnavano al dono il nome del donatore andarono smarriti, prima che la diva si fosse degnata di accorgersene. Un magnifico vezzo di perle non si sapeva più da chi fosse stato offerto.

– Eh, giacché siete tanto indiscreti... Sono stato io, là! – disse infine Barbetti.

Tutti quanti scoppiarono a ridere, compresa la signora Celeste, quasi Barbetti avesse spacciato la panzana più matta. Il principe assentì anche col capo. In quella fece capolino all'uscio un inserviente del palcoscenico, sorridendo alla seratante come uno che aspetti la mancia anche lui, porgendole a mano un biglietto di visita.

– C'è questo signore... Dice che la conosce tanto...

L'attrice studiava il biglietto, cercando di rammentarsi quel nome, quando entrò il signore che essa conosceva tanto, un bel giovane forestiero, riccioluto e azzimato all'ultima moda, il quale però rimase un po' male, trovandosi a un tratto in sì bella compagnia, al cospetto della diva in soglio che lo guardava d'alto in basso, per raccapezzarsi, e di tutta la sua corte.

– Scusatemi, Celeste... – balbettò lui. – Ho letto sui giornali... Presi subito il treno... Non potevo immaginare una cosa simile...

E com'ella seguitava a guardarlo in quel modo imbarazzante, senza rispondere, in mezzo al silenzio ostile di tutto l'uditorio, il povero giovine perse del tutto la tramontana, cercando d'aiutarsi alla meglio.

– Ettore... Ettore Baroncini di Sinigaglia... Vi rammentate... per la fiera?

– Ah!... – fece lei. – Oh!

Ettore Baroncini, incoraggiato dai due monosillabi insidiosi, si lasciò sfuggire:

– N'è passato del tempo, eh!

Non aggiunse altro, mortificato del sorriso glaciale di lei, che riprese immediatamente a discorrere col principe, volgendo le spalle all'amico Baroncini e alla fiera di Sinigaglia, con un certo sorriso fine per giunta, che aveva tutta l'aria d'esser dedicato a lui, e che gli tolse il coraggio finanche d'andarsene insalutato ospite, e lo inchiodò al posto in cui era.

– Allora – riprese Barbetti, quasi continuando un discorso incominciato. – Allora direi che il donatore incognito è già bell'e trovato... E vuol dire che non sarò stato io, pazienza!

D'Antona, mentre gli altri si accingevano a ridere di nuovo, disse galantemente alla bella signora:

– Chiunque sia stato l'ammiratore incognito... Ne avete tanti!... Volete permettermi di rappresentarlo?

Ella che aveva già indovinato sorridendo gli stese la mano, che il principe si mise a baciare ghiottamente, fra il serio e il faceto, sulla palma, sul polso, salendo su pel braccio che sembrava inzuccherato dalla polvere di cipria, mentre la Celeste rideva quasi le facesse il solletico, fingendo di voler svincolarsi, esclamando:

– No! no! basta! Così ve la pigliate per venti ammiratori!

Macerata reclamava intanto la sua parte, e degli altri pure, cortesemente. Solo la poetessa accomiatavasi a labbra strette, e il giornalista agitava il *gibus* quasi per scacciare delle mosche, ripetendo:

– Via, via, signori miei... dinanzi alla gente... dei forestieri anche!...

Il signore forestiero, ancora rosso dall'emozione, aveva fatto la bocca al riso anche lui, per non restar da grullo, tormentandosi i baffi, girando intorno, suo malgrado, uno sguardo inquieto, sulla comitiva di cui la sola faccia simpatica gli sembrò allora quella del bel giovane taciturno, il quale lisciavasi i baffi anche lui, sorridendo a fior di labbro anche lui. Di fuori intanto il macchinista strepitava per far sgombrare il palcoscenico:

– La vita!... Signori!... Abbiano pazienza! – Gli ammiratori della cantante, che erano rimasti sull'uscio, ondeggiavano di qua e di là. Degli altri mazzi di fiori furono cacciati nel camerino alla rinfusa. Il cavalletto e la giardiniera furono spazzati via. Si udì un correr frettoloso, uno sbatter di usci, delle voci di comando, e uno schiamazzar di voci femminili.

– Il ballo! In scena pel ballo!

Lo stesso impresario, che era tutto miele un quarto d'ora prima, mandava ora al diavolo gli importuni.

– Signori miei... un po' di pazienza... Il pubblico s'impazienta!

– Se si andasse a cena? – propose Macerata.

La signora Celeste fece una smorfia che diceva di no. Ma il banchiere tornò ad insistere e a farle dolce violenza, chino verso di lei, prendendole la mano, parlandole sul collo in un certo modo che faceva arricciare il naso al *Re di cuori* e all'amico di Sinigaglia. Barbetti però approvava il rifiuto.

– Andiamoci pure a cena, ma senza di lei. Lei ha bisogno di riposare, poverina. Lasciateli dire, mia cara. Questa gente non sa cosa significhi una serata simile... – Il bel *Re di cuori* infine perse la pazienza, borbottando che non era quella la maniera... Ettore Baroncini in cuor suo fece lega con lui.

– Ma no! ma no! – diss'ella. – Andate via, piuttosto! Non posso mica spogliarmi dinanzi a tutti quanti.

– Oh! – Perché mai?... – Magari!... – *C'est juste mais sévère!* – conchiuse il banchiere.

– Bello! bellissimo... *le mot de la fin*!... – esclamò Barbetti, e intanto spingeva fuori la gente, come uno di casa. Il *Re di cuori* era rimasto cercando il cappello, aspettando dalla diva la parola o l'occhiata che essa gli aveva promesso per quella sera.

– Caro Sereni, – gli disse Barbetti, – non facciamo dei gelosi...

– Barbetti, ehi! il telegrafo l'avete dimenticato? – esclamò la signora Celeste passando la testa nell'apertura della tenda.

– Eh, no... pur troppo...

– A Milano! E rammentatemi anche a Napoli, dove farò la quaresima... Non lo dimenticate... Vi accompagnerà Sereni perché non lo dimentichiate, al vostro solito... Aspettate, Sereni, vi do un rigo per memoria.

E lì, scrivendo sul ginocchio anche lei come Barbetti, colla tunica di Aida semiaperta che scopriva il fine contorno della gamba coperta dalla maglia carnicina, buttò due parole su di un pezzetto di carta strappato da un mazzo di fiori, e sporse dalla tenda il braccio nudo per dare il bigliettino a Sereni, il quale lo prese avidamente, mentre dietro la cortina, con un fruscìo frettoloso di vestiti, si udiva ancora la bella voce allegra di lei ripetere:

– Andatevene! Andate via tutti quanti!

I suoi fedeli però l'aspettavano ostinatamente dietro l'uscio del camerino, Macerata che voleva aver l'onore di darle il braccio sino alla carrozza, il principe d'Antona discorrendo con una figurante che non gli nascondeva nulla, Ettore Baroncini il quale non sapeva risolversi ad andarsene dopo aver preso apposta il treno, temendo di passare per uno zotico, Sereni che fiutava un rivale e Barbetti che odorava la cena. Finalmente la bella ricomparve col berrettino di lontra sugli occhi, imbacuccata sino al naso, seguita dalla cameriera contegnosa che portava la borsetta delle gioie, sgridando Barbetti e tutti gli altri, che si precipitavano ad accompagnarla, Macerata impadronendosi del braccio di lei che gli era costato uno spillo di brillanti, il principe staccandosi garbatamente dalla figurante, la quale schermivasi allora coprendo il petto colle mani, Barbetti canticchiando:

– Andiam! partiam! a cena andiam!... Non dico a voi, cara Celeste. Voi andrete a dormire tranquillamente... Sentirete che brindisi, dal vostro letto!...

– Ah! meraviglia delle meraviglie! Angeli e ministri di grazia, soccorretemi voi!

Quest'ultimo complimento era diretto all'altra diva del ballo « La stella » che attraversava in quel punto il dietro scena, seminuda, colle spalle e il seno appena coperti da una ricca mantellina, tutta vaporosa nella cipria e nei veli diafani, col sorriso mordente delle labbra e degli occhi tinti che salutava gli amici e gli ammiratori della cantante, suoi ammiratori anch'essi e suoi amici, quasi librandosi sulla punta delle scarpette di raso all'incitamento della musica che la chiamava, per correre all'applauso che aspettava impaziente lei pure. Il tenore, con cui la diva del canto aveva delirato d'amore in musica, e per cui era morta sul palcoscenico mezz'ora prima, le passò vicino adesso senza salutarla, rialzando il bavero della pelliccia, col fazzoletto sulla bocca. Ed essa non lo guardò neppure, scambiando invece un'occhiata ostile coll'altra diva della danza.

– No, no, non vi lascio andar sola... Ho paura che vi rubino, i vostri ammiratori... – diceva il principe che ostinavasi a voler montare in carrozza con lei, dopo aver messo da banda tranquillamente Macerata. Ed essa rispondeva con la risatina squillante: – Sciocco!... via! andate via!... Barbetti?...

– Sì, sì, il telegrafo, non l'ho dimenticato. Signori belli, cosa si fa adesso? Si va a cena, a finir la serata della diva? Ehi, dico, Sereni, è quanto possiamo far di meglio. Non ti cavare gli occhi sotto quel lampione, che lo scritto so io cosa dice.

Ma il principe si scusò dicendo di avere un appuntamento al Circolo, e Macerata non si sentiva di pagare anche i brindisi che gli altri avrebbero fatti alla diva. Rimasero Baroncini, il quale non voleva passare per straccione o per avaro, ricusando di pagar da cena, e Sereni che aveva letto: « Impossibile per questa sera, mio caro... Abbiate pazienza... Sono affranta... Sognerò di voi... ». Per altro, tutti e due avevano bisogno di pensare alla diva, vicino a degli altri che avrebbero pure pensato a lei o parlato di lei.

Nei fumi del vino, più tardi, poiché Baroncini aveva fatto le cose bene, Barbetti, commosso anche lui, sentenziava:

– Cari amici miei... Il telegrafo non sapete cosa significhi... L'impresario... l'agente teatrale... Dei colpi di gran cassa per far quattrini... Siamo giusti... il mondo gira su di un pezzo da cinque lire... Ciascuno secondo il suo mestiere... L'arte, il giornalismo... tutte belle cose... Segui bene il mio ragionamento, Sereni. Io sono un artista... Bene... Io appartengo al pubblico... il pubblico è il mio amante... Tu sei innamorato di me, artista... bene... Se Venere, in camicia, venisse a dirmi in certi momenti... Barbetti, dammi una notte d'amore... No, no, e poi no!

Il tramonto di Venere

Quando Leda, astro della danza, splendeva nel firmamento della Scala e del San Carlo, come stella di prima grandezza, contornata di brillanti autentici, e regalava le sue scarpette smesse ai principi del sangue e del denaro, chi avrebbe immaginato che un giorno ella sarebbe stata ridotta a correre dietro le scritture e i soffietti dei giornali, cogli stivalini infangati e l'ombrello sotto il braccio – a correre specialmente dietro un mortale qualsiasi, fosse pur stato Bibì, croce e delizia sua?

Poiché Bibì era anche un mostro, un donnaiuolo, il quale correva dal canto suo dietro tutte le gonnelle, e concedeva perfino i suoi favori alle matrone ancora tenere di cuore, adesso che la sua Leda batteva il lastrico, in cerca di scritture e di quattrini, e lui aspettava filosoficamente la dea Fortuna al Caffè Biffi, dalle 5 alle 6, nell'ora in cui anche le matrone s'avventurano in Galleria – oppure tentava di sforzarla – l'instabil Diva – a primiera o al bigliardo, tutte le notti che non consacrava alla dea Venere, come chiamava tuttora la sua Leda, quand'era fortunato alle carte o altrove, o quando non la picchiava, per rifarsi la mano.

Ahimè, sì! L'indegno era arrivato al punto di fare oltraggio ai vezzi per cui aveva delirato, un tempo – per cui i Cresi della terra avevano profuso il loro oro. Le rinfacciava adesso, brutalmente: – Dove sono questi Cresi?

Ah, l'ingrato, che dimenticava quanto gliene fosse passato per le mani di quell'oro; con quanta delicatezza la sua Leda gliene avesse celato spesso la provenienza, per non farlo adombrare, lui che era tanto ombroso, allora! E i sottili artifici, le trepide menzogne, i dolci rimorsi che rendevano attraente l'inganno fatto all'amante, per l'amante stesso, onde legarlo col beneficio! E le care scene di gelosia, e le paci più care!... Che importa il prezzo? Non era *lui* il suo tesoro, il suo bene?

Ma ciò che ora rendeva furiosa specialmente la povera dea Venere, erano le infedeltà gratuite e umilianti di Bibì; gli idillii che le toccava interrompere dinanzi alla tromba della scala, colle serve del vicinato; il lezzo di sottane sudicie che egli le portava in luogo di violette di Parma. Aveva un vulcano in corpo, l'indegno! Ardeva per tutte quante della stessa fiamma che consumava lei pure, ahi derelitta – di persona e di beni!

O dolcezze perdute, o memorie! Quando invece Bibì correva dietro a lei, come un pazzo, in quella memorabile stagione dell'*Apollo* che fece perdere la testa anche a dei principi della Chiesa! Ebbene, essa aveva preferito Bibì, né signore né principe, allora, ma giovin, studente e povero, venuto dal fondo di una provincia, ricco solo di entusiasmi, per imparare musica, o pittura – una bell'arte insomma. La più bell'arte, per lui, fu di saper conquistare, senza spendere un quattrino, il cuore di Leda, la quale in quell'epoca teneva legata al filo dei suoi menomi capricci quasi una testa coronata. Capriccio per capriccio, essa preferì il nuovo, quello che aveva il sapore del frutto proibito, un'attrattiva insolita, la freschezza e la grazia di un primo palpito: lettere, mazzolini di fiori, incontri semifortuiti al Pincio, ogni fanciullaggine, in una parola. Ei ripeteva, supplice, come un eroe della scena: – Un'ora!... e poi morire!...

– No! – rispose ella alfine. – No! Vivere e amar!

Amor, sublime palpito!... Il fatto è che ne fu presa anche lei stavolta, allo stesso modo che aveva fatto ammattire tanti altri. – Ma presa, là, come si dice, pei capelli. Così il fortunato giovane ascese furtivo all'ambito talamo del geloso prence. Gli schiuse l'Eden lei stessa, tremante, a piedi nudi – i divini piedi cantati in prosa e in versi! – Bibì, che a sentirlo era un leone indomito, tremava anche lui come una foglia. E se lo prese, lei, trionfante per la prima volta! – Come sei timido, fanciullo mio!

Tanto che Sua Altezza, seccato alfine da quelle fanciullaggini, degnò aprire un occhio, e li scacciò dall'Eden. Che importa? Il mondo non era seminato di teatri e di mecenati che portavano in palma di mano lei e Bibì? Soltanto, come i principi son rari, e i mecenati vogliono sapere dove vanno a finire i loro denari, i due amanti fecero le cose con maggior cautela, e le fanciullaggini a usci chiusi. Bibì era felice come un Dio, viaggiando da una capitale all'altra, in prima classe, ben vestito, ben pasciuto, a tu per tu cogli impresari e i primi signori del paese che accorrevano a fare omaggio alla sua diva. Se bisognava eclissarsi qualche volta discretamente dinanzi a loro, lo faceva con un sorriso che voleva dire: – Poveretti! – Le stesse scene di gelosia sembravano combinate apposta per infiorare quel paradiso, come una carezza all'amor proprio di entrambi, una protesta dignitosa dell'amante, e una delicata occasione offerta all'amata di tornare a giurargli e spergiurargli la sua fede: – No, caro!... Lo sai!... Sei tu solo il signore e il padrone.... Ecco!

Basta, ora si trattava di non lasciarsi sopraffare da quell'intrigante della Noemi, che le rapiva agenti ed impresari, alla Leda, con tutte le arti lecite e illecite, e le portava via le scritture – una che non aveva dieci chili di polpa sotto le maglie! – E le portava via anche Bibì, il quale si dava il *rossetters* ai baffi, e si metteva in ghingheri per andare ad applaudirla, *gratis et amore*.

– Ma il ballo nuovo del cavalier Giammone non me lo porta via, no! – giurò a sé stessa la bella Leda.

Da un mese, Barbetti e tutti gli altri giornalisti che

vendono l'anima a chi li paga, non facevano altro che rompere la grazia di Dio ad artisti ed abbonati con quel nome della Noemi stampato a lettere di scatola. Già erano in tanti a far la spesa degli articoli i protettori della casta vergine! Ma il ballo nuovo del cavalier Giammone non l'avrebbe avuto, no!

Il cavaliere stava appunto parlandone coll'impresario, chiusi a quattr'occhi, dinanzi al piano del Gran Poema storico-filosofico-danzante, sciorinato sulla tavola, allorché capitò all'improvviso la signora Leda, in gran gala, e col fiato ai denti.

– Cavaliere mio!... scusatemi... Non si parla d'altro sulla piazza!... Sarà un trionfo, vi garantisco!... Lasciatemi vedere...

– Ah! – sbuffò il coreografo colto sul fatto. – Oh!...

E si buttò sulle sue carte, quasi volessero rubargliele. L'impresario, dal canto suo, diede una famosa lavata di capo al povero tramagnino che stava a guardia dell'uscio.

– Ho dato ordine di non essere disturbato, quando sono in seduta! Nessuno entra senza essere annunziato!...

Dopo tanti anni che le porte si spalancavano dinanzi a lei, e gli impresari le venivano incontro col cappello in mano! Se non la colse un accidente, fu proprio un miracolo. Barbetti, che la incontrò all'uscita così rossa e sconvolta, non poté tenersi dal dirle ridendo:

– Come va, bellezza?

– Senti! – rispose lei, fuori della grazia di Dio davvero; – senti, faresti meglio a stare alla porta della Noemi, per vedere chi va e chi viene, giacché fai quel bel mestiere!

All'occasione la signora Leda aveva la lingua in bocca anche lei – la bocca amara come il tossico. – Per rifarsela dovette fermarsi al Biffi, a bere qualche cosa. Bibì era là, al solito, in trono fra gli amici. Tutti quanti, ad uno ad uno, per far la corte a lei e a lui, cominciarono a dire ira di Dio della Noemi – che non aveva scuola – che non aveva grazia – che non aveva questo e non aveva quest'altro.

Già l'avevano tutti quanti a morte coll'Impresa che lasciava disponibili i migliori soggetti. Poi, dopo che l'amorosa coppia si fu congedata, fra grandi inchini e scappellate – Bibì stavolta volle accompagnare la sua signora per sentir bene come era andata a finire, un po' inquieto e nervoso in fondo, ma disinvolto, giocherellando colla mazzettina, lei tutta arzilla e saltellante, col sorriso di cinabro e le rose sulle guance (quantunque si sentisse soffocare nella giacchetta attillata) per non dar gusto ai colleghi – Scamboletti, il celebre buffo, ch'era anche il burlone della compagnia, mandò loro dietro questo saluto:

– Lei sì che n'ha della grazia di Dio!... Una balena! – Anzi citò un'altra bestia. – Senza invidia però, Bibì!

Senza invidia, a lui, Bibì, ch'era un pascià a tre code, e di donne ne aveva sino ai capelli, damone e titolate?... Basta, era un gentiluomo! E sapeva anche quello che andava reso alla sua signora. Ma in quanto all'arte però non era partigiano, e ammirava ugualmente tutti i generi. Leda era del genere classico? E lui l'aveva fatta subito scritturare al Carcano, un teatro di cartello anche questo, non c'è che dire. Oggi, pei balli grandi, bastano le seconde parti, gambe e macchinario. Piacciono anche questi? Ebbene, batteva le mani lui pure, senza secondi fini.

Ma la Leda, che non aveva più un cane che le battesse le mani, era diventata gelosa come un accidente, e gli amareggiava la vita, povero galantuomo. Lagrime, rimproveri, scene di famiglia continuamente. Alle volte, magari, lui doveva buttar via il tovagliolo a mezza tavola, per non buttarle il piatto in faccia. Tanto, quella poca grazia di Dio gli andava tutta in veleno.

Si rappattumavano dopo, è vero; perché quando si è fatto per un uomo quello che aveva fatto lei!... – E quando si è un gentiluomo come era lui!... Ma però artisti l'uno e l'altra, dopo la commedia delle paci e delle tenerezze si tenevano d'occhio a vicenda, e la signora Leda, a buon conto, aveva messo un tramagnino alle calcagna di Bibì, per scoprire il dietro scena nel repertorio delle sue tenerezze. Talché gli amici al vederlo sempre con la guardia del corpo, gli affibbiarono il titolo di *Re di Picche*.

Infine tanto tuonò che piovve, la sera stessa della beneficiata di Leda, che non c'erano duecento persone al Carcano. Ella cercò di sfogarsi con Bibì « il quale faceva il risotto » alla Noemi, invece! lui e i suoi amici! bestie e animali tutti quanti, che non sapevano neppure dove stesse di casa il vero merito! e si lasciavano prendere all'amo dalle grazie di quella diva, la quale rideva di loro, poi – sicuro! – di lui pel primo! – Gonzo!

– Via, fammi il piacere! – interruppe Bibì accendendo un mozzicone di sigaro dinanzi allo specchio.

– Ah, non vuoi sentirtela dire? Già, quella lì non ti piglia certo pei tuoi begli occhi, mio caro! – Schizzava fuoco e fiamme dagli occhi, lei colle ciglia ancora tinte e il rossetto sulla faccia, così come si trovava all'uscire dal teatro, una Furia d'Averno – dopo tutto quello che aveva fatto per lui, e le occasioni che gli aveva sacrificato, ricconi e pezzi grossi, che se avesse voluto, ancora!...

– Fammi il piacere, via! – tornò a dire Bibì con quel ghignetto che la faceva uscire dai gangheri.

– Allora senti! Bada bene a quello che fai! Bada bene, veh! Che son capace di andare a romperle il muso, alla tua casta diva! – E qui un mondo di altre porcherie: – che lui era roba sua, di lei, giacché lo pagava e lo manteneva, e si rompeva la grazia di Dio, laggiù al Carcano, per mantenergli anche la casta diva! – Allorché era in bestia la signora Leda sbraitava tal quale come la sua portinaia, e vomitava gli improperii che aveva inteso al Verziere, quando stava da quelle parti. – Puzzone! – Svergognato! – Ti pago perfino il sigaro che hai in bocca!... – Scendere sino a queste bassezze, via! Talché Bibì stavolta perse il lume degli occhi e l'educazione, e gliene disse d'ogni specie anche lui, buttando in aria ogni cosa, dediche, omaggi, ritratti e corone sotto vetro, tutto quanto v'era in salotto, e quando non ebbe più che dire buttò anche le mani addosso a lei, senza riguardo neppure al rossetto e alle finte che costavano 50 lire al paio. – Già al Carcano non ci avrebbe ballato più per un pezzo, la brutta bestia, tante gliene diede, – e il meglio era di prendere il cappello e andarsene via, poiché il vicinato era tutto sul pianerottolo, e colla Questura lui non voleva averci a fare di nuovo, dopo che gli aveva rotto le scatole per altre sciocchezze.

Stavolta sembrava bell'e finita per sempre fra Bibì e la sua signora. – Ciascuno per la sua strada, e alla grazia di Dio tutt'e due, in cerca di miglior fortuna, – se non fossero stati i buoni amici che vi si misero di mezzo. Tanto, dopo tanto tempo che stavano insieme, erano più di marito e moglie. No, lei non poteva starci senza Bibì. Fosse sorte, fosse malìa, la teneva legata ad un filo, come essa ne aveva tenuti tanti, uomini seri, ed uomini forti, che in mano sua sembravano delle marionette. E anche Bibì, a parte l'interesse, un cuor d'oro in fondo, che non si poteva dire lo facesse muovere l'interesse, ormai. Non tornò a servirla in ogni maniera e a procurarle le scritture egli stesso? in America, in Turchia, dove poté, giacché al giorno d'oggi soltanto laggiù sanno conoscere ed apprezzare le celebrità. – Prova i vaglia postali che lei mandava, poco o molto, quanto poteva.

Un cuor d'oro. E allorché la povera donna batté il bottone finale, e sbarcò a Genova senza un quattrino, bolsa e rifinita, chi trovò alla stazione, a braccia aperte? Chi si fece in quattro per scovarle qua e là mezza dozzina di ragazze promettenti, e insediarla maestra di ballo addirittura? Chi le prestò i mezzi, a un tanto al mese, per metter su « pensione d'artisti » – una speculazione che sarebbe riuscita un affarone, se non ci si fosse messa di mezzo la Questura, che l'aveva particolarmente con Bibì?

E come ogni cosa andava di male in peggio, cogli anni e la disdetta, chi le prestò qualche ventina di lire, al bisogno, di tanto in tanto, quando si poteva? Dio mio, le ventine di lire bisogna sudare sangue e acqua a metterle insieme; e quando si diceva prestare, da lui a lei, era un modo di dire.

E al calar del sipario, infine, allorché la povera Leda andò a finire dove finiscono gli artisti senza giudizio, chi andò a trovarla qualche volta all'ospedale, e portarle ancora dei soldi, se mai, per gli ultimi bisogni?

Bibì ne aveva avuto del giudizio, è vero, e un po' di soldi aveva messo da parte, col risparmio e gli interessi modici, tanto da render servizio a qualche amico, se era solvibile, e da far la quieta vita, coi suoi comodi e la sua brava cuoca. Perciò quelle visite all'ospedale gli turbavano la digestione, gli facevano venire le lagrime agli occhi, e non era commedia, no, quando ne parlava cogli amici, al caffè.

– Bisogna vedere, miei cari! Una cosa che stringe il cuore, chi ne ha! L'avreste creduto, eh? Lei abituata a dormire nella batista!... E ridotta che non si riconosce più... Un canchero, un diavolo al petto... che so io... Non ho voluto vedere neppure. Lei ha sempre la smania di far vedere e toccare a tutti quanti. E delle pretese poi! Certe illusioni!... Non si dà ancora il rossetto? Misera umanità! Ieri, sentite questa, vo sin laggiù a Porta Nuova, apposta per lei, con questo caldo, e trovo la scena della *Traviata*: – « O ciel morir sì giovane... » – Mia cara... giovani o vecchi... Voi guarirete, ve lo dico io! – Ah! Oh! – Allora viene la parte tenera, e vuol sapere se sono sempre io... lo stesso amico... da contarci su... – Certo... certo... Diamine!... – O non mi esce a dire di condurla via? Sissignore – che una volta via di lì è sicura di guarire – che vogliono operarla – che ha paura del medico: – Per carità! Per amor di Dio! – Un momento, cara amica! Che diamine, un momento! – Ella si rizza come una disperata, afferrandomi pel vestito, baciandomi le mani... Non ci torno più, parola d'onore!

E vedendo che ci voleva anche quello, dalla faccia degli amici, Bibì asciugò una furtiva lagrima.

Papa Sisto

Di commedianti come Vito Scardo non ne nascono più a Militello, massime dacché fu toccato dalla *grazia*, e da povero diavolo arrivò ad essere guardiano dei cappuccini, come Papa Sisto.

Dopo aver provato cento mestieri – e averne fatte d'ogni colore anche, dicevasi, colla donna e la roba altrui – ridotto colle spalle al muro, malandato di borsa e di salute, Vito Scardo capì alfine: – Qui bisogna mutar strada.

Era l'anno della fame per giunta, che i seminati, dal principio, dissero chiaro che si voleva ridere quell'inverno, e tutti quanti, poveri e ricchi, si strappavano i capelli, alla raccolta. Vito Scardo stava bestemmiando anche lui nell'aia di massaro Nasca – compare Nasca sfogandosi coi figliuoli a pedate – sua moglie covando le spighe magre cogli occhi arsi e il lattante al petto – lo stesso marmocchio che si disperava e non trovava nulla da poppare – una desolazione insomma da per tutto, per la campagna brulla, senza una canzone o un suono di tamburello, quando si vide arrivare fra Angelico, quello della cerca, fresco come una rosa, trottando allegramente sulla bella mula baia dei cappuccini. – Sia lodato San Francesco! – E lodato sia, fra Angelico! – disse compare Nasca fuori della grazia di Dio stavolta. – Che a voi altri, benedica, il pane e il companatico non ve lo fa mancare San Francesco!... Sangue di!... Corpo di!... – Le bestemmie della malannata, in una parola. Ma fra Angelico se ne rideva. – O dunque chi prega Domeneddio per la pioggia e pel bel tempo, gnor asino?

Un pezzo di tonaca sulle spalle, una presa di tabacco qua e là, il buon viso e la buona parola, e fra Angelico raccoglieva grano, olio, mosto, senza bisogno di mietere né di vendemmiare, e senza pensare ai guai e a malannate, ché al convento, grazie a Dio, il caldaione era sempre pieno, e i monaci non avevano altro da fare che ringraziare la Provvidenza e correre lesti al refettorio quando suonava la campanella. – Quello è il mestiere che fa per me, – disse allora Vito Scardo.

Di lì a poco, un bel giorno, – volontà di Dio – lo trovarono tutto pesto e malconcio nel podere di Scaricalasino, o che l'avessero colto a cerca di olive senza permesso del padrone del campo, e senza la tonaca di San Francesco, o che a Scaricalasino quella notte gli dicessero le corna di tornare a casa insalutato ospite. Il fatto è che glie ne diedero tante, al povero Vito Scardo, da lasciarlo più morto che vivo, e in quell'occasione volle confessarsi dal guardiano dei cappuccini appunto.

– Padre Giuseppe Maria – disse veramente contrito. – Padre Giuseppe Maria, o me ne vo in paradiso, o prometto di cambiar vita e fo voto di darmi a Dio.

– Va bene, va bene. A questo c'è tempo. – Il guardiano credeva che fossero le solite chiacchiere di ogni galantuomo ridotto al mal passo, e promise d'aiutarlo anche, per sbrigarsene. Ma però non furono chiacchiere. Vito Scardo aveva la pelle e la testa dura. Non s'era fitto in capo di mutar vita? O dunque perché gli aveva promesso Roma e toma quel servo di Dio? Il guardiano, di lì a un mese, come se lo vide capitar dinanzi con quel dettato, sano come una lasca, fece il segno della croce: – Monaco tu? Non ci mancherebbe altro adesso! – E vossignoria che vi cresceva qualche cosa? Per arrivare guardiano anche!...

Voi che avreste fatto? Un arnese come Vito Scardo, che puzzava di tutti i sette peccati mortali! Però egli giurava che era un altro, ormai. Lo pigliassero a prova. Tanto disse e tanto fece che il povero guardiano dovette pigliarlo a prova, pel vitto e la tonaca soltanto, frate converso. – Se la tonaca fa questo miracolo, vuol dire ch'è una santa cosa davvero, figliuol mio!

Basta, o che la tonaca abbia fatto il miracolo, o che sia stato il bisogno a far trottare l'asino, Vito Scardo divenne l'esempio della comunità. Bravo, modesto, prudente – le donne, magari, non le guardava neanche, in strada. – E per la cerca poi valeva un Perù; meglio di fra Angelico, ch'è tutto dire. La gente al vederlo così cambiato, che pareva un santo, diceva: – Questa è opera di San Francesco. – E mandava elemosine.

Però c'era ancora quella certa tizia che tirava a fargli perdere il pane – comare Menica la moglie di Scaricalasino, dopo che suo marito era andato in galera per le legnate di quella notte – lei a tentarlo fino in chiesa, e occhiate di fuoco, e imbasciate con questa e con quella. Una sera poi l'appostò al cancello del podere, che tornava tardi dalla cerca e non passava un cane, e lo strinse proprio colle spalle al muro: – Dopo averla messa in quello stato – né vedova né maritata! – E tutto quello che aveva fatto per lui! – Le legnate che s'era prese! – Sissignore! Eccole qua! – Quasi quasi si spogliava lì dov'era, dietro la siepe. La siepe fitta, l'ora tarda, sulla strada che non passava un cane... San Francesco glorioso, se Vito Scardo tenne duro come Giuseppe Ebreo, fu tutto merito vostro – Sorella mia – rispose lui – sorella mia, in galera si va e si viene, ma se mi scacciano dal convento cosa fo, ditelo voi?

E lo disse anche al padre guardiano, a titolo di confessione – la carne – il demonio. – La sai più lunga di lui! – pensò il guardiano. Ma dovette chinare il capo anche stavolta, toglierlo dalla cerca e metterlo ai servizi interni del convento. Vito, contentone, badava a far la sua strada. Un colpo al cerchio, un colpo alla botte, barcamenandosi fra questo e quell'altro, che il convento è come un piccolo mondo, e le nimicizie covano anche fra i servi di Dio. Quando s'accapigliavano fra di loro, e volavano le scodelle, lui orbo e sordo. A tempo e luogo poi lisciare i pezzi grossi pel verso del pelo, e pigliare ciascuno pel vizio suo, fra Serafino col tabacco buono di Licodia, fra Mansueto chiudendo un occhio in portineria, il Padre Lettore a colpi d'incensiere. – Ah, che grazia v'ha fatto il Signore! Quante cose sapete, vossignoria! – Figliuol mio, ho sudato sangue. Vedi, ho tutti i peli bianchi. Che mi giova? Padre Lettore, e nulla più.

– Birbonate! La solita storia che chi più merita meno ha... M'intendo io, se fossi padre da messa e avessi voce in capitolo, quando fanno il guardiano...

Il guaio era che per entrare in noviziato ed arrivare padre da messa ci voleva un po' di latino, e 20 onze di patrimonio. Quanto al latino, pazienza, Vito Scardo, picchia e ripicchia, sudando sui libracci come Gesù all'orto, tendendo l'orecchio a questo e a quello, pigliandosi la testa a due mani – testa fine di villano che quel che voleva voleva – coll'aiuto di Dio e del Padre Lettore riescì a farvi entrare quel che ci voleva. Ma trovare le 20 onze del patrimonio era un altro paio di maniche. Ci si struggeva mattina e sera senza contare i digiuni, le astinenze, e simili privazioni, che ormai era diventato tutto pelo e naso, e le divote susurravano anche che portava il cilizio sotto la tonaca. In chiesa poi servizievole con tutti quanti, premuroso colle figlie penitenti del guardiano e dei pezzi grossi, innamorato del Patriarca San Giuseppe, sì che la vedova Brogna s'indusse a fare l'altare nuovo, e fu tutto merito suo. Insomma, se il Patriarca non gli faceva trovare i denari per entrare in noviziato e darsi a Dio, voleva dire che non c'è religione né nulla. – O tu che credi d'arrivare Papa? – Gli diceva alle volte il guardiano ridendo. E lui, minchione minchione: – Papa, no.

Bene, se il Patriarca non voleva farlo, l'avrebbe fatto lui il miracolo, Vito Scardo. A un tratto, corse la voce che guariva asini e muli, con certi rimedi che sapeva lui – e la fede viva. Se mancava la fede, addio virtù dei semplici, e tanto peggio per la bestia che crepava, salute a noi. Poi furono i numeri del lotto che gli vennero in mente, come un'ispirazione del cielo che gli diceva all'orecchio: Escirà il tale, il tale e il tal altro numero. Veramente a tanta grazia divina recalcitrava egli stesso, semplice frate laico, senza neppure gli ordini sacri. Resisteva alla tentazione, si confessava indegno, faceva il sordo o lo scemo, arrivava a tapparsi le orecchie insino, quando i poveri giuocatori gli correvano dietro supplicando: – Per la santa tonaca che portate! – Per l'anima dei vostri morti! – e per quest'altro, e per quest'altro – Due parole sole, e ci togliete dai guai! – Intanto i numeri che gli ballavano dentro, e le dita stesse che si tradivano e accennavano il terno, senza sua voglia, soltanto al modo di lisciare la barba e di far segno: zitto! – Chi sapeva intendere poi e cavarne il terno ci pigliava l'ambo almeno. E l'elemosine fioccavano.

Il padre guardiano, uomo rozzo all'antica, prese infine Vito Scardo a quattr'occhi, e gli fece una bella lavata di capo: – A che giuoco giuochiamo? Che significa questa faccenda? – Lui a testa bassa, colle mani in croce nei maniconi, rispose tutto compunto che significava che il Signore lo chiamava in religione, e se non lo lasciavano entrare in noviziato sarebbe andato a fare l'eremita in cima a una montagna. – Fra Giuseppe Maria capì il latino. – A fare il santo per conto tuo, eh? E tirar l'acqua al tuo molino? – Vito Scardo non capiva neppure. – L'acqua? – Il santo? – Il mulino? – E le 20 onze del patrimonio, per pigliar messa? le 20 onze le hai? – aggiunse il guardiano per tagliar corto. – Ah, le 20 onze?...

Come abbia fatto a procurarsele, quel diavolo di Vito Scardo, lo sa Dio e lui. O che siano stati frutti di stola, come dicevano le male lingue, denari rubati allo stesso San Francesco, messi da parte sulla cerca, in barba a lui; o che la vedova Brogna abbia fatto anche questa, e si sia lasciato toccare il cuore; o sia stata infine carità fiorita di qualche altra benefattrice, che tirava anime a salvamento – la Scaricalasino vendé allora un pezzo di terra, suo di lei. – Il fatto è che all'impensata saltò fuori il padre di

Vito Scardo, *Malannata*, uno che il soprannome stesso diceva chi fosse, povero e pezzente che avrebbe cavato la pelle piuttosto al suo figliuolo che rattoppare la sua, e mise fuori i denari del patrimonio. – Qui, ecco le 20 onze! – Il guardiano, che cercava pretesti ancora, voleva sapere donde venivano e donde non venivano. Ma Vito Scardo che piangeva di tenerezza e di gratitudine, abbracciando gnor padre e baciandogli le mani, abbrancò il suo gruzzolo e minacciò di piantar su due piedi baracca e burattini.

– Allora, benedicite! Allora vi lascio la tonaca e me ne vo, giacché non volete salvarmi l'anima neppure col fatto mio! – Questo diavolo ci darà da fare a tutti quanti! – disse poi in capitolo il padre guardiano. E disse bene, che gli parlava il cuore.

Basta, per toglierselo dai piedi lo mandarono a fare il noviziato fuori provincia, alla Certosa di Santa Maria. Ci pensassero intanto quegli altri frati a vedere se spuntava grano o loglio da quel seme. E Vito Scardo zitto; fece l'obbedienza, fece il noviziato, girò anche un po' il mondo, come piaceva ai superiori, e tornò fra Giobattista da Militello, monaco fatto, con tanto di barba e qualche pelo bianco.

Però colla barba e i peli bianchi gli era cresciuto anche il giudizio. Trovò il paese sottosopra: bandiere, luminarie, ritratti di Pio IX, da per tutto, Scaricalasino a spasso per le strade, e il padre guardiano colla coda fra le gambe. Cose che non potevano durare, in una parola. Intanto si doveva riunire il capitolo per la nomina dei superiori. Malcontenti ce n'erano molti, minchioni la più parte, che pensavano ciascuno: Ora infine tocca a me! E brigavano, s'arrabattavano, trappolandosi gli uni e gli altri, liberali e realisti. Lui invece né carne né pesce, affabile con tutti, rispettoso coi superiori, e tanto di coltello poi sotto la tonaca, a buon conto.

Come si avvicinava il gran giorno delle elezioni, il convento sembrava un formicaio messo in subbuglio. Un va e vieni di frati sospettosi – quelli che andavano a caccia di voti – quelli che stavano a spiare – quelli che montavano la trappola – un fruscìo di tonache e di piedi scalzi, specie la notte, capannelli nei corridoi, conciliaboli di religiosi fino in sagrestia, vestendosi per la santa messa, e occhiate torve, anche in refettorio, il campanello della portineria che tintinnava ogni momento, gente di fuori che veniva a confabulare, le figlie penitenti che si guardavano in cagnesco fra di loro esse pure, il servizio divino sbrigato alla diavola, tutti colle orecchie tese alle notizie che giungevano di fuori, al vento che soffiava. – Vincono i regi. – Vincono i rivoltosi. – Hanno bombardato Messina. – Catania si difende. – Gli umori e le alleanze segrete che ondeggiavano collo spirare del vento. Fra Giobattista vedeva e taceva, o al più rispondeva: – Ah? – Eh? – Oh! – quando venivano a tastarlo anche lui, tirandolo ognuno dalla sua parte – Fra Mansueto che gli raccomandava in tutta segretezza di guardarsi bene di Scaricalasino, il quale voleva reso conto del pezzo di terra venduto da sua moglie – Il Padre Lettore che lo incensava lui adesso: – Il merito deve premiarsi. Chi l'avrebbe detto di cos'era capace Vito Scardo se non fosse stato lui? – Lo stesso fra Serafino che veniva a sfogare le sue amarezze, dopo quarant'anni di religione, rimasto sempre a veder salire gli altri e vivere di elemosina – anche per una presa di tabacco! – Potete dirlo voi stesso, eh! Che ve ne pare? Non è un'ingiustizia? Allora vuol dire che non arriveremo mai a prendere il mestolo in mano, né voi né io!

Fra Giobattista, rassegnato invece, si stringeva nelle spalle. – Eh, tenere il mestolo... al giorno d'oggi... È un affare serio... Ci vuol prudenza... ci vuol giustizia... ci vuol carità. – Tante belle cose. – E al Padre Lettore: – Non dubitate. Il vostro tempo è venuto. Ci vogliono uomini di testa e di lettere adesso. E senza di voi... Guardate, mettessero anche l'ultimo del convento a quel posto, mettessero me, guardate... Senza il vostro aiuto che potrei fare? – E dare perfino ragione a fra Mansueto, ch'era il capo dei malcontenti. – Ci vuol politica... Chiudere un occhio. Non siamo più ai tempi che il guardiano faceva il commissario di polizia.

In verità il povero guardiano aveva altro da fare adesso. La tremarella da una parte, e la bile che gli toccava ingoiare dall'altra, e far buon viso a chi gli mirava al cuore. Questo vuol dir politica, ora che il Santo Padre aveva mutato casacca, e il Re, Dio guardi, mandava truppe a far sacco e fuoco. Se la spuntava, bene. Ma se no, chi vi andava di mezzo per il primo era lui, padre Giuseppe Maria. Un calcio nella schiena, e lo sbalestravano chissà dove, a far penitenza, semplice fraticello, giacché i pochi a lui fedeli gli nicchiavano in mano anch'essi.

Era quella famosa settimana santa del 48; le stesse funzioni sacre si trascinavano svogliate, la chiesa quasi vuota, tutta la gente in piazza dalla mattina alla sera, ad aspettare le notizie col naso in aria. Giungevano fuggiaschi, carri di masserizie che temevano il sacco anch'essi, e rivoltosi di tutte le fogge, che contavano d'aver fatto prodigi, e correvano ad aspettare i regi laggiù, a Palermo, per massacrarli tutti. Il sindaco, a buon conto, fece armare i galantuomini per tener d'occhio la roba del paese.

La folla correva ogni tanto sulla collina del Calvario, in cima al villaggio, per vedere se era già cominciato il fuoco nella città laggiù, lontano, in fondo alla pianura verde – uomini, donne, cappuccini anche, ciascuno pel suo motivo. Vito Scardo invece non si muoveva, badava alla chiesa, badava al convento, badava ad aggiustare le sue faccende con questo e con quello, a quattr'occhi, intanto che fra Mansueto e il Padre Lettore perdevano il tempo a vendersi vesciche per lanterne l'un l'altro, o a correre lassù al Calvario a cercar notizie e le stelle di mezzogiorno. – Signori miei, badate a quel che fate! – ammoniva Vito Scardo. – Vincano questi, vincano quegli altri, badate a quel che fate!

Soltanto a sera tarda sgusciava fuori un momento per pigliar aria, e sentire quel che si diceva, e lì, sotto gli olmi della piazzetta, al buio, amici, conoscenti, che spuntavano come funghi, e perfino *Malannata*, in gran sussurro. Alcuni dissero pure di averci visto Scaricalasino, in confidenza con fra Giobattista. *Malannata* poi che faceva il mestiere di vender erbe, ed era sempre in giro, ne portava più di ogni altro, notizie fresche. Andava a raccoglierle sino a Scordia e a Valsavoja, insieme alle erbe, talché il figliuolo, perché parlasse in libertà, lo ficcava anche in cucina, col naso sulla scodella.

Giunsero le funzioni del Giovedì Santo, la comunione per tutti i frati, abbracci e baci a destra e a sinistra. – Fra Giobattista adesso, colle lagrime agli occhi, si picchiava il petto quasi fosse giunta l'ultima sua ora. Tanto che il guardiano si mise in sospetto e lo chiamò in sagrestia: – Che c'è, figliuol mio? Che sai? – Niente, Padre. Ho il cuore grosso. Il cuore mi dice che arriva il finimondo.

Con tutta la comunione in corpo era più furbo che mai, quel diavolo di Vito Scardo, e non diceva altro. Ma il guardiano tirò un sospirone. Il finimondo, per un servo di Dio della taglia di fra Giobattista, doveva essere la vittoria dei regi e della podestà legittima. – Gli era rimasto sempre sullo stomaco quel religioso. – Fra Mansueto invece, giallo come un morto, lo aspettò nel corridoio per raccomandarsi a lui. C'era qualcosa per aria? Eh? Che sapeva di certo? – Nulla... di certo, nulla... Chiacchiere. « Tempo di guerre, menzogne per le terre ». – Insomma ciascuno più era al buio di tutto, e più aveva da perdere, e perciò era inquieto, e più Vito Scardo diventava un pezzo grosso, con quell'aria di dico e non dico di chi la sa lunga davvero. Tanto più che verso sera mutò il vento di nuovo: bande, fiaccolate, grida di viva che arrivavano sin lassù, e non si sapeva che credere e che pesci pigliare. Il venerdì fu peggio ancora. Giorno di lutto, in chiesa e fuori, le notizie che facevano a pugni fra di loro, dei curiosi che correvano in piazza per vedere se c'era ancora la bandiera al Municipio. La sera i reverendi accompagnavano il Cristo morto, quando all'improvviso corse la voce: – Correte! – Lassù, al Calvario! – Si vede la città in fiamme! – Figuratevi come restò la processione! Fra Mansueto, nel deporre il cero in sagrestia, gli tremavano le mani. Il guardiano non era tranquillo neppur lui. In refettorio non si mise neppur la tavola. Ciascuno, mogio mogio, era andato a rintanarsi nella sua cella, e aspettava come andava a finire. Verso mezzanotte, toc toc, fra Giobattista in punta di piedi andò a bussare all'uscio del Padre guardiano. – Che è, che non è? – Gli altri religiosi, che avevano il suo peccato ciascuno, e la tremarella addosso, stavano ad origliare, e quando lo videro uscire, poi, dopo mezz'ora, ciascuno voleva sapere la sua. Niente. Si vedrà domani, in capitolo. – Fra Giuseppe Maria protestava che ne aveva abbastanza, del guardianato, e fra Mansueto non voleva fastidi neppur lui. – Basta, vedremo. Sentiremo quello che consiglia lo Spirito Santo. – E spunta infine il sabato santo, sempre in quell'incertezza. Gli stessi curiosi in piazza; la bandiera sul campanile; la città che si vedeva fumare, laggiù, dal Calvario. Intanto, per pigliar tempo, si fecero le funzioni in chiesa, prima di passare ai voti, suonarono le campane a gloria, s'invocò il *Veni creator*, e finalmente si riunì il capitolo. Padre Giuseppe Maria esordì con un discorsetto tutto miele, tutta manna: – La religione – la fratellanza – la carità. – Lui domandava perdono a tutti se non era stato all'altezza della carica, mentre ne deponeva il peso, troppo grave per la sua età, supplicando di lasciarlo l'ultimo degli ultimi, semplice servo di Dio. – Fra Mansueto chinava il capo anche lui. Il Padre Lettore cominciò un'orazione in tre punti, per dichiarare che i tempi erano gravi e a reggere la comunità ci voleva giustizia – ci voleva prudenza – tutte le belle cose che aveva detto fra Giobattista. Però il discorso diventava lungo, e fra Serafino pel primo cominciò a interrompere. – Basta. – Lo sappiamo. – Ai voti, ai voti. – Le lingue si confusero, e successe una babilonia. Allora saltò su fra Giobattista, ch'era stato zitto, e disse la sua: – Signori miei, a che giuoco giuochiamo? Altro che perdere il tempo per sapere se deve essere Tizio o Caio a pigliare il mestolo in mano!

Qui si tratta che stasera non si sa chi lo piglia sul capo, il mestolo!

Successe un putiferio. Fra Mansueto, che aveva la maggioranza, voleva approfittare del momento e passar subito ai voti. Fra Giuseppe Maria protestò invece che se ne lavava le mani. – Sì e no. – Una baraonda. In quella si udì scampanellare in furia alla portineria. – Un momento! – strillò fra Giobattista come un indemoniato, colle mani in aria. – Un momento! Eccoli qua!

Che cosa? Lo sapeva lui solo, che uscì correndo colla tonaca al vento. Era proprio quell'altro, Scaricalasino, ansante e trafelato, che veniva a pigliar chiesa, quasi ci avesse già gli sbirri alle calcagna; poi *Malannata*, gongolante, e altri ancora, che confermavano la mala nuova. Vito Scardo li piantò tutti in asso, e capitò di nuovo come una bomba in mezzo ai reverendi che si accapigliavano già.

– Signori miei, non fate sciocchezze. Siamo belli e fritti! Tolgono le bandiere. Andate a vedere.

Era proprio vero, la notizia che i regi s'erano impadroniti della città fin dal giorno innanzi si era sparsa come un fulmine... Il paesetto era allibito. E ogni frate, dal canto suo, per togliersi di impiccio, e assicurarsi il quieto vivere, dava il voto a chi gridava di più:

– Fra Giobattista – Fra Giobattista. – Vito Scardo che assisteva allo scrutinio con tanto d'occhi aperti, a un certo punto cadde ginocchioni, colle mani in croce. Piegò il capo a recitare in fretta due parole di orazione, e poi disse:

– Sia fatta la volontà di Dio.

E fece anche la sua, sbalestrando padre Giuseppe Maria a Sortino – glielo aveva detto il cuore al poveraccio! – fra Mansueto e altri turbolenti di qua e di là. S'intese pure col Giudice, ora che il buon ordine era tornato in paese, e le autorità si dovevano aiutare a vicenda per rimettere sotto chiave i malviventi sul fare di Scaricalasino, e vivere poi quieti e contenti com'era prima della rivoluzione, ciascuno al suo posto. Vito Scardo rimase alla testa della comunità, temuto e rispettato, un colpo al cerchio, un colpo alla botte, chiudendo un occhio a tempo e luogo, badando a non far ciarlare le male lingue, a proposito della Scaricalasino, o della vedova Brogna, che era gelosa matta. Tutti contenti e lui pel primo.

Chi rimase scontento fu solo *Malannata* che gli era parso di dover mutar vita anche lui, col figlio guardiano, e diventare non so che cosa. Ed era il solo che osasse lagnarsi.

– Monaco! – Tanto basta! – Nemico di Dio!

Epopea spicciola

Ecco come lo zio Lio raccontava poi quella faccenda:

– Mancava dove andare ad ammazzarsi? Nossignore, proprio qui; ché per dieci miglia in giro ne fecero piangere degli occhi! E anche loro ne seminarono delle ossa a far concime, lungo la strada, fra le siepi, dietro i muri, uomini e bestie mietuti a fasci, talché un mese dopo, a dar un colpo di zappa, ne saltavano ancora fuori, ossa di cristiani! Figuratevi i campi e gli orti! E la povera gente del paese che non c'entrava per nulla in quella lite, e non voleva entrarci. Alcuni vi lasciarono la pelle, infine – per difendere la sua roba. – La roba e la vita, perse!

Basta. Molti se l'erano data a gambe il giorno prima, a buon conto, come sentivano: – Vengono! – Gli svizzeri! – La cavalleria! – E chi non gli era bastato l'animo di piantar subito casa e paese, all'ultimo momento disse pure: – Meglio il danno che la pelle – e via: uomini, donne, bestie, quello che si poteva mettere in salvo insomma; le vecchie col rosario in mano.

Io non avevo nessuno al mondo, soltanto quei quattro sassi al sole, la casa, l'orto, lì proprio sulla strada, con tanti soldati che passavano – chi li diceva dei nostri – chi di quegli altri – ciascuno che voleva mangiarsi il mondo – certe facce! Cosa avreste fatto? Rimasi a guardia della mia casa, lì accanto, seduto sul muricciolo. – A svignarsela, poi, c'è sempre tempo – pensai. Intanto passa un'ora, ne passano due. I nostri avevano tirato dei cannoni sin lassù sulla collina, in mezzo alle vigne. Figuratevi il danno! A un tratto giunge uno a cavallo, tutto arrabbiato, che pareva volesse mangiarsi il mondo anche lui – uno di quelli che insegnano a farsi ammazzare agli altri – e si mette a gridare da lontano. Allora uomini, cannoni, muli, via a rompicollo dall'altra parte; povere vigne! Però stavolta quello del cavallo aveva pure la testa fasciata; segno che si picchiavano diggià, in qualche luogo. Però non si vedeva nulla ancora, dalle nostre parti. Il paese quieto, la via deserta, la città che pareva tranquilla anch'essa, come se non fosse fatto suo, sdraiata in riva al mare, laggiù, e le fregate che andavano e venivano innanzi e indietro, fumando. – Questa è l'ora d'andare a mangiare un boccone, – dico io, dall'alba che stavo piantato lì come un minchione.

In quella si mette a tuonare, lassù, nella montagna. Uno due, tre, infine un temporale a ciel sereno, in quella bella giornata di Venerdì Santo che dovevano succedere tanti peccati. – Buono! Addio voglia di mangiare un boccone! Lo stomaco se n'era già bell'è sceso in fondo alle calcagna, con quella solfa. A buon conto è meglio correre a casa, e stare a vedere come si mettono le cose da dietro l'uscio. Scendo quatto quatto dal muricciolo, e filo carponi lungo la siepe. Le Proscimo allora mi vedono passare; la vecchia apre un po' di finestra, e si mette a strillare: – O zio Lio – Cosa succede? – Per amor di Dio! – C'era anche la figliuola, Nunzia, dietro la madre, più morta che viva anche lei, tutt'e due che non sapevano far altro: – Signore – Madonna – Ahimè! – Bene – dico io – chiudetevi in casa. Stiamo a vedere.

Mi chiudo in casa mia anch'io, e stiamo a vedere. Niente. Non passa un cane. La pace degli angeli da queste parti. Soltanto lassù che si divertono sempre a cannonate. – Buon pro' vi faccia! – Tanto, qui il sangue non arriva, quando vi sarete accoppati tutti. – Poteva essere mezzogiorno, a occhio, ché il sagrestano non ci si arrischiava certo sul campanile quella volta. Quasi quasi m'arrischio a mettere il naso fuori di nuovo, quand'ecco, crac, il tetto dei Minola che rovina, e poi un altro, lì a due passi. Le palle ci piovono sui tetti, adesso!

Che vedeste! Chi è rimasto a fare il bravo va a cacciarsi sotto il letto. Altri che s'erano rintanati nelle cantine o in qualche buco, saltano fuori all'impazzata. Pianti, grida, un baccano d'inferno. Io andavo correndo di qua e di là per la casa, senza sapere dove ficcarmi, talmente ogni colpo me lo sentivo fra capo e collo. – Aiuto! – Cristiani! – gridavano le Proscimo. C'è cristiani e turchi in quel momento? Maledette donne che ce li tirano addosso, ora! Eccoli infatti che arrivano, prima dieci, poi venti, poi, che vi dico? un fiume. Soldati e poi soldati che si vedono passare dal buco della chiave, per più di un'ora, a piedi, a cavallo, con certi cannoni di qua a là. Povera la città che se li vede capitare addosso!

Intanto, se Dio vuole, di qui se ne vanno, a poco a poco; ché quando pareva fossero passati tutti, ne giungevano altri ancora, a frotte, alla spicciolata, zoppi, sfiniti, strascinandosi dietro il fucile e le gambe, con certe facce nere e arse. E a un tratto ecco che si mettono a bussare in mala maniera dalle Proscimo, alla mia porta, qua e là alle poche case lungo la strada, volendo da bere, coi sassi, coi fucili, e minacciano di sfondare ogni cosa. Al vedere che lo fanno davvero, dove non rispondono subito, aprono le Proscimo, apro io pure, e ci mettiamo alla fune del pozzo. Acqua all'uno, acqua all'altro; ne vengono sempre! Bisognava vedere come vi si buttavano, colla faccia, colle mani, coi berretti, e spinte, e busse, una ressa indiavolata. Delle facce, Dio ne scampi, che avevano gli occhi come brace. E alcuni si lasciavano cadere giù in fascio col fucile dove c'era un po' d'ombrìa. Altri si cacciavano nelle case e mettevano le mani da per tutto. – Ah le mani! – Questo poi! – Sì e no. – Tira e molla. – Si cercava di persuaderli colle buone e colle cattive: – Caporale! – Che fate? – Siamo poveri campagnoli! – Noialtri non c'entriamo colla guerra. – A chi dite! Come parlare al muro. E a capire ciò che dicevano loro, peggio, con quel linguaggio di bestie che hanno.

Andate a far sentir ragione alle bestie! La Proscimo che ci s'era provata con uno che le sembrava più faccia da cristiano, un ragazzo addirittura, biondo come l'oro, fine e bianco di pelle che sembrava una donna, cercava di addomesticarlo narrandogli guai e miserie. – Sono una povera vedova – con due orfani sulle spalle! – Ci avrete la mamma anche vossignoria, laggiù al vostro paese!... – Sissignora che quello invece le adocchia la figliuola, e tirava a farsi intendere colle mani, giacché colla lingua non si capivano né lei, né lui. L'uno peggio dell'altro, in una parola. Gente venuta da casa del diavolo ad ammazzare e farsi ammazzare per un tozzo di pane. Dopo che ebbero bevuta l'acqua, vollero bere il vino, e dopo vollero il pane, e dopo volevano anche la ragazza. Ah, le donne, poi! Qui non si usa! Pazienza la roba, e tutto il resto. Ma anche le donne adesso? proprio sotto il mostaccio? Allora era meglio pigliare lo schioppo anche noi, e come finiva, finiva. Vero ch'erano in tanti, e facevano tonnina del villaggio intero. La Nunzia, però – una ragazza onesta – quel discorso sotto gli occhi della madre e dei vicini, per giunta... – Urli, graffi, morsi, si difendeva come una leonessa. E la vecchia! Avete visto una chioccia, che è una chioccia, se la toccano nei pulcini? Insomma, sul più bello salta in mezzo anche il ragazzo dei Minola, che stava abbeverando quei porci lui pure – con quel bel costrutto. – Salta in mezzo, e si mette a dar botte da orbi con un pezzo di legno che trovò lì nel cortile – o che gli premesse la ragazza, vicini come erano, oppure che gli sia andato il sangue agli occhi finalmente, dopo tante soperchierie. Botte da orbi, a chi piglia, piglia.

Ma chi le pigliò peggio fummo noi poveri diavoli del paese. Le case arse, i poderi distrutti, il ragazzo Minola con una baionettata nella pancia, la mamma Proscimo ridotta povera e pazza, e Nunzia con un figliuolo che non sa di chi sia, adesso.

L'Opera del Divino Amore

Nel monastero di Santa Maria degli Angeli c'era sempre stata proprio la pace degli angeli. Non dispute né combriccole quando trattavasi di rieleggere la superiora, Suor Maria Faustina, che reggeva il pastorale da vent'anni, come i Mongiferro da cui usciva tenevano il bastone del comando nel paese; non liti fra le monache pel confessore o per la nomina delle cariche della comunità. Le cariche si sapeva a chi andavano, secondo la nascita e l'influenza del parentado. E come suol dirsi che il monastero è un piccolo mondo, anche lì dentro c'erano le sue gerarchie, chi disponeva di un pezzetto d'orticello, e chi no, chi aveva le sue camere riserbate sotto chiave, le sue galline segnate alla zampa, e i giorni fissi per servirsi delle converse e del forno della comunità. Ma senza invidie, senza gelosie, che son l'opera del demonio e mettono la discordia dove non regna il timor di Dio e il precetto d'obbedienza. Già si sa che tutte le dita della mano non sono eguali tra di loro, e che anche nel Testamento Antico c'erano i Patriarchi e le Potestà. A Santa Maria degli Angeli l'abbadessa e la celleraria erano sempre state una Flavitto o una Mongiferro: dunque vuol dire che così doveva essere, e a nessuna veniva in mente di lagnarsene. Se nascevano delle questioni alle volte – Dio buono, siamo nel mondo, e ne nascono da per tutto – suor Faustina colle belle maniere, e Don Gregorio suo fratello coi sorbetti e i trattamenti che mandava per tutte quante le religiose, nelle feste solenni, mantenevano nel convento il buon ordine e il principio d'autorità.

Ma un bel giorno questa bella pace degli angeli se ne andò in fumo. Bastò un'inezia e ne nacque un diavolìo.

Padre Cicero e padre Amore, liguorini e cime d'uomini, vennero in paese pel quaresimale e fondarono l'Opera del Divino Amore, con sermoni appropriati e sottoscrizioni pubbliche fra i fedeli. Se ne parlava da per tutto. Le buone suore avrebbero voluto vedere anch'esse di che si trattava. Però il monastero ne aveva pochi da spendere, e suor Maria Faustina diceva che bastava Don Matteo Curcio, il cappellano, per gli esercizi spirituali.

C'era in quel tempo novizia a Santa Maria degli Angeli, Bellonia, figlia di Pecu-Pecu, il quale, arricchitosi col battezzare il vino, aveva messa superbia per sé e pei suoi e aveva pensato di far educare la figliuola fra le prime signore del paese – motivo d'appiccicarle il *Donna*, se giungeva a maritarla come diceva lui.

Bellonia però, rimasta nel sangue bettoliera e tavernaia, in convento ci stava come il diavolo nell'acqua santa, e gliene fece vedere di ogni colore, a lui Pecu-Pecu, e alle monache tutte quant'erano. La prima volta fuggì ficcandosi nella ruota del parlatorio. Una povera donna che si trovava lì appunto a ricevere non so che piatto dolce dalle monache, rimase figuratevi come, invece, al vedersi sgusciar fuori dallo sportello quel diavolo in carne, appena girò la macchina. Un'altra volta si calò dal muro dell'orto, colle sottane in aria, a rischio di spezzarsi il collo. Un giorno che si facevano certi lavori nel monastero, e c'era quindi un via vai di muratori alla porta, Bellonia si cacciò fra le gambe della suora portinaia, e via di corsa. Pecu-Pecu, poveretto, ogni volta correva a cercare la sua figliuola di qua e di là, fra gli altri monelli, nei trivii, fuor del paese, dietro le siepi di fichi d'India pure, e la riconduceva per un orecchio al convento, supplicando la madre badessa di perdonarle e ripigliarsela per amor di Dio. Alla ragazzetta che si ribellava poi, e strillava rivoltandosi in giro per terra, strappandosi vesti e capelli, e non voleva starci, carcerata in convento, Pecu-Pecu tornava a dire:

– Bellonia, abbi pazienza!... Per amor del tuo papà!... Dagli, questa consolazione al papà!

Bellonia non voleva dargliela. Vedendo che non poteva escirne, di gabbia, o dopo tornava a cascarci sempre, cercò il modo e la maniera di farsene cacciar via dalle monache stesse. Attaccò lite con questa e con quella, mise zizzanie, inventò pettegolezzi, fece altre mille diavolerie, e non giovava niente. Pecu-Pecu accorreva, pregava, supplicava, faceva intercedere questo e quell'altro, si giovava della protezione di Don Gregorio Mongiferro e degli altri pezzi grossi, ch'eran tutti suoi debitori, mandava regali al convento, e Bellonia vi restava sempre. Tanto, suo padre si era incaponito di lasciarvela a imparare l'educazione, sino a che la maritava.

– Tu dammi questa consolazione, e il papà in cambio ti contenterà in tutto quello che desideri.

Pensa e ripensa, infine Bellonia disse che voleva quelli del Divino Amore, e Pecu-Pecu fece venire i due padri liguorini a sue spese. Quaresimale in regola a Santa Maria degli Angeli, con organo, mortaletti e suono di campane.

Dopo due giorni soli che padre Cicero e padre Amore fecero sentire la parola di Dio a modo loro, le povere monache parvero ammattite tutte quant'erano. Chi fu presa dagli scrupoli, e chi si trovava ogni giorno un peccato nuovo. Estasi di beatitudine, fervori religiosi, novene a questa o a quella Madonna, digiuni, cilizi, discipline che levavano il pelo. Parecchie si accusarono pubblicamente indegne del velo nero. Suor Candida, per mortificazione, non si lavava più neppur le mani, suor Benedetta portava una funicella di pelo di capra sulle nude carni, e suor Celestina arrivò a mettere dei sassolini nelle scarpe. A suor Gloriosa infine la predica dell'Inferno aveva fatto dar di volta completamente al cervello, e andava borbottando per ogni dove: – Gesù e Maria! – San Michele Arcangelo! – Brutto demonio, va' via!

Siccome la *grazia* poi toccava i cuori per bocca dei due predicatori forestieri, le suore se li rubavano al confessionale, al parlatorio, li assediavano sino a casa per mezzo del sagrestano, coi dubbi spirituali, coi casi di coscienza, coi vassoi pieni di dolci. Alla madre abbadessa fioccavano le domande delle religiose, le quali chiedevano l'uno o l'altro dei due padri liguorini per confessore straordinario. Invano suor Maria Faustina, che ai suoi anni era nemica di ogni novità, rifiutava il permesso, anche per riguardo a Don Matteo Curcio, che era il cappellano ordinario del monastero. Le monache ricorrevano al vicario, all'arciprete, sino al vescovo, inventavano dei peccati riservati, si lamentavano che Don Matteo Curcio era duro d'orecchio, e non dava quasi retta: – Gnora sì – Gnora no – Ho inteso – Tiriamo innanzi. – Qualcheduna giunse ad accusarlo di far cascare le penitenti in distrazione, con quella barba sudicia di otto giorni, che in un servo di Dio non ispirava alcuna devozione.

Invece i due padri forestieri, quelli sì che sapevano fare! L'uno, padre Amore, che portava il nome con sé, un bell'uomo che si mangiava l'aria, e faceva tremar la chiesa in certi passi della predica; e padre Cicero, un artista nel suo genere, tutto san Giovan Crisostomo, col miele alle labbra. I peccati sembravano dolci a confidarli nel suo orecchio. E la bella maniera che aveva di consolare! – Sorella mia, la carne è fragile. – Siamo tutti indegni peccatori. – Buttatevi nelle braccia del Divino Amore. – Allorché vi sussurrava all'orecchio certe parole, con la sua voce insinuante, con le pupille color d'oro che vi frugavano addosso attraverso la grata, sembrava che vi s'insinuasse nella coscienza, quasi l'accarezzasse, talché quando levava per assolvervi quella bella mano fine e bianca, vi veniva voglia di baciarla.

Qualche disordine s'era già notato sin da principio. C'erano state delle mormorazioni a causa di suor Gabriella la quale accaparravasi padre Amore tutte le mattine, e lo sequestrava al confessionale per delle ore, quasi ella avesse il *jus pascendi* perché discendeva dal Re Martino. Altre si sentivano umiliate dai canestri di roba che suor Maria Concetta mandava in regalo a padre Cicero: paste, conserve, sacchi interi di zucchero e caffè; alla sua grata, nel parlatorio, dopo la messa di padre Cicero, sembrava che vi fosse il trattamento di qualche monacazione. Voleva dire che chi non poteva spendere, come suor Maria Concetta, o doveva fare una magra figura, o non si poteva mettere in grazia di Dio col confessore forestiero.

Perciò suor Celestina fu costretta a privarsi delle due uniche galline, e suor Benedetta, che non aveva altro, dovette sollecitare la grazia di lavare colle sue mani la biancheria di padre Cicero. – Ogni fiore è segno d'amore. – I due reverendi protestavano, padre Cicero specialmente, che ci stava alle convenienze: – Non voglio. – Non posso permettere. – Una volta finse pure d'andare in collera con Don Raffaele, il sagrestano, che non c'entrava per nulla affatto, e di quelle scene non ne aveva viste cogli altri preti, stomacato dalla commedia in cui padre Amore rappresentava poi la parte di paciere e pigliava lui le paste e i regali, per non mandarli indietro. – E per non dir neanche grazie! – borbottava Don Raffaele tornandosene a mani vuote. Ma infine, sia padre Cicero o padre Amore, i reverendi pigliavano ogni cosa, a somiglianza degli apostoli che erano pescatori e usavano la rete. Tutti i giorni, dal monastero ai Cappuccini, dove erano alloggiati padre Amore e padre Cicero, andava su e giù Don Raffaele, poveraccio, carico di vassoi e di canestri pieni di regali, sicché una volta Don Matteo Curcio, non per indiscrezione, ma per saper dire il fatto suo a tempo e luogo colle antiche penitenti, se mai, lo fermò per via, e volle cacciare il naso sotto il tovagliuolo che copriva il canestro.

– Caspita, Don Raffaele! Dev'essere festa solenne anche per voi, con tante mance che vi daranno i liguorini!

Il sagrestano gli rispose con un'occhiataccia.

– Mance, eh?... Neanche uno sputo in faccia, vossignoria!... *Retribuere, Domine, bona facientibus*, che non costa niente...

Figuriamoci Bellonia, che aveva fatto la spesa dei liguorini, e credeva di averli tutti per sé! Villana senza educazione com'era, si diede a insolentire questa e quell'altra. – Suor Celestina che stava al confessionale mezze giornate intere. – Suor Maria Concetta che s'accaparrava padre Amore. – Suor Celestina che basiva dinanzi a padre Cicero. – La gelosia del monastero insomma, Dio ne scampi e liberi. La madre abbadessa allora fece atto d'autorità, per metter freno allo scandalo. Niente liguorini. Niente confessori straordinari. Chi voleva ricorrere al Tribunale della Penitenza c'era Don Matteo Curcio, il cappellano solito, nessuna eccettuata, a cominciare dalla Flavitto, ch'è tutto dire. Suor Gabriella non disse nulla, ma non si confessò neppure, né coi liguorini, né col cappellano ordinario, quindici giorni interi. La superiora, quindi, a far vedere che non era una Mongiferro per nulla:

– Suor Gabriella, precetto d'obbedienza, andate a confessarvi da Don Matteo Curcio.

Suor Gabriella fece anche questa, si presentò al confessionale, con quell'alterigia di casa Flavitto:

– Son venuta a fare atto d'obbedienza alla madre badessa. Mi presento.

E null'altro. Il povero Don Matteo Curcio, buono come il pane, non poté frenarsi questa volta.

– Voi altre signore monache siete tutte superbe, – disse, – ma vossignoria è la più superba di tutte.

Bellonia però tenne duro: o il padre liguorino, o niente. Pecu-Pecu dovette tornare a infilare il vestito nuovo e venire a intercedere. L'abbadessa dura lei pure.

– Anche le educande adesso? Ci voleva anche questa adesso! Perché lo tengo padre Curcio allora?

Pecu-Pecu, che gli cuoceva ancora la spesa dei liguorini, non sapeva darsi pace. – O bella! Come se le educande non potessero avere dei peccati riservati meglio delle professe!

Son io infine che pago!... – E nell'andarsene mortificato e deluso si lasciò pure scappar di bocca:

– Sino in Paradiso si deve andare per riguardo umano! Se Bellonia fosse figlia di qualche barone spiantato l'avrebbe avuto il liguorino!

Bellonia intanto per spuntarla pensò di mutar registro. Demonio incarnato, si mise a fare la santa, cadendo in estasi ogni quarto d'ora, presa dagli scrupoli se le toccavan una mano, facendo chiamare in fretta e in furia Don Matteo Curcio al confessionale due o tre volte al giorno, come se fosse in punto di dannarsi l'anima, per dirgli invece delle sciocchezze, tanto che il pover'uomo ci perdeva il latino e la pazienza.

– Figliuola mia, il troppo stroppia. – Questo è opera della tentazione. – Che c'è di nuovo, sentiamo?

– C'è che ho un peccato grosso. Ma non vuol venir fuori con vossignoria... O che non sapete fare, o che mi siete antipatico...

Finché il pover'uomo perdé la pazienza del tutto, e le sbatté il finestrino sul muso. La madre abbadessa montò su tutte le furie contro Bellonia, e le appioppò una bella penitenza, il giorno stesso, in pubblico refettorio:

– Donna Bellonia, mangerete coi gatti, per insegnarvi il precetto d'umiltà – sentenziò suor Maria Faustina colla voce nasale che metteva fuori nelle occasioni in cui le premeva far vedere da chi nasceva.

La ragazzaccia, come se non fosse stato fatto suo, se ne stava tranquillamente ginocchioni nel bel mezzo del refettorio, seduta sulle calcagna, colla disciplina al collo, e la corona di spine in capo, e per ingannar la noia contava quanti bocconi faceva intanto suor Agnese con mezzo uovo, e quante mosche mangiavano nello stesso piatto con suor Candida. Poscia cavò fuori di tasca pian piano l'agoraio, e si divertì a far passare gli aghi da un bocciuolo all'altro. Tutt'a un tratto, mentre suor Speranza dal pulpito faceva la lettura, e le altre religiose stavano zitte e intente col naso sul piatto, si udì la figliuola di Pecu-Pecu, da vera figlia di tavernaio che era, a sbadigliare in musica.

La superiora picchiò severamente sul bicchiere col coltello, e si fece silenzio.

– Donna Bellonia! precetto d'obbedienza, farete subito tre volte la *via crucis* ginocchioni, col libano e la corona di spine!

La ragazza spalancò gli occhiacci mezzo assonnati, ancora a bocca aperta, e domandò:

– Perché, signora badessa?

– Per insegnarvi l'educazione, donna voi!

– Già... l'educazione... al solito!...

Poi, sempre seduta sulle calcagna in mezzo al refettorio, cominciò a strapparsi di dosso la corona di spine e la funicella sparsa di nodi strillando:

– Io non voglio starci qui, lo sapete!... È mio padre che vuol tenermi qui, finché mi marito...

– L'ha preso per una locanda il monastero, l'ha preso! – disse forte suor Benedetta. – Anzi l'ha preso per un'osteria!...

– Già, l'osteria!... Vossignoria che lavate i fazzoletti di padre Cicero per sentire l'odore del suo tabacco... Come se non fosse peggio!...

Scoppiò una tempesta nel refettorio. Suor Maria Concetta lasciò la tavola forbendosi la bocca col tovagliolo a più riprese, quasi ci avesse delle porcherie; suor Gabriella arricciò il naso adunco dei Flavitto, sputando di qua e di là. La superiora poi sembrava che le venisse un accidente, gialla come lo zafferano, colla voce che dalla collera le tremava nel naso e fra i canini malfermi. Tutte quante che se la prendevano con Donna Bellonia, ritte in piedi, vociando e gesticolando.

– Sissignora! – ostinavasi a dire la figlia di Pecu-Pecu colla faccia tosta di monella. – Come non si sapesse!... Suor Maria Concetta che gli imbocca i biscottini colle sue mani, a padre Cicero!... E le male parole che suor Gabriella ha detto a suor Celestina perché le ruba padre Amore!...

– È uno scandalo! una porcheria! – strillavano tutte insieme.

Suor Gloriosa, cogli occhi fuori dell'orbita, andava borbottando:

– Gesù e Maria! – San Michele Arcangelo! – *Libera nos, Domine!...*

– Sissignora! le porcherie le fanno loro pel confessore. Io non ho potuto averlo, il confessore forestiero, perché non son figlia di barone!...

La superiora, ritta sulla predella abbaziale, riescì infine a far udire la sua voce in falsetto:

– Lo scandalo lo fo cessare io! Da ora innanzi il solo confessore di tutta la comunità sarà Don Matteo Curcio, come prima!... Precetto d'obbedienza! La madre portinaia non lascierà passare più nulla senza il mio permesso speciale... Precetto d'obbedienza!... Voi, Donna Bellonia, farete otto giorni di cella a pane ed acqua. Dopo poi si vedrà con vostro padre!...

Non si dormì quella notte a Santa Maria degli Angeli

– « Che posso farci se l'amo? Forse che al cuore si comanda?... » dice la Sposa dei Cantici...

Padre Cicero, dacché gli era chiuso il parlatorio e il confessionale di Santa Maria degli Angeli, faceva parlare ogni momento la Sposa dei Cantici, negli ultimi sermoni del quaresimale. Padre Amore, più focoso, scorrazzava come un puledro nel Testamento Vecchio e Nuovo, cavandone fervorini di questa fatta:

« – Tu mi hai involato il cuore, o sposa, sorella mia: tu mi hai involato il cuore con uno dei tuoi occhi. » – « O Dio, tu ci hai scacciati... Dacci aiuto per uscir di distretta... »

Nel coro, di risposta, erano sospiri repressi, soffiate di naso ancora più eloquenti. Suor Benedetta, che non sapeva frenarsi, singhiozzava addirittura come una bambina, sotto il velo nero. – E Bellonia che doveva udire e inghiottir tutto.

Gonfia, gonfia, le venne in mente all'improvviso l'ispirazione buona.

Terminato il triduo, spenti i lumi e pagate le spese, padre Amore e padre Cicero vennero a ringraziare le signore monache e a prender congedo dalle figlie penitenti, una dopo l'altra, per non destar gelosie. Le poverette figuratevi in quale stato, e padre Cicero cavando di tasca il fazzoletto ogni momento, quasi gli si spezzasse il cuore a quella separazione. A un tratto, in mezzo alla scena muta che succedeva fra padre Amore e suor Celestina, tutt'e due colle lagrime agli occhi, saltò in mezzo anche Bellonia, come una spiritata, e ne fece e disse d'ogni sorta. Pianti, convulsioni, strilli che si udivano dalla piazza, tanto che corsero i vicini. Pecu-Pecu, Don Matteo Curcio, ed anche gli sfaccendati della farmacia. E poi, quando vide il parlatorio pieno di gente, Bellonia si mise a gridare che voleva andarsene coi padri liguorini, che ci aveva il cuore attaccato con essi – un putiferio. Saltò su allora la Madre Abbadessa, come una furia, e se la prese con tutti quanti, a cominciare dai liguorini.

– Ah! È questa l'Opera del Divino Amore che intendete voi? Non son chi sono se non vi faccio pentire! Scriverò a monsignore! Vi farò togliere la messa e la confessione! Vedrete chi sieno i Mongiferro!

Quei poveri servi di Dio se ne andarono più morti che vivi, la Madre Abbadessa fu costretta a mandar via quel diavolo di ragazza, stavolta, e Pecu-Pecu dovette ripigliarsi la sua Bellonia, che non prese il *Donna*, ma vinse il punto.

Il peccato di Donna Santa

Stavolta il quaresimalista, per far colpo su quelle teste d'asini che venivano alla predica tirati proprio per la cavezza, e poi tornavano a far peggio di prima, immaginò un colpo di scena, che se non giovava quello, prediche o sermoni era tutto come lavare la testa all'asino davvero. Fece nascondere nella vecchia sepoltura, là sotto il pavimento della chiesa, il sacrestano e due o tre altri, cui aveva prima insegnato la parte, e poi disse: – Lasciate fare a me.

Cadeva giusta la predica dell'Inferno, in fine degli esercizi spirituali, e la chiesa era piena zeppa di gente, chi per un verso e chi per un altro, chi per ordine del giudice (che a quei tempi il timor di Dio s'insegnava colla sbirraglia) e chi per amor della gonnella. Gli uomini a sinistra, da una parte, e le donne dall'altra. Il predicatore montato sul pulpito dipingeva al vivo l'Inferno, come se ci fosse stato. E poi a ogni tratto tuonava, con un vocione spaventoso: – Guai! – Guai!

Come tante cannonate. Le donne raccolte in branco dentro il recinto a destra della navata, chinavano il capo sgomente, a ogni colpo, e lo stesso don Gennaro Pepi, ch'era don Gennaro Pepi! si picchiava il petto in pubblico, e borbottava ad alta voce: – Pietà e misericordia, Signore!

Ma c'era poco da fidarsi, perché ogni giorno, prima di scorticare il prossimo a quattr'occhi, don Gennaro Pepi tornava a mettersi in grazia di Dio, andando a messa e a confessione, e quanti erano alla predica poi, si sapeva che sarebbero tornati a fare quel che avevano fatto sempre.

– Guai a te, ricco Epulone, che ti sei ingrassato col sangue del povero! – E tu, Scriba e Fariseo, spogliatore della vedova e dell'orfano...

Questa era pel notaio Zacco. E ce n'era per tutti gli altri: pel barone Scampolo che aveva una lite coi RR. PP. cappuccini; per don Luca Arpone, il quale viveva in concubinato colla moglie del fattore; pel fattore che si rifaceva alla sua volta sulla roba del padrone; pei libertini che congiuravano contro i Borboni nella farmacia Mondella; per tutti quanti insomma, poveri e ricchi, ragazze e maritate, che ciascuno nel paese conosceva le marachelle del vicino, e diceva in cuor suo: – Meno male che tocca a lui! – a ogni peccato che sciorinava fuori il predicatore, e la gente si voltava a guardare da quella parte.

– E allorché sarete nelle fiamme eterne, poi, cosa farete?... Guai!

– Cos'è? – borbottò Donna Orsola Giuncada all'orecchio della figliuola, la quale dimenavasi sulla seggiola, quasi fosse realmente sui carboni accesi, per sbirciare Ninì Lanzo, laggiù in fondo. – Cos'è? Ti vengono i calori adesso? Bada che te li fo passare con qualche ceffone, ehi!

Intanto pareva di soffocare, in quella stia. Fra il caldo, l'oscurità, il sito greve della folla, quelle due misere candele che ammiccavano pietosamente dinanzi al Cristo dell'altare, il guaito del chierichetto che vi cacciava indiscretamente sotto il naso la borsa delle elemosine, il vocione del predicatore che intronava la chiesa e faceva venire la pelle d'oca, da sentirvi mancare il fiato. E sembrava allora che tornassero a pizzicarvi tutte le pulci degli scrupoli vecchi e nuovi, al sentire specialmente le frustate della disciplina che davasi laggiù, al buio, quel buon cristiano di Cheli Mosca, famoso ladro, che era venuto a dare il buon esempio e mostrare che mutava vita, lì, sotto gli occhi stessi del giudice e del capitano giustiziere – cing-ciang – colla cigna dei calzoni. – Ché poi, se mancava un pollo in paese, andavano subito a cercar lui, sangue di Giuda ladro! Gli uomini, dal canto loro, tenevano duro, bene o male. Ma nel recinto delle donne la parola di Dio faceva miracoli addirittura: sospiri, brontolii, soffiate di naso che non finivano più; e chi aveva la coscienza pulita ringraziava il Signore in faccia a tutti quanti – *coram populo* – e tanto peggio per qualcun'altra che non osava levare il naso dal libro di messa, Donna Cristina-del-giudice a mo' d'esempio, o la Caolina, messa in disparte come un'appestata, con tutti i suoi fronzoli e il puzzo di muschio che ammorbava.

– A che ti gioveranno, Maddalena impenitente, le chiome profumate di mirra e d'incenso, e i vezzi procaci?...

Donna Orsola si turò il naso, stomacata dallo scandalo che recava in chiesa la Caolina, poiché gli uomini per simili donnaccie trascurano fino il sacramento del matrimonio, e vi lasciano muffire in casa le figliuole, senza contare poi gli altri inconvenienti che ne nascono: le ragazze che per aiutarsi si attaccano pure a uno spiantato senz'arte né parte, come Ninì Lanzo; i padri di famiglia che continuano a correre la cavallina a cinquant'anni... – Guai agli adulteri e ai lussuriosi!...

– Ehm! Ehm!...

Ora che il predicatore si era buttato addosso al settimo peccato mortale, e diceva pane al pane, la povera Donna Orsola si sentiva sulle spine per la figliuola, che sgranava gli occhi e non perdeva una sola parola della predica. Tossì, si soffiò il naso; infine cominciò a farle la predica a modo suo, che le ragazze in chiesa devono stare composte e raccolte, ascoltando solo quello che sta bene per loro, senza bisogno di fare quel viso sciocco, quasi il servo di Dio parlasse turco.

Parlava come sant'Agostino invece il predicatore; tanto che si sarebbe udita volare una mosca; la stessa Caolina si era calato il manto sugli occhi, e pareva contrita anche lei.

L'uditorio era così penetrato dal soggetto della predica, che vecchie di cinquant'anni tornavano ad arrossire come zitelle, e le più infervorate guardavano di traverso Donna

Santa Brocca, la moglie del dottore, che era venuta alla predica con un ventre di otto mesi che faceva pietà, e si sentiva morire sotto quelle occhiate, poveretta.

Una santa donna davvero però costei, timorata di Dio, sempre fra preti e confessioni, tutta della casa e del marito, tanto che gliela aveva empita di figliuoli, la casa. E il marito – un libertino, uno di quelli che andavano a cospirare nella farmacia Mondella – ogni volta che sua moglie mettevasi a letto coi dolori del parto, se la pigliava con Dio e coi sacramenti, specie quello del matrimonio, talché la poveretta piangeva nove mesi interi quando tornava ad essere in quello stato.

Ma stavolta Donna Santa gliene fece una più grossa delle altre. È vero che il diavolo e il predicatore ci misero la coda – con quella scena dell'altro mondo che il quaresimalista aveva preparato – a fin di bene però. Mentre sgolavasi a gridare: – Guai a voi, lussuriosi! – Guai a te, adultera! – apparvero le fiamme della pece greca nel bel mezzo della chiesa, e si udirono il sagrestano coi compari che strillavano: – Ahi! Ohimè! – Che vedeste allora! Chi diceva che erano proprio i diavoli, chi piangeva ad alta voce, chi si buttava ginocchioni. La vedova Rametta, che aveva il marito sepolto lì di fresco, svenne dalla paura, e due o tre per simpatia. La povera Donna Santa Brocca poi, già debole di mente per la gravidanza, i digiuni e le devozioni, sbigottita fra i rimproveri del marito e le invettive del predicatore, sofferente dal caldo, dalla vergogna, dal puzzo di zolfo, fu colta all'improvviso dagli scrupoli, o da che so io, cominciò a smaniare e a stralunare gli occhi, pallida come una morta, annaspando colle mani in aria, gemendo: – Signore!... Sono una peccatrice!... Pietà e misericordia!... e tutt'a un tratto, crac, fece la frittata.

Figuratevi il putiferio: voci, strilli, mamme che scappavano, spingendosi innanzi le ragazze curiose di vedere: insomma, un parapiglia. Gli uomini, nella confusione, invasero il recinto riservato, a dispetto del giudice che brandiva la canna d'India, e gridava come fosse in piazza. Corsero pugni e pizzicotti, nel pigia pigia. Quella fu anzi l'occasione che Betta l'indemoniata si rimise con don Raffaele Molla, dopo tante liti e tante vergogne che erano state fra di loro, e la Caolina fece vedere a chi voleva le brachesse ricamate, scavalcando seggiole e panche meglio di una capra. Una baraonda da farvi badare al portafoglio o alla catenella dell'orologio, se era il caso, ché il giudice a buon conto appioppò una stangata sulle spalle a Cheli Mosca, per tenerlo in riga.

Infine, qualche bene intenzionato, coll'aiuto del giudice e delle altre autorità, sgridando, strepitando, pigliando la gente per il petto del vestito, correndo di qua e di là come cani intorno al gregge, riuscirono a mettere un po' d'ordine e ad avviare la processione che doveva recarsi alla Matrice, come al solito, per ringraziare il Signore, la ciurmaglia innanzi, alla rinfusa, a spinte e a sdruccioloni per la viuzza dirupata, e i galantuomini dietro, a due a due, colla corona di spine e la disciplina al collo, che da ogni parte correvasi a veder passare a quel modo i meglio signori del paese, baroni e pezzi grossi, cogli occhi bassi, e le finestre erano gremite di belle donne – una tentazione per quelli che passavano in processione colla corona di spine in testa. Nel terrazzino del pretorio Donna Cristina-del-giudice chiacchierava colle sue amiche, e faceva gli onori di casa quasi fosse la padrona.

– Sicuro! Donna Santa Brocca! Bisogna dire che ci abbia di gran porcherie sulla coscienza! L'avreste detto, eh? una mascherona come lei! E si faceva passare per santa! Anche suo marito farebbe meglio ad aprire gli occhi in casa sua, invece di sparlare di tutto e di tutti!

Il dottor Brocca, che era realmente un giacobino, un malalingua di quelli della farmacia Mondella, e andava in giro per le sue visite, invece di ascoltare la predica e di seguire la processione, come seppe il castigo di Dio che gli era capitato addosso, e gli portarono a casa la moglie più morta che viva, cominciò a strepitare e a prendersela col quaresimalista, cogli esercizi spirituali, e col Governo che permetteva simili imposture, e tiravano ad accopparvi una gestante con quelle commedie; finché il giudice lo mandò a chiamare in pretorio *ad audiendum verbum*, e gli fece una bella lavata di capo: – che il Governo è quello che comanda, e non sarete voi, mio caro, che gli insegnerete ciò che deve fare. Avete capito? E il quaresimalista apparteneva a quell'ordine dei reverendi padri liguorini che si facevano sentire sino a Napoli, e andavano girando e predicando per notare a libro maestro buoni e cattivi cittadini, come fa san Pietro in paradiso, per conto dei superiori. – Già voi non siete nella pagina pulita, caro don Erasmo! Che siete stanco di fare le vostre visite, adesso, e volete riposarvi in qualche carcere di Sua Maestà? Fatevi i fatti vostri, piuttosto. Avete capito?

I fatti suoi erano che sua moglie stava per lasciarlo vedovo, con cinque figliuoli sulle spalle, povero Don Erasmo, e per giunta, nel delirio, essa gli spifferava sotto il naso certe cose che gli facevano drizzare le orecchie, pur troppo!

– Guai all'adultera! Guai ai lussuriosi!... Sono in peccato mortale!... Signore, perdonatemi!...

Quello che aveva sentito alla predica, insomma. Ma Don Erasmo, che non era stato alla predica, non sapeva che pensare, sgranava gli occhi, si faceva di tutti i colori, balbettava ansioso:

– Eh? Che dici? Eh?

Non che sua moglie avesse mai dato occasione a sospettar di lei, poveretta, con quella faccia! che sarebbe stata una vera birbonata a volergli fare quel tiro al dottor Brocca, un altro che non ci fosse obbligato, come vi era costretto lui, purtroppo, per amor della pace, per accontentare la moglie che aveva la testa piena delle diavolerie dei preti, e osservava con fervore tutti e cinque i sacramenti... S'intendeva lui, che aveva una nidiata di figliuoli sulle spalle! Già i preti non pagano del loro! E quando una donna si è scaldata la testa, poi... Ne aveva viste tante! – Eh? Che dici? Parla chiaro, in malora.

Ma l'inferma non dava retta, accesa, guardando chi sa

dove cogli occhi stralunati. E Donna Orsola Giuncada, che gli era sempre fra i piedi, col pretesto di assistere la cugina Donna Santa, gli dava sulla voce, per di più:

– È questa la maniera? Dopo un aborto? Mi meraviglio di voi che siete medico!

– E lasciatela dire, peste! Si tratta del mio interesse!...

Le amiche che venivano a visitare l'inferma facevano le meraviglie!... – Possibile! Un caso simile! Se stava così bene! Era venuta alla predica! Una madre di famiglia ch'era un modello! Che scrupoli poteva avere?

– Mah!... Mah!...

Alcune tentennavano allora il capo discretamente, altre invece si guardavano fra di loro, e se ne andavano senza chiedere altro. Qualche burlone perfino stringeva la mano in certo modo a don Erasmo che sembrava dirgli: Pazienza! È toccata a voi...

Almeno gli sembrava! Giacché, quando vi si è ficcata una di quelle pulci nell'orecchio, un galantuomo non sa più che pensare. Vito 'Nzerra non era venuto a riferirgli pure le chiacchiere che faceva correre Donna Cristina-delgiudice, quella pettegola, insudiciando anche lui, povero galantuomo?

Le chiacchiere non finivano più: forse Donna Santa era uscita di casa che non si sentiva bene quel giorno: o una mala luna nella gravidanza: o qualche spintone della folla: e questo, e quest'altro; oppure aveva avuto che dire col marito: – Dite la verità, eh, don Erasmo?... – La verità... la verità... Non si può sapere la verità! – Don Erasmo, che si sentiva scoppiare, la buttò alfine in faccia alla Borella e a due o tre altri fidati: – Non vogliono che si dica la verità!... preti, sbirri, e quanti sono della baracca dei burattini!... che menano gli imbecilli per il naso!... proprio come le marionette!... e tirano ad accopparvi una gestante con simili pagliacciate...

– Ma no! Ma no! Siamo state tutte alla predica... C'ero anch'io... A nessuna è successo niente...

– Allora! Allora!...

Allora non sapeva che dire il povero don Erasmo, cogli occhi stralunati e la bocca amara. Tornava a supplicare la moglie, prendendola colle buone, colla faccia atteggiata al riso, mentre preparava decotti e l'abbeverava di medicine: – Dilla al tuo maritino la verità... Cos'è questo peccato? Che devo perdonarti?

Come parlare a un muro. Donna Santa non disserrava neppure i denti per inghiottire le medicine, alle volte; oppure, se parlava, tornava a battere la stessa solfa di castighi, di peccati gravi, di lingue di fuoco che aveva sempre dinanzi agli occhi.

– Ah? Non posso sapere nemmeno cosa è successo in casa mia, ah? – sbuffava allora furibondo don Erasmo rivolto a Donna Orsola ch'era sempre lì, fra i piedi.

Lui che sapeva tutte le storie di casa altrui, gli scandali di Donna Cristina, le scene della vedova Rametta che andava a piangere, la buon'anima, nelle braccia di questo o di quello – Se ne facevano le belle risate col farmacista e Don Marco Crippa. – Gli pareva di vederlo, adesso, Don Marco, strizzando l'occhio guercio, ora che la disgrazia toccata a lui faceva le spese della conversazione.

– Capite bene, Donn'Orsola, che ho diritto di sapere infine cos'è successo in casa mia!

– Cos'è successo? Che vedete? Non vedete che vaneggia, poveretta? Sono le parole della predica che le rimasero in mente...

Giusto! perché le fossero rimaste in mente appunto quelle voleva sapere don Erasmo! In casa sua non ce n'erano mai state di simili porcherie!... Che sapesse lui, almeno! Che sapesse lui, Cristo santo! – Lasciatemi stare, Cristo santo, o dico che siete d'accordo fra di voi! E tu spiegati, mannaggia!

– Che volete? Perdonatemi!...

Ah no! Don Erasmo voleva prima sapere cosa dovesse perdonare!... e chi ringraziare del tiro fattogli, se mai!... del furto domestico!... Sissignore, del furto domestico! Perché quando un galantuomo non è sicuro nemmeno in una casa come la sua, una vera fortezza, e con una moglie come la sua, che a fargli un tiro simile con siffatta moglie doveva essere stata inimicizia bell'e buona... Ma chi?... compare Muzio, il solo che bazzicasse da lui... a sessant'anni suonati!... È vero che Donna Santa non era più di primo pelo nemmeno lei, e il peccato poteva essere vecchio anch'esso... E allora? Allora? Quei figlioli di cui s'era empita la casa in ossequio al settimo sacramento? C'era qualche ladro anche fra di loro... Gennarino, o Sofia... o Nicola?... Tutti i santi del calendario c'erano in casa sua! Di tutte le età e di tutti i colori... Anche coi capelli rossi come il notaio Zacco che stava lì di faccia, ed era capacissimo di avergli fatto quel tiro per pura e semplice birbonata, *gratis et amore Dei*!

Il pover'uomo perdeva la testa in quei sospetti, e si rodeva dentro, mentre gli toccava assistere l'ammalata, e correre di qua e di là per la casa in disordine, costretto a far tutto lui, la pappa per Concettina, lavare il muso ad Ettore – forse i ladri domestici, poveri innocenti!... No, non poteva durare a quel modo! Donna Santa avrebbe parlato infine, avrebbe detto la verità, – se è vero che era una santa donna, – per scarico di coscienza.

Ma essa invece non confessò nulla, nemmeno in punto di morte, nemmeno al prete che venne a portarle il viatico. Don Erasmo lo prese a quattr'occhi, dopo, seguendolo giù per la scala, colle gambe che gli vacillavano sotto, per conoscere infine questa benedetta verità... – Se è vero che ci sia questo mondo di là... Se è vero che bisogna andarvi colla coscienza pulita... Specie di certi fatti che tolgono per sempre il sonno e l'appetito a un galantuomo... Disposto a perdonare però... da buon cristiano...

Niente! Neppure al confessore aveva detto nulla sua moglie. – Una vera santa, caro don Erasmo! Potete vantarvene... – o che realmente sua moglie non avesse nulla da dire, o che anche le sante ci hanno il pelo sullo stomaco.

E se il dottor Brocca non poté togliersela allora, non se la tolse mai più quella spina dal cuore, quel dubbio amaro, quel sospetto che gli accendeva il sangue a ciascuno che venisse a cercarlo, o soltanto passasse per via, e lo coglieva di soprassalto se fermavasi un quarto d'ora nella farmacia, e gli metteva l'inferno in casa, gli avvelenava il pane stesso che mangiava a tavola, fra quella nidiata di marmocchi che ne divoravano dei cassoni pieni, chissà quanti a tradimento, e quella moglie che tornata da morte a vita avrebbe voluto tornare anche ad essere come era prima, tutta della casa e del marito, sempre tra preti e confessori.

– Come la fai questa confessione? Che andate a dirgli al confessore voi altre donne?... Se non dite mai la verità!...

La poveretta piangeva, si disperava, faceva mille proteste e mille giuramenti. La cugina Orsola alle volte accorreva alle grida, e gli diceva il fatto suo.

– Ma che volete, infine da lei?... Volete che inventi dei peccati? Volete esser becco per forza?

E gli toccava mandar giù anche questa e tacere! E gli toccava chinare il capo e cambiar discorso, quando si rideva degli altri mariti disgraziati, con Don Marco Crippa e il farmacista.

La vocazione di suor Agnese

Era venuta dopo, alla povera Donna Agnese, la vocazione di prendere il velo, quando la sua famiglia, caduta in rovina, fu costretta a farla monaca per darle un tozzo di pane.

Prima era destinata al mondo. A casa sua filavano e tessevano la biancheria pel corredo di lei, mentr'essa terminava l'educandato a Santa Maria degli Angeli. Suo padre, Don Basilio Arlotta, l'aveva già fidanzata col figliuolo del dottor Zurlo, un partitone che faceva gola a tutte le mamme del paese, malgrado la bassa nascita. Bel giovane, bianco rosso e trionfante, egli faceva l'innamorato con tutte quante le ragazze. Com'era figlio unico, e Donna Agnesina Arlotta avrebbe portato la nobiltà nei Zurlo, s'era lasciato fidanzare a lei, e aveva preso gusto anche a scaldarle la testa, recitando la sua parte di primo amoroso del paese. Babbo Zurlo che mirava al sodo, e a quella commedia ci credeva poco, diceva in cuor suo: – Il suggeritore lo faccio io. Se don Basilio Arlotta non snocciola la dote in contanti, spengo i lumi e calo la tela.

Don Basilio arrabattavasi appunto a mettere insieme la dote confacente alla nascita della sua Agnese, giacché di nobiltà in casa ce n'era assai, ma pochi beni di fortuna, e imbrogliati fra le liti per giunta. Il pover'uomo che voleva far contenti tutti, e non ci vedeva dagli occhi per la figliuola, ingolfavasi nelle spese: venti salme di maggese alle Terremorte seminate tutte in una volta; la lite di Palermo spinta innanzi a rotta di collo. – Come chi dicesse un pazzo che giuoca ogni cosa su di una carta, a fin di bene, sia pure, per amor della famiglia; ma fu quella la sua rovina.

Lavorava come un cane, sempre in faccende, di qua e di là, con gente d'ogni colore che gridava e strepitava. Partiva all'alba pei campi, e tornava a tarda sera, sfinito, coll'aria stravolta, sognando anche la notte i seminati in cui aveva messo il poco che gli rimaneva, e tutte le sue speranze. – San Giovanni Battista! – Anime del purgatorio, aiutatemi voi! – Così pregava la Madonna dell'Idria, accendendole di nascosto ogni sabato la lampada, dinanzi all'immagine benedetta dal Papa, perché facesse piovere. Teneva nascoste ai suoi le lettere dell'avvocato che gli parlavano della causa. In casa sforzavasi di mostrarsi allegro, il poveraccio. Rispondeva alle occhiate timidamente ansiose della moglie: – Va bene – Non c'è male – Domeneddio non ci abbandonerà in questo punto... – Si confessò e si comunicò a Pasqua; si mise in grazia di Dio, pregando coll'ostia in bocca per la buon'annata, per la vittoria della lite, per la buona riuscita del matrimonio che doveva far felice la sua creatura...

Essa pure, l'Agnesina, il bene che le volevano se lo meritava. Buona, amorevole, ubbidiente, quando le avevano fatto vedere lo sposo attraverso la grata – una lontana parente – e la mamma le aveva detto all'orecchio: – È quello lì. Ti piace? – Essa aveva chinato il viso, rosso qual brace: – Sì. – Poi, successa la catastrofe, come le fecero intendere che bisognava rinunziare a Don Giacomino e darsi a Dio, chinò il capo di nuovo e disse: – Sì.

Era stato il giorno di Pasqua che glielo avevano fatto conoscere, quel cristiano. L'aspettava, lo sapeva quasi. Le avevano messo in capo quel brulichìo le confidenze delle amiche, le visite insolite delle parenti di lui, certe mezze parole della mamma... Ah, che festa quella mattina che la mamma le aveva fatto dire di scendere in parlatorio, dopo le funzioni! Che dolcezza nel suono dell'organo, quante visioni nelle nuvolette azzurre che recavano sino al coro il profumo dell'incenso! Che batticuore in quell'attesa. Ogni cosa che rideva, ogni cosa che risplendeva d'oro e di sole, ogni cosa che sembrava trasalire allo scalpicciò della gente che entrava in chiesa, quasi aspettasse, quasi sapesse già... Non lo dimenticò più quel giorno di Pasqua, la poveretta. Ancora, dopo tanti anni, quando udiva lo scampanìo allegro che correva su tutto il paese, le sembrava di rivedere il giardinetto tutto in fiore, le compagne appollaiate alle finestre, un cinguettìo di passeri, un chiacchierìo giulivo di voci note e care, un ronzìo nelle orecchie, uno sbalordimento, e lui, quel giovine, col sorriso già bell'e preparato, e la destra nel panciotto, e l'occhiata tenera che sembrava sfuggirgli suo malgrado, in mezzo ai suoi parenti, al di là della soglia del portone spalancato...

Le avevano pure fatto una gran festa all'uscire dal monastero, tutti i parenti, anche quelli di lui. Il babbo era tanto contento quella sera! I dispiaceri e i bocconi amari se li teneva per sé, il poveretto. Per gli altri invece aveva fatto preparare dolci e sorbetti che Dio sa quel che gli erano costati. Dio e lui solo! E nessun altro. – Né la ragazza per cui si faceva la festa, né il giovane che le avevano fatto sedere allato. – Se Don Giacomino avesse sospettato in quel momento quanti pasticci c'erano in quella casa, e come la dote che gli avevano promessa tenesse proprio al filo della buona o cattiva annata, avrebbe preso il cappello e sarebbe andato via, senza curarsi di far più l'innamorato.

E sarebbe stato meglio; ché allora la giovinetta non aveva ancora messa tutta l'anima sua in quel giovine, al vederlo tutti i giorni, quasi fosse già uno della famiglia, che veniva a farle visita, quasi anche lui non potesse stare un giorno senza vederla, e si metteva a sedere accanto a lei, e le diceva tante cose sottovoce. E la mamma era contenta lei pure, e aspettava anche lei l'ora in cui egli soleva venire, e adornava colle sue mani la sua creatura. Le avevano fatta una veste nuova color tortorella; l'avevano pettinata alla moda, colla divisa in mezzo. Allora aveva dei bei capelli castagni, che gli piacevano tanto a lui. Le diceva che sarebbe stato peccato doverli tagliare per farsi monaca. Discorreva anche di tante altre cose, con la mamma o col babbo, di ciò che gli avrebbe assegnato suo padre, del come intendeva far fruttare la dote che gli avevano promesso, del modo in cui voleva che andasse la casa e tutto. La mamma faceva segno ad Agnese di stare attenta e di badare a ciò che diceva lui, che doveva essere il padrone. Un giorno egli le aveva regalato un bel paio d'orecchini, e aveva voluto metterglieli colle sue stesse mani, in presenza della mamma. Come passavano quei giorni! Le ore in cui egli era lì, vicino a lei, le ore in cui essa l'aspettava, le ore in cui pensava a lui – le sue parole, il suono della sua voce, i menomi gesti, tutto – col cuore gonfio, colla testa piena di lui, china sul lavoro, agucchiando allato alla mamma. La mamma sembrava che le penetrasse nell'anima, con quegli occhi amorosi che la covavano, se taceva, in tutto quel che diceva, fin nei consigli che le dava intorno al taglio di un corpetto o pel ricamo di un guanciale su cui dovevasi posare il capo della sua figliuola, accanto a quello dello sposo. Ci pensava spesso la giovinetta, col viso chino, facendosi rossa fino al collo. E la mamma sembrava che le leggesse il pensiero dolce negli occhi fissi ed assorti, che ne giubilasse anche lei, povera vecchia, senza alzare gli occhi dal lavoro, fingendo di non vedere, quando il giovane cercava di nascosto la mano tremante della ragazza, quella volta che approfittando della confusione di tutto il parentado venuto a farle visita le sfiorò il viso fra un uscio e l'altro, come a caso. Venivano spesso i parenti e le amiche, tutti che pigliavano parte alla gioia comune. C'era un'aria di festa nella casa, nei mobili ripuliti, nei mucchi di biancheria sparsi qua e là, nel va e vieni di sarte e di operaie, nelle donne che cantavano affaccendate. Il babbo però aveva un certo modo di esser contento che toccava il cuore. Gli spuntavano le lagrime, a volte, nell'abbracciare la figliuola. Le diceva: – Che Dio ti benedica! Che Dio ti benedica, figliuola mia! – E le mani gli tremavano, accarezzando la sua Agnese, e rinfrancava la voce così dicendo, per dare ad intendere ai gonzi che dormiva su due guanciali, riguardo ai suoi interessi. A San Giovanni che il paese intero bestemmiava Dio e i santi, lagnandosi della malannata, aveva il coraggio di dire soltanto lui: – Non c'è tanto male, poi. Potrebbero andar peggio le cose. Lì, a Terremorte, ci ho venti salme di maggese. Calcoliamo pure sulla media... Ho avuto buone notizie della lite, laggiù...

Ma parlava così perché nel crocchio che stava a sentir la musica in piazza era pure la sua figliuola, seduta accanto allo sposo, colla veste di *mérinos* e il cappellino comprato a credenza. Sembrava così contenta, la cara fanciulla, senza un pensiero e senza un sospetto al mondo! Il dottor Zurlo invece aveva certi occhi inquisitori, e insisteva con certe domande indiscrete che facevano sudar freddo il povero don Basilio: – E quanto credete che vi daranno le Terremorte? E che n'è della causa? Vi siete messo in una grossa impresa, voi. Io nei vostri panni non dormirei più la notte... Con una malannata simile! Le meglio famiglie non sanno come va a finire, vi dico! A metter su casa ci penserà bene ogni galantuomo, quest'anno! – Per poco non si sfogò col figliuolo che non badava ad altro, lui, in quel momento, pigliando fuoco ai begli occhi di Donna Agnesina, eccitato dalla musica che suonava e dalla bella serata tepida.

Però Don Giacomino non era sciocco neppur lui. Oltreché, nei piccoli paesi tosto o tardi si vengono a scoprire gli imbrogli di ciascuno. Il povero don Basilio Arlotta friggeva proprio come il pesce nella padella, assediato dai creditori, stretto da tanti bisogni, le spese della causa, il fitto delle terre, le paghe dei contadini. Correva da questo a quell'altro, s'arrapinava in ogni guisa, cercava di far fronte alla tempesta, dava la faccia al vento contrario almeno, pagava di persona. Quando, al tempo della messe, fu colto da una perniciosa che fu a un pelo di portarselo via – e sarebbe stato meglio per lui – non diceva altro, nel delirio: – Lasciatemi alzare. Non posso stare a godermela in letto. Bisogna che vada. Bisogna che cerchi... So io!... So io!...

E lo sapevano anche gli altri, primo di tutti Don Giacomino, il quale batteva freddo colla sposa e si faceva tirar le orecchie per tornare in casa di lei, ogni volta; tanto che Donna Agnesina piangeva notte e giorno, e sua madre non sapeva che pensare. Le povere donne avevano ancora gli occhi chiusi sul precipizio che inghiottiva la casa, perché Don Basilio cercava ancora di nascondere il sole collo staccio, soltanto per risparmiare loro più che poteva quel dolore che se lo mangiava vivo. Ogni giorno che tardavano a conoscere il vero stato delle cose era sempre un giorno di meno di quelli che passava lui!...

Tacque dell'usciere che venne a sequestrare quel po' di raccolta alle Terremorte. Tacque della scena terribile coi contadini che l'avevano minacciato colle forche, vedendo in pericolo le loro giornate. Alla moglie che scopava già il granaio pel frumento che doveva venire dalle Terremorte, disse d'averlo venduto sull'aia. Come essa aspettava i denari della vendita disse che glieli avevano promessi a Natale. – Domani – Doman l'altro – Alla fine del mese. – Il pover'uomo pigliava tempo con tutti, balbettando delle bugie alle quali quasi quasi credeva anche lui, tanto aveva perduta la testa. – Alla vendemmia – Alla raccolta delle olive. – E l'usciere era stato pure nelle vigne e nell'oliveto. Finalmente, nella novena di Natale, che le donne avevano fatto voto di digiunare tutti i nove giorni perché Gesù Bambino facesse succedere il matrimonio senza intoppi, scoppiò la bomba.

In casa Arlotta avevano fatto il pane quella mattina. L'Agnese, tutta contenta, stava anche preparando per Don Giacomino certe paste che le avevano insegnate al Monastero. E lui stava a vedere, sopra pensieri, piluccando di tanto in tanto un pizzico di pasta frolla e dicendole sbadatamente, soltanto per dire qualche cosa, che essa aveva le mani più bianche del fior di farina... – lì, in cucina, dinanzi al forno, col cappello in testa, proprio come uno della famiglia – quando comparve Menica, la serva, col fascio di sarmenti ch'era scesa a prendere in corte, e l'aria sconvolta: – Signora! signora!... – Nell'anticamera udivasi la voce di Don Basilio che pregava e scongiurava. La signora corse subito a vedere e non tornò più, senza curarsi che lasciava soli Don Giacomino colla figliuola. La povera ragazza si strinse allora allo sposo, quasi sapesse già che non le rimaneva altro aiuto ed altro conforto: – Cos'è stato, Don Giacomino, per l'amor di Dio!...

Ah, quando vide il babbo con quella faccia! La faccia che doveva avere in punto di morte. Barcollava come un ubbriaco; andava di qua e di là senza sapere quel che facesse, chiudendo le imposte e le finestre, perché la gente che passava non vedesse l'usciere in casa sua. Imbattendosi a un tratto nel fidanzato di sua figlia, Don Basilio lo guardò stralunato, col sudore dell'agonia in viso. Giunse le mani e aprì la bocca senza dir nulla. Allora Don Giacomino si mise a cercare il bastone e il pastrano senza dir nulla, facendo ancora finta di non saper niente di niente, per cortesia, ed anche per evitare una scena che gli seccava, borbottando:

– Scusate... Sono d'incomodo... Mi dispiace...

Ma come Don Basilio voleva continuare a fare la commedia dell'uomo tranquillo, coi goccioloni dell'agonia in fronte e pallido più di un morto: – Ma, Don Giacomino!... Figuratevi!... Un momento e li sbrigo subito... Passate un momento in camera mia colle donne... – Don Giacomino si fermò a guardarlo, verde dalla bile, sul punto di spiattellargli in faccia: – A che giuoco giuochiamo? Finiamola adesso questa commedia! Se lo sanno tutti che siete rovinato! Mi meraviglio di voi che volete imbrogliare un galantuomo...

Ma tacque ancora per prudenza. Soltanto non ci furono Cristi per trattenerlo. Né la vista dell'Agnesina che gli faceva la scena dello svenimento. Né le lagrime della madre che lo supplicava tremante: – Don Giacomino... Figliuolo mio!... – Egli disse che tornava subito, per cavarsi d'impiccio: – Mi dispiace. Non posso, proprio!... Un momento. Vado e torno.

Tornò invece il notaio Zurlo, a restituire i regali che venivano dalla sposa: berretto di velluto e pantofole ricamate, facendo il viso compunto per procura del figliuolo, un viso fra il padre nobile e il burbero benefico, tornando a dire anche lui: – Mi dispiace davvero... Era il mio più gran desiderio. Ma voi non ci avete colpa, Donna Agnesina!... Ne troverete degli altri coi vostri meriti...

E volle lasciarle anche una carezza paterna sulla guancia, con due dita, sorridendo bonariamente.

Ma come vide barcollare la ragazza, bianca al par di un cencio, si asciugò persino gli occhi col fazzoletto e conchiuse:

– Che disgrazia, figliuola mia!... Scusate se vi chiamo così. Vi tenevo già per figlia mia!... Che crepacuore mi avete dato...

Ecco com'era venuta la vocazione alla povera Donna Agnese. Il cappellano del monastero la citava in esempio alle altre novizie che mostravansi sbigottite nel punto di pronunciare i voti solenni: – Guardate suor Agnese Arlotta! Specchiatevi su di lei che ha provato quel che c'è nel mondo. C'è l'inganno e la finzione. – Imbrogliami che t'imbroglio. – Una cosa sulle labbra e un'altra nel cuore. – E poi che resta alla fine di tante angustie, di tanti pasticci? Un pugno di polvere! *Vanitas vanitatum*!...

Così, a poco a poco, la poveretta s'era distaccata completamente dalle cose terrene, e s'era affezionata invece all'altare che aveva in cura, al confessore che la guidava sul cammino della salvazione, al cantuccio del dormitorio dov'era il suo letto da tanti anni, al posto che occupava al coro e nel refettorio, al suono della campana che regolava tutte le sue faccenduole, sempre eguali, alle pietanze che tornavano invariabilmente secondo il giorno della settimana, alla stessa ora, nello stesso piatto. Il suo mondo finiva lì, al cornicione della casa dirimpetto che affacciavasi sopra il muro del giardino, al pezzetto di collina che si vedeva dalla finestra, al gomito della stradicciuola che metteva capo al parlatorio. Le ore e le stagioni si succedevano nel monastero allo stesso modo, col sole che scendeva più o meno basso sul cornicione, colla collina che era verde o brulla, coi polli che razzolavano nella stradicciuola, o si radunavano all'uscio del pollaio. Anche le voci dei vicini erano tutte note. Allorché andò via la tessitrice che stava di faccia alla chiesuola fu un avvenimento, quando non si udì più il battere del pettine ogni mattina. Suor Agnese non ebbe pace finché non riescì a sapere dal sagrestano dov'era andata e perché era andata via, quella cristiana.

Non che cercasse il pettegolezzo, ma per semplice curiosità, massime da che era divenuta sorda. Siamo fatti di carne infine, e il mondo ostinavasi a insinuarsi sin là, pian piano, coi sermoni del confessore, colle chiacchiere del sagrestano, coi discorsi dei parenti che venivano in parlatorio, colle liti fra le monache, e gl'intrighi che nascevano quando trattavasi di eleggere le cariche pel triennio. Oh allora!

Suor Gabriella, ch'era la superbia in persona, si faceva umile come un agnello pasquale; e Suor Maria Faustina, otto giorni prima, aveva sulla faccia arcigna un sorriso amabile. Fra le suore poi erano conciliaboli a tutte le ore, durante la ricreazione, o quando si riunivano nel tinello a preparare i dolci e le paste per le solennità, a Pasqua o a Natale. Tanto più che suor Agnese non aveva nulla da fare, perché non aveva né fior di farina, né zucchero, né denari per comprarne, né parenti a cui mandare in regalo i dolci. Sua madre, buon'anima, era morta da un pezzo; e anche Don Basilio, quantunque fosse campato vecchio nei guai, perché Dio aveva voluto dargli il purgatorio in terra – e anche la zia caritatevole, che aveva sborsate le cento e venti onze della dote perché donna Agnese potesse farsi monaca. – Pace alle anime loro, di tutti quanti, compreso

Don Giacomino, che era morto carico di figliuoli, e gli avevano fatto i funerali a Santa Maria degli Angeli. Sia fatta la volontà di Dio! A suor Agnese, povera vecchia, il Signore le accordava la grazia. Colle sei onze all'anno della dote, e il piatto che le passava il convento, meno di trenta centesimi al giorno, essa riusciva a mantenersi lei, la lavandaia, e la conversa di cui non poteva fare a meno per i suoi acciacchi. Risparmiava sulle due paia di scarpe e sulla tonaca nuova che le spettavano ogni anno. Vendeva le noci e le mandorle della tavola che non poteva rosicchiare. Di due ova ne mangiava uno lei, e l'altro, metà per una fra la serva e la lavandaia. Aveva anche combinato che a tavola teneva un fornello allato al piatto, e la sua porzione di minestra tornava a farla bollire perché crescesse e potesse bastare alle due donne che avevano sempre una fame da lupi. Essa campava d'aria, povera vecchia. Talché a furia di privazioni tirava innanzi anche lei, e arrivava a cavare di quel poco anche il caffè e il biscotto pel confessore, ogni mattina.

Veramente avrebbe avuto anche lei l'ambizioncella di tenere il pastorale, almeno una volta in tanti anni. Ma alle cariche erano nominate sempre quelle monache che sapevano intrigare meglio, e trovavano appoggio nel parentado di fuori. Basta, taceva e ringraziava la Divina Provvidenza. – Che le mancava, grazie a Dio? Mentre fuori, nel mondo, c'erano tanti guai! – Col buon esempio, e simili belle parole confortava pure quelle novizie che in convento ci venivano tirate proprio pei capelli, senza vocazione. Una di queste però, maleducata e villana, le rispose un bel giorno chiaro e tondo:

– Sapete com'è? La mia vocazione è di sposare don Peppino Bertola, per amore o per forza.

Gli innamorati

Innamorati lo erano davvero. – Bruno Alessi voleva Nunziata; la ragazza non diceva di no; erano vicini di casa e dello stesso paese. Insomma parevano destinati, e la cosa si sarebbe fatta se non fossero stati quei maledetti interessi che guastano tutto.

Quando due passeri, o mettiamo anche due altre bestie del buon Dio, si cercano per fare il nido, forse che stanno a domandarsi: – Tu cosa mi porti in dote, e tu cosa mi dai?

La Nunziata, cioè mastro Nunzio Marzà suo padre, doveva avere un bel gruzzolo, dopo quarant'anni che teneva merceria aperta, e quindi Alessi pretendeva cento onze insieme alla ragazza. – La gallina si pela dopo morta – ribatteva mastro Nunzio. – Io non intendo lasciarmi spogliare in vita. – La moglie va colla dote – picchiava Bruno Alessi. – Io non voglio maritarmi a credenza.

Veramente questo lo faceva dire dai suoi vecchi, com'è naturale, e lui badava a scaldare i ferri colla giovane. Il diavolo è tentatore, e le donne hanno il giudizio corto. A poco a poco la povera Nunziata prese fuoco come un pugno di stoppa, e ci rimise il sonno e l'appetito.

– Bene, – disse mastro Nunzio. – T'insegnerò io il giudizio.

E giù legnate da levare il pelo, se la sorprendeva alla finestra, o le vedeva fare altre sciocchezze. Cogli Alessi invece usava politica, e stavano insieme a tirare sul prezzo, senza troppa furia. Al giovanotto però quel negozio non andava a sangue, sia che ci avesse la fregola addosso, o perché le cose lunghe diventano serpi. Poi voleva mettere una bella calzoleria, e pensare agli interessi propri, invece di lavorare a bottega dal padre.

– Senti, – disse alla ragazza. – Qui ci menano a spasso, per fare i loro comodi. Bisogna finirla.

Giacché Marzà aveva un bel picchiare la figliuola, e sprangare usci e finestre. Il diavolo è anche sottile, e Bruno Alessi ne sapeva una più del diavolo. Fingeva di andare a vendere scarpe e stivali per le fiere, lì intorno, e poi, mentre mastro Nunzio dormiva tranquillo fra due guanciali, veniva di notte a stuzzicargli la figliuola.

– Maria santissima! Cosa mi fate fare! – piagnucolava Nunziata col grembiule agli occhi.

– Se mi vuoi bene, te lo dirò io.

Però la ragazza non voleva sentirla quella faccenda di spiccare il volo con lui, e dopo, quando il pasticcio era fatto, mastro Nunzio avrebbe dovuto adattarsi a mandarlo giù. Era una buona figliuola infine, dello stesso sangue dei Marzà, e stando dietro il banco aveva imparato cosa vuol dire negozio, e come vanno a finire certe cose. Ma soffia e soffia, Bruno, che non pensava ad altro, seppe scaldarle la testa, e farle perdere quel po' di senno che le restava ancora. La finestra era bassa, e rizzandosi sulla punta dei piedi egli le arrivava al collo. Allora, per parlarsi all'orecchio, perché non udisse mastro Nunzio che dormiva lì accanto, pigliavano fuoco tutt'e due, e la ragazza ci si squagliava come la neve. Lui le aveva mostrato anche un trincetto che portava addosso, e minacciava di fare una tragedia con quello. – M'ucciderò sotto i tuoi occhi! Verrà tutto il paese a vedere il sangue! Allora sarai contenta! Allora vedrai se ti voglio bene sì o no!

E bisognava vedere che faccia! Nunziata a quell'uscita sbigottiva, e tornava a balbettare tutta tremante:

– Oh Madonna santa! cosa mi fate fare!...

– Bene. Quand'è così, vuol dire proprio che non mi ami. È meglio finirla!...

Per abbreviare, gnor padre che picchiava la ragazza tutto il giorno, l'innamorato che veniva a farle di notte le stesse scene di amore e di gelosia, Nunziata raccolse quattro stracci in un fagotto, e andò a raggiungere Bruno che l'aspettava nella viuzza. – Però giuratemi che mi sposerete subito! – gli disse prima di tutto. – Giuratemi innanzi a Dio!

Bruno le giurò tutto quel che voleva, lì, su due piedi, al cospetto di Dio che vedeva e sentiva, lassù: una mano sul petto e l'altra che chiamava angeli e santi testimoni. – Non lo sai che t'amo più della pupilla degli occhi miei? Non dobbiamo essere marito e moglie? – Poi volle portarle lui il fagotto. – Hai preso gli ori? – le chiese pure.

Essa non aveva preso gli ori, perch'era tutta sottosopra. – Hai fatto una sciocchezza, – conchiuse Bruno. – Tuo padre te li metterà sul conto della dote.

Mastro Nunzio il mattino trovando l'uscio aperto si mise a gridare al ladro. Papà Alessi, che passava di là per caso, in quel punto, lo tirò dentro pel braccio e gli disse:

– Non fate strepiti. Non facciamo ridere la gente. Vostra figlia è in casa di mia cugina Menica, rispettata e onorata come una regina.

Il povero Marzà s'era messo a sedere colle gambe rotte. Ma tosto si rimise. Compare Alessi gli offrì una presa, accostò una scranna lui pure, e infine intavolò il discorso.

– Bene. Ora che facciamo?

– Dite voi, – rispose Marzà asciutto asciutto. – Io lo so cosa devo fare.

– È una disgrazia, non dico di no. Gli altri rompono e tocca pagare a noi.

– Chi rompe paga, e chi ne ha ne spende.

Compare Alessi era uomo navigato anche lui, e capì il latino.

– A me non importa infine, – conchiuse mettendosi colle spalle al muro.

– E a me neppure.

– Scusate, scusate. Si tratta di vostra figlia. È il sangue vostro.

– E voi, quando vi esce il sangue dal naso, che state a cercare dov'è andato a cadere?

Toccò a mastro Alessi stavolta di rimanere con tanto di naso e la bocca aperta.

– Allora dite voi. Come si fa?

– Si fa così, che la Nunziata è minorenne, e vostro figlio andrà in carcere.

– Ah! ah!... Va bene allora! Quand'è così vi saluto tanto!

Papà Alessi si alzò lentamente, e fece anche finta d'andarsene, come quando si capisce bene che il negozio non si combina. Pure, vedendo mastro Nunzio fermo come un macigno, con quella faccia tosta di negadebiti, non poté frenarsi dal rinfacciargli, stando sull'uscio:

– E vi terrete la figliuola... così?

– Non mi avete detto ch'è onorata come una regina? Ho quattro soldi. Le troverò bene un marito a modo mio.

– Ah! per quei quattro soldi! – esclamò l'altro infuriato. – Vendete vostra figlia per cento onze! Sentite! Scusate! È sangue vostro, sì o no? Siete cristiano? Siete padre, o cosa siete?

– Ah, compare bello! E voi ve lo fate cavare il sangue per gli altri?

Mastro Alessi se ne andò davvero stavolta, e corse subito a far scappare Bruno prima che la giustizia venisse a cercarlo: Nunziata invece, che mangiava a ufo dalla cugina Menica, e neppure il curato aveva potuto persuadere Marzà a sborsare le cento onze, dovette tornare a casa mogia mogia, e sentirsi dire:

– Vedi se volevano te o il mio denaro? Hai capito adesso?

Intanto passavano i giorni, e Bruno, temendo di cadere nelle unghie della giustizia, andava pel mondo cercando fortuna, e riducendosi povero e pezzente. Mastro Nunzio, che era padre e cristiano alla fin fine, gli avrebbe pur dato la figliuola, ed anche un po' di roba. Ma cento onze di denaro, no, finch'era vivo! – E Bruno dal canto suo si ostinava invece:

– O colle cento onze, o niente.

Però la Nunziata, piangendo giorno e notte, indusse il padre a discorrerne fra loro e Bruno, in famiglia, e ciascuno avrebbe dette le sue ragioni.

– Ma non sarà qualche tranello poi? – osservò Bruno, come la zia Menica andò a fargli l'imbasciata. – Posso fidarmi di quel birbante?

– Ti accompagno io, – tagliò corto la zia. – Mastro Nunzio è un galantuomo.

La sera stessa, dopo chiusa la bottega, si riunirono nella merceria loro quattro, lei, Bruno e i Marzà, per dire ciascuno la sua ragione. Bruno stava zitto e grullo, mastro Nunzio guardava in terra. Nunziata versava il vino nei bicchieri, e toccò quindi a comare Menica parlare:

– Bisogna finirla. È una porcheria. Tutto il paese non discorre d'altro. Io non me ne vado di qui se prima non si conclude il matrimonio.

Nunziata allora si mise a piangere. Bruno guardava ora lei e ora suo padre. La ragazza infine, vedendo che non diceva nulla, prese a sfogarsi:

– Ditelo voi stessa, comare Menica!... Dopo avermi lusingata per tanto tempo! Dopo tanti giuramenti! E quello che ho fatto per lui... che sarebbe meglio buttarmi nel pozzo, adesso!

– Io non mi tiro indietro, – borbottò lui. – Per me non manca.

– Dunque per chi manca? – conchiuse la zia Menica, guardando ora il padre ed ora la figlia.

Nessuno aprì più bocca, finché Bruno s'alzò in piedi, e prese un bicchiere dal banco.

– Guardate! – disse. – Che questa grazia di Dio possa mutarsi in veleno se dico bugia! Della dote non me ne importa nulla. Quanto a me la sposerei anche senza camicia.

– Questo no, – interruppe la zia Menica. – Mastro Nunzio conosce il suo dovere.

– Bene. Dunque quello che dà lo dà a sua figlia. Voglio le 100 onze nel suo interesse. Ci ha lavorato anche lei, colla merceria, sì o no?

Qui Nunziata prese le sue parti, e disse che era vero. Ci aveva spesa tutta la bella gioventù dietro a quel banco, dacché era morta la buon'anima di sua madre. Se fosse stata ancora al mondo, quella, non avrebbe fatto penare la sua creatura per 100 onze di più o di meno. E lì a intenerirsi tutti, e buttarsi piangendo al collo di mastro Nunzio, lei, lo sposo e anche la zia Menica, sinché il babbo dopo aver pestato e ripestato che la gallina si pela dopo morta, che i denari hanno le ali, e quando Bruno Alessi avesse mangiato quelli della dote gli toccava poi a lui mantenere marito e moglie, pure si lasciò andare a promettere le 100 onze, purché ci fosse la sua brava cautela. Nunziata ballava e rideva, comare Menica baciava in terra, ma qui Bruno mostrò il malanimo, che le 100 onze le voleva in mano, perché – metterle alla Banca, no: se le portano via. – Comprare un pezzo di terra, neppure: non danno frutto. – Invece col contante in mano lui avrebbe messo un bel negozio.

– Il negozio è quello che volete fare con questa sciocca che vi crede e si lascia prendere alle vostre commedie! – interruppe nel bel mezzo il vecchio più arrabbiato di prima.

– No! – rispose Nunziata aprendo gli occhi a un tratto, e asciugandosi le lagrime. – No, che non mi lascio prendere!

E in tal modo sfumarono matrimonio ed amore. Bruno rinfacciò a Nunziata, prima d'andarsene: – Così dicevate di buttarvi nel pozzo? – Lei, di rimando: – Come vi siete ucciso voi col trincetto, tal quale – Mastro Nunzio chiuse l'uscio, e la figliuola se ne andò a letto furiosa.

Se non fosse stata la vergogna di essersi lasciata cogliere in trappola da quel bel galantuomo, ed era difficile trovarne un altro, avrebbe voluto maritarsi subito subito, per dispetto, anche con uno di mezzo alla strada. Ma suo padre, coi suoi denari, le trovò invece Nino Badalone, un pezzo di marito che ne valeva due, e non aveva tante arie e tante pretese. Nunziata si fece pregare alquanto per decenza, e poi disse di sì.

– Giacché piace a voi, sono contenta io pure.

Nino Badalone era contento anche lui. Veniva alla merceria quasi ogni sera; portava qualche regaluccio, e faceva l'innamorato come e meglio di qualcun altro. Mentre Marzà serviva gli avventori, o schiacciava un pisolino dietro il banco, Nino soffiava all'orecchio della ragazza le stesse cose che le aveva dette Bruno: – Bene mio! – Cuore mio! – E lei ci pigliava gusto egualmente, e la notte poi fra le coltri, diceva fra sé e sé: – È lo stesso tal quale.

Bruno invece, ch'era rimasto a bocca asciutta, pensava dal canto suo: – Voglio vedere come va a finire!

Passava e ripassava per la stradetta, col garofano in bocca; si sgolava di notte a cantarle dietro l'uscio canzoni d'amore e di sdegno, e quando incontrava la Nunziata, alla messa, invece di farla arrossire, come pretendeva, e di confonderla colle sue occhiatacce, era lui piuttosto che restava minchione e doveva chinare il capo.

– Ma con quell'altro voglio vedermela davvero – brontolava poi sputando veleno. – Voglio mangiargli il fegato! Voglio berne il sangue.

Di buoni amici ce n'è sempre a questo mondo; sicché cotesti sproloqui arrivarono all'orecchio di Badalone. Costui era stato soldato, e sapeva il fatto suo. – Bene, – rispose, – vedremo! Chi è buon cane mangia alla scodella.

La domenica di carnevale dai Bozzo ci era un po' di festino. Bruno vi andò lui pure, colla fisarmonica, per svagarsi, ed anche perché sapeva che mastro Nunzio vi avrebbe condotto la figliuola, e voleva vedere come andava a finire. Mentre dunque suonava la fisarmonica e faceva ballare gli amici, arrivò infatti mastro Nunzio, colla Nunziata in gala, e dietro Badalone gonfio come un tacchino.

Se Bruno Alessi in quel momento non fece uno sproposito e poté andare innanzi colla sonata, fu proprio un miracolo, ed anche per non lasciare in asso i ballerini. Per giunta Badalone prese subito la sposa a braccetto, senza dire né uno né due, e si mise a ballargli sotto il mostaccio – polche, valzeri, contradanze – Nunziata che si dimenava con bel garbo e gli faceva il visavì, e lui saltando come un puledro, tutto rosso e scalmanato. Il povero Bruno intanto gli toccava portare il tempo e inghiottire veleno. Infine lasciò il posto a Zacco, ch'era lì pronto colla cornamusa, e volle fare quattro salti anche lui.

– Permettete, amico? – disse a Badalone, toccandosi pulitamente il berretto.

Quello screanzato invece lo squadrò prima ben bene, e poi rispose asciutto:

– Non permetto. Perché?

Gli disse anche quel « perché », che fa montare la mosca al naso! Fortuna che Bruno Alessi era un galantuomo, e non voleva più averci a fare colla giustizia. Ma gli giurò in cuor suo: – Ti farò becco, com'è vero Dio! – E volle piantar subito ballo e ballerini. Non ci furono cristi.

Se ne vedono civette al mondo! Sfacciate come quella lì, che ridono a Cajo e a Tizio, e passano da una mano all'altra peggio dei cani di strada che fanno festa a tutti! Ma un tradimento simile Bruno non se lo aspettava, dopo tanto amore e tante pene, e tutto ciò che aveva fatto per l'ingrata! Questo voleva dirle, a quattr'occhi, appena la coglieva un momento sola, dovesse azzuffarsi poi con Badalone.

Infatti Nunziata se lo vide capitare in casa con quel proposito, il giorno dopo, mentre stava affacciata a veder le maschere. Era vestito da pulcinella, per non farsi scorgere, ma essa lo riconobbe tosto, che il cuore non è fatto di sasso, e voleva chiudergli l'uscio sul naso.

– Ah, così mi ricevete? – diss'egli. – Questa mi toccava?

– Bene, parlate, – rispose lei.

– Non m'importa di vostro padre. Non ho paura di nessun altro. Voglio dirvi il fatto mio.

– Bene, dite, e finiamola subito.

Bruno s'era preparato il suo bel discorso, ma al vedersi trattare in quel modo non trovò più le parole. Bugiarda! Traditora! L'aveva venduto per 100 onze, come Gesù all'orto! E gli rideva sul muso anche! Allora, disperato, si strappò la maschera, e mostrò anche di frugarsi addosso per cercare il trincetto.

– Ah! Volete ammazzarvi un'altra volta? – rispose lei continuando a ridere.

In quel punto sopraggiunse Nino, colle mani in tasca, e quella sua andatura dinoccolata. Appena vide il Bruno, che lo seccava, infine, gli assestò una pedata sotto le reni, e questo fu il primo saluto.

– Bada che ha il trincetto addosso! – gridò la giovane spaventata.

Bruno si rivoltò come una furia. Voleva mangiargli il fegato. Voleva berne il sangue. Ma poi se la diede a gambe, e Nino l'accompagnò ancora a pedate sino in fondo alla stradetta.

Fra le scene della vita

Quante volte, nei drammi della vita, la finzione si mescola talmente alla realtà da confondersi insieme a questa, e diventar tragica, e l'uomo che è costretto a rappresentare una parte, giunge ad investirsene sinceramente, come i grandi attori. – Quante altre amare commedie e quanti tristi commedianti!

Ho visto la commedia del dolore al letto di un agonizzante. Un caso di corte d'Assise, se era vero, come dicevano i vicini, che Matteo Sbarra non moriva, no, di un calcio di mulo; ma fosse stato il compare Niscima che l'aveva ucciso a tradimento, con una badilata nella testa, quando seppe di quell'altro tradimento che Matteo Sbarra gli faceva con la moglie – un compare, un amicone che spartiva con loro il pane e il lavoro, e si sarebbe fatto ammazzare per tutt'e due! – Niscima piangeva, sua moglie piangeva, strappandosi i capelli, fosse amore, o fosse timore della giustizia. – O compare, che giornata spuntò oggi per tutti noi! – O che fuoco ci ho qui dentro, compare bello! – E il giudice istruttore era presente; e la stanza era piena di vicini che sapevano e non sapevano; e il mulo, legato lì fuori, non poteva parlare.

Matteo Sbarra, col singhiozzo alla gola, stava zitto anche lui, dinanzi al giudice, dinanzi ai testimoni, dinanzi al prete che gli dava l'assoluzione dei suoi peccati. Guardava la comare, guardava il compare, cogli occhi torbidi, dove forse passava già la visione della vita eterna. Ah! le mani di lei, che gli asciugavano adesso col fazzoletto il sangue e il sudore della morte! E le mani dell'amico che gli rassettavano il guanciale sotto il capo, lì, nello stesso letto matrimoniale dove l'aveva tratto in agguato – a colpo sicuro, se era vero che la donna ve l'aveva stretto altre volte fra le braccia, poiché Niscima sapeva bene che il maschio della selvaggina vi torna di nuovo sotto il fucile, al richiamo della femmina, fosse ferito e grondante sangue. – La vicina Anna aveva udito dietro l'uscio il rumore della lotta brusca e violenta, appena il marito era arrivato a casa: le grida soffocate, il rantolo della donna, e l'anelito furioso di lui. Cosa doveva fare, poveretta, se era vero che fosse colpevole? se è vero che Dio non paga il sabato, e ci castiga col nostro stesso peccato? – Perché l'hai fatto scappare, buona donna? Digli che torni. Dovete averci un segnale fra di voi. Fagli segno di venire, pel nome di Dio! – Ella mise il segnale: un fazzoletto rosso color di sangue: la videro altri vicini, più morta che viva, alla finestra. Avevano ben ragione di strillare adesso tutti e due: – O compare mio, che fuoco mi lasciate qui dentro nel mio cuore! – Signor giudice, signori miei, uccidetemi qui stesso, dinanzi a lui, se fui io il traditore! – E la giustizia oscura che era nella coscienza dei testimoni muti, pensava forse: – Il morto è morto. Bisogna salvare il vivo.

Quest'altra da tribunale correzionale invece: lui buttandosi fra le fiamme che aveva appiccato di nascosto al magazzino, dicevasi, onde salvarsi dal fallimento, e cercando di spegnerle colle sue stesse mani: le mani arse, i panni che gli fumigavano addosso, i capelli irti, il viso stravolto e terreo di un disperato o di un delinquente – e la moglie seminuda, i figliuoli atterriti che s'avvinghiavano a lui. – Lasciatemi!... perdio!... È la rovina!... Meglio la morte! – Il vocìo della folla, il crepitare dell'incendio, il getto delle pompe, lo squillare delle cornette dei pompieri. – E dei visi arrossati, delle ombre nere che formicolavano nel chiarore ardente, le placche dei carabinieri che l'abbacinavano.

– Che vedeva egli, che sentiva in quel momento torbido? Le mani convulse che si stendevano verso di lui, fra il luccicare delle baionette; la fanciulla brancicata senza riguardo da cento sconosciuti, il figliuolo dibattendosi furioso fra i soldati: – Papà! papà mio! – E i sogghigni dei malevoli, il sussurro avverso della voce pubblica: – Trecentomila lire d'assicurazione!... Si capisce!... Tanto più che la barca faceva acqua da tutte le parti! – Due volte il forsennato tentò di rompere il cordone di truppa che isolava l'incendio, e due volte fu respinto urlante e traballante sul marciapiedi: – È la mia roba, vi dico!... La mia roba!... Lasciatemi morire! – E noi, papà? Siamo noi! Ascolta! – Ah, figli miei! Poveri figli miei! – E il piangere che faceva, lì in mezzo alla strada, le lagrime che gli rigavano il viso sporco di fumo e di polvere – le lagrime della moglie e dei figli! Erano finte anche quelle? Erano complici pietosi ancor essi della turpe commedia? Piangevano sulla colpa del padre, o sulla loro rovina? Avevano letto prima in quel volto venerato ed amato le angustie segrete, le ansie, le lotte che il negoziante onorato e stimato fino a quel giorno aveva dovuto dissimulare fra loro, a tavola, in teatro, nell'intimità della famiglia e al cospetto del pubblico che bisognava illudere colle apparenze di una costante prosperità? Era la disperata necessità della menzogna istessa che li contaminava tutti adesso per la comune salvezza? Sino a qual punto erano finte le lagrime del colpevole, lì, sotto gli occhi della moglie e dei figli, la sua tenerezza, il suo orgoglio, le sue vittime, i suoi giudici primi e più inesorabili nel segreto della coscienza? Chi avrebbe potuto dirlo? – Voi uomo di banca, che giuocate alla Borsa col sigaro in bocca delle partite di vita o di morte, e di rovina per altri mille che hanno fede soltanto nella vostra bella indifferenza? – O voi uomo di toga, che avete fatto piangere i giudici per salvare l'omicida? – Tutt'a un tratto la folla, i soldati, gli stessi pompieri indietreggiarono atterriti, dinanzi all'orror dell'incendio, fra un urlo immenso. Egli solo, il disgraziato, si strappò dalle braccia dei figli per slanciarsi nella voragine ardente, rovesciando quanti gli si opponevano, lottando come un forsennato contro tutti, respinto, percosso, tornando a cacciarsi avanti a testa bassa, grondante sangue, colla schiuma alla bocca, la bocca da cui usciva un grido che non aveva più nulla d'umano: – La cassa! I libri!

Lo portarono a casa su di una barella, tutto una piaga e mezzo asfissiato. Stette un mese fra morte e vita, coll'aspettativa del giudizio infame in quella agonia, e gli occhi dei figli che lo interrogavano. – Povera Lia, come sei pallida! – E anche tu, Arturo! Anche tu! Vedete, sono tranquillo adesso, tra voi. Vedete come sorrido, povere creature? – E poi ancora dinanzi ai giudici, seduto al posto dei malfattori, sotto l'interrogatorio e le testimonianze contrarie, e la difesa dell'avvocato che invocava in suo favore quarant'anni di probità intemerata, e il viso pallido del figliuolo che ascoltava fra l'uditorio, e le braccia tremanti delle sue donne che l'avvinsero all'uscita del tribunale. – Assolto! Assolto! – Senza dir altro, un'altra parola, che rimase muta e gelida fra di loro, sempre!

E la commedia di tutti i giorni, nella casa patrizia, sotto lo stesso tetto, alla stessa tavola, al cospetto dei figli e dei domestici, rappresentata per vent'anni, colla disinvoltura del gran mondo, tra il marito offeso e la moglie colpevole, se il triste segreto era realmente fra di loro. – La moglie di Cesare non deve essere neppur sospettata, – ed entrambi, legati alla medesima catena da un casato illustre, osservavano perfettamente il codice speciale della loro società. Né il mondo ci aveva nulla da vedere. Forse qualche capello bianco di più sulle tempia delicate di lei; ma non un riguardo, né un'attenzione di meno nella cortesia implacabile del marito. Se la dama, moglie e madre onorata e insospettata sino al declinare della giovinezza, era caduta tutt'a un tratto, e caduta male, giacché il pleonasmo è ammesso nel *suo mondo*, come una povera creatura delicata e fiera, avvezza soltanto a camminar a testa alta sui tappeti e che non sappia mettere le mani avanti, il marito la sorresse tosto con braccio fermo, perché continuasse a portare degnamente il nome suo e quello dei figli. Certo è che essa non gridò né pianse, né fece piangere le anime caritatevoli sulla pietà del caso. – E anche il marito ebbe gran parte di merito nel tenere la cosa *in famiglia*; poiché l'*altro* era uomo di mondo lui pure, della stessa casta e quasi dello stesso casato, bel cavaliere e bel giuocatore alle carte e in amore, che correva alla rovina e alla morte col sorriso alle labbra e il fiore all'occhiello, e *sapeva vivere* – e morire, al bisogno, evitando ogni scandalo. Egli non le aveva scritto che due o tre lettere, nei casi più urgenti, quando si era trovato proprio coll'acqua alla gola o colla rivoltella sotto il mento. Il male fu che una di quelle lettere, la più breve e grave, l'ultima, cadde in mano del marito, mentre stavano per recarsi a una gran festa, e la carrozza aspettava a piè dello scalone, e la povera donna già pettinata e vestita, pallida come una morta, seduta dinanzi a un gran fuoco, aspettava i gioielli che aveva impegnati per l'amante, e che questi le aveva promesso di restituirle per quella sera *a ogni costo*. – A ogni costo. – Perciò le chiedeva scusa, scrivendole, se per la prima volta, e l'ultima, mancava alla sua parola. La poveretta ne aveva già il triste presentimento, giacché aveva il cuore stretto da quella immensa angoscia ed era così pallida dinanzi a quel gran fuoco? Aveva vista balenare l'idea del suicidio, ed era stata la pietosa attrattiva che l'avea data a lui, quando lo aveva visto perdere tutto, calmo e impenetrabile, in una terribile partita? – Una terribile partita che faceva disertare il ballo e attirava anche le dame nella sala da giuoco. Egli, incontrando gli occhi di lei, tristi e pietosi, le aveva detto allora con un pallido sorriso: – Perché viene a vedere queste brutte cose, duchessa? – E lei.. perché?... Perché fa questo, Maurizio? – balbettò essa con un filo di voce. Egli si strinse nelle spalle, chinandosi a baciarle la mano, e non rispose altro, fissandola in viso con gli occhi chiari e fermi, e decisi a tutto.

La notizia del suicidio correva già per i trivii sulla bocca dei venditori di giornali, allorché il duca entrò nello spogliatoio della moglie colla fatale lettera in mano. Era fermo anche lui, e impenetrabile come quell'altro, nella rovina improvvisa di tutto ciò che aveva formato il suo orgoglio e la sua fede. – Scusatemi, le disse, se l'ho letta prima di accorgermi che non era diretta a me. Ma riflettete che poteva capitare in mani peggiori. Bruciatela insieme a tutte le altre che dovete avere, e datevi un po' di rosso, giacché non posso condurvi al ballo con quella faccia, senza renderci ridicoli voi ed io.

Il ridicolo fu evitato. Se pure i cacciatori di scandali si affollarono all'uscio, quando fu annunziata l'illustre coppia, e le amiche indulgenti si rivolsero a lei, allorché la notizia del suicidio cominciò a circolare nella festa, videro lei diritta e forte, senza battere palpebra sotto il colpo mortale che le picchiava alla testa, e gli sguardi dei curiosi, e le parole del marito che compiangeva « quel povero Maurizio » colla discrezione mondana che attutisce ogni stridere molesto. Essa fu malata, e il duca non lasciò un sol giorno la stanza di lei. Ricomparve ai teatri, ai ricevimenti, ammirata, inchinata, al braccio di quell'uomo di cui sentiva l'intima repulsione, accanto alla vergine candida e pura e al giovinetto di cui era l'orgoglio e la tenerezza. Quando essi andarono sposi, il padre aveva detto loro: – Serbatevi degni del vostro nome, e dell'esempio che vi hanno dato i vostri. – Dinanzi a loro, dinanzi a tutti, egli non dimenticò giammai, un giorno solo, per anni ed anni, di dare lo stesso esempio di devozione e di stima alla compagna della sua vita e della sua catena, rimasta sola con lui, nel palazzo immenso, sonoro e vuoto come una tomba. Se mai il volgare sospetto fosse durato ancora nella mente di qualche domestico o di un familiare, egli volle smentirlo sino all'ultimo momento, sino al punto di morte, stringendo la mano della moglie singhiozzante, prostrata dinanzi a lui, dinanzi ai figli, dinanzi ai congiunti, mentre il prete gli dava la estrema unzione. Soltanto nell'ultima convulsione di spasimo, respinse quella mano colla mano di ghiaccio. Nel testamento lasciò un ricco legato « alla sua fedele compagna ».

Quante altre! Quante! – Il sorriso procace della disgraziata che deve guadagnarsi il pranzo. – Le lagrime dello scroccone che viene a chiedervi venti lire « in prestito ». – L'eleganza dello spiantato che cena colle paste del the. – Gli occhi bassi della ragazza che cerca un marito. – E la più desolante, infine, la commedia dell'amore, quando l'amore è morto, e resta la catena. O braccia delicate che vi allacciate all'amplesso stanche e illividite! Quando Alberto strinse in quella festa da ballo la piccola mano che doveva avvincergli così tenacemente la catena al collo, non sapeva che essa se ne sarebbe svincolata così presto. E anche lui allora non sapeva di lasciarsi prendere all'ardore che simulava e alla lusinga delle proprie frasi galanti. – Il sorriso trionfante di lei che si inebbriava all'omaggio di quel bell'avventuriero d'amore disputato e ammirato – il sottile eccitamento della danza – la carezza della musica che accompagnava la carezza delle parole – gli occhi bramosi che cercavano i suoi, e il fulgore ch'essa vi scorse allorché chinò il capo biondo ad assentire: – Sì! Sì! – Con qual altra ebbrezza e qual smarrimento negli occhi ella ascese la prima volta quella scala e spinse quell'uscio, premendosi forte il manicotto sul seno ansante! Con qual altro sbigottimento vi ritornò poi, guardandosi intorno e buttandosi a sedere appena entrata, col viso pallido e una ruga sottile fra le sopracciglia. – Mi son fatta aspettare, non è vero? – No... non importa ormai... Sei qui!... – Ah, son mezzo morta... Sapeste!... Mio marito!... Quel portinaio che mi vede passare! – Insomma tutte quelle cose che non vedeva prima, quando aveva gli occhi abbacinati dal sogno d'oro. – Lasciatemi, Alberto!... Ve ne prego! Vi prego!...

– Vi lascio. Scusatemi

– Che vi piglia adesso? Vedete in che stato sono!... Che faccio per voi!...

Gli occhi negli occhi, le mani nelle mani, e la bocca rosea che sorrideva stanca e si offriva sotto la veletta. Ah, non era quella la bocca che una volta sfuggiva tremante e si era abbandonata avida al primo bacio! Gli si offriva anche adesso, pietosa menzogna, perché vedeva gli occhi ardenti dell'innamorato cercare in quelli di lei l'amore che non c'era più. Egli non raccolse quel bacio, guardandola fiso: – O povera Maria! – disse tristamente.

Ella si era fatta rossa, fissandolo anche lei cogli occhi già inquieti. Scorgeva forse il dubbio e l'incredulità atroce negli occhi di lui? – Povero amore! Povera Maria! – Non le disse altro, e l'accarezzò sui capelli, sorridendo anche lui. Ma era bianco bianco, e il sorriso era amaro. Allora essa avvinse nelle sue carezze quel pallore e quegli occhi, e vi si smarrì un istante ella pure, forse sinceramente, o volle smarrirvisi per compassione di lui. O povero amore, che hai bisogno di batterti i fianchi colle ali! Povera amante discesa a rappresentare l'ignobile commedia! – No! No! Egli indietreggiò barcollante, come se avesse ricevuto un urto al petto, fece qualche passo per la stanza, e tornò a sederlesi allato, cercando di sorriderle ancora, cercando le parole che non venivano.

– È tardi – diss'ella alzandosi. – Saranno quasi le cinque. Devo andarmene.

Si alzò egli pure senza dir nulla.

Essa cercò il manicotto e i guanti, si aggiustò il velo sul viso serio e freddo, senza una parola, senza guardarlo, e s'avviò all'uscio. Egli l'apriva già.

– Fatemi il favore. Se ci fosse qualcheduno per la scala...

– Aspettate.

Uscì a spiare dal pianerottolo e rientrò tosto. – Nessuno.

L'amata esitò un istante e rialzò la veletta al di sopra della bocca. L'amante finse di non vederla, e le strinse la mano.

– Addio dunque.

– Addio.

Udì sino all'ultimo scalino il rumore dei passi di lei

che altra volta si dileguavano furtivi, e dalla finestra la vide ferma e tranquilla sul marciapiedi, come una che non ci abbia più nulla da nascondere adesso, accennando a un cocchiere d'accostarsi, con un gesto grazioso della destra infilata nel manicotto.

che altra volta si disegnavano fiorite, e dalla finestra la vide ferme e tranquille arti [illegible] tanto che non [illegible]
credeva [illegible] la [illegible] questo [illegible] e [illegible]
[illegible] che [illegible] [illegible] [illegible] [illegible]
indietro [illegible]

Novelle sparse

Sotto il titolo *Novelle sparse* si riuniscono: i racconti che non furono inseriti nelle raccolte, *Il come, il quando ed il perché* e i tre *Drammi intimi* non più ripubblicati.

Un'altra inondazione

Mi rammento, nell'ultima eruzione dell'Etna, di avere assistito ad uno di quei semplici episodi che vi colpiscono più profondamente della catastrofe stessa. Era lo spettacolo di un casolare in fondo alla valle, che la lava stava per seppellire. Davanti al casolare c'era un cortiletto, cinto da un muricciolo, il quale aveva arrestato per poco la corrente, e le scorie gli si ammonticchiavano addosso adagio adagio; sembrava si gonfiassero, come un rettile immane irritato, e scoppiavano in larghi crepacci infuocati. Allora il casolare ne era improvvisamente rischiarato, e si vedevano le finestre spalancate, una tettoia accanto alla porta, e un albero nel cortiletto. L'immensa valle era tutta nera di scorie fumanti, che si squarciavano qua e là, e avvampavano nelle tenebre, e le scorie irrompevano da quei crepacci, con un acciottolìo prolungato e sinistro, come di un'immensa distesa di tegole che rovinasse.

Una delle finestre del casolare si era illuminata, e dava un aspetto di cosa viva a quella casuccia abbandonata in mezzo a tanta desolazione; ma ciò che colpiva maggiormente era quel cortiletto deserto e sgombro di ogni cosa, senza un cane né una gallina, né un pezzo di legno, quasi spazzato da un vento furioso. Di tanto in tanto si vedeva comparire un uomo, il quale sembrava nero nel riflesso ardente della lava, e piccin piccino per la grande distanza.

Egli si affacciava sotto la tettoia, e guardava. Dal poggio dove eravamo, si scorgevano anche col cannocchiale altri uomini piccini e neri, che formicolavano sul tetto, e ne levavano le tegole, i travicelli, le imposte, tutto ciò che potevasi strappare di dosso alla povera casa, la quale pareva sempre più desolata a misura che la spogliavano nuda prima di abbandonarla. E intanto dal poggio gli spettatori, seccati dalla cenere che li accecava e dalle emanazioni che toglievano il respiro, s'impazientivano del lungo tempo che ci metteva la lava a soverchiare l'altezza del muricciuolo, e calcolavano, coll'orologio in mano, il tempo che ci avrebbe messo a circondare la casuccia. Tutt'a un tratto l'albero accanto alla porta avvampò come una fiaccola, e la lava si rovesciò nel cortile. E nella immensa valle nera non si vide altro che il rosseggiare qua e là delle lave che irrompevano, accompagnate dall'acciottolìo sinistro delle scorie che precipitavano. Alle volte, mentre la corrente infuocata si ammonticchiava a poco a poco per cinquanta metri d'altezza, non si udiva né si vedeva più nulla, tranne il fruscìo soffocato della pioggia di cenere, che stampava come uno sterminato nuvolone nero sul pallido cielo di luna nuova, e le fiamme che si accendevano di tratto in tratto nella valle, e indicavano il corso della corrente di fuoco. Ah! quanti alberi se ne andavano in quelle fiamme! e quanti filari di vigne zappati, potati, accarezzati, guardati cogli occhi assorti dei castelli in aria! e quante cannucce colle immagini di sant'Agata miracolosa, che non erano valse ad arrestare il fuoco! e quante avemarie biascicate colle labbra tremanti! E noi che correvamo ad assistere a quel triste spettacolo in brigate chiassose! e le strade della montagna che erano popolate di notte come alla vigilia di una festa, e i cocchieri che facevano scoppiettare le fruste perché non avevano né vigne né case, e la loro vigna era quella provvidenza dell'eruzione che avrebbe dovuto non finir più, se voleva Dio! e le bettole affollate e fumanti e i campi lungo le siepi, e le storielle dettagliate del disastro che si raccontavano per rendere più piccante lo spettacolo a coloro che spendevano venti lire per andare a vedere! – Quante ricchezze aveva ingoiate il fuoco, quanti campi aveva distrutto, quanto erano distanti i boschi del barone A. e quanto potevano valere i nocciuoleti del marchese B., minacciati dall'eruzione. – Insomma i particolari più desolanti, come il pepe della pietanza, che vi facevano sospirare dal piacere pensando che non ci avevate nemmeno un palmo di terra da quelle parti.

Un tale, il giorno prima, vi possedeva una vigna che gli fruttava tremila lire all'anno, una ricchezza, sebbene non avesse altro, per sé e per la sua numerosa famiglia. Tutt'a un tratto vennero a dirgli che il fuoco divorava la sua ricchezza, e lo lasciava povero e pazzo come si dice. Egli accorse a cavallo dell'asino, e trovò il vignaiuolo affaccendato a levare le imposte del palmento, e le tegole del tetto, le doghe delle botti, tutto ciò che si poteva salvare, come avevano fatto quei del casolare. Il padrone, giungendo alla porta senz'uscio del palmento, dinanzi alla sua vigna che gli fumava e gli crepitava sotto gli occhi, filare per filare, domandò al vignaiuolo con la faccia bianca: – Perché avete levato le tegole e le imposte, e le doghe delle botti? – Per salvarle dal fuoco – rispose il contadino. – Il fuoco fra tre ore sarà qui. – Lasciate stare ogni cosa – disse il padrone. – Io non ho più bisogno di palmento, né avrò più cosa metterci nelle botti. Io non ho più nulla.

Egli non aveva nemmeno la zappa da camparsi la vita, come il suo vignaiuolo. Poi baciò il cancello della vigna, che ancora rimaneva in piedi, e se n'andò tirandosi dietro l'asinello.

Io non ho assistito a quella scena, ma essa mi è rimasta stampata dinanzi gli occhi più nettamente del casolare che ho visto distruggere dalle lave. E sentendo di quell'altra catastrofe che ha devastato Reggio ho pensato a quei poveretti che si sono voltati a guardare di lontano la vigna inondata, o la casuccia distrutta ed hanno detto: – Io non ho più cosa metterci nelle botti quest'anno, né nel granaio, io non ho più nulla – come quel tale che aveva baciato per l'ultima volta il cancello della sua vigna, e se n'era andato tirandosi dietro l'asinello.

Casamicciola

Quando giunse la notizia del disastro che aveva colpito Ischia mi parve di rivedere l'isoletta, quale mi era sfilata dinanzi agli occhi attraverso gli alberi del battello a vapore, in una bella sera d'autunno.

La mensa era ancora apparecchiata sul ponte, e gli ultimi raggi del sole indoravano il marsala nei bicchieri. Dei viaggiatori alcuni s'erano già levati, e passeggiavano su e giù. Altri, coi gomiti sulla tovaglia, guardavano l'immensa distesa di mare che imbruniva sotto i caldi colori del tramonto su cui Ischia stampavasi verde e molle, e dove la riva s'insenava come una coppa. Casamicciola, bianca, sembrava posare su di un cuscino di verdura.

A tavola due che tornavano dal Giappone discorrevano di seme di bachi. Una coppia misteriosa era andata a rannicchiarsi a ridosso del tubo del vapore. Un giovane che non aveva mangiato quasi, e stava seduto in un canto, pallido, col bavero del paletò rialzato, guardava l'isoletta con occhi pensierosi e lenti, in fondo alle occhiaie incavate. Tutt'a un tratto sul profilo dell'isola che spiccava dalla luce diffusa del crepuscolo, apparve netto e distinto un fabbricato, quasi sorgesse d'incanto, e l'ultimo raggio di sole scintillò sui vetri, come l'accendesse.

Quel dettaglio del paesaggio che si animava all'improvviso apparve così chiaro e luminoso come se si fosse avvicinato d'un tratto.

Tutti si volsero ad ammirare lo spettacolo, e i negozianti di cartoni giapponesi tacquero un momento. Soltanto la coppia ch'era andata a nascondersi dietro il fumajuolo non si mosse, e gli occhi del giovane pallido che teneva il bavero rialzato non si animarono neppure.

Così succede ogni dì; e due sole preoccupazioni bastano per sé stesse, l'amore e la malattia, l'origine e la fine della vita. Quasi cotesta riflessione fosse venuta istintivamente a tutti in quel momento, si cominciò a parlare dell'azione benefica che hanno le acque e l'aria di Casamicciola, e dei malati che vanno a cercarvi la salute o la speranza. Invece il giovane dal paletò, pensava probabilmente, come si fa delle cose che si desiderano, alle gioie tranquille e ignorate che dovevano esserci in quell'isoletta verde, fra quelle casette bianche, dietro quei vetri scintillanti. E quando i vetri si spensero, e la casa si dileguò ad un tratto quasi al mutare di una lanterna magica, e i contorni dell'isoletta sfumarono nel mare livido, il suo volto si offuscò.

Adesso quella casetta bianca è forse distrutta, e degli occhi senza lagrime e senza sorriso ne contemplano le rovine, dalle occhiaie incavate, su dei visi pallidi.

I dintorni di Milano

L'impressione che si riceve dall'aspetto del paesaggio prima d'arrivare a Milano, per quaranta o cinquanta chilometri di ferrovia, è malinconica. La pianura vi fugge dinanzi verso un orizzonte vago, segnato da interminabili file di gelsi e di olmi scapitozzati, uniformi, che non finiscono mai; cogli stessi fossati diritti fra due file di alberelli, colle medesime cascine sull'orlo della strada, in mezzo al verde pallido delle praterie. Verso sera, allorché sorge la nebbia, il sole tramonta senza pompa, e il paesaggio si vela di tristezza.

D'inverno un immenso strato di neve a perdita di vista, costantemente rigato da sterminate file d'alberi nudi, tirate colla lenza, a diritta, a sinistra, dappertutto, sino a perdersi nella nebbia. Di tratto in tratto, al fischio improvviso della macchina, vi si affaccia allo sportello, e scappa come una visione un campanile di mattoni, un fienile isolato e solitario. Sicché finalmente appena nella sconfinata pianura bianca, fra tutte quelle linee uniformi, vi appare nel cielo smorto la guglia bianca del Duomo, il vostro pensiero si rifugia frettoloso nella vita allegra della grande città, in mezzo alla folla che si pigia sui marciapiedi, davanti ai negozi risplendenti di gas, sotto la tettoia sonora della Galleria, nella luce elettrica dei Gnocchi, nella fantasmagoria di uno spettacolo alla Scala, dove sboccia come in una serra calda la festa della luce, dei colori e delle belle donne.

I dintorni di Milano sono modellati sulle linee severe di

questo paesaggio. Basta salire sul Duomo in un bel giorno di primavera per averne un'impressione complessiva. È un'impressione grandiosa ma calma. Al di là di quella vasta distesa di tetti e di campanili che vi circonda, tutta allo stesso livello, si spiega la pianura lombarda, di un verde tranquillo, spianata col cilindro, spartita colle seste, solcata da canali diritti, da strade più diritte ancora, da piantagioni segnate col filo, senza un'ondulazione di terreno e senza una linea capricciosa in gran parte. L'occhio la percorre tutta in un tratto sino alla cinta delle Alpi ed alle colline della Brianza. E se rimaneste un giorno intero lassù non ne avreste un'impressione nuova, né scoprireste un altro dettaglio. È la stessa cosa percorrendo i dintorni immediati della città. Sempre le stesse strade più o meno diritte, fiancheggiate dagli stessi alberi; il medesimo fossato da una parte, o il medesimo canale dall'altra, lo stesso muro grigio, rotto di tanto in tanto dal portone di una fabbrica, sormontato da un fumaiuolo nero che sporca il cielo azzurro, gli stessi orti chiusi tra filari di gelsi e divisi in scompartimenti di cavoli e lattughe senza mutar di prospettiva. Sicché la cosa più difficile per un viandante pare che dovrebbe essere di riconoscere la sua strada fra quelle altre cento strade che si somigliano tutte, e per un proprietario di ritrovare il suo podere fra tutti quei poderi fatti sul medesimo stampo.

Nondimeno il milanese ha la passione della campagna. Bisogna vederlo a San Giorgio o in qualche altra festa campestre per farsene un'idea. Appena la stagione comincia a farsi mite e il ciglio dei fossati a verdeggiare, tutti corrono *fuori del dazio*, a godersi il verde sminuzzato a quadretti, e ad empirsi i polmoni di polvere. Cotesto è il motivo di tante osterie di campagna, di tante *isole,* di tanti giardini piantati in botti da petrolio. Allora le strade melanconiche, i ciglioni intristiti, i quadrelli di verdura pallida formicolano di un'altra vita, risuonano di organetti, di chitarre, di allegria chiassosa e bonaria.

L'uniformità del fondo dà alcunché di piccante alla varietà delle macchiette. Qui il paesaggio, in un orizzonte sconfinato, è circoscritto costantemente tra due file di alberi, lungo due muri polverosi, fra le sponde di un canale diritto, smorto, che sembra immobile, ombreggiato dacché spuntano i primi germogli sinché cadano le ultime foglie, e i raggi del sole non hanno più colori né festa. La mucca che leva il muso grondante d'acqua, un gruppo di contadine che lavorano nei campi, e mettono sul prato la nota gaia delle loro gonnelle rosse, la carretta che va lentamente per la stradicciuola, un desco zoppicante sotto il pergolato di un'osteria, coll'operaio in maniche di camicia, e la sua donna coi gomiti sulla tovaglia e gli occhi imbambolati, due cavalli da lavoro accanto a una carretta colle stanghe in aria, davanti a una porta chiusa, sono tutti i quadri della campagna milanese, su di un fondo uniforme. Lo spettacolo grandioso di un tramonto bisogna andare a vederlo in Piazza d'Armi, su quella bella spianata che corre dal Castello all'Arco del Sempione; e tuttavia l'effetto più grandioso gli viene dalle linee stupende del monumento, sul fondo opalino, e da quei cavalli di bronzo che si stampano come una visione del bello dell'arte, in alto, nella gloria degli ultimi raggi.

Ma la ineffabile melanconia di quell'ora non l'ho mai provata come in una delle Certose dei dintorni di Milano. Colà, in mezzo a mirabili pagine d'arte, mentre la luce muore nelle invetriate dipinte, vi sorprende uno strano sentimento della vanità dell'arte e della vita, un incubo del nulla che vi si stringe attorno da ogni parte, dalla campagna silenziosa e uniforme. Io non ho mai passata un'ora più tetra come quella che provai in uno di quei cortiletti di verdura cupa della Certosa di Pavia, chiusi fra quattro mura di cimitero, e allietati da quattro file di bosso, nel caldo meriggio d'aprile, in cui non si udiva che il ronzare delle mosche.

Di cotesta impressione alquanto melanconica del paesaggio milanese ne avete un effetto anche ai Giardini pubblici, dove mettendo sottosopra il tranquillo suolo lombardo sono riesciti a rendere un po' del vario e pittoresco che è la bellezza della campagna. Il popolo però li ha cari, e nei giorni di festa e di sole ci reca in folla la sua allegria e la sua vita. Tutto ciò infine prova che Milano è la città più città d'Italia. Tutte le sue bellezze, tutte le sue attrattive sono nella sua vita gaia ed operosa, nel risultato della sua attività industre. Il più bel fiore di quella campagna ricca ma monotona è Milano; un prodotto in cui l'uomo ha fatto più della natura. Che importa a Milano se non ha che 3 o 400 metri di passeggiata, da Porta Venezia al ponte della via Principe Umberto? I suoi equipaggi non sono splendidi quanto quelli della Riviera di Chiaja e delle Cascine? e la prima domenica di quaresima, quando il sole scintilla sugli arnesi lucenti, e sui colori delicati, per tutte quelle file di cocchi e di cavalli, in mezzo a quella folla elegante che formicola nei viali, col fondo maestoso di quelle Alpi ancora bianche di neve, il cielo trasparente e gli ippocastani già picchettati di verde, lo spettacolo non è bello? e quando il teatro alla Scala comincia ad esser troppo caldo anche per le spalle nude, e l'alba imbianca troppo presto sulle finestre delle sale da ballo, Milano non ha la sua Brianza per farvi trottare i suoi equipaggi? non ha i laghi per rovesciarvi la piena della sua vita elegante? non ha Varese per farvi correre i suoi cavalli? Le passeggiate e i dintorni di Milano sono un po' lontani, è vero; ma sono fra i più belli del mondo.

Io mi rammento ancora della prima gita che feci al Lago di Como, in una giornata soffocante di luglio, dopo una di quelle estati di lavoro e di orizzonti afosi che vi mettono in corpo la smania del verde e dei monti.

La prima torre sgangherata che scorsi in cima alla montagna posta a guardia del lago mi si stampò dinanzi agli occhi come un faro di pace, di riposo, di freschi orizzonti. Il paesaggio era ancora uniforme. Tutt'a un tratto, dalle alture di Gallarate, vi si svolge davanti un panorama che è una festa degli occhi. Allorché vi trovate per la prima volta sul ponte del battello a vapore, rimanete un istante immobile, e colla sorpresa ingenua del piacere stampata in faccia, né più né meno di un contadino che capiti per sorpresa in una sala da ballo. L'ammirazione è ancora d'impressione, vaga e complessiva. Non è lo spettacolo grandioso del Lago Maggiore, né quello un po' teatrale del Lago di Lugano visto dalla Stazione. È qualche cosa di più raccolto e penetrante. Tutto il Lago di Como a prima vista è in quel bacino da Cernobbio a Blevio, e la prima idea netta che vi sorga è di sapere da che parte se n'esca.

A poco a poco comincia a sorgere in voi come un'esuberanza di vita, quasi un'esultanza di sensazioni e di sentimenti, a misura che lo svariato panorama si va svolgendo ai vostri occhi. Sentite che il mondo è bello, e se mai non l'avete avuta, principia a spuntare in voi, come in un bambino, la curiosità di vederlo tutto, così grande e ricco e vario, di là di quelle cime brulle, oltre quei boschi che si arrampicano come un'immensa macchia bruna sui dossi arditi, dopo quei campanili che sorgono da un folto d'alberi, di quelle cascate che biancheggiano un istante nella fenditura di un burrone, di quelle ville posate come un gingillo, su di un cuscino di verdura, che vi creano in mente mille fantasie diverse, e la vostra immaginazione popola di figure leggiadre, dietro le stoie calate ed i vetri scintillanti, in quelle barchette leggiere che battono il remo silenzioso come un'ala, e si dileguano mollemente, con un cinguettìo lontano di voci fresche, strascinandosi dietro delle bandiere a colori vivaci. È come un sogno in mezzo a cui passate, e vi sfila dinanzi Villa d'Este elegante, Carate civettuolo, Torno severo, e Balbianello superbo. Poi, come tutt'a un tratto vi si allarga dinanzi la Tremezzina quasi un riso di bella fanciulla, nell'ora in cui sulla Grigna digradano le ultime sfumature di un tramonto ricco di colori, e Bellagio comincia a luccicare di fiammelle, e il ramo di Colico si fa smorto, di là di Varenna, e Lenno e San Giovanni vi mandano le prime squille dell'Avemaria, voi vi chinate sul parapetto a mirare le stelle che ad una ad una principiano a riflettersi sulla tranquilla superficie del lago, e appoggerete la fronte sulla mano sentendovi sorgere in petto del pari ad una ad una tutte le cose care e lontane che ci avete in cuore, e dalle quali non avreste voluto staccarvi mai.

Il come, il quando ed il perché

Il signor Polidori, e la signora Rinaldi si amavano – o credevano di amarsi – ciò che è precisamente la stessa cosa, alle volte; e in verità, sc mai l'amore è di questa terra, essi erano fatti l'uno per l'altro: Polidori si godeva quarantamila lire di entrata, e una pessima riputazione di cattivo soggetto, la signora Rinaldi era una donnina vaporosa e leggiadra, e aveva un marito che lavorava per dieci, onde farla vivere come se possedesse quarantamila lire di rendita. Però sul conto di lei non era corsa la più innocente maldicenza, sebbene tutti gli amici di Polidori fossero passati in rivista, col fiore all'occhiello, dinanzi alla fiera beltà. Finalmente la fiera beltà era caduta – il caso, la fatalità, la volontà di Dio, o quella del diavolo, l'avevano tirata pel lembo della veste.

Quando si dice *cadere* intendesi che aveva lasciato cadere sul Polidori quel primo sguardo languido, molle, smarrito, che fa tremare le ginocchia al serpente messo in agguato sotto l'albero della seduzione. Le cadute a rotta di collo son rare, e alle volte fanno scappare il serpente. La signora Rinaldi, prima di scendere da un ramo all'altro, voleva vedere dove metteva i piedi, e faceva mille graziose moine col pretesto di voler fuggire verso le cime alte. Da circa un mese ella si era appollaiata sul ramoscello della corrispondenza epistolare, ramoscello flessibile e pericoloso, agitato da tutte le aurette profumate. – Avevano cominciato col pretesto di un libro da chiedere o da restituire, di una data da precisare, o che so io – la bella avrebbe voluto fermarvisi un pezzo, su quel ramo, a cinguettare graziosamente, perché le donne cinguettano sempre a meraviglia, così cullandosi fra il cielo e la terra; Polidori, il quale aveva vuotato il sacco, divenne presto arido, laconico, categorico che era una disperazione. La poveretta chiuse gli occhi e le ali, e si lasciò scivolare un altro po'.

– Non ho letto la vostra lettera; né voglio leggerla! – gli disse incontrandolo all'ultimo ballo della stagione, mentre seguivano la fila delle coppie. – Giacché non volete essere quello che vi avevo ideato, lasciatemi rimanere quale voglio essere io.

Polidori la fissava serio serio, tormentandosi i baffi, ma colla fronte china. Gli altri ballerini che non avevano nessuna ragione per stare a chiacchierare nel vano dell'uscio, li spingevano verso il salone. La donna arrossì, quasi fosse stata sorpresa in un abboccamento secreto con lui.

Polidori – il serpente – notò quella vampa fugace. – Sapete che vi obbedirò ad ogni costo, rispose semplicemente.

La croce di brillanti scintillò sul petto di lei, sollevandosi in trionfo. Tutta la sera la signora Rinaldi ballò come una pazza, passando da un ballerino all'altro, tirandosi dietro uno sciame di adoratori, cogli occhi ebbri di festa, luccicanti come le gemme che le formicolavano sul seno anelante. Però ad un tratto, trovandosi faccia a faccia colla sua immagine in un grande specchio, si fece seria e non volle ballar più. Rispondeva a tutti di sentirsi stanca, molto stanca; e macchinalmente cercava cogli occhi suo marito. Non c'era nemmen lui, quell'uomo! In quei dieci minuti che rimase accasciata sul canapè, senza curarsi che la sua veste si affagottava sgarbatamente, le passarono davanti agli occhi delle strane fantasie, insieme alle coppie che ballavano il valzer. Polidori solo non ballava, né si vedeva più. – Che uomo era mai costui? Finalmente lo scorse in fondo a una sala deserta, faccia a faccia con una testa pelata, che non doveva aver nulla da dire, sorridendo come un uomo per cui il sorriso sia indifferente anch'esso. – Ella avrebbe preferito sorprenderlo colla più bella signora della festa, in parola d'onore! – Polidori non se ne avvide. Si alzò, premuroso sempre, e le offrì il braccio.

In quel momento, proprio in quel momento doveva cacciarlesi fra i piedi anche suo marito, che cercava di lei. Allora, bruscamente, aggiustandosi sull'omero la scollatura della veste, con un leggiadro movimento della spalla, disse piano a Polidori, così piano che il fruscìo della seta coprì quasi il suono della voce.

– Sia pure, domani alle nove, ai Giardini.

Polidori s'inchinò profondamente e la lasciò passare, raggiante e commossa, al braccio del marito.

Giammai mattino di primavera non era sembrato così misteriosamente bello alla signora Rinaldi nella sua villa deliziosa della Brianza, e giammai ella non l'avea contemplato con occhio più distratto attraverso al cristallo scintillante del suo *coupé*, come quando il suo legnetto attraversava rapidamente la piazza Cavour. Il sole inondava i viali del giardino, caldo e dorato, sull'erba che incominciava a rinverdire; l'azzurro del cielo era profondo. Coteste impressioni, ad insaputa di lei, riverberavansi nei suoi grandi occhi neri, che guardavano lontano, non sapeva ella stessa dove, né che cosa, mentre appoggiava la mano e la fronte pallida alla manopola. Di tanto in tanto un brivido la faceva stringere nelle spalle, un brivido di stanchezza o di freddo.

Appena la carrozza si fermò al cancello, ella trasalì, e si tirò indietro vivamente, quasi suo marito si fosse affacciato all'improvviso allo sportello. Esitò alquanto prima di scendere, colla mano sulla maniglia, pensando vagamente a quell'aspetto nuovo, sotto cui le si affacciava alla mente suo marito; poi mise il piede a terra e si calò il velo sul viso: un velo fitto, nero, tempestato di puntini, attraverso al quale gli occhi acquistavano alcunché di febbrile, e i lineamenti una rigidità di fantasma. La carrozza si allontanò di passo, senza far rumore, da carrozza discreta e ben educata.

Il giardino sembrava destato anch'esso prima dell'ora, e tutto sorpreso d'incominciar la sua giornata così presto. Degli uomini in manica di camicia lo lavavano, lo pettinavano, gli facevano la sua toeletta mattutina. Le poche persone che si incontravano avevano l'aspetto di trovarsi là a quell'ora per la prima volta, e per ordine del medico anche loro; osavano interrogare il velo della passeggiatrice mattiniera, e indovinare il profumo del fazzoletto nascosto nel manicotto che ella si premeva sul petto con forza. Un vecchio che si trascinava lentamente, cercando il sole di marzo, si fermò a guardarla, com'ella fu passata, appoggiandosi al bastone malfermo, e tentennò il capo tristamente.

La signora Rinaldi si arrestò dinanzi alla sponda del laghetto, saettando a dritta e a sinistra un'occhiata guardinga, cercando qualche cosa o qualcuno. Il mormorìo fresco dell'acqua, e lo stormire lieve lieve degli ippocastani la isolavano completamente; allora sollevò alquanto il velo, e cavò dal guanto un bigliettino meno grande di una carta da giuoco. Per due o tre minuti l'acqua seguitò a scorrere, e le foglie a stormire per conto loro. La donna aveva gli occhi assorti, avidi, umidi di sogni.

Tutt'a un tratto un passo frettoloso le fece rizzare il capo, e il sangue le avvampò sulle guance, come se gli occhi ardenti del nuovo arrivato le avessero sfiorato il viso con un bacio. Polidori stava per portare la mano al cappello, quando ella gli arrestò il gesto con uno sguardo impercettibile, e gli passò vicino senza fissarlo.

Camminava a capo chino, ascoltando lo stridere della sabbia soto i suoi stivalini, senza guardare dinanzi a sé. Di tanto in tanto si metteva il fazzoletto alla bocca; per riprender fiato, quasi il suo cuore divorasse avidamente tutta l'aria che la circondava. L'onda lenta del ruscello l'accompagnava chetamente, borbottando sottovoce, addormentando le ultime sue paure; l'ombra dei cedri e il silenzio del viale deserto la penetravano vagamente, con sottile voluttà.

Quando si fermò dinanzi alla gabbia del leopardo il petto le scoppiava e i ginocchi le tremavano forte, ché accanto a lei si era fermato anche Polidori, guardando attentamente il superbo animale, con la curiosità che avrebbe mostrato un contadino sbandato per quelle parti, e le disse piano: – Grazie!

Ella non rispose, si fece rossa rossa, e strinse con forza i ferri della stia a cui appoggiava la fronte. Cotesta sensazione le faceva bene sulla epidermide della mano senza guanto. Chi avrebbe potuto immaginare che quella semplice parola, scambiata di furto, in fondo a quel deserto, dovesse vibrare tanto deliziosamente! No! davvero! C'era da perderci la testa! Ella si sentiva avvampare fin sulla nuca, che ei, ritto dietro le sue spalle, poteva vedere arrossire; un'onda di parole sconnesse e tumultose le montavano alla testa, la ubbriacavano; parlava del ballo dove si era divertita assai; di suo marito il quale era partito all'alba, quand'ella non aveva ancora chiuso gli occhi. – Però non sono stanca! quest'aria fresca fa bene, tanto bene! ci si sente rinascere, non è vero?

– Sì! è vero! rispose Polidori guardandola fiso negli occhi; ma ella non osava levarli di terra.

– Quando sarò in Brianza voglio levarmi col sole tutti i giorni. In città facciamo una vita impossibile. Ma però voi altri signori dovete preferirla.

Parlava in fretta, e con voce un po' troppo alta e squillante, sorridendo spesso, a caso; gli era grata inconsciamente che ei non osasse interromperla, non osasse mischiare la sua voce a quella di lei. Finalmente Polidori le disse: – Ma perché non avete voluto ricevermi a casa vostra?

Ella gli piantò gli occhi in viso per la prima volta dacché erano lì, sorpresa, dolorosamente sorpresa. – Finora in tutto quello che avevano fatto, in tutto quello che avevano detto, il male non c'era stato che vagamente, in nube, nella loro intenzione, con squisita delicatezza che i suoi sensi finissimi assaporavano deliziosamente, come il leopardo sdraiato ai loro piedi si godeva il raggio caldo del sole ammiccando la larga pupilla dorata, con quel medesimo inconscio e voluttuoso stiramento di membra. Richiamata così bruscamente alla realtà, stringeva le mani e le labbra con un'espressione dolorosa; gli occhi le si velarono quasi, seguendo nello spazio l'incantesimo che si era rotto, e gli fissò in volto quegli occhi stralunati. Tutta l'esperienza che possedeva Polidori non seppe fargli leggere quello che vi si scorgeva. – Ah! disse poi con voce mutata, sarebbe stato più prudente!...

– Siete crudele! mormorò Polidori.

– No! rispose ella sollevando il capo, un po' rossa, ma con accento fermo. Non sono come tutte le altre signore, non sono prudente!... quando mi romperò il collo, vorrò godermi l'orrore del precipizio sotto di me! Tanto peggio per voi se non capite.

Allora ei le afferrò la mano per forza, divorando tutta la sua bellezza palpitante con uno sguardo assetato, e balbettò:

– Volete?... volete?...

Ella non rispose, e fece uno sforzo per ritirare la mano.

Polidori implorava la sua grazia con parole concitate, deliranti. Le ripeteva una domanda, una preghiera, sempre la stessa, con diverse inflessioni di voce che andavano a ricercare la donna nelle più intime fibre di tutto il suo essere; ella ne sentiva la vampa, le sembrava di esserne avviluppata e divorata, soverchiata da un languore mortale e delizioso; e cercava di svincolarsi, pallida, smarrita, colle labbra convulse, spiando il viale di qua e di là con occhi pazzi di terrore, contorcendosi sotto quella stretta possente, facendo forza con tutte e due le mani febbrili per strapparsi da quell'altra mano che sentiva ardere sotto il guanto.

Infine, vinta, fuori di sé, balbettò:

– Sì! sì! sì! e fuggì dinanzi a qualcuno di cui si udiva avvicinarsi il calpestìo.

Uscendo dal giardino era così sconvolta che stette per

buttarsi sotto i cavalli di una carrozza. Aveva avuto un appuntamento! Quello era stato un appuntamento! E ripeteva macchinalmente, balbettando: – È questo! è questo! Si sentiva tutta piena ed ebbra di cotesta parola, e le sue labbra smorte agitavansi senza mandare alcun suono, vagamente assaporando la colpa.

Andò barcollando sino alla prima carrozza che incontrò; e si fece condurre dalla sua Erminia, quasi in cerca di aiuto. La sua amica, vedendosela comparire dinanzi con quel viso, le corse incontro fin sull'uscio del salotto. – Che hai?

– Nulla! nulla!

– Come sei bella! Cos'hai?

Ella, invece di rispondere, le saltò al collo e le fece due baci pazzi.

La signora Erminia era abituata alle sfuriate d'amicizia della sua Maria. Si misero a guardare insieme le fotografie che avevano viste cento volte, e i fiori che erano da un mese sul terrazzino.

In quel momento, per combinazione, passava Polidori nel *phaeton* del suo amico Guidetti, col sigaro in bocca, e salutò la signora Erminia allo stesso modo come avrebbe potuto salutare Maria, se l'avesse scorta rincantucciata fra gli arbusti, premendosi le mani sul petto che voleva scoppiarle. Era una cosa da nulla; ma uno di quei nonnulla che penetrano in tutto l'essere di una donna come la punta di un ago. Allora, tornando a casa, la signora Rinaldi scrisse a Polidori una lunga lettera, calma e dignitosa, onde pregarlo di rinunciare a quell'appuntamento, di cui le aveva strappata la promessa in un momento di aberrazione, un momento che rammentava ancora con confusione e rossore, per sua punizione. C'era tanta sincerità nella contraddizione dei suoi sentimenti, che quell'istante d'abbandono, dopo un'ora sembrava infinitamente lontano, e se qualche cosa di vivo vibrava tuttora fra le linee della lettera, era solo il rimpianto di sogni che si dileguavano così bruscamente. Ella faceva appello all'onore e alla delicatezza di lui per farle dimenticare il suo errore, e lasciarle la stima di sé stessa.

Polidori si aspettava quasi quella lettera: la signora Rinaldi era troppo inesperta per non pentirsi dieci volte, prima di aver motivo di pentirsi davvero; ei fece una cosa che gli provò come quella donnina inesperta avesse ridestato in lui un sentimento schietto e forte con tutta la freschezza delle prime impressioni: le rimandò la lettera accompagnata da questa breve risposta:

« Vi amo con tutto il rispetto e la tenerezza che deve inspirare la vostra innocenza. Vi rimando la lettera che mi avete diretta, perché non sarei degno di conservarla, e non oserei distruggerla. Ma l'imprudenza che avete commesso scrivendo una tal lettera è la prova migliore della stima in cui deve avervi ogni uomo di cuore ».

– Mio marito! esclamava Maria con una strana intonazione di voce. Ma mio marito è felicissimo! La rendita sale e scende per fargli piacere, i bachi sono andati bene, le commissioni piovono da ogni parte. C'è un cinquanta per cento di utili netti!

Erminia la stava a guardare a bocca aperta.

– Senti, bambina, tu hai la febbre. Mesciamoci del the.

Due giorni dopo, per guarire della febbre, che le aveva trovato la sua Erminia, le disse:

– Andrò in Brianza con Rinaldi. L'aria, l'ossigeno, la quiete, il canto degli usignoli, la famiglia... Che peccato non ci abbia dei bambini da cullare!

Là, sotto gli alberi folti, di faccia ai larghi orizzonti, sentiva una strana irritazione contro quella pace che la invadeva lentamente, suo malgrado, dal di fuori. Andava spesso sulle balze pittoresche verso il tramonto, a sciuparvi gli stivalini, e a montarsi la testa di proposito con dei sentimenti presi a prestito nei romanzi. Polidori aveva avuto il buon gusto di eclissarsi con garbo, restando a Milano, senza far nulla di teatrale e di convenzionale, come uno che sa mettere della cortesia anche a farsi dimenticare. – Né ella avrebbe saputo dire se pensasse ancora a lui; ma provava delle aspirazioni indefinite, che nella solitudine le tenevano compagnia, l'avviluppavano mollemente e tenacemente in quell'inerzia pericolosa, e parlavano per lei nel silenzio solenne che la circondava, e l'uggiva. Ella sfogavasi a scrivere delle lunghe lettere alla sua amica, vantandole le delizie ignorate della campagna, la squilla dell'avemaria fra le valli, il sorger del sole sui monti; facendole il conto delle ova che raccoglieva la castalda, e del vino che si sarebbe imbottigliato quell'anno.

– Parlami un po' più dei tuoi libri e delle tue corse a cavallo, rispondeva la Erminia. Di' a tuo marito che non ti lasci andare al pollaio, o che ci venga anche lui.

E un bel giorno, dopo un certo silenzio, si mise in viaggio, un po' inquieta, e andò a trovare la sua Maria.

– T'ho fatto paura? le disse costei. M'hai creduto un'anima desolata in via di annientarsi?

– No. T'ho creduto una che si annoia. Qui è una vera Tebaide: non c'è che da darsi a Dio o al diavolo. Vieni con me, a Villa d'Este. Voi mi permettete che ve la rubi, non è vero, Rinaldi?

– Ma io desidero che ella si diverta e sia allegra.

A Villa d'Este c'era davvero da stare allegri: musica, balli, regate, corse sui vaporini, escursioni nei dintorni, un mondo di gente, bellissime toelette, e Polidori, il quale era l'anima di tutti i divertimenti.

La signora Rinaldi non sapeva che ci fosse anche lui; e Polidori, se avesse potuto prevedere la sua venuta, le avrebbe reso il servigio di non farsi trovare a Villa d'Este. Ma oramai aveva accettato certo incarico nell'organizzare le regate, e non poteva muoversi senza dar nell'occhio prima che le regate avessero avuto luogo. Egli fece capire tutto ciò alla signora Rinaldi, brevemente e delicatamente, la prima volta che si incontrarono nel salone, facendole in certo modo delle scuse velate, e scivolando sul passato con disinvoltura. Maria, superato quel primo istante di turbamento, si era sentita rinfrancare non solo, ma, per una strana reazione, il contegno riservato di lui le metteva in corpo degli accessi matti d'ironia. Egli diceva che sarebbe partito subito dopo le regate, perché aveva promesso di trovarsi con alcuni amici in Piemonte, per una gran caccia, e veramente gli rincresceva lasciare tante belle signore a Villa d'Este.

– Davvero? domandò la signora Rinaldi con un certo risolino. Chi le piace dippiù?

– Ma... tutte, rispose tranquillamente Polidori, la sua amica Erminia per esempio.

Proprio! Ella non ci aveva mai pensato: la sua amica Erminia doveva far girare la testa ai signori uomini a preferenza di ogni altra, col suo visino piccante, e il suo spirito da diavolessa; così noncurante degli omaggi a cui era avvezza naturalmente – e marchesa per sopramercato – di quelle marchese che portano la loro corona sì fieramente, che ogni mortale sarebbe lietissimo di farsi accoppare per coglierne un fiore.

Colla sua Erminia erano sempre insieme, sul lago, sul monte, nel salone, sotto gli alberi. Adesso ella la osservava come se la vedesse per la prima volta; la studiava, la imitava e qualche volta anche le invidiava dei nonnulla. Senza volerlo, aveva scoperto che la sua Erminia, con tutte le sue arie da regina, era un tantino civetta, di quella civetteria che non impegna a nulla, ma contro la quale nondimeno tutti gli uomini vanno a rompersi il naso. Era un affar serio! Non si poteva fare un passo senza trovarsi fra i piedi Polidori, il bel Polidori, corteggiato come un re da tutte quelle signore, il quale senza aver l'aria di avvedersene comprometteva orribilmente l'Erminia – il peggio era che non se ne avvedeva neppur lei, e che tutti non accettavano ad occhi chiusi le risate che ella ne faceva. La signora Rinaldi pensava che se non fosse stato un tasto tanto delicato, ella l'avrebbe fatto suonare all'orecchio della sua amica, e le avrebbe fatto osservare che suono falso rendeva.

Perciò si sforzava di non farle scorgere nemmeno la pena che tutto quell'armeggìo le arrecava, pel bene che voleva ad Erminia, ben inteso – di Polidori poco le importava – era un uomo e faceva il suo mestiere, oramai!... eppoi era di quelli che sanno consolarsi. Ma Erminia aveva tutto da perdere a quel giuoco, con un marito come il suo, che le voleva bene, ed era proprio un marito ideale. Che talismano possedeva dunque quel Polidori per ecclissare un uomo come il marchese Gandolfi nel cuore di una donna bella, intelligente e corteggiata come l'Erminia? Certe cose non si sanno spiegare.

Per nulla al mondo avrebbe voluto che anima viva si fosse accorta di quel che succedeva, e avrebbe voluto chiudere gli occhi a tutti gli altri come li chiudeva lei; ma francamente, c'era da perdere la pazienza.

– Mia cara, io non mi raccapezzo più, le diceva Erminia ridendo, tranquilla, come se non si trattasse di lei. – Cos'hai? Alle volte mi sembra che io debba averti fatto qualcosa di grosso a mia insaputa!

Oibò! quella povera Erminia come s'ingannava!... non le aveva fatto altro che la pena di vederla impaniarsi spensieratamente in quel pasticcio; anzi di lasciarvisi impaniare, perché quel Polidori sembrava impastarlo e rimpastarlo a suo grado con un'abilità diabolica. Doveva averne fatte molte di grosse quell'uomo, per aver acquistato quella maestria; era proprio un pessimo soggetto!

– Cara Maria! le disse Erminia un bel giorno, e con un bel bacione. Mi sembra che quel Polidori ti trotti un po' più del dovere per la testa. Guardati! è un individuo pericoloso, per una bambina come te!

– Io? – rispose ella stupefatta. – Io?... e non sapeva trovare altre parole sotto quegli occhioni acuti di Erminia.

– Tanto meglio! tanto meglio! M'hai fatto una gran paura! tanto meglio!

– Per una bambina, pensava Maria, non mi usa molti riguardi, la mia Erminia! Certe cose cavano gli occhi!

La signora Rinaldi era spietata per i corteggiatori eleganti, per gli innamorati ad ora fissa, nella passeggiata del parco o nelle serate di musica, pei conquistatori in guanti di Svezia. Una volta che Polidori si permise di fare qualche osservazione rispettosa in propria difesa, ella gli lanciò in faccia uno scoppio di risa squillanti.

– Oh! oh!

Egli parve impallidire, colui, alfine! Siccome le altre signore gli ronzavano sempre attorno come api a Polidori – la colpa era di quelle signore che lo guastavano – ella soggiunse:

– Non vi fate scorgere, ne sarei desolata.

– Per chi?

– Per voi, per me... e per gli altri – per tutto il mondo.

Questa volta ei non si lasciò sconcertare dal sarcasmo, e rispose con calma:

– Non mi preme che di voi.

Ella avrebbe voluto colpirlo in viso con un altro getto di quella ilarità spietata e mordente, ma il riso le morì sulle labbra, dinanzi all'espressione che quelle due parole davano a tutta la fisonomia di lui.

– Potete insultarmi, rispose egli, ma non avete il diritto di dubitare del sentimento che avete messo nel mio cuore.

Maria chinò il capo, vinta.

– Non ho rispettato ciecamente la vostra volontà, quale sia stata? Vi ho chiesto una spiegazione? Non ho prevenuto il vostro desiderio? e non son riescito a far le viste di aver dimenticato quello che nessun uomo al mondo potrebbe dimenticare... da voi?... E se ho sofferto, per questo, c'è alcuno al mondo che mi abbia visto soffrire?

Egli parlava con voce calma, con l'atteggiamento tranquillo che davano a quelle parole pacate un'eloquenza irresistibile.

– Voi!... balbettò Maria.

– Io! ribatté Polidori, che vi amo ancora, e che non ve lo avrei detto giammai.

Ella che si era fermata per strappare le foglie degli arbusti, fece due o tre passi per allontanarsi da lui, povera bambina! Polidori non ne fece uno solo per seguirla.

La signora Rinaldi era divenuta a un tratto malinconica e fantastica. Stava delle lunghe ore col libro aperto alla medesima pagina, colle dita vaganti sulla tastiera del pianoforte, col ricamo abbandonato sui ginocchi, a contemplare l'acqua, i monti e le stelle. Lo specchio del lago riverberava tutte le sfumature dei suoi pensieri più indefiniti, e provava una squisita voluttà a sentirseli ripercuotere dentro di sé, intenta, assorta. Perciò sfuggiva le allegre brigate e preferiva errare in barchetta sul lago, sola, quando i monti vi stendevano larghe ombre verdi, o quando i remi luccicavano fra le tenebre, come spade d'acciaio, o quando il tramonto vi spirava tristamente con vaghe striscie amaranto; frapponeva la tenda fra sé e i barcaiuoli, e coricata sui cuscini godeva a sentirsi cullata sull'abisso, ad immergervisi quasi, tuffando la mano nell'acqua, sentendosene guadagnare tutta la persona con un brivido misterioso; le piaceva sprofondare il suo sguardo nel buio interminato, al di là delle stelle, e fantasticare su quel che doveva rischiarare qualche lumicino lontano che tremolava fra il buio, nella china dei monti. Cercava i viali erbosi, i misteriosi silenzi del boschetto, o lo spettacolo del lago in quelle ore in cui il sole vi splendeva come su di uno specchio, o tutte le finestre dell'albergo stavano ancora chiuse, e la rugiada luccicava sull'erba del prato, e le ombre erano folte sotto gli alberi giganteschi, e lo scricchiolare della sabbia sotto i suoi passi le sussurrava all'orecchio misteriose fantasticherie; spesso andava a leggere o a passeggiare sulla sponda del laghetto, nei viali remoti dei *Campi Elisi*, quando la luna si posava dolcemente sul lago e le accarezzava le mani bianche, o quando le finestre del salone stampavano nel buio del viale larghi quadrati di luce fredda, e la musica del salone faceva vagare arcane fantasie sotto le grandi ombre silenziose ed addormentate. Al di là di quelle ombre misteriose, dietro quei vetri scintillanti, il movimento della festa ammorzato, velato, acquistava una fusione di colori, di linee e di suoni, che lo rendeva affascinante, qualcosa fra il baccanale e la danza degli spiriti alati; allora respirando la vertigine, rimaneva lì, colla fronte sui vetri, con un formicolìo leggero alla radice dei capelli.

Una sera, tutt'a un tratto, la si vide comparire in mezzo al ballo come una visione affascinante, più pallida e più bella che mai, e con qualcosa che nessuno le aveva mai visto sulla bocca e negli occhi. La folla si apriva commossa dinanzi a lei; Erminia andò ad abbracciarla; uno sciame di eleganti giovinotti le fece ressa attorno per strapparle la promessa di un giro di valzer o di una contradanza; ella si fermò un istante con quel medesimo sorriso sulle labbra, e quegli occhi splendenti come le lucciole del viale, cercando intorno, e come scorse Polidori gli buttò il fazzoletto.

– Dio salvi la regina! esclamò Polidori piegando un ginocchio.

– Ti rubo il tuo ballerino, sai, disse Maria tutta festante alla sua Erminia. Ho una voglia matta di fare un bel giro di valzer anche io.

Polidori era uno di quei ballerini che le signore si disputano coi sorrisi e a colpi di ventaglio sulle dita – quando il sorriso ha fatto troppo effetto. Possedeva la forza e la grazia, lo slancio e la mollezza; nessuno sapeva rapirvi come lui verso le sfere spumanti d'ebbrezza color di rosa con un colpo di garetto, adagiandovi sul braccio destro come su di un cuscino di velluto. Dicevano che egli solo possedesse quell'intelligenza squisita dello Strauss, che vi fa perdere il fiato e la testa, e sapeva mettere nel braccio, nei muscoli, in tutta la persona, la foga, l'abbandono, l'estasi. – Non voglio che balliate più! – Non voglio che balliate con altre – gli disse Maria fermandosi anelante, colle guancie rosse, cogli occhi un po' velati – e fu tutto per quella sera.

Ah! come era trionfante, e come il cuore le ballava dentro il petto, mentre quel cavaliere invidiato l'accompagnava fra la folla ammiratrice! e mentre si ravvolgeva stretta nella sciarpetta nera in mezzo al viale, dove i rumori della festa si dileguavano, e le fantasticherie sorgevano, vaghe, senza forma, ma assetate ancora! Pareva di essere in preda a un sogno delizioso, quando al valzer successe un notturno di Mendelson, un notturno che le passava anch'esso fra i capelli e sulla fronte, e fra le spalle, come una mano di velluto fresca e odorosa. A un tratto una figura nera si frappose dinanzi alla luce delle finestre che cadeva sul viale; il suo sogno le sorgeva improvviso dinanzi come un'ombra. Ella si alzò di soprassalto, sbigottita, in tumulto, balbettando qualche parola sconnessa che voleva dir no! no! no! e andò a ricovrarsi nel salone, rifugiandosi in mezzo al rumore e alla luce – la luce che le faceva socchiudere gli occhi abbarbagliati, e il rumore che la stordiva gradevolmente, la lasciava intontita e sorridente, un po' rigida e pensosa. Erminia l'accarezzava quasi fosse un ninnolo leggiadro; quelle signore dicevano ad una voce che era proprio carina, così accerchiata dai più eleganti cacciatori di avventure, colle spalle al muro, come una cerbiatta addossata alla roccia: si sarebbe detto che le tremolasse negli occhi la lagrima della sconfitta.

Polidori fu degli ultimi ad assalirla, da cacciatore che la sorte aveva destinato pel colpo di grazia; e sembrava mosso a pietà della vittima, giacché parlandole con un viso serissimo della pioggia e del bel tempo, si limitava a farle il suo briciolo di corte, domandandole con grande interesse di cose indifferentissime: se avesse fatto la sua gita in barca, se il giorno dopo sarebbe andata alla sua solita passeggiata mattutina verso i *Campi Elisi*. – Ella lo guardò negli occhi senza mai rispondere. Ei non insistette altro.

Erminia si era messa al piano, e tutti stavano intenti ad ascoltarla; Maria non aveva occhi che per lei, anche quando li fissava vagamente nelle fantasie dell'ignoto, perché era lei che le evocava quelle fantasie e l'affascinava con esse: la sala intera splendida e calda fremeva di armonia. Erano di quei fatali momenti in cui il cuore si dilata con violenza dentro il petto e soverchia la ragione.

Maria rabbrividiva dalla testa ai piedi, accasciata nella poltrona, colla fronte nella mano, e Polidori le sussurrava sul capo parole ardenti che le facevano fremere come cosa animata i ricci dei capelli sulla nuca bianca. La poveretta non vedeva più nulla, né la sala splendente, né la folla commossa, né gli occhi lucenti e penetranti di Erminia, e si abbandonò a quel che credeva il suo destino, senza forza, coll'occhio vitreo, come una morente.

– Sì! sì! mormorò con un soffio.

Polidori si allontanò pian piano, per lasciarla rimettere, e andò a fumare la sua sigaretta nella sala del bigliardo.

La brezza del lago fece vacillare tutta notte le fiammelle dei candelabri posti sul caminetto di lei, che si guardava nello specchio per delle ore intere, senza vedersi, con occhi fissi, arsi dalla febbre.

Il signor Polidori passeggiava da un pezzo pel viale deserto in un'ora mattutina che gli ricordava un convegno di caccia; non si accorgeva del paesaggio incantevole per altra cosa che per sprofondarvi delle lunghe occhiate impazienti. Di tratto in tratto si fermava in ascolto, e rizzava il capo proprio come un levriere. Finalmente si udì un passo leggiero e timido di selvaggina elegante. Maria giungeva, e appena scorse Polidori, sebbene sapesse di trovarlo là, si arrestò all'improvviso, sgomenta, immobile come una statua. Il suo fine profilo arabo sembrava tagliare il velo fitto. Polidori, a capo scoperto, si inchinò profondamente, senza osare di toccarle la mano, né di rivolgerle una sola parola.

Ella, anelante, turbata, sentiva per istinto quanto fosse imbarazzante il silenzio: – Sono stanca! mormorò con voce rotta. – L'emozione la soffocava.

Così dicendo seguitò ad inoltrarsi pel viale che saliva serpeggiando per la china del monte, ed ei le andava accanto, senza parlare, soggiogati entrambi da una forte commozione. Così giunsero ad una specie di monumento funerario. Maria si fermò ad un tratto appoggiando le spalle alla roccia e col viso fra le mani. Infine scoppiò in lagrime. Allora ei le prese le mani, e vi appoggiò lievemente le labbra, come uno schiavo. Allorché sentì finalmente che il tremito di quelle povere manine andava calmandosi, le disse piano, ma con un'intonazione ineffabile di tenerezza:

– Dunque vi faccio paura?

– Voi non mi disprezzate ora? disse Maria. – Non è vero?

Egli giunse le mani, in un'espressione ardente di passione ed esclamò:

– Io? Disprezzarvi io?

Maria sollevò il viso disfatto e lo fissò con occhi sbarrati, e colle lagrime ancora sul viso mormorava confusamente parole insensate: – È la prima volta!... ve lo giuro! Ve lo giuro, signore!...

– Oh! esclamò Polidori con impeto. – Perché mi dite questo? a me che vi amo? che vi amo tanto!

Quelle parole vibravano come cosa viva dentro di lei; un istante ella se le premé forte colle mani dentro il petto, chiudendo gli occhi; ma immediatamente le avvamparono in viso, come avessero compìto in un lampo tutta la circolazione del suo sangue, e le avessero arso tutte le vene. – No! no! ripeteva; ho fatto male, ho fatto assai male! sono stata una stordita. Credetemi, signore! Non sono colpevole; sono stata una stordita; sono davvero una bimba, lo dicono tutti, lo dicono anche le mie amiche. – La poverina cercava di sorridere, guardando di qua e di là stralunata. – Ho bisogno che non mi disprezziate!

– Maria! esclamò Polidori.

Ella trasalì, e si tirò indietro bruscamente, spaventata dall'udire il suo nome. Polidori chino dinanzi a lei, umile, tenero, innamorato, le diceva:

– Come siete bella! e come è bella la vita che ha di questi momenti!

Maria si passava le mani sugli occhi e pei capelli, confusa, smarrita, e s'accasciava su di sé stessa, e ripeteva quasi macchinalmente: – Se sapeste che affare grosso è stato l'attraversare il viale, quel viale che ho fatto tutti i giorni. Non avrei mai creduto che potesse essere così! Davvero! non credevo! – E sorrideva per farsi coraggio, senza osare di guardar lui, abbandonata contro il sasso che le faceva da spalliera, tirandosi i guanti sulle braccia, ancora leggermente convulse, e seguitava a chiacchierare a modo del fanciullo che canta di notte per le strade onde farsi coraggio. – Sono stata disgraziata! sì, confesso che sono un cervellino strano! Ho delle pazze tendenze per quel mondo che forse non è altro se non un sogno, un sogno di gente inferma, sia pure! alle volte mi pare di soffocare fra tanta ragione in cui viviamo; sento il bisogno d'aria, di andarla a respirare in alto, dove è più pura ed azzurra. Non è mia colpa se non mi persuado di esser matta, se non mi rassegno alla vita com'è, se non capisco gli interessi che preoccupano gli altri. No! non ci ho colpa. Ho fatto il possibile. Sono in ritardo di parecchi secoli. Avrei dovuto venire al mondo al tempo dei cavalieri erranti. – Il suo leggiadro sorriso aveva una melanconica dolcezza e s'abbandonava senz'accorgersene all'incanto che contribuiva a crearsi ella stessa. – Beato voi che potete vivere a modo vostro!

– Io vorrei vivere ai vostri piedi.

– Tutta la vita? domandò ella ridendo.

– Tutta la vita.

– Badate che vi stanchereste, gli rispose gaiamente. Voi dovrete stancarvi spesso! ripeté Maria con uno sguardo che cercava di rendere ardito e sicuro.

Polidori la trovava deliziosa nel suo imbarazzo – soltanto quell'imbarazzo si prolungava troppo.

Prima di venire a quell'appuntamento, nell'istante supremo di passar l'uscio, Maria aveva provato tutte le pungenti emozioni che danno la curiosità dell'ignoto, l'attrattiva del male, il fascino dello sgomento che le serpeggiava nelle vene con brividi arcani e irresistibili; con una confusione tale di sentimenti e di idee, di impulsi e di terrore, che l'avevano spinta a precipitarsi nell'ignoto suo malgrado, in una specie di sonnambulismo, senza sapere precisamente cosa andasse a fare. Se Polidori le avesse steso le braccia al primo vederla, probabilmente ella si sarebbe spaccata la testa contro la rupe alla quale adesso appoggiavasi mollemente, con abbandono. Ora, incoraggiata dal vedersi ai piedi quell'uomo contrastato e invidiato, sentiva una deliziosa sensazione al contatto di quel muschio vellutato che le accarezzava le spalle; come le parole che egli le diceva tenere e ferventi le accarezzavano dolcemente l'orecchio e se ne sentiva invadere mollemente, come da un delizioso languore. Egli era così gentile, così rispettoso e così buono! non osava toccarle la punta delle dita, e si contentava di sfiorarla dolcemente col soffio ardente di quella passione che lo teneva prostrato dinanzi a lei quasi dinanzi a un idolo. Tutto ciò era senza ombra di male, e carino, carino. A poco a poco Polidori le aveva preso la mano, ed ella senza accorgersene gliela aveva abbandonata. Anche lui era sinceramente e fortemente commosso in quel momento, e cercava gli occhi di lei con occhi assetati ed ebbri. Ella senza vederli ne sentiva la fiamma, non osava levare i suoi, e il riso le moriva sulle labbra; non aveva la forza di ritirare le mani ad ogni nuovo tentativo che faceva, quasi il suono di quelle parole le addormentasse vagamente in un sonno dolcissimo l'anima e la coscienza, la facesse entrare in un'estasi angosciosa; Polidori non poteva saziarsi di ammirarla in quell'atteggiamento, abbandonata su di sé stessa, colle braccia inerti, la fronte china e il petto anelante, e infine esclamò con uno slancio di passione, stendendo le braccia convulse:

– Come siete bella, Maria, e come vi amo!

Ella si rizzò di botto, seria e rigida, quasi sentisse dirselo per la prima volta.

– Voi lo sapete che vi amo tanto! da tanto tempo! ripeteva lui.

Ella non rispondeva; curvando all'indietro tutta la persona, e a testa bassa, in atteggiamento sospettoso, colle sopracciglia aggrottate, agitando macchinalmente le mani, come se cercasse farsene schermo contro qualche cosa, colle labbra pallide e serrate. Ad un tratto, levando gli occhi sul viso sconvolto di lui, incontrando quegli occhi, mise un strido soffocato, e si arretrò sino all'ingresso di quella specie di monumento sepolcrale, bianca di terrore, difendendosi colle braccia stese da quella passione che l'atterriva ora che vedeva cosa fosse, guardandola in faccia per la prima volta, balbettando:

– Signore!... signore!...

Egli ripeteva fuori di sé, supplichevole, in un'implorazione affascinante di delirio e d'amore:

– Maria! Maria!...

– No! ripeteva costei smarrita, no!...

Polidori si arrestò di botto, e si passò due o tre volte la mano sulla fronte e sugli occhi con un gesto disperato. Indi le disse con voce rauca:

– Voi non mi avete mai amato, Maria!

– No! no! lasciatemi andare! ripeteva ella, quando Polidori s'era già allontanato. Signore!... signore!...

Polidori subiva suo malgrado la forte commozione di quell'istante, ed era tutto tremante anch'esso come quella povera ingenua.

– Sentite, abbiamo fatto male! ripeteva ella con voce convulsa. Abbiamo avuto torto... ve lo giuro, ve lo giuro... Abbiamo fatto male... – e si sentiva venir meno.

In quel punto, all'improvviso, si udì rumore fra le piante e lo scalpiccìo di chi sopraveniva si arrestò poco lontano, come esitante.

– Maria! chiamò una voce talmente alterata che nessuno di loro due la riconobbe: Maria!

Polidori, ridivenuto l'uomo di prima da un momento all'altro, prese vivamente Maria per un braccio e la spinse pel viale da dove era venuta la voce, e in un lampo scomparve fra gli andirivieni del sepolcreto. Maria arrivando nel viale, si trovò faccia a faccia con Erminia, pallida anch'essa, che cercava a fatica di dissimulare il suo turbamento, e voleva spiegarle qualche cosa, dandosi un'aria indifferente. Maria le piantò in viso certi occhi che avevano una strana espressione.

– Che vuoi? le chiese soltanto, con voce sorda dopo alcuni istanti di un silenzio che sembrò eterno.

– Oh! Maria!... rispose Erminia, buttandole le braccia al collo.

E fu tutto. Ritornarono indietro l'una al fianco dell'altra, senza aprire bocca e a capo chino. Come furono in vista dell'albergo, sentirono tutte e due a un tempo di dover assumere un contegno. – Lucia mi aveva detto ch'eri scesa in giardino, disse Erminia, e ciò mi ha fatto venire il desiderio di fare una passeggiata mattutina anch'io, col pretesto di venire in traccia di te.

– Grazie! rispose Maria semplicemente.

– Però comincia ad esser troppo tardi per passeggiare. Il sole è già caldo.

Maria infatti aveva preso un colpo di sole che l'aveva abbacinata e stordita. Era rimasta come scossa e turbata in tutto il suo essere. Alle volte macchinalmente si stringeva le mani, come per riconoscersi, o per cercarvi qualche cosa, un'impronta del passato, e chiudeva gli occhi. Quando incontrava degli sguardi curiosi, e tutti le sembravano curiosi, oppure quelli della sua amica, avvampava in viso. Stava rincantucciata nel suo appartamento il più che poteva, e quindi molti credevano che fosse partita. La sola vista di Erminia le faceva corrugare la fronte, e dava un non so che di fosco a tutta la sua fisonomia. Però era abbastanza donna di mondo per sapere dissimulare sino a un certo punto i suoi sentimenti, quali essi fossero. Erminia, che non ne era illusa, provava un vero rammarico.

– Io son sempre la tua Erminia, sai! le diceva ogni

volta che poteva, scuotendole amorevolmente le mani. Io son sempre la tua Erminia, quella di prima! quella di sempre!

Maria sorrideva a fior di labbra, gentile e distratta.

– Hai torto, vedi! ripeteva Erminia... Ti inganni!... t'inganni, se credi che io non ti voglia più il bene di prima!

Ella aveva infatti delle sollecitudini materne per la sua Maria, delle sollecitudini che sovente indispettivano costei, come se prendessero l'aspetto di una sorveglianza amorevole e discreta. Un giorno Erminia la sorprese mentre stava incominciando una lettera; e le domandò semplicemente se suo marito le avesse scritto; la domanda veniva così male a proposito, che Maria fu quasi per arrossire, come se fosse stata nel punto di dover rispondere una bugia.

– No! mio marito non mi guasta tanto. È troppo occupato.

– Sì, è troppo occupato! affermò Erminia senza rilevare l'ironia della risposta, è seriamente occupato. Affoga negli affari, poveretto!

– Che dici mai? se sono la sua passione, l'unica sua passione!

– Lo credi? domandò Erminia, fissandole in faccia quei suoi occhioni acuti.

– Ma sì! rispose Maria con un risolino che le contraeva gli angoli della bocca, e aggiunse ancora, come correttivo: – Non ho alcun motivo di esser gelosa però. Mio marito non giuoca, non va al caffè, non è cacciatore, non ama i cavalli, non legge che il listino della Borsa – nulla, ti dico!

– È vero; non ama che te!

Maria inchinò il capo con un sorrisetto contraffatto; ma non aggiunse verbo per un pezzo, e poi, amaramente:

– Avete ragione, sono anche un'ingrata!

– No, non sei ingrata; sei una donnina viziata, una testolina guasta, che vede falso in molte cose e che non ci vede in certe altre. Il solo torto di tuo marito è di non averti aperto gli occhi sul gran bene che ti vuole.

– Fortunatamente che ha incaricato te di dirmelo.

– Sì, io che ti voglio bene, anch'io! bene davvero!... Vuoi che partiamo domattina?

– Oooh!

– Ti rincresce?

– No, mi sorprende soltanto la risoluzione improvvisa, così come si fa nelle commedie, per le ragazze che hanno abbozzato un romanzetto...

– Scusami; ti ho proposto di venire con me... Ma se vuoi restare...

– No, voglio venire anch'io. Solamente bisogna trovare un pretesto plausibile, per non far pensare al romanzo a tutti i curiosi che ci vedranno ordinare così in furia le nostre valigie.

– Il motivo è bello e trovato, tanto più che è il motivo vero. Io vado ad incontrare mia suocera che arriva domani da Firenze, e tu naturalmente vieni con me, per non rimaner sola a Villa d'Este.

– Benissimo! E giacché dobbiamo partire, più presto sarà, meglio sarà. Desidero andare col primo treno.

Partirono infatti di buon mattino. A lei scoppiava il cuore passando dinanzi a quelle finestre chiuse, sulle quali l'ombra dei grandi alberi dormiva tuttora, uscendo da quel viale deserto, ove si era aggirata fantasticando tante volte. Il lago, nella pace di quell'ora, aveva un incantesimo singolare, e ogni menomo particolare del paesaggio si animava, sembrava che fosse vissuto con lei, le si stampava nell'intimo del cuore profondamente. Appena fu nel vagone aprì il libro che aveva portato apposta, e vi nascose il viso e gli occhi pieni di lagrime. Erminia seppe non avvedersi di nulla, ed ebbe l'accortezza di lasciarle assaporare voluttuosamente il dolore del distacco.

Alla stazione trovarono la carrozza di Erminia, la quale volle accompagnare l'amica sino a casa. – Rinaldi non è a Milano – le disse rispondendo al movimento di sorpresa che aveva fatto Maria non trovando nessuno ad aspettarla. È andato a Roma.

– Senza scrivermelo! senza lasciarmi una parola! mormorò Maria. ·

– Sì, ha scritto. La lettera deve averla mio marito.

Ma subito s'interruppe, perché cominciava a spaventarsi dell'agitazione che si andava manifestando sul viso di Maria. – Infine, le disse, tosto o tardi devi pur saperlo. Rinaldi è corso a Roma per regolare degli affari... Sai... quando si è lontani non vanno sempre come dovrebbero andare. Tuo marito era inquieto. Colla sua gita accomoderà tutto.

– Cos'è stato? balbettava Maria, turbata maggiormente da quell'annunzio perché la sorprendeva in quel momento. Cos'è avvenuto?

– Non ti spaventare; tuo marito sta bene. È accaduto che uno dei suoi debitori è fallito. Questione di denaro.

– Ah! disse Maria respirando; e un'ombra d'ironia le tornò sul viso.

Suo marito sembrava che facesse apposta onde giustificare il sorrisetto amaro di lei. Era così preoccupato del suo affare che non aveva più testa per nessun'altra cosa al mondo. Passarono parecchi giorni senza che ei si facesse vivo altrimenti. Alla fine arrivò un telegramma che mise in grande costernazione il socio di lui, il quale partì subito per Roma.

– Oh! esclamò allora Maria con quell'intonazione pungente che le era divenuta abituale da otto giorni. Ma dev'essere proprio un affar serio! Del resto per mio marito sarà sempre un affar serio. Vuol dire che il mio posto, in questa circostanza, sarebbe vicino a lui. Non me lo dice; ma si capisce che non me ne ha scritto nulla per delicatezza. E giacché il socio è andato a raggiungerlo, dovrei partire anch'io.

Malgrado la leggerezza che ostentava, fu sorpresa, e rimase inquieta osservando che Erminia approvava il suo progetto. Per un istante un'idea nera le si affacciò alla mente e le scolorò il viso; ma subito dopo tornò a ridere nervosamente come prima.

– Se mio marito non mi avesse ben avvezzata a lasciarlo fare un po' a suo modo, ci sarebbe davvero di che spaventarsi.

– Spaventarsi di che? di fare un viaggio sino a Roma? nella bella stagione, e nel paese più bello?...

– Hai ragione; sarà quasi come andare in villeggiatura. Tanto, Roma o la Brianza è lo stesso. E tu non torni a Villa d'Este?

– No.

– Oh!...

– Accompagno mia suocera a Firenze.

– Che peccato!... parlo di Villa d'Este, perché ci dev'essere una brillante compagnia in questo momento. Sei proprio una brava figliuola, dovrebbe dirti tua suocera.

La sera stessa partì per Roma; ma era in uno stato febbrile che non sapeva spiegarsi, e la sua inquietudine aumentava avvicinandosi al termine del suo viaggio che le parve eterno. Trovò suo marito tanto mutato in così breve tempo, che al primo vederlo ne fu quasi speventata. Rinaldi le strinse le mani con effusione; ma sembrò più che sorpreso del suo arrivo improvviso. Egli era così sconvolto che non faceva altro che ripeterle: – Perché sei venuta? Perché venire?...

– Non avevo mai visto mio marito così! diceva Maria ad Erminia alcuni mesi dopo, la prima volta che la rivedeva dopo che era tornata a Milano. Non credevo che la fisonomia di quell'uomo potesse destare tale impressione, né che egli sapesse dire di quelle parole, né che la sua voce avesse di quei suoni che vi sconvolgono l'anima da cima a fondo. Non l'avevo mai visto così!

Anch'essa era molto mutata, la povera Maria! aveva una ruga impercettibile fra le sopracciglia, che solcava finamente il candore purissimo della sua fronte, e alle volte stendeva come un'ombra su tutta la sua fisonomia.

– Sì: sono stati giorni terribili, mi par di sentirmeli ancora dentro il petto, come un gruppo nero, come una fitta dolorosa che mi è quasi cara, tanto è profonda e radicata. Ormai hanno stampato in me un'orma così indelebile che non potrei scancellarla senza farmi male. Che momento, quando sorpresi mio marito colla pistola in pugno! che momento! E come ebbi la forza di avviticchiarmi a lui per impedirgli di morire – giacché egli voleva morire, me lo ha detto dopo. Non aveva il coraggio di dirmi che non poteva più comperarmi né cavalli, né palco alla Scala, né gioielli, nulla! e piangeva, come piangono certi uomini che non hanno pianto mai, con quelle lagrime che vi scavano un solco dentro all'anima. Quante cose mi son passate in un lampo per la testa in quel momento in cui sentivo contro il mio quel cuore che batteva ancora per me, e per me sola! e contro il quale nascondeva il viso che ardeva!... Tu sei stata assai gentile a venirmi a trovare ora che sono salita a un quarto piano. Tu sei stata molto gentile!

– Ma tu non lo sei gran fatto, cara Maria, facendomi di questi ringraziamenti. Vuol dire che non avevi una bella opinione di me!

– No! ma che vuoi? quando si son viste tutte le cose che ho viste!... e poi la disgrazia ha questo di peggio, che ci rende ingiusti... Figurati che quando era corsa la voce che io fossi vedova!... mi ha fatto un certo senso il vedere che a nessuno fosse venuto in mente che ero rimasta senza appoggio, laggiù a Roma... nessuno di quelli che dicevano di avere per me tanta amicizia! Ma non mi lagno, sai! Avevo torto verso di te poi, ti voglio sempre bene!

Esitò alquanto e infine le buttò le braccia al collo con impeto.

– Perdonami! perdonami! Sono stata ingiusta contro di te, contro di tutti! Ho avuto torto tante volte!

Erminia le ricambiava la stretta, assai commossa anche lei, ma senza risponder verbo.

– Ero folle! mormorò dopo un'altra esitazione, col viso contro il petto di Erminia. Ora non ci penso più.

– Ed io non ci ho mai pensato, disse alfine Erminia ridendo al suo solito, ma con grande sincerità di viso e di accento.

Maria rizzò il capo vivamente e le piantò in faccia due occhioni fiammeggianti: – Mai pensato? mai?

– Mai.

– Ma allora... allora non l'ho amato nemmen io! No! davvero? Mai!

Nella stalla

Le mucche, lungo le rastrelliere, si voltavano indietro a fiutare quel tramestìo che si era fatto attorno alla lettiera della *Bigia*. La pioggia batteva contro le impannate; e le bestie scuotevano le catene sonnolente: di quando in quando, nell'ombra che non arrivavan mai a dissipare le lanterne polverose si udiva il tonfo di quelle che si accovacciavano, ad una ad una nello strame alto, dei muggiti brevi e sommessi, un ruminare svogliato, il fruscìo della paglia. Di tanto in tanto le mucche inquiete levavano il capo, tutte in una volta.

La *Bigia* aveva ai piedi un vitellino, ancora tutto molle e lucente nella lettiera, e lo leccava e lo lisciava muggendo sotto voce. – Di fuori si udiva un rombo che cresceva, dappertutto. Poco dopo accadde un gran trambusto nelle stanze superiori: dei passi precipitosi, e dei mobili che strisciavano sul pavimento. Uno spalancare di usci e di finestre e delle voci che chiamavano nel cortile.

Quindi si udirono delle schioppettate e delle strida di donne che piangevano. Il gallo, in cima alla scala, saettava il capo, spaventato, chiocciando. Di fuori il cane uggiolava.

Ad un tratto le bestie cominciarono a muggire tutte in una volta, fiutando verso l'uscio, cogli occhi spaventati, e tiravano forte le catene, come cercassero di strapparle.

Per tutta la corsìa oscura corse un volo pesante e schiamazzante di galline. Immediatamente si udì il rombo vicino che scuoteva i muri, e sembrava montare verso le finestre. La *Bigia* allora levava il muso fumante verso le impannate, e metteva un muggito lungo e doloroso. Poi tornava a fiutare il vitellino, raccoccolato colle zampe sotto il ventre.

Il cane non uggiolava più. Della gente correva pel cortile, delle voci affannate, delle grida. L'uscio si spalancò all'improvviso, ed entrò un'ondata d'acqua sporca. Allora nella stalla successe un trambusto, un rovinìo, tutta una fila di mucche avea strappata l'asse, alla quale erano legate, e scappava all'impazzata trascinandosela dietro, inciampando le une colle altre, mentre le galline fuggivano schiamazzando fra le loro gambe.

Nella corte, su di un palo, ardeva un fascio di legna secca, e illuminava tutto intorno l'acqua nera, che luccicava dove cadevano le scintille. – Le bestie irruppero dalla stalla come una valanga, rompendo, scavalcando ogni cosa, sguazzando nella pozzanghera, la *Bigia* in mezzo. Poi tornò indietro, levando il muso, con lunghi muggiti, verso le finestre della cascina. Andava e veniva per la corte colla coda ritta, infine si decise a rientrare nella stalla. Il vitellino era là coll'acqua al collo, la madre tentava di spingerlo dolcemente verso l'uscio, scalpicciando in mezzo all'acqua. Ad ogni momento levava il capo verso il soffitto come per chiamare aiuto. Giunse un'altra ondata che gorgogliò al posto dove era il vitello, poi si agitò disperatamente e ribollì; la lanterna era sempre accesa nella stalla nera che sembrava barcollante. Infine l'onda si allargò quieta ed immobile dappertutto. Allora la *Bigia* scappò muggendo al vento, colla coda ritta, l'occhio pazzo di terrore; e si perse nell'oscurità profonda.

Passato!

Qui quando la città è più festosa e la folla più allegra penso alla campagna lontana, laggiù, fra i miei monti dietro il mare azzurro.

Penso ai sentieri verdeggianti, alle siepi odorose, alle lodole che brillano nel sole, alla canzone solitaria che sale dai campi, monotona e triste come un ricordo d'altre patrie.

Penso a quell'ora dolce del tramonto quando l'ultimo raggio indora le nevi della montagna e il fumo svolgesi dai casolari, e le campane degli armenti risuonano nella valle, e la campagna si nasconde lentamente nella notte.

Penso a quell'ora calda di luglio quando il sole innonda la pianura riarsa, e il cielo fosco di caldura sembra pesare sulla terra e il grillo sulle stoppie canta la canzone dell'ora silenziosa. Penso alle notti profonde, alle lucciole innamorate, al coro dei vendemmiatori, al rumore lontano dei carri che sfilano nella pianura odorosa di fieno, ai cespugli immobili e neri come spettri nel raggio misterioso della luna.

Penso alle lunghe notti d'inverno, spazzate dal vento e dagli acquazzoni; agli alberi che gemono nel temporale, e vi cantano fantastiche storie cui sorridono gli occhi dei vostri cari, raccolti intorno alla lampada domestica.

Penso alla mia fanciullezza, che sembra sia tutta trascorsa in quella nota campagna; penso a quei colli, a quei valloni, a quei sentieri, a quella fontana, davanti alla quale è passata tanta gente e da sì lontano, a quel cespuglio su cui moriva il sole d'autunno quel giorno in cui ci passaste anche voi con me per l'ultima volta. Quell'ultimo raggio di sole mi strinse il cuore come un addio, e mi fece provare, senza saper perché, quella vaga angoscia dei giorni spensierati dell'infanzia, che ci fa presentire le amarezze della vita, come un senso di vaga e dolorosa dolcezza.

Penso a quel sasso in cui ho segnato il primo amore dei miei tredici anni, quando non conoscevo ancora altri dolori se non che quelli creatimi dalla mia fantasia.

Ora che il dolore so cosa sia, il dolore vero, quello che vi immerge le unghie nella carne viva e vi ricerca le fibre del cuore, quello che mi divorava le lagrime, le sensazioni e le idee, quando la morte entrò nella mia casa... penso ancora a quei luoghi, a quelle scene serene che mi tornavano dinanzi agli occhi feroci come un'ironia nell'ora terribile di quell'angoscia; penso al muricciuolo di quella fontana al quale ci eravamo appoggiati con quei miei cari che non son più, a quell'erba, che si è piegata sotto i loro passi, a quelle pietre sulle quali si erano seduti.

Ora l'erba è morta anch'essa, ed è risorta tante volte. Il sole l'ha bruciata, e la pioggia l'ha fatta rinascere.

Quando le nuove gemme hanno verdeggiato sulla siepe lì accanto nei bei giorni di aprile essi non sapevano più nulla di voi, miei cari!

Io che son rimasto, penso a quell'erba che non è più la stessa, a quelle pietre che dureran ancora, mentre voi siete passati su di loro – e per sempre; penso che dell'altra erba spunta e muore fra le pietre della vostra fossa; e quando penso che lo strazio feroce di questo dolore non è più così vivo dentro di me, che ogni strappo dell'anima lentamente va rimarginandosi, mi viene uno sconforto amaro, un senso desolato del nulla d'ogni cosa umana, se non dura nemmeno il dolore, e vorrei sdraiarmi su quell'erba, sotto quei sassi, anch'io nel sonno, nel gran sonno.

Mondo piccino

Gesualdo, sin da fanciulletto, non si rammentava altro: suo padre, compare Cosimo, che tirava la fune della chiatta, al Simeto, con Nanni Lasca, Ventura, e l'Orbo; e lui a stendere la mano per riscuotere il pedaggio. Passavano lettighe, passavano vetturali, passava gente a piedi e a cavallo d'ogni paese, e se ne andavano pel mondo, di qua e di là del fiume.

Prima compare Cosimo faceva il lettighiere, di suo mestiere. Una volta, la vigilia di Natale – giorno segnalato – tornando da un viaggio, trovò a Primosole che sua moglie stava per partorire: – Comare Menica stavolta vi fa una bella bambina – gli dicevano tutti all'osteria. E lui contento come una Pasqua s'affrettava ad attaccare i muli alla lettiga per arrivare a casa prima di sera. Il baio, birbante, da un po' lo guardava di malocchio per certe perticate a torto, che se l'era legate al dito. Come lo vide spensierato, mentre si chinava ad affibbiargli il sottopancia, affilò le orecchie a tradimento – jjj! – e gli assestò un calcio che l'azzoppò per sempre.

Sua moglie, poveretta, appena lo seppe, voleva saltare giù dal letto, e correre a Primosole, se non era il dottore don Battista che l'acchiappò per la camicia: – Come le bestie, voialtri villani! Non sapete cosa vuol dire una febbre puerperale!

– Signor don Battista, come posso lasciare quel poveretto in mano altrui, ora che è in quello stato fuorivia?

– Date retta al medico, diceva comare Stefana. – Vostro marito andrete a trovarlo poi. Credete che vi scappa?

Poscia il baliatico, la malannata, il bisogno dei figliuoli, e il tempo era passato. Compare Cosimo per buscarsi il pane s'era messo con quelli della chiatta, a Primosole, insieme a Gesualdo, e prometteva sempre d'andar al paese per veder la moglie e la bambina, un giorno o l'altro. – Verrò a Pasqua. Verrò a Natale. – Con ogni conoscente che passava mandava sempre a dire la stessa cosa; tanto che comare Menica non ci credeva più, e Gesualdo, ogni volta, guardava il babbo negli occhi, per vedere se diceva davvero.

Ma succedeva che a Pasqua e a Natale si aveva una gran folla da tragittare, sicché quando spirava scirocco e levante, e il fiume era grosso, c'erano più di cinquanta vetture che aspettavano all'osteria di Primosole. Lo zio Cosimo bestemmiava contro il maltempo che gli levava il pan di bocca, e la sua gente si riposava: Nanni Lasca bocconi, dormendo sulle braccia in croce, Ventura all'osteria, e l'Orbo cantava tutto il giorno, ritto sull'uscio della capanna, a veder piovere, guardando il cielo cogli occhi bianchi.

Comare Menica avrebbe voluto andar lei a Primosole, almeno per sentire come stava suo marito, e fargli vedere la bambina, che suo padre non la conosceva neppure, quasi non l'avesse fatta lui. – Andrò appena avrò presi i denari del filato, diceva anch'essa. – Andrò dopo la raccolta delle olive, se m'avanza qualche soldo. – Così passava il tempo anche per lei. Intanto fece una malattia mortale di quelle che don Battista se ne lavava le mani come Pilato. – Vostra moglie è malata malatissima – sentiva dire compare Cosimo dallo zio Cheli, da compare Lanzise, e da tutti quelli che arrivavano dal paese. Stavolta egli voleva correre davvero, a piedi, come poteva. – Prestatemi due lire pel viaggio, compare Ventura. – Compare Ventura rispondeva: – Aspettate prima se vi portano qualche buona notizia, benedett'uomo che siete! Alle volte, intanto che voi siete per via, vostra moglie gli succede di guarire e voi ci perdete il viaggio inutilmente. L'Orbo invece gli suggeriva di far dire una messa alla Madonna di Primosole ch'è miracolosa per le febbri d'aria e gli accidenti. Infine giunse la notizia che a comare Menica gli avevano portato il Viatico. – Vedete se avevo ragione di dirvi di aspettare? osservò Ventura. – Cosa andavate a fare se non c'era aiuto?

Il peggio era pegli orfani, che la mamma è come la chioccia pei suoi pulcini. Gesualdo stava con suo padre a buscarsi il pane alla chiatta di Primosole. Ma Titta, suo fratello, e Lucia, l'ultima nata, erano rimasti alle spalle degli zii lontani, che gli davano il pane duro e la mala parola. E meglio fu per compare Cosimo che il Signore gli chiuse gli occhi prima che vedesse quel che n'era del sangue suo. A Primosole l'Orbo gli diceva che coll'aiuto di Dio poteva viverci e morire al pari di lui, che vi mangiava pane da quarant'anni, e ne aveva vista passare tanta della gente. Passavano conoscenti, passavano viandanti che non s'erano visti mai, e nessuno sapeva d'onde venissero, a piedi, a cavallo, d'ogni nazione, e se ne andavano pel mondo, di qua e di là del fiume. – Come l'acqua del fiume stesso che se ne andava al mare, ma lì pareva sempre la medesima, fra le due ripe sgretolate; a destra le collinette nude di Valsavoia, a sinistra il tetto rosso di Primosole; e allorché pioveva, alle volte per settimane e settimane, non si vedeva altro che quel tetto triste nella nebbia. Poi tornava il bel tempo, e spuntava del verde qua e là, per le roccie di Valsavoia, sul ciglio delle viottole, nella pianura fin dove arrivava l'occhio. Infine giungeva l'estate e si mangiava ogni cosa, il verde dei seminati, i fiori dei campi, l'acqua del fiume, gli oleandri che intristavano sulle rive, coperti di polvere.

La domenica cambiava. Lo zio Antonio, che teneva l'osteria di Primosole faceva venire il prete per la messa; mandava la Filomena, sua figliuola, a scopare la chiesetta ed a raccattare i soldi che i devoti vi lasciavano cadere dal finestrino per le anime del Purgatorio. Accorrevano dai dintorni, a piedi, a cavallo, e l'osteria si riempiva di gente. Alle volte arrivava anche il Zanno, che guariva ogni male, o don Liborio, il merciaiuolo, con un grande ombrellone rosso, e schierava la sua mercanzia sugli scalini della chiesuola, forbici, temperini, nastri e refe di ogni colore. Gesualdo si affollava insieme agli altri ragazzi, per vedere, ma suo padre gli diceva: – No, figliuol mio, questa è roba per chi è ricco e ha denari da spendere.

Gli altri invece compravano: bottoni, tabacchiere, pettini d'osso che imitavano la tartaruga, e Filomena frugava dappertutto colle mani sudicie, senza che nessuno gli dicesse niente perché era figliuola dell'oste. Anzi don Liborio un giorno le regalò un bel fazzoletto giallo e rosso che passò di mano in mano. – Sfacciata! dicevano le comari – fa l'occhio a questo e a quello per avere dei regali!

Dopo Gesualdo li vide tutti e due dietro il pollaio che si tenevano abbracciati. Filomena, la quale stava all'erta per timore del babbo, si accorse subito di quegli occhietti che si ficcavano nella siepe, e gli saltò addosso con la ciabatta in mano. – Cosa vieni a fare qui, spione? Se racconti quel che hai visto, guai a te! – Ma don Liborio la calmava con belle maniere. – Lasciatelo stare quel ragazzo, comare Mena, ché gli fate pensare al male senza saperlo.

Però Gesualdo non poteva levarsi dagli occhi il viso rosso di Filomena e la manacce di don Liborio che brancicavano. Allorché lo mandavano pel vino all'osteria, si piantava dinanzi al banco della ragazza, che glielo mesceva con faccia tosta, e lo sgridava:

– Guardate qua, cristiani! Non gli spuntano ancora peli al mento, quel moccioso; e ha negli occhi la malizia!

Passò del tempo. Lo zio Antonio maritava Filomena con Lanzise, uomo dabbene, il quale non sapeva niente. Però ci aveva il fatto suo lì vicino, terre e buoi, e un pezzo di vigna in collina, dicevano. Il matrimonio fece chiasso, tanto che venne anche don Liborio a vender roba pel corredo. La sera mangiava all'osteria di Primosole. Non si sa come, a motivo di un conto sbagliato, attaccarono lite collo zio Antonio; e don Liborio gli disse – becco!

Compare Antonio era un omettino cieco da un occhio che

a vederlo non l'avreste pagato un soldo. Però si diceva che aveva più di un omicidio sulla coscienza, e a venti miglia in giro gli portavano rispetto. Al sentirsi dire quella mala parola sul mostaccio, senza dire né uno né due, andò a pigliare lo schioppo accanto al letto. Sua moglie allora, ch'era malata d'anni ed anni, si rizzò a sedere in camicia strillando: – Aiuto, che s'ammazzano! santi cristiani!

E Filomena per dividerli, buttava piatti e bicchieri addosso a don Liborio gridando: – Birbante! ladro! scomunicato!

– Che vi pare azione d'uomo cotesta, compare Antonio? – rispose don Liborio con quella faccia di minchione. – Io non ci ho altro addosso che questo po' di temperino.

– Avete ragione, disse lo zio Antonio, e andò a posare lo schioppo senza aggiunger altro.

Più tardi Gesualdo raccattava un po' di frasche sulla riva, quando vide venirsi incontro don Liborio, con quella faccia gialla di traditore, che si guardava attorno sospettoso, e gli disse: – Te' un baiocco, e va' a dire a compare Antonio che l'aspetto dietro la siepe, per quella faccenda che sa lui. Ma che nessuno ti senta, veh!

La sera trovarono compare Antonio lungo disteso dietro una macchia di fichi d'India, col suo cane accanto che gli leccava la ferita. – Come è stato, compare Antonio? Chi v'ha dato la coltellata? – Compare Antonio non volle dirlo. – Portatemi sul letto per ora. Se campo poi ci penso io, se muoio ci pensa Dio. – Questo fu don Liborio che me l'ammazzò! strillava la moglie. E Filomena badava a ripetere: – Birbante! ladro! scomunicato!

– Io lo so chi l'ha ammazzato – diceva Gesualdo agli altri ragazzi. – Ma non posso dirlo.

Venne il giudice cogli sbirri, a fare la generica; ma nessuno aveva visto nulla, e lo zio Antonio non rispondeva altro: – Se vivo ci penso io, se muoio ci pensa Dio. – Così se ne andò in paradiso dopo due giorni, senza dir nulla, e Filomena ci guadagnò che perdette il marito, per quella parolaccia di becco, che a Lanzise gli era giunta all'orecchio.

Anche don Liborio tornò a passare da quelle parti, fresco come una rosa, dopo ch'era scorso del tempo, e dell'acqua n'era passata sotto la chiatta. – Il mio mestiere è di andare pel mondo di qua e di là – diceva agli amici, che da un pezzo non lo vedevano. E sebbene Gesualdo si fosse fatto grande, e avesse già i peli al mento, lo riconobbe subito e gli disse: – Tu sei quello che andavi pel vino all'osteria, che ci siamo visti dell'altre volte. Ti rammenti? – Egli aveva ingrandito il suo negozio, e si tirava dietro un ragazzetto carico delle sue scarabattole, il quale andava vociando nei villaggi e lungo le fattorie: – Forbici! temperini! tela fina e fazzoletti alla moda! – Lo conoscete questo ragazzo? – disse anche don Liborio a compare Cosimo. – È Titta vostro figlio, che v'ho portato per baciarvi la mano. Vedete come si è fatto grande? Ora con me impara il mestiere, e si farà uomo. – Lo zio Cosimo si lasciò baciar la mano, che non gli pareva vero, e tutti della chiatta, anche Gesualdo, fecero festa a Titta, che era come il Figliuol Prodigo.

Poi, dopo ch'ebbero mangiato e bevuto, se n'andarono pei fatti loro, Titta vociando come al solito, nell'infilare le cinghie delle scarabattole. – Forbici! temperini! Tela fina e fazzoletti alla moda! – E prima d'accomiatarsi, don Liborio conchiuse parlando collo zio Cosimo: – Vedete? Ora dovreste cercare di collocare all'osteria anche l'altra figliuola vostra, Lucia, che non ha nessuno al mondo, e comincia a farsi grande e bella. Se no va a finir male.

Ma prima d'arrivare a collocare la ragazza all'osteria venne un'annata asciutta, che la gente moriva come le mosche, e compare Cosimo prese le febbri anche lui. Siccome era vecchio e pieno di guai, andava predicando: – Questa è l'ultima mia annata.

Non sentiva più i dolori della sciatica; non abbaiava più la notte, e stava quieto nel suo lettuccio, al buio. Soltanto appena udiva chiamar la barca, di qua e di là del fiume, rizzava il capo come poteva, per amor del guadagno, e gridava: – O gente!

Però non potevano lasciarlo morire come un cane, senza medico. Ventura, l'Orbo, e alle volte anche Nanni Lasca, ne parlavano fra di loro, accanto all'uscio, vedendo lo zio Cosimo lungo disteso come un morto, colla faccia color di terra, e si grattavano il capo. Infine risolvettero di chiamargli la Gagliana, una vecchietta che faceva miracoli a venti miglia in giro. – Vedrete che la Gagliana vi guarirà in un batter d'occhio – dicevano al moribondo: È meglio di un dottore, quel diavolo di donna! – Lo zio Cosimo non rispondeva né sì né no; e pensava alla sua Menica, che se n'era andata al modo istesso, e ai suoi figliuoli ch'erano sparsi pel mondo, come i pulcini della quaglia. Poi, nel forte della febbre, tornava a piagnuccolare:

– Chiamatemi pure la Gagliana. Non mi lasciate morire senza aiuto, signori miei!

La Gagliana la battezzò febbre pericolosa, di quelle che è meglio mandare pel prete addirittura. Giusto era domenica, e si udiva vociare all'osteria. Tutto ciò a Gesualdo, grande e grosso come un fanciullone di vent'anni, gli rimase fitto in mente: i curiosi che venivano a vedere sulla porta, la Gagliana la quale brontolando cercava nelle tasche il rimedio che ci voleva, e il moribondo che guardava tutti uno ad uno, cogli occhi attoniti. L'Orbo, a canzonare la Gagliana che non sapeva trovare il rimedio fatto apposta, le domandava:

– Cosa ci vuole per farmi tornare la vista, comare Gagliana?

Lo zio Cosimo morì la notte istessa. Peccato! Perché il lunedì si trovò a passare lo Zanno, il quale ci aveva il tocca e sana per ogni male nelle sue scarabattole. Lo menarono appunto a vedere il morto. Ei gli toccò il ventre, il polso, la lingua, e conchiuse:

– Se c'ero io lo zio Cosimo non moriva. Gesualdo quand'ebbe finito di piangere si trovò orfano e senza impiego. Quelli della chiatta volevano fargli la camorra perché era un fanciullone. Per fortuna c'era la Filomena che cominciava a farsi vecchia, e nessuno la voleva per quella storia di don Liborio. Ora che Gesualdo aveva messo i peli al mento, ella gli faceva gli occhi dolci come agli altri, e gli diceva ogni volta:

– Io, alla morte di mia madre, da qui a cent'anni, ci avrò la mia roba, grazie a Dio! E il marito che volessi prendere starebbe come un principe. – L'Orbo che faceva il mezzano, per un bicchiere di vino, confermava: – La roba l'ho vista io, con questi occhi! – Ma la mamma, se la va dello stesso passo, campa cent'anni davvero! – Osservava Gesualdo, che il suo giudizio, alla grossa, l'aveva anche lui. Infine si lasciò persuadere: – Per me, se voi siete contenta, io sono contento pure.

E come fu maritato, sebbene la suocera non morisse mai, stette davvero da principe, tanto che non parlò mai più di muoversi di là dov'era sempre stato, sin da ragazzetto. A destra i sassi delle collinette di Valsavoia, a sinistra il fiume giallo colla chiatta, e la capanna dei barcaiuoli sola nella nebbia triste della sera. Questo solo era mutato. Anche l'Orbo se n'era andato sotterra, nel pezzetto di trifoglio dietro la chiesa, dov'erano seppelliti compare Cosimo e lo zio Antonio, e dove sarebbe andata la suocera, da lì a cent'anni, quando il Signore la chiamava. Intanto nel trifoglio giuocavano i figliuoli che la Filomena gli aveva fatti, ed egli andava a mietere l'erba per le sue bestie. Un bel giorno, su di un carro, arrivò una ragazzetta con un fardello sotto il braccio, e si fermò all'osteria dicendogli: – Sapete, son vostra sorella Lucia. – Filomena le fece festa, e acconsentì anche a pigliarsela in casa pei servizi grossi. Ma due cognate stanno male insieme, specie quando una ha le mani lunghe, e un altro bel giorno Lucia se ne fuggì in compagnia di un altro ragazzetto che stava lì alla chiatta di Primosole, per scansare certe busse di Filomena che altrimenti non gliele avrebbe levate il Papa. E nemmeno se ne seppe più nulla. La gente diceva che la zia Filomena aveva messo la gonnella al marito, e infatti egli lasciava fare per amor della pace e dei figliuoli. Di altre chiacchiere colla moglie non ce ne furono se non che il giorno in cui don Liborio si trovò a passare da Primosole colle sue scarabattole, e Gesualdo voleva farlo entrare per non perdere la pratica.

– Tua moglie ha ragione, osservò don Liborio più prudente. Quel ch'è stato è stato, e cogli anni anche a lei è venuto il giudizio.

Poi mentre aspettava la chiatta per passare il fiume gli diede conto di suo fratello Titta, che l'aveva lasciato all'ospedale, per una rissa fatta alla fiera di Lentini, dove s'era buscata una coltellata, e di Lucia che faceva la mala vita.

– Sai, quando ci si casca una volta, è difficile tornare a galla, fra le donne oneste. È stata anche in prigione, perché dice che aveva fatto morire la sua creatura. Il birbante fu quello che l'abbandonò col bambino sulle spalle. Ma tutti nei suoi panni avrebbero fatto come lui.

Egli parlava ancora che la chiatta scompariva nella nebbia, e non si vedeva più. Gesualdo rimase sulla riva colla nebbia nel cuore anche lui; ma dopo, colla minestra calda, e il vino buono, la Filomena riescì a fargli scacciare la malinconia. È vero che il sangue non è acqua, ma il sangue di compare Cosimo, dacché era rimasto invalido a Primosole, era destinato a sperdersi di qua e di là pel mondo come la gente che passava sulla chiatta. Filomena, per confortare suo marito, ora che cogli anni era venuto il giudizio, gli diceva che i poveretti non si riuniscono altrove che al camposanto, dove sarebbero andati a dormire in pace l'uno dopo l'altro, prima la sua mamma, da lì a cent'anni, dopo loro, e dopo di loro i loro figli, che intanto vi andavano a trastullarsi come egli andava a mietervi l'erba per le sue bestie.

La Barberina di Marcantonio

Anni sono, quando Barbara, orfanella, sposò Marcantonio, mugnaio, parve che chiappasse un terno a secco. Pazienza i 40 anni dello sposo, ma la prima moglie di lui gli aveva lasciato il mulino, e un orticello, che si affacciava dentro le finestre, un mese ogni anno, col verde delle piante, e altro ben di Dio. Marcantonio aveva sposata l'orfanella per fare una buona azione, dopo la morte della buon'anima e scacciare la malinconia, che sembrava fissa in casa col rumore di quella ruota che girava sempre, notte e giorno, nel torrentello chiuso in mezzo a una forra scura, e non si udiva altro, in quella solitudine. Amici e parenti furono invitati alle nozze, si fece festa sul praticello davanti al mulino, e brindisi a tutto andare, alla sposa che era fina e bianca come la farina di prima qualità, e al mugnaio ch'era ancora in gamba – costò cinquanta svanziche quell'allegria – ché allora nel Veneto correvano ancora le svanziche e gli Austriaci.

Solo il Moccia che aveva il vino cattivo badava a predicare: – Andate là che ve ne pentirete!

In seguito venne la processione dei figliuoli, che non finivano più. Barberina allampanava a quel mestiere di far la chioccia, smunta e pallida, nella tristezza di quella buca senza verde e senza sole. Tuttavia non si smarriva d'animo, ed era il braccio destro del mulino, diceva suo marito. Correva la voce che dalla mamma avesse preso il malsottile. Il fatto era che i figliuoli, quanti ne faceva, gli morivano presto, quasi mancasse l'aria in quel fosso. Il medico predicava che era umido e malsano. – Cosa potevano farci? Quella era la loro casa e ogni loro bene. – Poi in maggio i rami rinverdivano, e su per l'erta, di faccia alle finestre, spuntavano dei fiorellini gialli e rossi. La Barbara ci portava i bimbi in collo, a godersi il bel sole.

Ma morivano egualmente. Ella sola non moriva, e continuava a far figliuoli, come un castigo di Dio, invecchiata e ischeletrita quasi fosse la morte che partoriva. Il dottore aveva un bel chiamarsi in disparte Marcantonio, e dirgli il fatto suo. L'altro rispondeva, mordendosi le mani: – Cosa posso farci? Questa è la volontà di Dio!

Finalmente quando Dio volle, la Barbara finì col dare alla luce un'ultima bambina, come non avesse avuto più sangue nelle vene, e lo avesse dato tutto alla figliuola. Pareva che si fosse addormentata; e quella notte erano soli nel mulino, mentre il vento e la pioggia volevano portarselo via.

La bimba crebbe fine e delicata, e la chiamarono Barberina come la madre.

– Tutta lei, buon'anima! – esclamava Marcantonio. A sedici anni era già una donnina, magra e pallida al pari della mamma, ma brava massaia come lei. Al babbo che andava innanzi negli anni, gli metteva la vecchiaia nella bambagia. Il Signore si vedeva che gliela aveva lasciata per supplire la buon'anima che era in paradiso, e con quel tesoro in casa Marcantonio non aveva bisogno di ammogliarsi la terza volta.

Però la Barberina della mamma aveva anche la vita corta. Al principio dell'inverno cominciò a tossire, e a sputar sangue di nascosto. Il medico, che li conosceva di madre in figlia, conchiuse: – Non ve l'avevo detto? Ha il male di sua madre. – E Marcantonio quel giorno pianse di nascosto anche lui.

Nondimeno, siccome la malattia procedeva lentamente, a poco a poco si abituarono entrambi, e non ci pensavano più. Quando le tornava la febbre, alla ragazza, o tossiva più del solito, cercavano se aveva preso freddo, se si era bagnata le mani, o altri motivi simili, e non chiamavano neppure il medico.

Nel finire della state, una sera che diluviava come in marzo, arrivò il Moccia, vecchio anche lui adesso, che passava di tanto in tanto dal mulino, quand'era da quelle parti. E raccontò che la campagna, al basso, era tutta allagata.

La Barberina, che non lasciava il letto da qualche tempo e non dormiva più, esclamò:

– Poveretti!

– Voi altri – finì il Moccia – se continua a piovere e a crescere la piena del fiume, fareste bene ad andarvene anche voi.

Marcantonio, col cuore serrato per la figlia che non si poteva muovere, rispose che il fiume era lontano, e non c'era pericolo.

Poi il Moccia se ne andò, ed egli lo accompagnò col lume.

– Sapete – gli disse il Moccia. – La Barberina mi par che stia proprio male stasera.

– O babbo – chiese la Barberina. – Cosa ha detto il Moccia?

– Dice che la piena è grande; ma non ci badare. Tutt'al più, se il torrente ingrossa anch'esso, smonterò la ruota.

Sul tardi la ruota si fermò da sé; e Barberina, che aveva il sonno leggero dei malati, chiamò il babbo. Marcantonio prese il lume e scese per la botola. Laggiù l'acqua nera gorgogliava, e luccicava dove batteva il lume. La Barberina, al vedere risalire il babbo pallido e turbato, tornò a chiedere:

– Che c'è, babbo?

– La piena – rispose stavolta Marcantonio.

– O poveretti noi! E tutto quel grano ch'è laggiù! E la casa? Ed io non posso aiutarvi!

Marcantonio pensava appunto a lei, che non poteva

muoversi. – Ora mi vesto, diceva la ragazza. Ora vengo ad aiutarvi.

Ma le forze le mancavano, per quanto si affannasse, con quelle povere braccia stecchite, e quegli omeri aguzzi che volevano bucare la camicia. Per fortuna tornò il Moccia, che non era potuto andare più avanti, a motivo della piena, ed altre anime pietose, le quali si erano ricordate di Marcantonio e della figliuola moribonda che affogavano nel mulino. All'udir picchiare alla finestra, il vecchio prese animo.

– O Vergine santa! Ch'è mai successo? – esclamava Barberina con quegli occhi spaventati dentro le occhiaie nere. L'avvolsero nelle coperte, e la fecero uscire dalla finestra, che Dio sa come ci arrivò la poveretta.

Al di fuori tutta la forra dove scorreva il torrentello era nera e spumosa. Dappertutto, dove passavano col carretto di Barberina, gente in fuga, e masserizie per aria. Pure, al veder lei, si fermavano a compassionarla. All'alba si vide il fiume che si allargava dappertutto, come un mare.

Le avevano fatto un po' di riparo, come meglio potevano, lì nell'argine affollato di gente e bestiame, con del fieno e delle coperte, e lei badava a ripetere:

– Oh Vergine Maria, cos'è successo?

– È successo – rispose il Moccia – che abbiamo addosso il castigo di Dio. Non avete inteso che verrà la cometa?

Ella, vedendo piovere su quei rifugiati, stretti sull'argine, andava dicendo, senza pensare a lei, che poco poteva starci:

– E quei poveretti? E se si sfascia l'argine? E il grano? E la casa? E il mulino? E come farete, babbo, senza di me?

– Una cosa da far compassione alle pietre – conchiuse il Moccia, a vederla andarsene così, in mezzo a quella rovina.

Tentazione!

Ecco come fu. – Vero com'è vero Iddio! Erano in tre: Ambrogio, Carlo e il Pigna, sellaio. Questi che li aveva tirati pei capelli a far baldoria: – Andiamo a Vaprio col tramvai. – E senza condursi dietro uno straccio di donna! Tanto è vero che volevano godersi la festa in santa pace.

Giocarono alle bocce, fecero una bella passeggiata sino al fiume, si regalarono il bicchierino e infine desinarono al *Merlo bianco*, sotto il pergolato. C'era lì una gran folla, e quel dell'organetto, e quel della chitarra, e ragazze che strillavano sull'altalena, e innamorati che cercavano l'ombrìa; una vera festa.

Tanto che il Pigna s'era messo a far l'asino con una della tavolata accanto, civettuola, con la mano nei capelli, e il gomito sulla tovaglia. E Ambrogio, che era un ragazzo quieto, lo tirava per la giacchetta, dicendogli all'orecchio: – Andiamo via, se no si attacca lite.

Dopo, al cellulare, quando ripensava al come era successo quel precipizio, gli pareva d'impazzire.

Per acchiappare il tramvai, verso sera, fecero un bel tratto di strada a piedi. Carlo, che era stato soldato, pretendeva conoscere le scorciatoje, e li aveva fatto prendere per una viottola che tagliava i prati a zig zag. Fu quella la rovina!

Potevano essere le sette, una bella sera d'autunno, coi campi ancora verdi che non ci era anima viva. Andavano cantando, allegri della scampagnata, tutti giovani e senza fastidi pel capo.

Se fossero loro mancati i soldi, oppure il lavoro, o avessero avuto altri guai, forse sarebbe stato meglio. E il Pigna andava dicendo che avevano spesi bene i loro quattrini quella domenica.

Come accade, parlavano di donne, e dell'innamorata, ciascuno la sua. E lo stesso Ambrogio, che sembrava una gatta morta, raccontava per filo e per segno quel che succedeva con la Filippina, quando si trovavano ogni sera dietro il muro della fabbrica.

– Sta a vedere – borbottava infine, ché gli dolevano le scarpe. – Sta a vedere che Carlino ci fa sbagliare strada!

L'altro, invece, no. Il tramvai era là di certo, dietro quella fila d'olmi scapitozzati, che non si vedeva ancora per la nebbiolina della sera.

« L'è sott'il pont, l'è sott'il pont a fà la legnaaa... » Ambrogio dietro faceva il basso, zoppicando.

Dopo un po' raggiunsero una contadina, con un paniere infilato al braccio, che andava per la stessa via. – Sorte! – esclamò il Pigna. – Ora ci facciamo insegnar la strada.

Altro! Era un bel tocco di ragazza, di quelle che fan venire la tentazione a incontrarle sole. – Sposa, è questa la strada per andare dove andiamo? – chiese il Pigna ridendo.

L'altra, ragazza onesta, chinò il capo, e affrettò il passo senza dargli retta.

– Che gamba, neh! – borbottò Carlino. – Se va di questo passo a trovar l'innamorato, felice lui!

La ragazza, vedendo che le si attaccavano alle gonnelle, si fermò su due piedi, col paniere in mano, e si mise a strillare:

– Lasciatemi andare per la mia strada, e badate ai fatti vostri.

– Eh! che non ce la vogliamo mangiare! – rispose il Pigna. – Che diavolo!

Ella riprese per la sua via, a testa bassa, da contadina cocciuta che era.

Carlo, a fine di rompere il ghiaccio, domandò:

– O dove va, bella ragazza... come si chiama lei?

– Mi chiamo come mi chiamo, e vado dove vado.

Ambrogio volle intromettersi lui: – Non abbia paura che non vogliamo farle male. Siamo buoni figliuoli, andiamo al tramvai pei fatti nostri.

Come egli aveva la faccia d'uomo dabbene, la giovane si lasciò persuadere, anche perché annottava, e andava a rischio di perdere la corsa. Ambrogio voleva sapere se quella era la strada giusta pel tramvai.

– M'hanno detto di sì – rispose lei. – Però io non son pratica di queste parti. – E narrò che veniva in città per cercare di allogarsi. Il Pigna, allegro di sua natura, fingeva di credere che cercasse di allogarsi a balia, e se non sapeva dove andare, un posto buono glielo trovava lui la stessa sera, caldo caldo. E come aveva le mani lunghe, ella gli appuntò una gomitata che gli sfondò mezzo le costole.

– Cristo! – borbottò. – Cristo, che pugno! – E gli altri sghignazzavano.

– Io non ho paura di voi né di nessuno! – rispose lei. – Né di me? – E neppure di me? – E di tutti e tre insieme? – E se vi pigliassimo per forza? – Allora si guardarono intorno per la campagna, dove non si vedeva anima viva.

– O il suo amoroso – disse il Pigna per mutar discorso – o il suo amoroso come va che l'ha lasciata partire?

– Io non ne ho – rispose lei.

– Davvero? Così bella!

– No, che non son bella.

– Andiamo, via! – E il Pigna si mise in galanteria, coi pollici nel giro del panciotto. – Perdio! se era bella! Con quegli occhi, e quella bocca, e con questo, e con quest'altro! – Lasciatemi passare – diceva ella ridendo sottonaso, con gli occhi bassi.

– Un bacio almeno, cos'è un bacio? Un bacio almeno poteva lasciarselo dare, per suggellare l'amicizia. Tanto, cominciava a farsi buio, e nessuno li vedeva. – Ella si schermiva, col gomito alto. – Corpo! che prospettiva! – Il Pigna se la mangiava con gli occhi, di sotto il braccio alzato. Allora ella gli si piantò in faccia, minacciandolo di sbattergli il paniere sul muso.

– Fate pure! picchiate sinché volete. Da voi mi farà piacere! – Lasciatemi andare, o chiamo gente! – Egli balbettava, con la faccia accesa: – Lasciatevelo dare, che nessun ci sente. – Gli altri due si scompisciavano dalle risa. Infine la ragazza, come le si stringevano addosso, si mise a picchiare sul sodo, metà seria metà ridendo, su questo e su quello, come cadeva. Poscia si diede a correre con le sottane alte.

– Ah! lo vuoi per forza! lo vuoi per forza! – gridava il Pigna ansante, correndole dietro.

E la raggiunse col fiato grosso, cacciandole una manaccia sulla bocca. Così si acciuffarono e andavano sbatacchiandosi qua e là. La ragazza furibonda mordeva, graffiava, sparava calci.

Carlo si trovò preso in mezzo per tentare di dividerli. Ambrogio l'aveva afferrata per le gambe onde non azzoppisse qualcheduno. Infine il Pigna, pallido, ansante, se la cacciò di sotto, con un ginocchio sul petto. E allora tutti e tre, al contatto di quelle carni calde, come fossero invasati a un tratto da una pazzia furiosa, ubbriachi di donna... Dio ce ne scampi e liberi!

Ella si rialzò come una bestia feroce, senza dire una parola, ricomponendo gli strappi del vestito e raccattando il paniere. Gli altri si guardavano fra di loro con un risolino strano. Com'ella si muoveva per andarsene, Carlo le si piantò in faccia col viso scuro: – Tu non dirai nulla! – No! non dirò nulla! – promise la ragazza con voce sorda. Il Pigna a quelle parole l'afferrò per la gonnella. Ella si mise a gridare.

– Ajuto!

– Taci!

– Ajuto, all'assassino!

– Sta' zitta, ti dico!

Carlino l'afferrò alla gola.

– Ah! vuoi rovinarci tutti, maledetta! – Ella non poteva più gridare, sotto quella stretta, ma li minacciava sempre con quegli occhi spalancati dove c'erano i carabinieri e la forca. Diventava livida, con la lingua tutta fuori, nera, enorme, una lingua che non poteva capire più nella sua bocca; e a quella vista persero la testa tutti e tre dalla paura. Carlo le stringeva la gola sempre più a misura che la donna rallentava le braccia, e si abbandonava, inerte, con la testa arrovesciata sui sassi, gli occhi che mostravano il bianco. Infine la lasciarono ad uno ad uno, lentamente, atterriti.

Ella rimaneva immobile stesa supina sul ciglione del sentiero, col viso in su e gli occhi spalancati e bianchi. Il Pigna abbrancò per l'omero Ambrogio che non si era mosso, torvo, senza dire una parola, e Carlino balbettò:

– Tutti e tre, veh! Siamo stati tutti e tre!... O sangue della Madonna!...

Era venuto buio. Quanto tempo era trascorso? Attraverso la viottola bianchiccia si vedeva sempre per terra quella cosa nera, immobile. Per fortuna non passava nessuno di là. Dietro la pezza di granoturco c'era un lungo filare di gelsi. Un cane s'era messo ad abbaiare in lontananza. E ai tre amici pareva di sognare quando si udì il fischio del tramvai, che andavano a raggiungere mezz'ora prima, come se fosse passato un secolo.

Il Pigna disse che bisognava scavare una buca profonda, per nascondere quel ch'era accaduto, e costrinsero Ambrogio per forza a strascinare la morta nel prato, com'erano stati tutti e tre a fare il marrone. Quel cadavere pareva di piombo. Poi nella fossa non c'entrava. Carlino gli recise il capo, col coltelluccio che per caso aveva il Pigna. Poi quand'ebbero calcata la terra pigiandola coi piedi, si sentirono più tranquilli e si avviarono per la stradicciuola. Ambrogio sospettoso teneva d'occhio il Pigna che aveva il coltello in tasca. Morivano dalla sete, ma fecero un lungo giro per evitare un'osteria di campagna che spuntava nell'alba; un gallo che cantava nella mattinata fresca li fece trasalire. Andavano guardinghi e senza dire una parola, ma non volevano lasciarsi, quasi fossero legati insieme.

I carabinieri li arrestarono alla spicciolata dopo alcuni giorni; Ambrogio in una casa di malaffare, dove stava da mattina a sera; Carlo vicino a Bergamo, che gli avevano messo gli occhi addosso al vagabondare che faceva, e il Pigna alla fabbrica, là in mezzo al via vai dei lavoranti e al brontolare della macchina; ma al vedere i carabinieri si fece pallido e gli s'imbrogliò subito la lingua. Alle Assise, nel gabbione, volevano mangiarsi con gli occhi l'un l'altro, ché si davano del Giuda. Ma quando ripensavano poi al cellulare com'era stato il guaio, gli pareva d'impazzire, una cosa dopo l'altra, e come si può arrivare ad avere il sangue nelle mani cominciando dallo scherzare.

La chiave d'oro

A Santa Margherita, nella casina del Canonico stavano recitando il Santo Rosario, dopo cena, quando all'improvviso si udì una schioppettata nella notte.

Il Canonico allibì, colla coroncina tuttora in mano, e le donne si fecero la croce, tendendo le orecchie, mentre i cani nel cortile abbaiavano furiosamente. Quasi subito rimbombò un'altra schioppettata di risposta nel vallone sotto la Rocca.

– Gesù e Maria, che sarà mai? – esclamò la fante sull'uscio della cucina.

– Zitti tutti! – esclamò il Canonico, pallido come il berretto da notte. – Lasciatemi sentire.

E si mise dietro l'imposta della finestra. I cani si erano chetati, e fuori si udiva il vento nel vallone. A un tratto riprese l'abbaiare più forte di prima, e in mezzo, a brevi intervalli, si udì bussare al portone con un sasso.

– Non aprite, non aprite a nessuno! – gridava il Canonico, correndo a prendere la carabina al capezzale del letto, sotto il crocifisso. Le mani gli tremavano. Poi, in mezzo al baccano, si udì gridare dietro il portone: – Aprite, signor Canonico; son io, Surfareddu! – E come finalmente il fattore del pianterreno escì a chetare i cani e a tirare le spranghe del portone, entrò il camparo, Surfareddu, scuro in viso e con lo schioppo ancora caldo in mano.

– Che c'è, Grippino? Cos'è successo? – chiese il Canonico spaventato.

– C'è, vossignoria, che mentre voi dormite e riposate, io arrischio la pelle per guardarvi la roba – rispose Surfareddu.

E raccontò cos'era successo, in piedi, sull'uscio, dondolandosi alla sua maniera. Non poteva pigliar sonno, dal gran caldo, e s'era messo un momento sull'uscio della capanna, di là, sul poggetto, quando aveva udito rumore nel vallone, dove era il frutteto, un rumore come le sue orecchie sole lo conoscevano, e la Bellina, una cagnaccia spelata e macilenta che gli stava alle calcagna. Bacchiavano nel frutteto arance e altre frutta; un fruscìo che non fa il vento; e poi ad intervalli silenzio, mentre empivano i sacchi. Allora aveva preso lo schioppo d'accanto all'uscio della capanna, quel vecchio schioppo a pietra con la canna lunga e i pezzi d'ottone che aveva in mano. Quando si dice il destino! Perché quella era l'ultima notte che doveva stare a Santa Margherita. S'era licenziato a Pasqua dal Canonico, d'amore e di accordo, e il 1° settembre doveva andare dal padrone nuovo, in quel di Vizzini. Giusto il giorno avanti s'era fatta la consegna di ogni cosa col Canonico. Ed era l'ultimo di agosto: una notte buia e senza stelle. Bellina andava avanti, col naso al vento, zitta, come l'aveva insegnata lui. Egli camminava adagio adagio, levando i piedi alti nel fieno perché non si udisse il fruscìo. E la cagna si voltava ad ogni dieci passi per vedere se la seguiva. Quando furono al vallone, disse piano a Bellina: – Dietro! – E si mise al riparo di un noce grosso. Poi diede la voce: – Ehi!...

– Una voce, Dio liberi! – diceva il Canonico – che faceva accapponar la pelle quando si udiva da Surfareddu, un uomo che nella sua professione di camparo aveva fatto più di un omicidio. – Allora – rispose Surfareddu – allora mi spararono addosso a bruciapelo – panf! – Per fortuna che risposi al lampo della fucilata. Erano in tre, e udii gridare. Andate a vedere nel frutteto, che il mio uomo dev'esserci rimasto.

– Ah! cos'hai fatto, scellerato! – esclamava il Canonico,

mentre le donne strillavano fra di loro. – Ora verranno il giudice e gli sbirri, e mi lasci nell'imbroglio!

– Questo è il ringraziamento che mi fate, vossignoria? – rispose brusco Surfareddu. – Se aspettavano a rubarvi sinché io me ne fossi andato dal vostro servizio, era meglio anche per me, che non ci avrei avuto quest'altro che dire con la giustizia.

– Ora vattene ai Grilli, e di' al fattore che ti mando io. Domani poi ci avrai il tuo bisogno. Ma che nessuno ti veda, per l'amor di Dio, ora ch'è tempo di fichidindia, e la gente è tutta per quelle balze. Chissà quanto mi costerà questa faccenda; che sarebbe stato meglio tu avessi chiuso gli occhi.

– Ah no, signor Canonico! Finché sto al vostro servizio, sfregi di questa fatta non ne soffre Surfareddu! Loro lo sapevano che fino al 31 agosto il custode del vostro podere ero io. Tanto peggio per loro! La mia polvere non la butto via, no!

E se ne andò con lo schioppo in spalla e la Bellina dietro, ch'era ancor buio. Nella casina di Santa Margherita non si chiuse più occhio quella notte pel timore dei ladri e il pensiero di quell'uomo steso a terra lì nel frutteto. A giorno chiaro, quando cominciarono a vedersi dei viandanti sulla viottola dirimpetto, nella Rocca, il Canonico, armato sino ai denti e con tutti i contadini dietro, si arrischiò ad andare a vedere quel ch'era stato. Le donne strillavano: – Non andate, vossignoria!

Ma appena fuori del cortile si trovarono fra i piedi Luigino, che era sgattajolato fra la gente.

– Portate via questo ragazzo – gridò lo zio canonico.
– No! voglio andare a vedere anche io! – strillava costui. E dopo, finché visse, gli rimase impresso in mente lo spettacolo che aveva avuto sotto gli occhi così piccolo.

Era nel frutteto, fatti pochi passi, sotto un vecchio ulivo malato, steso per terra, e col naso color fuliggine dei moribondi. S'era trascinato carponi su di un mucchio di sacchi vuoti ed era rimasto lì tutta la notte. I suoi compagni nel fuggire s'erano portati via i sacchi pieni. Lì presso c'era un tratto di terra smossa colle unghie e tutta nera di sangue.

– Ah! signor canonico – biascicò il moribondo. – Per quattro ulive m'hanno ammazzato!

Il Canonico diede l'assoluzione. Poscia, verso mezzogiorno, arrivò il Giudice con la forza, e voleva prendersela col Canonico, e legarlo come un mascalzone. Per fortuna che c'erano tutti i contadini e il fattore con la famiglia testimoni. Nondimeno il Giudice si sfogò contro quel servo di Dio che era una specie di barone antico per le prepotenze, e teneva al suo servizio degli uomini come Surfareddu per campari, e faceva ammazzar la gente per quattro ulive. Voleva consegnato l'assassino morto o vivo, e il Canonico giurava e spergiurava che non ne capiva nulla. Tanto che un altro po' il Giudice lo dichiarava complice e mandante, e lo faceva legare ugualmente dagli sbirri. Così gridavano e andavano e venivano sotto gli aranci del frutteto, mentre il medico e il cancelliere facevano il loro ufficio dinanzi al morto steso sui sacchi vuoti. Poi misero la tavola all'ombra del frutteto, pel caldo che faceva, e le donne indussero il signor Giudice a prendere un boccone perché cominciava a farsi tardi. La fantesca si sbracciò: maccheroni, intingoli d'ogni sorta, e le signore stesse si misero in quattro perché la tavola non sfigurasse in quell'occasione. Il signor Giudice se ne leccò le dita. Dopo, il cancelliere rimosse un po' la tovaglia da una punta, e stese in fretta dieci righe di verbale, con la firma dei testimoni e ogni cosa, mentre il Giudice pigliava il caffè fatto apposta con la macchina, e i contadini guardavano da lontano, mezzo nascosti fra gli aranci. Infine il Canonico andò a prendere con le sue mani una bottiglia di moscadello vecchio che avrebbe risuscitato un morto. Quell'altro intanto l'avevano sotterrato alla meglio sotto il vecchio ulivo malato. Nell'andarsene il Giudice gradì un fascio di fiori dalle signore, che fecero mettere nelle bisacce della mula del cancelliere due bei panieri di frutta scelte; e il Canonico li accompagnò sino al limite del podere.

Il giorno dopo venne un messo del Mandamento a dire che il signor Giudice avea persa nel frutteto la chiavetta dell'orologio, e che la cercassero bene che doveva esserci di certo.

– Datemi due giorni di tempo, che la troveremo – fece rispondere il Canonico. E scrisse subito ad un amico di Caltagirone perché gli comprasse una chiavetta d'orologio. Una bella chiave d'oro che gli costò due onze, e la mandò al signor Giudice dicendo:

– È questa la chiavetta che ha smarrito il signor Giudice?

– È questa, sissignore – rispose lui: e il processo andò liscio per la sua strada, tantoché sopravvenne il 60, e Surfareddu tornò a fare il camparo dopo l'indulto di Garibaldi, sin che si fece ammazzare a sassate in una rissa con dei campari per certa questione di pascolo. E il Canonico, quando tornava a parlare di tutti i casi di quella notte che gli aveva dato tanto da fare, diceva a proposito del Giudice d'allora:

– Fu un galantuomo! Perché invece di perdere la sola chiavetta, avrebbe potuto farmi cercare anche l'orologio e la catena.

Nel frutteto, sotto l'albero vecchio dove è sepolto il ladro delle ulive, vengono cavoli grossi come teste di bambini.

« Il Carnevale fallo con chi vuoi; Pasqua e Natale falli con i tuoi »

Così andava dicendo compar Menico, a ogni conoscente che incontrava, salutandolo « Viva Maria! » – Il paesetto rideva là al sole, col campanile aguzzo fra il grigio degli ulivi.

– Cosa ci portate a casa, per le feste? – gli chiese il vetturale che gli andava accanto sul basto dondoloni.

– Quel che dà la provvidenza, – rispose compare Menico ridendo fra di sé. La bisaccia per la salita non gli pesava, tanto aveva il cuore leggiero, e gli facevano allegria financo i passeri che si lisciavano le penne, gonfi dal freddo, sulle spine della siepe. La strada ora gli sembrava lunga, dopo tanto tempo.

– È vostra moglie che vi aspetta? – gli disse il vetturale. Compare Menico fece cenno di sì, ridendo sempre fra di sé.

La casa era in fondo al paese. Passò la piazza; passò la beccheria, dove c'era gente che comprava carne; e da per tutto, a ogni cantonata, gli altarini parati a festa, cogli aranci e le ostie colorate. Nelle case il suono delle cornamuse metteva allegria.

In fondo al vicoletto del Gallo si udiva un gridìo di ragazzi che giuocavano alle fossette, colle mani rosse. Compar Menico guardava la finestra, da lontano, per vedere se sua moglie l'aspettava. Ma la finestra era chiusa. C'erano comare Lucia a sciorinare il bucato, e comare Narcisa, che filava al ballatoio per fare la gugliata lunga. Lo sciancato andava zoppiconi a raccogliere le galline che fuggivano schiamazzando.

Compare Menico posò la bisaccia, che gli pesava, e sedette ad aspettare accanto all'uscio chiuso, senza accorgersi delle vicine che ridevano dei fatti suoi, nascoste dietro l'impannata. Aspetta e aspetta, infine lo zio Sandro mosso a compassione gli si accostò passo passo, col fare indifferente e le mani dietro la schiena.

Dopo un pezzetto che stavano seduti accanto colle gambe larghe, guardando di qua e di là, lo zio Sandro domandò:

– Che aspettate la zia Betta, compar Menico?

– Sissignore, vossignoria. Son venuto a fare il Natale.

E vedendo che avrebbe aspettato fino al giorno del giudizio, lo zio Sandro si decise a dirgli:

– O che non sapete nulla, dunque?

– Nossignore, zio Sandro. Che cosa devo sapere?

– Che vostra moglie se n'è andata con Vito Scanna, e si è portata via la chiave.

Compare Menico lo guardò stupefatto, grattandosi la testa. Quindi balbettò:

– E dove se n'è andata?

– Io non lo so, compare Menico. Credevo che lo sapeste.

– Nossignore, io non sapevo niente, – rispose il poveraccio ripigliando la bisaccia. – Non sapevo che mi aspettava a casa questo bel regalo, la festa di Natale.

Tutto il vicinato si scompisciava dalle risa, vedendo compare Menico che s'era fatta dare una scala per entrare dal tetto in casa sua, peggio di un ladro. Egli stette rintanato in casa, festa e vigilia, senza aver animo di mettere il naso fuori.

– Questa ch'è la maniera di fare, servo di Dio? – gli diceva comare Senzia la vedova. – La grazia di Dio che lasciate andare a male, tali giornate! e il crepacuore che covate per dar gusto ai vostri nemici!

Egli non sapeva che dire, in verità; ora il compassionarlo che faceva la zia Senzia lo inteneriva, in mezzo a tutto quel ben di Dio che c'era in casa.

– Che gli mancava, gnà Senzia, ditelo voi? che gli mancava a quella buona donna per farmi questo tradimento?

– Noialtre donne, compare Menico, ci meriteremmo il castigo di Dio, – rispondeva comare Senzia.

Quella era veramente una buona donna, che aveva cura del poveraccio, abbandonato al pari di un orfano, e gli teneva la chiave della casa allorché compare Merico se ne fu tornato in campagna come se le feste per lui non ci fossero mai state.

Lì, nel maggese, gli giungevano altre notizie della moglie: – L'abbiamo vista alla fiera di Mililli. – Vito Scanna se l'è portata a incartar limoni nei giardini di Francofonte. – Tutti gli facevano la predica: – La moglie giovane non va lasciata sola, compare Menico!

Infine il torto cadeva su di lui. In giugno, colla schiera dei mietitori assoldati dal capoccia, giunse al podere anche Vito Scanna, tutto cencioso, senz'altro bene che la sua falce.

– Guardate che non voglio scene fra di voi! – raccomandò il fattore. – Ciascuno al suo lavoro, com'è dovere.

Sicché gli toccò anche vedersi Scanna mattina e sera sotto il naso, mangiare e bere e cantare come la cicala, nelle ore calde, per non sentire il sole. Un giorno che il sole gli scaldò la testa a tutti e due, e volevano bucarsi la pancia colla forca, per amore di quella donna, il fattore li minacciò di scacciarli su due piedi, e convenne aver pazienza. Certo è che Betta doveva fare la mala vita, ora che Vito Scanna l'aveva abbandonata.

Il Signore l'aveva castigata, come soleva dire comare Senzia. Zio Menico portava a casa vino, olio, frumento, al par della formica, nella casa senza padrona, dove la zia Senzia si godeva tutto.

– Solo come un cane non posso starci; – diceva lui, il poveraccio, per scolparsi. – Chi baderebbe alla casa e mi farebbe cuocere la minestra?

Il curato, servo di Dio, cercava di toccargli il cuore, e

far cessare lo scandalo, ora che sua moglie era sola e pentita. – Aprite le braccia e perdonatele, come al Figliuol Prodigo, adesso che s'avvicina il Santo Natale.

– Come posso vedermela di nuovo in casa, vossignoria, dopo il tradimento che mi ha fatto? – rispondeva lo zio Menico – senza pensare a Vito Scanna, che stavamo per ammazzarci colla forca, Dio liberi, alla messe!

Dall'altro canto comare Senzia, che mangiava la foglia, ogni volta che vedeva lo zio Menico parlare col curato, gli faceva un piagnisteo, lamentandosi che volevano abbandonarla nuda e cruda in mezzo a una strada.

– Allora vedrete che il castigo di Dio vi sta sul capo, – conchiudeva il prete. – E la gente a sparlare di lui, che si ostinava a vivere nel peccato, come una bestia.

Il castigo di Dio lo colse infatti a Ragoleti con una febbre perniciosa, peggio di una schioppettata. Lo portarono in paese su di un mulo, che aveva già la morte sulla faccia. Sua moglie allora corse insieme al viatico, colla faccia pallida e torva, e siccome la zia Senzia era ancora lì, umile e atterrita, si mise i pugni nei fianchi, e la scacciò di casa sua come una mala bestia.

Ora ella era la padrona. Compare Menico in un angolo non parlava e non contava più. Appena chiusi gli occhi, la vigilia dell'Immacolata, sua moglie si vestì di nero da capo a piedi, senza perdere un minuto.

E coi vicini, i quali si erano accostati, in occasione della disgrazia, parlavano spesso del morto, poveretto, che aveva lavorato tutta la vita per fare un po' di roba, e grazie a Dio, lasciava la vedova nell'agiatezza. Ma quando Vito Scanna tornava a ronzarle attorno, vestito di nuovo, come un moscone, essa si faceva la croce e gli diceva: – Via di qua, pezzente!

Olocausto

Il sermone del Paradiso chiudeva il corso degli esercizi spirituali per le monache, dopo la sottile analisi delle colpe recondite, la fosca descrizione del gastigo, e gli anatemi contro il peccato. La voce del predicatore adesso levavasi alta ed esultante nel sole di Pasqua che scintillava sulle dorature della volta. Giù in chiesa una dozzina di donnicciuole pregavano inginocchiate dinanzi all'altare della Vergine splendente di ceri. Dietro la grata del coro biancheggiavano confusamente i soggoli e i visi delle suore impalliditi nella clausura e nella penitenza; luccicavano degli occhi perduti nell'estasi di visioni luminose. La voce del missionario, grave e calda, scendeva ai toni bassi come una confidenza e una carezza, saliva trionfante come un inno, modulava i pensieri e le aspirazioni di tutte quelle vergini tentate e sbigottite dal mondo, andava a ricercare le più intime fibre di quei cuori chiusi nelle sacre bende e li faceva palpitare avidamente, aveva tutti gli slanci, le trepidazioni, come dei sospiri d'amore e d'estasi che morivano ai piedi della croce, e facevano intravvedere quasi un balenìo d'ali iridiscenti, dei brividi di carni rosee di cherubini che passavano fra nuvole trasparenti, in un'aureola, in ampie distese color di cielo e color d'oro. L'uomo era tutto in quella voce, in quell'inno, in quella letizia: il viso scorgevasi appena, come trasfigurato, nell'ombra del pulpito: degli occhi luminosi, ardenti di fede, pieni di visioni celesti, il viso pallido ed ascetico, immateriale, il segno austero della tonsura sui capelli giovanili, e la mano bianca ed immacolata che accennava, essa sola in luce, fuori della nicchia scura, e pareva stendersi verso le peccatrici, per sollevarle al cielo in un amplesso di perdono e d'affetto, dopo essersi levata minacciosa a fulminare, dopo esser scesa a frugare nei cuori, dopo aver sentito palpitare la tentazione, e i fremiti e le ribellioni della carne. Ora quella mano facevasi lieve, morbida e carezzevole, al pari della voce che addolcivasi in un mormorìo affettuoso e in una promessa soave, nella quale passava l'alito caldo di carità, di pietà immensa, e si umiliava, e implorava, e facevasi complice delle povere anime turbate e derelitte, per incoraggiarle, sostenerle e attirarle a Dio.

Egli parlava rivolto al coro, quasi attratto anch'esso dalla simpatia ardente che vi destava, come indovinasse i cuori che rispondevano al suo e gli si aprivano sitibondi. Ivi pure delle teste tonsurate si chinavano, delle labbra tremavano commosse, dei veli candidi palpitavano sui seni incontaminati, sfiorati soltanto dai fremiti che sorgono dalle tenebre, nelle notti irrequiete e paurose.

Il sagrestano s'alzò d'appiè del pulpito e andò ad accendere le altre candele dell'altare – una gloria di fiammelle tremolanti, delle goccie di splendore nella mattinata limpida, nella gaiezza primaverile, nel profumo dei fiori e dell'incenso, nel suono grave dell'organo che levavasi dalle profondità misteriose del coro – un canto alato, un inno di grazie e di gloria che irrompeva, e libravasi al cielo trionfante. Fra le monache raccolte nel coro una voce bella e fresca intuonò il *Tantum ergo*, una voce di donna che sembrava cantare la giovinezza, l'amore, i sogni, l'azzurro, i fiori e la vita in quell'inno religioso, una voce che aveva le lagrime, le estasi, i sorrisi, la gioventù, la bellezza, e li deponeva trepidante ai piedi dell'altare. Il frate orava in ginocchio, a capo chino. Sembrava che a quel canto si riverberassero delle sfumature rosee sulla nuca bianca d'adolescenza casta e prolungata. Egli stesso sembrava quasi immateriale fra le pieghe molli della tonaca nera che cadeva sui gradini dell'altare, simile a una veste muliebre. Poi sorse un'irradiazione abbagliante, una gloria di raggi che eclissò, nell'aureola dell'ostensorio gemmato, l'uomo segnato dalla stola d'oro, come in una croce, sulla cotta spumante di trine al pari di un abito da sposa. Tutte le teste si prostrarono umiliate. Le campane squillarono alte in un coro festante, insieme alle note gravi e sonore dell'organo che vibravano sotto la volta dorata della chiesa, irrompevano dalle finestre dipinte, pel cielo azzurro, nella primavera gioconda, sotto il sole radioso, mentre il canto moriva in un'estasi sovrumana.

Suor Crocifissa era rimasta accanto all'organo, colle mani ancora erranti sulla tastiera, le labbra palpitanti dell'inno d'amore mistico, smarrita nella visione interiore di quegli splendori che alla sua anima esaltata dalla musica, dalla reclusione, dal digiuno, dal cilicio e dalla preghiera in comune recavano uno sgomento e una dolcezza nuova della vita, un turbamento degli echi e degli incitamenti che venivano a morire sotto le mura del convento colla canzone errante, coi rumori del vicinato, colla carezza della luna che entrava dall'alta inferriata a posarsi sul lettuccio verginale, e tentava il mistero pudibondo della cella solitaria, e vi destava le curiosità timide, le fantasie vagabonde, e gli scrupoli vaghi che annidavansi nell'ombra. Ella sentiva ora una bramosia calda, un desiderio quasi carnale di mondarsi l'anima e lo spirito di quelle allucinazioni peccaminose, di difendersi dal mondo, di agguerrirsi contro la tentazione, coll'aiuto di quell'uomo il quale discerneva la via della colpa coi suoi occhi luminosi e insinuavasi nei cuori colla voce soave, e scacciava il peccato colla mano fine e bianca, e parlava dell'amore eterno con accento d'innamorato. – Accostarsi a lui, essere con lui, confondersi in lui. – Avere in quell'uomo purificato dal sacramento il consigliere, il conforto, l'amico, il confidente, il perdono, la verità e la luce.

Una suora la toccò dolcemente sull'omero. Ella si scosse e la seguì vacillante, cogli occhi ardenti di fede, premendo colle mani ceree in croce sul seno il cuore che sbigottiva di passione, chinando il capo umiliato dall'umana miseria nella benda che chiudeva le trecce recise e incorniciava il viso di un'altra bianchezza fredda, sbattuta, stirata d'angoscia, illividita da vigilie tormentose, come la sua povera anima sbigottita, e chiese alla superiora il permesso di confessarsi al predicatore. L'abbadessa acconsentì, alzando la mano a benedire, leggendo forse le stesse inquietudini dolorose che avevano provato la sua giovinezza trascorsa in quelle sopracciglia lunghe e nere, e in quelle labbra dolorose, soltanto vive nel viso mortificato ed austero.

Lì, attraverso la grata del confessionario che aguzzava il mistero e rincorava la coscienza trepida, aprirgli il cuore, tutto, coi suoi palpiti, colle sue angoscie, coi suoi pudori. Parlare d'amore con lui, parlargli di colpa e di perdizione, dirgli quello che non avrebbe osato mormorare sottovoce, da sola, ai piedi del crocifisso muto. Udire il suono delle proprie parole, colla fronte ardente su quella grata di ferro dietro alla quale lui ascoltava. Intravvedere il riflesso dei propri pensieri, delle proprie allucinazioni, dei propri terrori su quella testa china. Vedere arrossire e impallidire del pari quella fronte pura. Aver lì, sotto il proprio anelito concitato quel sacerdote, quella coscienza, quell'intelletto, quella carità, quel turbamento, quella simpatia, quell'uomo, trasfigurato dall'abito sacro, legato dal cingolo indissolubile, segnato fra gli eletti della tonsura religiosa, agitato al par di lei, sbigottito come lei, palpitante come lei, mentre la sua voce velata giungeva a lei come attraverso la lapide di una tomba, per consigliare, per sorreggere, per consolare, sommessa, confidente, nel mistero, nel secreto delizioso della chiesa deserta. E vederlo trasalire sotto l'angoscia della passione di lei, vederlo arrossire al riverbero della sua vergogna, vedere il soffio infocato della sua parola che implorava aiuto, scendere sino in fondo a quell'uomo, e destare in lui le debolezze istesse perché ne sentisse la miseria e la pietà, e rifiorirgli nei brividi e nei pallori improvvisi della carne. Sentirsi ricercare nel più profondo del cuore e delle viscere da quella voce dolce e insinuante, nel più vivo, nel segreto, dove s'annidavano e rabbrividivano pensieri, e desideri, e palpiti ch'essa stessa non avrebbe neppur sospettato – la confusione dolce, il rossore trepido, l'abbandono del pudore violentato, – e darsi tutta a lui come in uno smarrimento dei sensi. Scorgere in lui, nel consigliere, nel ministro, nel forte, la simpatia di quelle debolezze, la pietà di quei dolori; sentire nella sua voce commossa l'eco e il fascino trepido delle medesime inquietudini – con una tenerezza trepida per lui, maggiormente esposto al pericolo, votato alla lotta col peccato, solo nel mondo, nella tentazione, senza altra difesa che quell'abito che trasfigurava l'uomo, e il segno irrevocabile della tonsura come un marchio di castità sui suoi capelli castagni – con un desiderio materno di stringersi al petto quel viso impallidito e sbattuto dalle medesime angoscie, quel capo tonsurato in cui bollivano le stesse febbri, onde proteggerlo e difenderlo.

Egli ascoltava, raccolto, colla fronte velata dalla mano scarna, gli occhi vaghi e senza sguardo. Passavano dei bagliori di tanto in tanto in quegli occhi pensierosi, dei fantasmi che dileguavano dinanzi alla volontà severa, dei fremiti destati da quell'alito caldo e profumato di donna, dalla parola commossa, l'ombra di tutte le debolezze, di tutte le miserie, di tutti gli allettamenti, le effusioni, le dolcezze, gli struggimenti, le febbri, le estasi. Con lei rifaceva l'aspro cammino che avevano fatto verso la croce quei piedi delicati. Rivedeva la fanciullezza orfana, l'adolescenza precocemente mortificata, la gioventù scolorita e trista, l'agonia dello spirito e le ribellioni della carne. Fuori, il cielo azzurro, l'ampia distesa dei prati, il sole, la luce, l'aria, lontani, perduti in un mondo al quale non apparteneva più, – e la gran rinunzia di tutto ciò, per sempre! – E pensava qual'eco dovesse avere fra quelle mura claustrali la voce di un uomo o il pianto di un bambino, il brivido che doveva portarvi il profumo di un fiore o un raggio di primavera. – Le fronti pallide che trasalivano, gli occhi spenti che guardavano lontano, le labbra che mormoravano inconsciamente accenti desolati. E sentiva una grande pietà, una gran tenerezza per quelle povere anime che tendevano al cielo strette ancora fra i legami della terra, per quei gemiti d'agonia che si tradivano nella parola esitante e supplichevole, per quelle mani tremanti che si stendevano verso di lui, che cercavano di aggrapparsi alla vita, al perdono, alla fede, alla costanza, e che doveva lasciarsi cadere ai piedi, insensibile e inesorabile, che doveva abbandonare dietro di sé continuando sulla terra il suo pellegrinaggio d'apostolato, e scuotendo i lembi della sua tonaca perché non si contaminasse a quella seduzione, – anch'esso solitario, legato soltanto dalla disciplina dell'ordine alla fredda famiglia religiosa, senza genitori, senza casa, senza patria, passando sulla terra cogli occhi rivolti al cielo, fallendo se inciampava, se le spine del cammino gli insanguinavano le carni, o le voci del mondo penetravano nelle sue orecchie, se la vita batteva nelle sue arterie o tumultuava nel suo cuore, se la tentazione di quell'incognita, il ricordo di quella sconosciuta che si era data a lui in ispirito, in un momento di mistico abbandono, veniva a turbare la sua fantasia o a fargli tremare la preghiera sulle labbra.

Un campanello squillò. Il prete cinse la stola fulgida che lo sollevava dalla terra, e si accinse a comunicarla. Ella genuflessa dinanzi allo sportellino aperto della grata annichilivasi nella contemplazione degli splendori celesti che apriva la sfera d'oro. Un languore soave, una calma infinita, una dolcezza ineffabile per tutto l'essere: la battaglia vinta, il cuore librantesi nella fede, il conforto, la forza, l'ardore di quell'ostia consacrata che scendeva nel suo petto e si confondeva col suo sangue – l'ostia che le posava lui stesso sulle labbra trepide, colle mani trepide, mormorando soavemente le parole sacramentali, chinando gli occhi, dolci, come velati da una visione interiore nelle occhiaie profonde e misteriose, sul viso sbattuto ed emaciato anch'esso. – Egli la vide quel momento solo, in quell'abbandono, in quella bramosia arcana, in quell'estasi, colle pupille smarrite, il viso trasfigurato, in un'irradiazione candida di veli, sporgendo le labbra avide e innamorate.

Essa chinò il capo, nell'atto di ringraziamento, in un torpore e in uno sfinimento delizioso di tutta sé stessa. La chiesa tornò vuota e silenziosa come una tomba.

Il missionario era andato via per sempre, continuando il suo viaggio di carità, lasciando a lei la benedizione di quella pace e di quella fede. Essa lo accompagnava col pensiero per strade e per paesi sconosciuti; vedeva ancora quegli occhi dolci, quel viso emaciato, quella tonaca fluttuante dietro la sua persona esile, in altre chiese risonanti della sua parola, dinanzi ad altre monache palpitanti; lo seguiva nei rumori che giungevano dalla via, nelle notti stellate, nel cielo che stendevasi al di là delle inferriate claustrali. Era un grande sconforto, un isolamento più tristo, come un abbandono. Poi, quando la sua coscienza inquieta cominciò a ridestarsi, pregò una delle sorelle anziane che aveva sofferto e dubitato come lei d'intercedere presso l'antico confessore, il quale si rifiutava a confessarla geloso che essa gli avesse preferito una volta il predicatore di passaggio. Era un vecchio incanutito nel confessionario, con dei grandi occhi chiari e penetranti, abituati a guardare nelle tenebre dei cuori, e il pallore delle lunghe confidenze e delle attese pazienti sulle guancie incavate.

– No. Io non servo di ripiego... M'ha messo da banda una volta; si cerchi un altro confessore...

– Ma essa aveva sempre la speranza...

– Speranza si chiama vossignoria. Essa chiamasi suor Crocifissa.

La caccia al lupo

Una sera di vento e pioggia, vero tempo da lupi, Lollo capitò all'improvviso a casa sua, come la mala nuova. Picchiò prima pian piano, sporse dall'uscio la faccetta inquieta, e infine si decise ad entrare, giallo al par dello zafferano, e tutto grondante d'acqua.

Fuori l'ira di Dio, lui con quella faccia, e a quell'ora insolita: sua moglie, poveretta, cominciò a tremare come una foglia, ed ebbe appena il fiato di biascicare:

– Che fu?... che avvenne?...

Ma Lollo non rispose nemmeno – Crepa. – Uomo di poche chiacchiere, specie quando aveva le lune a rovescio. Masticò sa lui che parole tra i denti, e seguitò a guardare intorno cogli occhietti torbidi. Il lume era sulla tavola, il letto bell'e rifatto, tanto di stanga all'uscio di cucina, dove polli e galline, spaventati anch'essi pel temporale, certo, facevano un gran schiamazzo, tanto che la donna diveniva sempre più smorta, e non osava guardare in faccia il marito.

– Va bene, – disse lui. – In un momento mi sbrigo.

Appese a un chiodo lo scapolare, posò sulla tavola l'agnella che ci aveva sotto, così legata per le quattro zampe, e sedé a gambe larghe, curvo, colle mani ciondoloni fra le cosce, senza dir altro. La moglie intanto gli metteva dinanzi pane, vino, e la pipa carica anche, che non sapeva più quel che si facesse, in quel turbamento.

– A che pensi? Dove hai la testa? – brontolò Lollo. – Una cosa alla volta, bestia!

Masticava adagio, facendo i bocconi grossi, colle spalle al muro e il naso sulla grazia di Dio. Di tanto in tanto volgeva il capo, e dava un'occhiata all'agnella, che cercava di liberarsi, belando, e picchiava della testa sulla tavola.

– Chetati, chetati! – borbottò Lollo infine. – Chetati, che ancora c'è tempo.

– Ma che volete fare? Parlate almeno!

Egli la guardò quasi non avesse udito, con quegli occhietti spenti che non dicevano nulla, accendendo la pipa tranquillamente, tanto che la povera donna smarrivasi sempre più, e a un tratto si buttò ginocchioni per slacciargli le ciocie fradice.

– No, – disse lui, respingendola col piede. – No, torno ad uscire.

– Con questo tempo? – sospirò lei, tirando un gran respiro.

– Non importa il tempo... Anzi!... anzi!...

Quando parlava così, con quella faccia squallida, e gli occhi falsi che vi fuggivano, quell'omettino magro e rattrappito faceva proprio paura – in quella solitudine – con quel tempaccio che non si sarebbe udito « Cristo aiutami! »

La moglie sparecchiava, in silenzio. Lui fumava e sputacchiava di qua e di là. A un tratto la gallina nera si mise a chiocciare, malaugurosa.

– S'è visto oggi Michelangelo? – domandò Lollo.

– No... no... – balbettò sua moglie, che fu ad un pelo di lasciarsi cader di mano la grazia di Dio.

– Gli ho detto di scavare la fossa... Una bella fossa grande... L'avrà già fatto.

– Oh, Gesummaria! Perché?... perché?...

– C'è un lupo... qui vicino... Voglio pigliarlo.

Ella istintivamente volse una rapida occhiata all'uscio della cucina, e fissò gli occhi smarriti in volto al marito, che non la guardava neppure, chino sulla sua pipa, assaporandola, quasi assaporasse già il piacere di cogliere la mala bestia. Ella, facendosi sempre più pallida, colle labbra tremanti, mormorava: – Gesù!... Gesù!...

– Non aver paura. Voglio pigliarlo in trappola... senza rischiarci la pelle... Ah, no! Sarebbe bella!... con chi viene a rubarvi il fatto vostro.. rischiarci la pelle anche! Ho già avvisato Zango e Buonocore. Ci hanno il loro interesse pure.

Fosse il vinetto che gli scioglieva la lingua, o provasse gusto a rimasticare pian piano la bile che doveva averci dentro, non la finiva più, grattandosi il mento rugoso, appisolandosi quasi sulla pipa, ciarlando come una vecchia gazza.

– Vuoi sapere come si fa?... Ecco: gli si prepara il suo bravo trabocchetto... un bel letto sprimacciato di frasche e foglie... l'agnella legata là sopra... che lo tira la carne fresca, il mariolo!... E se ne viene come a nozze, al sentire il belato e la carne fresca... Col muso al vento, se ne viene, e gli occhi lucenti di voglia... Ma appena cade nella trappola poi, diventa un minchione, che chi gliene può fare, gliene fa: sassi, legnate, acqua bollente!

L'agnella, come se capisse il discorso, ricominciò a belare, con una voce tremola che sembrava il pianto di un bambino, e toccava il cuore. Sobbalzava di nuovo a scosse, rizzando il capo, e tornava a batterlo sulla tavola come un martello.

– Basta! basta, per carità! – esclamò la donna, giungendo le mani, quasi fuori di sé.

– No, l'agnella non la tocca neppure, appena si trova preso in trappola con essa... Le gira intorno, nella buca... gira e rigira... tutta la notte, per cercar di fuggirla anche... la tentazione... Come capisse che è finita, e bisogna domandar perdono a Dio e agli uomini... Bisogna vederlo, appena spunta il giorno, con quella faccia rivolta in su, che aspetta i cani e i cacciatori, con gli occhi che ardono come due tizzoni...

Si alzò finalmente, adagio adagio, e si mise a girondolare per la stanza, come un fantasma, strascicando le ciocie fradice, frucacchiando qua e là, col lume in mano.

– Ma che cercate? Che volete? – chiese la povera moglie, annaspandogli dietro affannata.

Egli rispose con una specie di grugnito, e cacciò il lume sotto il letto.

– Ecco, ecco l'ho trovato.

Il turbine in quel momento parve portarsi via la casa. Uno scompiglio in cucina: la donna che strillava, attaccata all'uscio: una ventata soffiò sul lume a un tratto, e buona notte.

– Santa Barbara! Santa Barbara!... Aspettate... Cerco gli zolfanelli... Dove siete? Dove andate? Rispondete almeno!

– Zitta – disse Lollo ch'era corso a stangare la porta di casa. – Zitta, non ti muovere, tu!

E si diede a battere l'acciarino sull'esca, verde come lo zolfanello che aveva acceso, tanto che alla povera moglie tremava il lume in mano.

Egli tornò a girondolare, cheto cheto. Prese un bastoncello di rovere, lo intaccò da un capo e vi legò una funicella di pelo di capra. La moglie, che le erano tornati gli spiriti vitali al veder dileguarsi il temporale, e mostrava di stare attenta anzi a quel lavoro, coi gomiti sulla tavola, e il mento fra le mani, volle sapere: – Che è questo?

– Questo?... Che è questo? – mugolò lui, soffiando e fischiettando. – Questo è il biscotto per chiuder la bocca al lupo... Ce ne vorrebbe un altro per te, ce ne vorrebbe! Ah, ah!... Ridi adesso?... T'è tornato il rossetto in viso?... Voi altre donne avete sette spiriti, come i gatti...

Essa lo guardava fisso fisso, per indovinare quel che covasse sotto quel ghigno; gli si strusciava addosso, proprio come una gatta, col seno palpitante, e il sorriso pallido in bocca.

– Sta ferma, sta ferma, che fai versare l'olio... L'olio porta disgrazia...

– Sì, che porta disgrazia! – proruppe lei. – Ma che avete infine? Parlate!

– To'! To'! Ecco che vai in collera ora!... Le sai tutte, le sai!... Vuoi sapere anche come si fa a pigliarlo? Ecco qua: gli si cala questo gingillo nella buca; il lupo, sciocco, l'addenta; allora, lesto, gli si passa la funicella all'altro capo del bastone, e si lega dietro la testa. L'affare è fatto. Dopo, il lupo potete prenderlo e tirarlo su, che non fa più male!... E ne fate quel che volete... Ma bisogna aspettare a giorno chiaro... Ora vo a preparare la trappola...

– V'aspetto adunque? Tornate?

Lollo andò a staccare lo scapolare grugnendo: – Uhm!... uhm!... – E tornò a prendere l'agnella. – Vedremo... Il gusto è a vederlo in trappola... che ne fate poi quel che volete... senza dar conto a nessuno... Anzi vi danno il premio al municipio!... Tu sta cheta, sta cheta – ripeté mettendosi l'agnella sotto il braccio. – Sta cheta che il lupo non ti tocca. Ha da pensare ai casi suoi, piuttosto.

Uscì così dicendo, senza dar retta alla moglie, e chiuse l'uscio di fuori.

– Che mi chiudete a chiave? – strillò la donna picchiando dietro l'uscio. – Eh? Che fate?

Lollo non rispose e si allontanò fra l'acqua e il vento.

– Oh Vergine santissima! – esclamò la poveretta aggirandosi per la stanza colle mani nei capelli.

S'aprì invece l'uscio della cucina e comparve Michelangelo, pallido come un morto, e che non si reggeva in piedi.

– Presi!... Siamo presi! – balbettò lei con un filo di voce. – Ci ha chiusi a catenaccio!

Lui da prima voleva fare il bravo. Tirò su i calzoni per la cintola, incrocicchiò le braccia sul petto, tentò di balbettare qualche cosa per far animo alla povera donna: – Va bene!... son qui... t'aspetto!... – Poi, tutt'a un tratto, fosse il naturale suo proprio che lo vincesse, o il nervoso che gli metteva addosso il va e vieni di lei che pareva proprio una bestia presa in gabbia, scappò a correre anche lui all'impazzata, di qua e di là per la stanza, in punta di piedi, pallido stralunato, tentò e ritentò la porta, scosse l'inferriata della finestra, s'arrampicò sulla tavola e sul letto per dar la scalata al tetto, annaspando colle braccia tremanti, cieco di paura e di rabbia.

Infine s'arrese, trafelato, guardando bieco la complice, accusandola d'averlo attirato nel precipizio.

– Ah! – scattò allora su lei, colle mani ai fianchi. – È questa la ricompensa?

– Zitta! – esclamò lui spaventato, chiudendole la bocca colla mano. – Zitta!... Non vedi che abbiamo la morte sul collo?

– Doveva cogliermi un accidente, quando mi siete venuto fra i piedi! – seguitò a sbraitare la donna. – Doveva cogliermi una febbre maligna!

– Ssss!... – fece lui colle mani e la voce stizzosa. – Ssss!...

Si udiva solo il vento, e l'acqua che scrosciava sul tetto. Lei si teneva il capo fra le mani, e lui stava a guardarla, inebetito.

– Ma che disse? Che fece? – biascicò infine. – Alle volte... Ci è parso perché siamo in sospetto...

– No!... – rispose la moglie di Lollo. – È certo! È certo che sapeva!...

– E allora?... allora?... – balbettò Michelangelo, tornando ad alzarsi come fuori di sé.

Il lume, a cui mancava l'olio, cominciava a spegnersi. Egli furioso scuoteva di nuovo porta e finestra, rompendosi le unghie per scalzar l'intonaco, mugolando come una bestia presa al laccio. – Ave Maria, aiutatemi voi! – supplicava invece la donna.

– Prima dovevi dire le avemarie... prima!... – esclamò infine lui.

E cominciò a sfogarsi dicendole ogni sorta d'improperi.

Nel carrozzone dei profughi

Nel carrozzone dei profughi, due povere donne sedute accanto, col fagotto della roba che avevano avuto al Municipio sulle ginocchia, si narravano i loro guai. Anzi una non parlava più; guardava nella folla con certi occhi stralunati quasi cercando la figlia che le avevano detto fosse stata sal vata da un giovanotto quando trassero anche lei dalle fiamme e dalle macerie. Una ragazza bella come il sole, che chi l'aveva vista una volta l'avrebbe riconosciuta fra mille. L'avevano vista rifugiata sotto un portone – tra i feriti del *Savoia* – alla stazione. Tutti l'avevano vista fuori che lei! Dalla stazione aveva visto soltanto la sua casa che bruciava, per due ore, sinché il treno stette lì. E ora, mentre cercava la sua creatura, fra la gente, da otto giorni, e pensava a lei che forse la cercava e chiamava aiuto, vedeva ancora quella distruzione e quell'incendio come un rifugio, una disperata certezza.

– Ora son sola – diceva l'altra. – Quando incontrai mio marito, qui, per caso, salvo anche lui, non mi pareva vero. Ma avevo tre figli: una maritata, colla grazia di Dio, e il maggiore che mi portava a casa già la sua giornata... Tutti! Tutti!... Io mi ero alzata appunto pel più piccolo ch'era malato, quando successe il terremoto. Il Signore non mi volle.

Ne parlava tranquillamente, colla faccia gialla e la testa fasciata.

– Ora, quando lui sarà guarito andremo in America.

L'altra alzò gli occhi, soltanto, e la guardò.

– Certo. Che faremo qui?

– In America? – disse un altro profugo. – Non sapete che vita da cani! Peggio dei cani li trattano i cristiani!

Ella a sua volta guardò sbigottita l'altro, come a ripetere: – Che faremo qui?

– Qui siamo nati: qui sono le pietre delle nostre case! dissero gli altri.

Frammento per « Messina! »

Mi sembra ancora di vederla quella figura sconvolta, uomo o donna, non so. Rammento solo due occhi pazzi e una bocca spalancata, enorme, urlando forse nel gridìo generale, nera anch'essa, ma di un pallore cadaverico. Dibattevasi per farsi largo nella ressa dei profughi giunti con le prime corse, che si accavallavano sul balcone del Municipio all'arrivo di altre barelle e di altri carrozzoni che portavano altri profughi e altri gemiti. Ad un tratto vide, riconobbe qualcuno nella sfilata tragica, laggiù in fondo alla piazza. Si spinse innanzi disperatamente, quasi volesse buttarsi giù e si mise a chiamare, a gridare, a chiedere chissà? un nome, una notizia di vita o di morte, qualcosa che l'altro soltanto poteva udire e comprendere in quel frastuono immenso, dall'altra estremità della piazza immensa, urlando. E l'altro, di laggiù, vide lei sola, in quel formicolìo umano, udì, indovinò il nome e la domanda ansiosa, e rispose certo con una parola, un segno che al di sopra della folla, della confusione, del frastuono giunsero diritti a lei, che si cacciò le mani nella criniera arruffata, senza una parola, senza un grido, e cadde, scomparve nell'ondata di altri che gridano e chiamano ansiosi, dolorosamente egoisti.

Una capanna e il tuo cuore

A Federico De Roberto

A te, e per te solo, caro Federico, quest'ultimo raccontino, scritto quasi sotto la dettatura del comune amico che ricordava, fra le risate del crocchio più che maturo, quelle scenette tragicomiche dove spesso vanno a finire i sogni e le illusioni della vita, come in queste paginette le aspirazioni letterarie del tuo

G. V.

La capanna stavolta era l'*Albergo della Stella*. Quando vi giunsi, fra quelle quattro case arrampicate in cima al monte, dopo una giornata afosa nelle bassure della zolfara, mi parve di essere davvero nelle stelle, all'ombra della tettoia sgangherata che faceva da angiporto.

– Una stanza? – uscì a dire l'ostessa asciugandosi il sugo di pomidoro dalle braccia. – Ma ci abbiamo tutta la compagnia.

– Oh!

– Sicuro, quella delle operette. Però, se si contenta della mia...

Passando pel baraccone tutto a scompartimenti come una stalla, vidi infatti una bella giovane che si rizzò lesta dal tavolato dov'era distesa, e mi salutò arrossendo un poco anche sotto il rossetto della sera innanzi.

Dovetti accontentarmi, poiché non ci era altro, della stamberga con tanto di letto matrimoniale dell'ostessa, e mentre essa apparecchiava un po' di tavola « per quel che c'era », si udì un baccano dalla parte della compagnia.

– È la lavandaia che viene a fare le solite scenate, –

disse l'ostessa. – Gente senza educazione. Ora vo a dire che ci sono dei forestieri.

Ma fu inutile, e il diavoletto peggio di prima. Appena fui seduto per mandar giù « un po' di quel che c'era », comparve sull'uscio la ragazza della compagnia.

– Scusi. Avrebbe, per caso, due lire e settantacinque di spiccioli, in piacere?

– Ecco.

– Grazie. Ora torno.

Tornò infatti, collo stesso risolino di palcoscenico. – Che vuole? Scusi tanto. I nostri comici sono tutti fuori. Appena tornano...

– Oh, faccia a suo comodo.

– Buon appetito allora – disse sorridendo anche al piatto che recava l'ostessa.

– E a lei pure, giacché vedo ch'è l'ora.

– Oh, noi... I nostri uomini sono stati invitati a fare una scampagnata dai signori del paese...

– Se vuol favorire dunque...

– Anzi... Molto gentile. Se permette, lo dico anche alla mia amica ch'è napoletana e le piacciono tanto gli spaghetti.

– Tanto piacere anche la sua amica napoletana.

L'ostessa non se lo fece neanche dire e tornò indietro per gli altri spaghetti. La napoletana si fece pregare un po', di là, ma venne lei pure, col salutino del pubblico.

– Il nostro soprano. Una voce! Dovrebbe venire a sentirci, domani sera.

– Domani sera spero di essere a casa mia, finalmente.

– Peccato! Qui non si recita che il sabato e la domenica sera, perché gli altri giorni il nostro pubblico è occupato nelle zolfare.

Il soprano, più contegnoso, si occupava a mandar giù gli spaghetti in punta di forchetta, quasi fosse già il sabato o la domenica sera, dinanzi al pubblico.

– Una vera diva!... E vederla in costume, con quel *décolleté*!...

La diva protestò levando su la forchetta col gomitolo di spaghetti, o per poca modestia, o perché il *décolleté* non fosse troppo in bella vista.

– Eh, che male c'è se gli uomini hanno occhi per vedere... e mandar giù le platee?... È vero, sì o no? Ditelo anche voi.

Voltandomi, vidi sull'uscio altri visetti che dicevano già di sì, in attesa pur esse.

– Venite, venite anche voi. Il signore è così gentile...

E naturalmente venne anche l'ostessa, carica d'altri piatti.

– La signorina Fides, mezzo soprano. – La signorina Vanda, contralto. – La signorina Ines, contraltino, che al bisogno fa le parti d'amoroso. Come vede i nostri uomini ci lasciano a trarci d'imbarazzo anche nelle parti d'amoroso.

– Vedremo se ci portano almeno dei fiori dalla loro scampagnata.

– Quelli sì, perché non si mangiano.

– Che delizia! – sospirò allora la diva. – Che paesaggi avete da queste parti... sotto questo sole!...

– A chi lo dice!

– No? Non è del paese lei?

– È che l'ho avuto tutto il giorno sulla testa, quel sole!

Dopo gli spaghetti venne del baccalà, poi delle ova sode, poi del caciocavallo, insomma « un po' di quel che c'era », e dei fichi d'India, già bell'e sbucciati dalle mani stesse della locandiera, chi ne volesse. Le artiste dicevano sempre di sì; tanto che dopo i fichi d'India chiesero del cognac.

– Cognac non ce n'è. Abbiamo della menta-sèlse. Ma ora, dopo tavola...

– Non importa. È per fare i brindisi.

Prima naturalmente a me, ch'ero stato tanto gentile. Poi sfilarono altri nomi e altri ricordi, che brillarono un istante in quegli occhietti lustri.

– A te!... – Sempre! – A quella prima notte... di luna!...

– Tutta roba passata! – sentenziò la stella napoletana.

– *Tout passe, tout lasse, tout casse*... – E volle anche spiegare il suo francese alle compagne che sgranavano gli occhi. – Passa via... ti lascio. La canzone finisce sempre così.

– Sempre, no. Tu lo sai bene... – Ella si strinse nelle spalle. – Il tuo avvocato...

– Un avvocato!

– Sissignore! E ha lasciato moglie e figliuoli per venire a fare il suggeritore.

– Un bell'affare! E quella megera s'è permessa anche di venire a farmi delle scene, coi suoi mocciosi, in casa mia!

– Poveretti! Bisognava sentirli piangere...

– Al cuore non si comanda, – conchiuse una delle signorine Ines o Fides. – Certo, se si sapesse prima...

– Prima – il caso – l'incontrarsi in quegli occhi che vi mangiano dalla platea quando vi viene la nota giusta. – Le scioccheriole che vi contano all'uscita dal teatro – la scappatella che sembrava di passaggio, ahimè!... Ciascuna rammentava la sua, in quel momento di vino tenero. Gli occhi ancora umidi, o pei ricordi di prima, o per quelli della scena. – Così, senza saper come, la sciocchieriola che mutavasi in duetto serio – o la passatina sotto la finestra che andava a finire nella stanzetta in due. Poi il destarsi a bocca asciutta – o amara – o tra gli sbadigli e i « non mi seccare », ch'è peggio. – O peggio ancora la farsetta che minaccia di cambiarsi in tragedia... – Come quando si dovette levar le tende in fretta e furia, tutta la compagnia che non c'entrava affatto... E a un pelo di rimborsar gli abbonati per giunta! – conchiuse la signorina Fides.

– Oh, questa poi!...

– Sì, in un paesetto qui vicino, allorché quelli del partito contrario vollero giocare un tiro al sindaco che veniva a fare quattro chiacchiere con una di noi; e una bella notte, quando volle tornare a casa della moglie, gli fecero trovare murata la porta della locanda coi materiali della strada in riparazione. Allora figuriamoci!...

Essa non aveva fatto alcun nome; ma tutte le altre guardavano sottecchi da una parte, ridendo, però col naso sul piatto. La napoletana che invece aveva il naso in su, rimbeccò subito:

– Tu stai zitta, che di queste disgrazie non ne capitano certo pei tuoi begli occhi al tuo banchiere!

– Anche un banchiere?

– Sì, quello che scopa le tavole.

Fides scattò inviperita: – Prima di scopare le tavole contava dei bei bigliettoni, quello!

– E te li buttava dietro in fiori per le serate e il braccialetto col *sempre* d'oro. Per questo dovette fare i conti col principale, che gli sbatté in faccia lo sportello della banca, e te lo lasciò appeso al collo, col *sempre* del braccialetto!

Io cercai di mettere qualche buona parola, anzi le loro parole stesse: – Cose che succedono. Se si sapesse prima...

– Prima o poi, quello era un galantuomo e rimase un galantuomo. Povero, ma onorato. Perciò quando me lo vidi comparire dinanzi, con le tasche vuote ma tanto di cuore aperto... ed anche le braccia, mentre mi diceva: – Eccomi... Son qua...

Ella singhiozzava quasi, col tovagliolo al viso, ripetendo quelle parole, tanto che le amiche le si strinsero intorno a confortarla, e la stessa napoletana volle ricordare come succedono queste cose:

– Si sa. Ogni giorno che veniva, le ariette e i duettini... Una bella seccatura a sentirli mattina e sera...

– Egli aveva una vocetta promettente allora – aggiunse la signorina Vanda.

– E per sua disgrazia leggeva anche dei romanzi, tanto che gli pareva vero...

– Io glielo dissi – riprese Fides con gli occhi ancora umidi. – E che vuoi fare adesso? – Son qua... Son qua... – Non sapeva dir altro, con quel viso pallido, e quelle braccia aperte... Anch'io ero là... E mi chiamo Fede... La mano nella mano dunque...

– Ecco! Sino alla prima voltata.

– Voltata no, e neppure corda al collo – rispose Fides

con gli occhi adesso asciutti. – Io devo fare l'artista, e non posso voltare le spalle a questo e a quello se mi dicono che piaccio.

– O quando fanno dei regalucci.

– Bisogna mandare avanti la baracca anche.

Quando gli uomini, a sera, tardi, dopo aver mangiato bene e bevuto meglio tornarono alla capanna ed al cuore, furono liti e questioni invece di fiori e paroline dolci. La vocetta mezzo soprano di Fides che strillava: – Ah, sei stato a far l'assolo? Anch'io ci ho trovato qui per il duetto. Prendi!

L'avvocato perdeva il suo tempo a perorare di qua e di là, scusando queste e quelli e cercando di metter pace. La napoletana gli sbatté con lo scarpone sul muso:

– Porco! Ci vorrebbero qui i tuoi mocciosi a piangerti per il pane, adesso!

Mentre li vidi comparire dinanzi io pure, il giorno dopo; lui con la gota fasciata, a spiegarmi quel che doveva essere stato il po' di chiasso che forse avevo udito nella notte. Ma la napoletana, ancora imbronciata, tagliò corto:

– Basta, basta. Arrivederci dunque. Il mondo è tondo, e chi non muore si rivede.

Io non ho più rivisto quegli occhi rapaci e quel *décolleté* petulante.

quegli occhi [illegible] – rispose [illegible], irritato, «non posso [illegible] a questo [illegible] che se ne [illegible] che [illegible].

– E quando [illegible]?

– Bisogna andare avanti in barca [illegible].

Quando gli domandai, a sera, tardi, dopo aver mangiato bene, di trovare meglio [illegible] la campagna e il mare, [illegible] di tutte parole. [illegible]. La voce [illegible] – Ah, sei tu [illegible] qui [illegible]. Pe[illegible]

L'avvocato perdeva il suo tempo a percorrere su e giù la stanza, questo e quello [illegible]. La [illegible] sul [illegible].

– Perché? [illegible] i [illegible] per il [illegible] adesso.

Mentre [illegible] in porta il giorno dopo, lui con [illegible] che doveva essere stato il [illegible] che [illegible] aveva sentito nella notte [illegible], ancora [illegible] dell'[illegible].

– Basta [illegible] dunque. Il mondo è tondo, e chi non muore si rivede.

Io non ho più rivisto quegli occhi [illegible], e così [illegible] pedante.

Indice

OSCAR CLASSICI

Maupassant, Racconti fantastici

Dostoevskij, Il giocatore

Baudelaire, I fiori del male

Turgenev, Rudin

Flaubert, Madame Bovary

Austen, Orgoglio e pregiudizio

Brontë E., Cime tempestose

Goldoni C., Il teatro comico. Memorie italiane

Verga, Mastro don Gesualdo

Verga, Tutte le novelle (vol. I)

Verga, Tutte le novelle (vol. II)

Sofocle, Edipo re

Goffredo di Strasburgo, Tristano

Leopardi, Zibaldone di pensieri

Wilde, Il ritratto di Dorian Gray

Shakespeare, Macbeth

Goldoni C., La locandiera

Calvino, Racconti fantastici dell'Ottocento (2 voll.) (a cura di)

Verga, I Malavoglia

Poe, Le avventure di Gordon Pym

Chrétien de Troyes, I romanzi cortesi (5 voll.)

Senofonte, Anàbasi

Carducci, Poesie scelte

Melville, Taipi

Manzoni, Storia della colonna infame

Čechov, Tre anni - La signora col cagnolino

De Amicis, Cuore

Flaubert, L'educazione sentimentale

Davico Bonino, Racconti d'amore dell'Ottocento (2 voll. in confanetto) (a cura di)

Fogazzaro, Piccolo mondo moderno

Fogazzaro, Malombra

Maupassant, Una vita

Manzoni, Poesie

Dostoevskij, Il sosia

Petrarca, Canzoniere

Wilde, De profundis

Fogazzaro, Il santo

Stevenson, Lo strano caso del dottor Jekyll e del signor Hyde

Alighieri, Vita Nuova e Rime

Balzac, Papà Goriot

Poe, Racconti del terrore, del grottesco, di enigmi (3 voll. in cofanetto)

Malory, Storia di re Artù e dei suoi cavalieri (2 voll. in cofanetto)

Alighieri, La Divina Commedia (Inferno)

Alighieri, La Divina Commedia (Purgatorio)

Alighieri, La Divina Commedia (Paradiso)

Cervantes, Novelle esemplari

Flaubert, Salammbo

Cattaneo, L'insurrezione di Milano

Pellico, Le mie prigioni

Fogazzaro, Piccolo mondo antico

Verga, Eros

Melville, Moby Dick

Parini, Il giorno

Goldoni C., Il Campiello – Gl'innamorati

Gogol', Racconti di Pietroburgo

Foscolo, Ultime lettere di Jacopo Ortis

Montaigne, Saggi (2 voll. in cofanetto)

Chaucer, I racconti di Canterbury

Shakespeare, Coriolano

Machiavelli, Il Principe

Guglielminetti, Il tesoro della novella italiana (2 voll. in confanetto)

Hoffmann E.T.A., L'uomo della sabbia e altri racconti

Wilde, Il fantasma di Canterville e altri racconti

Molière, Il Tartufo – Il malato immaginario

Alfieri, Vita

Dostoevskij, L'adolescente

Dostoevskij, I demoni

Leopardi, Canti

Dostoevskij, Memorie del sottosuolo

Manzoni, Tragedie

Foscolo, Sepolcri – Odi – Sonetti

Hugo, I miserabili (3 voll. in cofanetto)

Balzac, La Commedia umana. Racconti e novelle (2 voll. in confanetto)

Dostoevskij, Umiliati e offesi

Tolstoj, I cosacchi

Conrad, Tifone

Voltaire, Candido

Leopardi, Operette morali

Alfieri, Tragedie (Filippo - Saul - Oreste - Mirra - Bruto II)
Polibio, Storie
Tolstoj, La sonata a Kreutzer
Shakespeare, Amleto
Melville, Gente di mare
Goethe, Le affinità elettive
Rilke, I quaderni di Malte L. Brigge
Verga, Il marito di Elena
Fogazzaro, Daniele Cortis
Capuana, Giacinta
Turgenev, Padri e figli
Tarchetti, Fosca
Maupassant, Bel-Ami
Erodoto, Le Storie
Boulanger, I romanzi della Tavola Rotonda (a cura di)
Dumas (figlio), La signora delle camelie
Finzi Gilberto, Racconti neri della scapigliatura (a cura di)
Goethe, I dolori del giovane Werther
Boccaccio, Decameron (2 voll. in confanetto)
Shakespeare, Riccardo III
Stendhal, La Certosa di Parma
Laclos, Amicizie pericolose
Teofrasto, Caratteri
Tucidide, La guerra del Peloponneso
Dickens, Davide Copperfield
Verga, Tutto il teatro
Tolstoj, Anna Karenina
Tolstoj, Guerra e pace (2 voll. in cofanetto)
Shakespeare, Re Lear
James H., Giro di vite
Marco Aurelio, Pensieri
Cooper, La prateria
Dumas, I tre moschettieri
Dostoevskij, L'eterno marito
Balzac, Memorie di due giovani spose
Manzoni, I promessi sposi
Flaubert, Tre racconti
Conrad, Cuore di tenebra
Virgilio, Bucoliche
Shakespeare, Misura per misura
Rousseau, Confessioni
Eschilo, Orestea
Boccaccio, Caccia di Diana - Filostrato
Wilde, L'importanza di essere onesto
Alighieri, De vulgari eloquentia
Stendhal, Il rosso e il nero
Shakespeare, Enrico V
Polo, Il Milione
Giovenale, Satire
Swift, I viaggi di Gulliver
Stendhal, L'amore
Euripide, Medea - Ippolito
Shakespeare, Romeo e Giulietta
Dickens, Racconti di Natale

De Medici L., Canzoniere
Racine, Fedra
Contini, Poeti del Dolce stil novo (a cura di)
Stendhal, Cronache italiane
Shakespeare, La tempesta
De Sanctis, Storia della letteratura italiana
Čechov, L'isola di Sachalin
Campanella, La città del sole e altri scritti
Kipling, Capitani coraggiosi
Gautier, Racconti fantastici
Machiavelli, La Mandragola – Belfagor – Lettere
Capuana, Il marchese di Roccaverdina
Guicciardini, Ricordi
Dickens, Grandi speranze
Cellini, La vita
Shakespeare, Giulio Cesare
Beaumarchais, Trilogia di Figaro
Verga, Storia di una capinera
Tolstoj, Resurrezione
Guinizelli, Poesie
Castiglione, Il cortegiano
Shakespeare, La dodicesima notte
Ibsen, Casa di bambola
D'Annunzio, La figlia di Iorio
Stevenson, L'isola del tesoro
Beccaria, Dei delitti e delle pene
Sterne, Viaggio sentimentale
De Roberto, I viceré
Shakespeare, Enrico IV
Vico, Principi di scienza nuova
Erasmo da Rotterdam, Elogio della follia
Shakespeare, Otello
Čechov, Teatro (Il gabbiano – Il giardino dei ciliegi – Zio Vania – Tre sorelle)
Boccaccio, Teseida
Petrarca, De vita solitaria
Melville, Bartleby e altri racconti americani
Shakespeare, Come vi piace
Cavalcanti, Rime
Lutero, Lieder e prose
Grimmelshausen, L'avventuroso Simplicissimus
Marlowe, Il dottor Faust
Balzac, La donna di trent'anni
Baudelaire, Spleen di Parigi
James H., Piazza Washington
Shakespeare, Racconto d'inverno
Compagni, Cronica de le cose occorrenti ne' i tempi suoi
Dostoevskij, Le notti bianche

Questo volume è stato ristampato
presso Arnoldo Mondadori Editore S.p.A.
Stabilimento Nuova Stampa Mondadori - Cles (TN)
Stampato in Italia - Printed in Italy